366 days of Tokyo Art

国宝・伝統工芸から現代美術・サブカルチャーまで

366日の 東京アートめぐり

はじめに

　世界最大級の 1,400 万人あまりの人口を擁する国際的大都市東京都。首都として政治的・経済的にはもちろんのこと、大学や研究機関の学術部門の他、美術館・博物館など文化的な面でも集積していて、世界的な観点で見ても重要性や影響力の高い、文字通りグローバルな都市です。

　この本は、その東京都の区部 23 区と多摩地域の、読んでみて思わず訪れたくなるようなアート発信スポット 366 か所を写真とともに紹介するビジュアル図鑑です。

　実際に東京の街を歩いてみると、多くの美術館・博物館の他、歴史的建造物やハッとするような現代建築に出会うこともあれば、奥多摩にひっそりたたずむ小規模の美術館や博物館、町中の角を曲がったところにある隠れ家的なアートスポットや街並みと共存するパブリックアートなど新しい発見の連続です。東京は、世界の都市のどこにもない、歴史と伝統、最先端のコンテンポラリーアートからサブカルチャーまで、世界に誇れる多様なアートを楽しむところに満ち溢れています。

　この本では、そんな魅力あふれる東京のアート再発見の旅にお供していただけ

るようなアートスポット 366 か所を紹介しています。掲載にあたっては、東京シティガイドクラブでの 18 年間にわたる活動の中で、心を動かされたアートスポットとともに、海外生活での経験から外国から見た東京の魅力の掘り起こしをするなど、今回あらためて 366 か所を取材し直しました。

　取材先を選ぶにあたって知名度・規模の大小、新・旧は問いませんでした。銘品を数多く所蔵し、国宝や重要文化財の展示を楽しみに訪ねる長い歴史をもつ美術館・博物館はもれなく網羅し、小規模ながらもオーナーのアートに対する情熱が伝わる個人美術館、企業が展示を通して自社のアイデンティティーをわかりやすく紹介する博物館、アカデミックであると同時に楽しめる大学の美術館・博物館、アーティストの名前を冠した記念館・アトリエなどもカバーしています。日本の文化として世界に誇るアニメーションにフォーカスしたミュージアム、「へぇ～、面白い！」と思ってもらえるようなパブリックアートや最先端の現代建築そのものも選びました。また、幅広く美術関係の道具・備品の販売を行うアート関連ショップもあわせて紹介しています。

アートスポットとして東京にはギャラリーと画廊が数多くあるなかで、この本では老舗画廊から2021年に誕生したばかりの注目ギャラリーまで、53か所を紹介しています。入るにはちょっと敷居が高いと躊躇される向きもいらっしゃるかと思います。しかし、実際にディレクターやオーナーに取材すると皆さま異口同音におっしゃるのは、どうぞ気楽に入っていただいて、あるがままに感じてくださいと。偶然、素敵な作品に出会うなど、セレンディピティを経験できる魅力的で個性あふれるアートスポットです。ぜひこれを機会に訪ねてみてはいかがでしょうか。

［本書の注意点］

※本書に掲載した情報は2021年11月現在のものです。
※本書には住所・電話番号・アクセス・開館時間・休館日・入館料など施設についての「基本情報」も掲載していますが、取材時期がコロナ禍と重なったため、施設によっては通常時とは異なる運営形態、またコロナ禍後の運営形態が未定のところもありました。実際に、掲載した場所に訪れる際には、公式ホームページなどで、最新情報をご確認ください。
※パブリックアートの住所表記は、あくまでも目安です。

2020年の年初より始めた取材でしたが、途中新型コロナ禍と重なり、取材先の状況が刻々と変わり、対応には工夫が必要でした。そのような環境のなか、惜しまれながら閉館するところがある一方、新たにオープンした注目のアートスポットなども取り上げ、可能な限り鮮度のある366か所を選びました。

　日めくりカレンダー的に1日1か所ずつページをめくって写真とともに楽しんでいただく、あるいは何かの記念日にそのページのアートスポットを訪ねてみる、など読み方は無限大です。この本を手にとった皆さまがワクワクして、アートとの素敵な出会いがあることを心より願っています。

ボン・ヴォヤージュ！

安原もゆる

岡本太郎が描いた幻の巨大壁画

明日の神話

連絡通路を行き交う人々と『明日の神話』（岡本太郎）

原爆の炸裂する瞬間を描いた岡本太郎の最大＆最高の傑作

　岡本太郎作の巨大壁画『明日の神話』は、大阪万博のメイン会場の『太陽の塔』と同時期に制作され、「塔と対をなす」と言われます。岡本太郎の最高傑作のひとつであり、岡本芸術のなかでも欠くべからざる極めて重要な作品です。

　本作品は、作家がメキシコシティに建築中のホテルから依頼されて、1968～1969年の間に制作されたものです。しかし、依頼者の経営状況が悪化し、そのホテルは未完成のまま、壁画も行方不明となりました。しかし、34年後の2003年、メキシコシティ郊外の資材置き場にひっそりと保管されていた壁画が確認されました。長年にわたって劣悪な環境に放置されていたため、作品は大きなダメージを負っていました。そこで岡本太郎のパートナーであった故・岡本敏子氏が中心となって壁画を修復するプロジェクトが始まり、2006年に修復が完了し、2008年11月18日より渋谷マークシティ連絡通路内にて公開が始まりました。現在に至るまで、渋谷を行き交う人々を見守っています。

■作品：縦5.5メートル、横30メートルの壁画。作品の意図について「原爆が爆発し世界は混沌するが、人間はその災い、運命を乗り越え未来を切り開いていく気持ちを表現した」（『中国新聞』1968年1月27日付朝刊インタビュー）。

■作家：岡本太郎（おかもと・たろう）。大阪・万博記念公園の『太陽の塔』や、渋谷マークシティ連絡通路に設置の巨大壁画『明日の神話』など、数々の印象的な芸術作品を残したことで知られる日本を代表する芸術家。流行語にもなった「芸術は、爆発だ！」など名言を数多く残しています。

基本
情報
　東京都渋谷区道玄坂1-12-1　渋谷マークシティ内
　□アクセス：JR 山手線と京王井の頭線の「渋谷駅」を結ぶ連絡通路

あわせて
立ち
寄りたい！
　●戸栗美術館：創設者の戸栗亨が長年にわたり蒐集した陶磁器を中心とする美術品を永久的に保存し、公開することを目的として、旧鍋島藩屋敷跡にあたる渋谷区松濤の地に開館。
　●Bunkamura ザ・ミュージアム：いつでも気軽にアートを楽しめる自由形美術館。

TERRADA ART COMPLEXの3階

KOTARO NUKAGA

ギャラリー正面（写真提供：KOTARO NUKAGA）

国内外の先鋭的アーティストの現代アート作品を発信

「TERRADA ART COMPLEX」は、2016年9月に天王洲にオープンした寺田倉庫が運営する現代アートの複合施設ですが、進化を続け、2020年9月には、原点の「TERRADA ART COMPLEX I」と新しい「TERRADA ART COMPLEX II」で構成する日本最大のギャラリーコンプレックスとなっています。KOTARO NUKAGAは、そのTERRADA ART COMPLEX Iの3階に、2018年秋にオープンした現代アートギャラリーです。

　元・倉庫をリノベーションした施設の人・荷物兼用の大きなエレベータで3階に上がるという普段あまり経験したことのないアクセス方法のワクワク感がたまりません。エレベータを降りる目の前には建築家・石田建太朗によるデザインのホワイトキューブの広々とした空間が広がります。現代におけるアートの役割やアートのあり方について考えながら、その思いを共有できるアーティストとともに成長していくことをビジョンとし、年4～6本のペースで国内外アーティストの展覧会を開催しています。

■過去の展覧会：平子雄一の個展「GIFT」（2021年1～2月）、石塚元太良「Gold Rush California/NZ」（2020年7～8月）など。

■取扱作家：インカ・エッセンハイ、平子 雄一、ニール・ホッド、松山 智一、カルロス・ロロン、田窪 恭治。

基本情報

■KOTARO NUKAGA（六本木）
東京都港区六本木6-6-9　ピラミデビル2F
□アクセス：東京メトロ・都営「六本木駅」3番出口より徒歩約3分
■KOTARO NUKAGA（天王洲）
東京都品川区東品川1-33-10 TERRADA Art Complex 3F
□アクセス：りんかい線「天王洲アイル駅」B出口より徒歩約8分
※両ギャラリー共通＝開廊時間：11:00～18:00、休廊日：日曜日・月曜日、祝日、入館料：無料

あわせて
立ち
寄りたい！

●TERRADA ART COMPLEX：寺田倉庫が天王洲を芸術文化の発信地とするべく2016年9月に現代アートの複合施設としてオープン。アート事業に関連したコンテンツが集積。
●WHAT MUSEUM：現代アートのコレクターズミュージアム。旧建築倉庫ミュージアム。

003

アジア最大の東洋学研究図書館
東洋文庫ミュージアム

モリソン書庫（写真提供：東洋文庫ミュージアム）

圧倒される迫力の「モリソン書庫」は必見

　　ミュージアムのある東洋文庫は、三菱の第3代社長である岩﨑久彌が1924年に設立。アジア全域の歴史と文化に関する東洋学の専門図書館であり、研究所でもあります。約100年に及ぶ歴史を有し、東洋学分野の研究図書館としては、国際的にも世界5指のひとつに数えられています。

　　入ってすぐのオリエントホールから「時空をこえる本の旅」はスタート。東洋文庫の誕生から今日までの歩み、そして100万冊に及ぶ東洋文庫の蔵書の全容が映像でわかりやすく紹介されています。

　　照明を落とした2階に上がると目に飛び込んでくるのが、圧倒的な迫力の「モリソン書庫」。数あるコレクションの中で最も有名で、岩﨑久彌がオーストラリア人のG・E・モリソン博士からまとめて購入したものです。アジアに関する欧文の書籍・絵画・冊子などが約2万4千点にも及びます。

■平常展示：オリエントホールにある『江戸大絵図』の巨大な原寸大レプリカ。国内最長の展示ケース内には世界中の言語で記された貴重な書物が並び、その多様性に圧倒されます。

■ぜひ鑑賞したい作品：所蔵の国宝・重要文化財と最高級の浮世絵の名品など。当文庫の「100年保存計画」に準拠し、展示期間は限られています。お目当ての作品はお見逃しのないよう公式ホームページなどでチェックを。

基本
情報

東京都文京区本駒込2-28-21　TEL：03-3942-0280
□アクセス：JR山手線・東京メトロ南北線「駒込駅」2番出口より徒歩8分、都営三田線「千石駅」A4番出口より徒歩7分
□開館時間：10：00 〜 17：00（入館は16：30まで）
□休館日：火曜日（祝日の場合は開館し、翌平日休館）、年末年始、その他
□入館料：一般 900円、65歳以上 800円、大学生 700円、中・高校生 600円、小学生 290円

あわせて
立ち
寄りたい！

●金土日館：大正末期から昭和時代に一世風靡した挿絵画壇の鬼才・岩田専太郎の作品常設館。
●東京大学総合研究博物館 小石川分館：小石川植物園内の建築ミュージアム。

銀座メゾンエルメス8階で出会うアート

銀座メゾンエルメスフォーラム

銀座メゾンエルメスの外観

「ベゾアール（結石）」シャルロット・デュマ展（写真提供：エルメスジャポン）
© Nacása & Partners Inc.

ガラスブロックで囲まれた天空の極上空間でアートを楽しむ

　晴海通りとソニー通りが交わる中央区銀座5丁目でひときわ目を引く銀座メゾンエルメスのビル。見上げると、高さ45メートルのビル屋上にはスカーフを持った騎馬像「花火師」が設置されていて、いっそうビルのアイデンティティが鮮明になります。ビル自体を芸術作品ととらえ、じっくり鑑賞する価値がありますが、まずは本題「フォーラム」について。

　銀座メゾンエルメスフォーラムは、そのビルの8・9階に位置するアーティストと共に創造するエルメス財団の運営するアート・ギャラリーです。館内エレベータでギャラリーに上がると、ガラスブロックで囲まれた8・9階吹き抜けの驚きと発見の空間が広がります。その極上の空間で、国内外の注目アーティストの展覧会を鑑賞する貴重な時間を楽しむことができます。

■過去の展覧会：落合多武展「輝板膜タペータム」（2021年1〜4月）、シャルロット・デュマ展「ベゾアール（結石）」2020年8〜12月）、イズマイル・バリー展「みえないかかわり」（2019年10月〜2020年1月）など。

■銀座メゾンエルメス：エルメスが日本でお客様を迎えるべく設けた「メゾン（家）」です。竣工は2001年。ランタンの灯りのような半透明のガラスブロックを使った建物の設計は現代建築界の巨匠のひとりであるイタリア人建築家のレンゾ・ピアノが手がけました。写真のように都市・銀座を照らす「提灯」をイメージしています。

基本情報
東京都中央区銀座5-4-1 銀座メゾンエルメス8・9階　TEL：03-3569-3300
□アクセス：東京メトロ丸の内線・銀座線・日比谷線「銀座駅」より徒歩0分
□開館時間：11:00〜20:00（最終入場は19:30）　■休館日：エルメス銀座店に準じる
□入館料：無料

あわせて立ち寄りたい！
●『宇宙に捧ぐ』：銀座メゾンエルメスのビルの建築に溶け込んだ新宮晋の大型彫刻作品。ファサードに添って吊るされた彫刻は、3点のモビールからなり、東京の光をとらえて、その光を街路へと導きます。
●『若い時計台』：数寄屋橋公園内に設置の岡本太郎によるパブリックアート。

005

日本文化に関する学術資料を広く展示
國學院大學博物館

考古ゾーン展示室(写真提供：國學院大學博物館)

日本の文化＆歴史をわかりやすく発信し、海外からも注目！

　日本文化を知るうえで必要な文化財を収集・保存し、学術的な研究成果を一般に公開するために設置された大学の博物館です。展示品も多彩で、普段あまり知る機会のない神道と日本文化に対する理解を深めることができます。

　学術メディアセンターの地下1階から展示室に入ると、まずその広さに圧倒されます。そこは、「考古」、「神道」、「校史」の3つの常設展示と企画展示のいくら時間をかけても興味の尽きない計4つのゾーンで構成され、日本列島に生きた人々の「心」の歩みを辿りながら悠久の時間をゆっくり楽しむことができます。

　常設展示では、考古学から見た日本列島の歴史を俯瞰することができます。外国の方にも日本の歴史・文化を楽しんでもらえるように館内サインやパンフレットは多言語化されています。

■所蔵品：「深鉢(火焔型土器)」〔縄文時代〕、「袈裟襷文銅鐸」〔弥生時代〕、「三角縁三神三獣鏡」〔古墳時代〕、「挙手人面土器」〔古墳時代〕、「石枕」重要文化財〔古墳時代〕、「骨蔵器」〔平安時代〕、「僧形八幡神像」〔室町時代〕、「年中行事絵巻」〔江戸時代写〕、有栖川宮家・高松宮家関連コレクション〔明治時代〕、「吉田神道行事壇(再現)」〔現代〕、「石清水八幡宮供花神饌」〔現代〕など。

基本
情報

東京都渋谷区東4-10-28(國學院大學渋谷キャンパス内)　TEL：03-5466-0359
□アクセス：JR山手線・地下鉄・京王・東急「渋谷駅」より徒歩約13分
□開館時間：10:00 ～ 18:00
□休館日：不定期(館内保守及び大学の定める休日)
□入館料：無料

あわせて
立ち
寄りたい！

●白根記念渋谷郷土博物館・文学館：渋谷の先史から現代までの通史のほか、渋谷ゆかりの文学者に触れることができるミュージアムです。
●山種美術館：山﨑種二が個人で収集したコレクションがもとの日本初の日本画専門美術館。

中目黒・目黒川沿いの「R」と「★」が目印

スターバックス リザーブ®
ロースタリー 東京

スターバックス リザーブ ® ロースタリー 東京の外観（写真提供：スターバックス コーヒー ジャパン）

日本文化へのリスペクトとクラフトマンシップが創った特別な空間

　東急東横線の中目黒駅から目黒川沿いに歩いて14分、2019年2月に世界で5番目にオープンしたスターバックス リザーブ ® ロースタリー 東京。屋上にアルファベットの「R」と星のロゴを掲げた4階建ての建屋の外観には杉板が使われていて、目黒川の桜並木と調和するように、落ち着いた雰囲気を醸成しています。世界に6店舗あるロースタリーの中で、ゼロから建物を設計・建築したのは、東京が初めて。外観設計を手掛けたのは日本を代表する建築家・隈研吾で、館内インテリアは、スターバックスのデザインチームが手掛けました。

　館内に入ると、圧巻なのは吹き抜けに4階の高さまでそびえ立つ、壮大な銅製のキャスク。外側は手作業による桜の花が舞い散る細工が施され、内側は、「ロースタリー」の名の通り、コーヒー豆の焙煎設備と、焙煎後の豆を熟成させる設備を縦に長く内蔵していて、職人の技とエンジニアの技術の結晶と言えます。紙を折ってさまざまな形を作り上げる日本の伝統「折り紙」をモチーフに設計した館内の天井デザインは、光と影が躍るように反射する様が美しく、いつまでも見ていて飽きません。2階への階段で目を引くのが、ティバーナのティーカップをイメージして設計・制作された「ティーカップ ウォール」。日本屈指のタイル職人が手作業で取り付けた壁を創り上げています。

　ここは、総合芸術として静粛と安らぎを与えてくれる世界に誇れるコーヒーワールドと言えるでしょう。

基本情報
東京都目黒区青葉台2-19-23　TEL：03-6417-0202
□アクセス：東急田園都市線「池尻大橋駅」東口／東急東横線・東京メトロ日比谷線「中目黒駅」より徒歩14分
□開館時間：7:00 ～ 23:00（ラストオーダーは22:30）　□休館日：不定休
□入館料：無料（飲み物、食事をオーダー）

あわせて立ち寄りたい！

● 郷さくら美術館：1年を通じて満開の桜を日本画で楽しめる美術館。桜がモチーフの屏風作品を含めた大作十数点を常設する展示室が設けられています。
● アートフロントギャラリー：代官山のヒルサイドテラス内の現代アートのギャラリー。

自然・歴史・文化を通して港区を知る拠点

港区立郷土歴史館

港区立郷土歴史館が入る歴史的建造物の外観

建物の持つ歴史的魅力と展示の両方を楽しむ

　白金台駅を出て目黒通りを歩いてすぐのところに、都心とは思えないほど植栽が豊かでクスノキの巨木が印象的な敷地が広がります。その少々の驚きに続き、敷地内に建つ威風堂々としたシンメトリーな歴史的建造物を目の前にして、その迫力に圧倒されます。

　港区立郷土歴史館が入るこの建物は、もともと東京大学建築学科教授の内田祥三が設計し、1938（昭和13）年に建設された旧公衆衛生院です。「内田ゴシック」と呼ばれる特徴的なデザインで、隣に建つ東京大学医科学研究所とまるで双子のように対になって建てられました。入ってすぐの2階中央ホールは2層吹き抜けで、左右に分かれる階段が生み出す空間が特徴的です。建物の内部には、講堂や教室・研究室などのほか、細部にわたる意匠など、当時の状態を伝える部分が多くあります。歴史的に貴重なこの建物が保存・改修され、港区立郷土歴史館を中心とした複合施設として活用されています。同館は、港区にまつわる3万年の歴史を俯瞰できると同時に、訪れた誰もが常に港区の魅力を感じ、新しい発見がある地域博物館です。

■常設展示：3つのテーマをもとに展示されています。「テーマⅠ：海とひとのダイナミズム」、「テーマⅡ：都市と文化のひろがり」、「テーマⅢ：ひとの移動とくらし」。

基本情報

東京都港区白金台4-6-2ゆかしの杜内　TEL：03-6450-2107
□アクセス：東京メトロ南北線・都営三田線「白金台駅」2番出口より徒歩1分
□開館時間：9:00 ～ 17:00（土曜日は9:00 ～ 20:00）　※入館は閉館の30分前まで
□休館日：第3木曜日（祝日の場合は開館し、前日の水曜日に休館）、年末年始、その他
□常設展観覧料：大人300円、小・中・高校生100円
※特別展、企画展は別料金、建物見学は無料

あわせて立ち寄りたい！

●『白金春秋』：日本を代表する具象派の洋画家・大江英敏のパブリックアート作品。東京メトロ南北線と都営三田線が乗り入れる「白金台駅」の2番出口へ通じる改札内側にあります。

杉本博司の数理模型シリーズのひとつ

SUN DIAL

『SUN DIAL』（杉本博司）

都心に出現した摩訶不思議なアート風景

　2018年に千代田区のビジネスエリアにあった逓信総合博物館（愛称「ていぱーく」）跡地に再開発された大手町プレイスのシンボルとなっているパブリックアートが『SUN DIAL』です。

　高層ビルが建ち並ぶビジネス街をさまざまな人が行き交う都心の日常の風景の中で、起源を古代バビロニア時代にさかのぼると言われる「日時計」と名付けられた天を衝くメタリックな杉本博司のアート作品に遭遇すると、異次元に入り込んだような摩訶不思議な感動を覚えます。と同時に、太古と現代とで変わらない、太陽の動きと時間の移ろいを示す影の普遍性に気づかされます。

■作家：杉本博司（すぎもと・ひろし）。現代美術作家。本作品にみられるように緻密な数学的な解釈を作品に落し込んだ作品が多くみられます。2017年には神奈川県の小田原に能舞台やギャラリー、茶室などを備えた文化施設「小田原文化財団 江之浦測候所」を開館しました。

■作品：三次関数の数理曲線を美しい金属で立体的に見える形にした数理模型シリーズのひとつで、最高レベルにあるといわれる日本の工作機械で加工することで実現させたとのことです。

　金属の光沢を放ちながら鋭利に天を突く軸対称の本作品はずっと見ていても飽きませんが、さらに一歩踏み込んで作品の周りをゆっくりとひと回りし、変化するバックグランドの都市風景との対比を楽しんで見るのもおすすめです。

基本情報
東京都千代田区大手町2-3-1/2　大手町プレイス
□アクセス：東京メトロ「大手町駅」A5出口より徒歩1分、JR「東京駅」丸の内北口より徒歩7分

あわせて立ち寄りたい！
●『究竟頂（くっきょうちょう）』：同作家の数理模型シリーズのひとつ。「オーク表参道」のファサードを飾っています。
●『イリアッド・ジャパン』：「大手町プレイス」の向かいの「サンケイビル」内にあるアレクサンダー・リーバーマンのパブリックアート作品。

009

天王洲にオープンの2つ目のギャラリー

gallery UG Tennoz

オープニング展：野原邦彦『CYCLE』、2020年9月2日（写真提供：gallery UG Tennoz）

立体作品に注力して、その面白さを個展・企画展を通して発信

　2001年に銀座に創設以来、国内で独自の価値観をもってさまざまなプロジェクトを実施してきた gallery UG。2011年には日本橋馬喰町にギャラリーを移転し、海外のアートフェアや提携ギャラリーでのグループ展・個展などを積極的に行い、専属アーティストたちを世界に向けてブランディングしてきました。その gallery UG が、銀座で誕生してから20年目の節目の年となる2020年、TERRADA ART COMPLEX II の2階に、馬喰町のギャラリーに加えて新たに gallery UG Tennoz をオープン。「TERRADA ART COMPLEX II」は、2016年9月に天王洲にオープンした寺田倉庫が運営する現代アートの複合施設「TERRADA ART COMPLEX」の拡張形として2020年9月にオープンし、既存の施設とあわせて日本最大のギャラリーコンプレックスとなっています。gallery UG Tennoz は、その類まれな環境の中で、より立体作品に注力して、その面白さをダイナミックな個展・企画展を通して発信しています。

■過去の展覧会：gallery UG Tennoz のオープニング展として開催された野原邦彦「CYCLE」（2020年9～10月）、田島享央己「RUBATO」（2020年10～11月）など。広い展示室の特性を生かしているのが印象的です。

基本情報
東京都品川区東品川1-32-8 TERRADA ART COMPLEX II 2F　TEL：03- 6260- 0886
□アクセス：東京臨海高速鉄道りんかい線「天王洲アイル駅」B出口より徒歩8分
□開館時間：12：00 ～ 19：00　□休館日：不定休
□入館料：無料

あわせて立ち寄りたい！
●TERRADA ART COMPLEX：寺田倉庫が天王洲を芸術文化の発信地とするべく2016年9月に現代アートの複合施設としてオープン。アート事業に関連したコンテンツが集積。
●WHAT MUSEUM：現代アートのコレクターズミュージアム。旧建築倉庫ミュージアム。

「世界を語る美術館」がモットー

東京富士美術館

東京富士美術館の外観(写真提供:東京富士美術館)

西洋絵画500年の流れを概観する名作約100点の圧巻の常設展示

　春にはあたり一面ピンク色に染まる桜並木に囲まれて建つ東京富士美術館は、1983年、池田大作SGI（創価学会インタナショナル）会長により設立された総合的な美術館です。展覧会活動としては、「世界を語る美術館」をモットーに世界各国の優れた文化を新しい視点から紹介する海外文化交流特別展を国内外で活発に開催しています。

　広大な美術館館内の鑑賞ルートは、まず新館エントランスホールから入り、天井高12.4メートルのメインロビー正面のエスカレータで3階に上ったところからはじまります。展示室は、常設展示室（新館）8室、企画展示室（本館）4室の12室で構成されています。常設展示室では、展示室1から展示室8へと順路にしたがって西洋絵画の流れを概観できるのがなんとも贅沢です。

■収蔵作品:コレクションは、日本・東洋・西洋の各国、各時代の絵画・版画・写真・彫刻・陶磁・漆工・武具・刀剣・メダルなどさまざまなジャンルにわたり約30,000点を収蔵しています。とりわけルネサンス時代からバロック・ロココ・新古典主義・ロマン主義を経て、印象派・現代に至る西洋絵画500年の流れを一望できる油彩画コレクションと、写真の誕生から現代までの写真史を概観できる写真コレクションは同館最大の特徴です。

基本
情報
東京都八王子市谷野町492-1　TEL:042-691-4511
□アクセス:JR「八王子駅」北口より西東京バス・創価大正門東京富士美術館行き
□開館時間:10:00 〜 17:00(16:30受付終了)
□休館日:月曜日(祝日・振替休日の場合は開館し、翌日休館)、年末年始　展示替期間
□入館料:大人800円、大・高校生500円、中・小学生200円、未就学児は無料　※展覧会によって異なります

あわせて
立ち
寄りたい!
●村内美術館:木のぬくもりあふれる椅子や家具とスケールの大きい迫力ある絵画とのコラボレーションが魅力の世にも珍しく楽しさ満載の美術館です。
●八王子夢美術館:年5回程度の特別展(企画展示)と常設展(収蔵品展示)を開催する美術館。

銀座に立地するポーラ美術館別館

POLA MUSEUM ANNEX

柏原由佳「11」2021©ポーラミュージアムアネックス

銀座という街で芸術を通して美意識・感性を磨く

　東京から約1時間半、春は新緑、夏は紫陽花や水芭蕉、秋はススキ野原、冬は雪景色。四季折々の自然を楽しめる箱根に建つ「ポーラ美術館」。きらめく太陽の下で、この眼に映る世界を描こう——。ポーラ美術館は、そんな印象派の画家たちの思いを体感できる場所です。

　その自然に抱かれたポーラ美術館の別館となるPOLA MUSEUM ANNEXは、都心の銀座1丁目に立地するポーラ銀座ビルの3階にあります。ポーラ銀座ビルのコンセプトである3つの美とは、「美容」「美術」「美食」。そのひとつを担うのが「美術」です。

　館内ではポーラ美術館が保有する西洋絵画から現代アートまで、銀座という街で多くの方々に芸術を通して美意識・感性を磨いていただきたいという想いから、気軽にアートを体感していただけるよう、年間を通じ、無料で観覧できる企画展を展開しています。

■過去の展覧会：上村洋一 ＋ エレナ・トゥタッチコワ「Land and Beyond｜大地の声をたどる」（2021年7〜8月）、絵を纏う－若槻せつ子「打掛」コレクション（2021年6月）、「田原桂一 表現者たち-白の美術館-」（2021年4〜5月）、「ポーラ ミュージアム アネックス展 2021」（2021年1月・3〜4月）、「Christmas Smile」展 チャリティーオークション（2020年11〜12月）、Takahiro Matsuo「INTENSITY」（2020年9〜11月）など。

基本
情報

東京都中央区銀座1-7-7　ポーラ銀座ビル3階　TEL：050-5541-8600（ハローダイヤル）
□アクセス：東京メトロ銀座線・丸ノ内線・日比谷線「銀座駅」A9番出口より徒歩6分
□開館時間：11:00〜19:00（入場は閉館の30分前まで）　□休館日：会期中無休
□入館料：無料

あわせて
立ち
寄りたい！

●ギャラリー東京ユマニテ：国内作家を中心に現代美術を幅広く紹介しています。さらに学生や若手アーティストの実験的な発表を企画し、展示会を開催。
●ギャラリー椿：定期的に展覧会を企画するアーティスト50人を抱えるギャラリー。

會津八一記念博物館の三本柱のひとつ

早稲田大学 會津八一記念博物館
考古学・民族資料 常設展示

考古学・民族資料常設展示の風景

さまざまな時代の見ぬ世の人たちとの語らいのひと時を楽しむ

　早稲田大学で東洋美術史を講ずる美術史家であった會津八一の名を冠した會津八一記念博物館の三本柱のひとつである考古学分野を対象に、早稲田キャンパス内の大隈記念タワー（26号館）10階125記念室で常設展示を行っています。

　早稲田大学は、世界各地のさまざまな時代の遺跡などを対象に発掘調査を行ってきました。古代エジプトや縄文貝塚遺跡、益子天王塚古墳、大学校地などからの出土遺物に加えて、縄文土器の編年で知られる山内清男のコレクション、東アジア・東南アジアの青銅製遺物を蒐集した穴澤咊光コレクションなどの寄贈資料も含まれます。また、アイヌ民族の衣装や道具を蒐集した土佐林コレクションは、国内有数の質・量を誇るアイヌ資料群です。そのほか、探検家・登山家であった名誉教授の関根吉郎によるアフリカや中米の民族資料コレクション、東南アジアやイスラームの出土陶器を主とする小野義一郎コレクションなど、多彩な内容を有しています。

　ここは、見ぬ世の人たちと時代を超えて語らいのひと時を楽しむことができる貴重な展示室です。

　なお、博物館（本館）の情報は8月23日のページにありますので、ご参照ください。

基本情報

東京都新宿区西早稲田1-6-1　大隈記念タワー（26号館）10階125記念室　TEL：03-5286-3835
□アクセス：東京メトロ東西線「早稲田駅」3aまたは3b出口より徒歩5分
□開館時間：10:00 〜 17:00（入館は16:30まで）
□休館日：水曜日、大学の臨時休業日、年末年始、8月（オープンキャンパス除く）、2月
□入館料：無料

あわせて
立ち
寄りたい！

●早稲田大学坪内博士記念演劇博物館：演劇に関する今日に至るまでの古今東西の貴重な資料を収集・保管・展示しています。収蔵品は百万点を超え、アジアで唯一の、そして世界でも有数の演劇専門総合博物館です。
●早稲田大学 會津八一記念博物館：年間4回程度の企画展が開催されています。

中村彝のアトリエを復元した新宿区立の記念館

中村彝アトリエ記念館

中村彝アトリエ記念館の外観

当時の部材を多く再活用し復元されたアトリエが最大の財産

　中村彝（つね）は大正期に活躍した洋画家で、1916（大正5）年に現・新宿区下落合にアトリエを構え、1924年に亡くなるまでの8年間をここで過ごしました。この記念館は、後年増改築された建物を、建築当初の姿に復元したものです。当時のドア・天井板・床板・窓の外枠などの部材も数多く再利用して復元されたアトリエは、この記念館の最大の財産です。悪化する結核と闘っていた作家は、庭に面した居間にベッドを置いて休みながらこのアトリエで制作を続けました。奥の和室では同じ水戸出身の岡崎きいが作家の身の回りのお世話をしました。

■中村彝（なかむら・つね）：1887（明治20）年、茨城県東茨城郡水戸上市寺町（現在の水戸市）に生まれ、17歳のとき肺結核となり、療養のため訪れた北条湊（千葉県館山市）で風景を写生し、この頃から洋画家を志します。1911（明治44）年、新宿中村屋の相馬愛蔵・黒光夫妻の厚意で中村屋裏のアトリエに転居しますが、絵のモデルとなった相馬家の長女俊子との恋愛を反対されて相馬家との確執が深まり、1916（大正5）年、当地にアトリエを新築しました。このアトリエでは、画友・鶴田吾郎と競作した『エロシエンコ氏の像』をはじめ、悪化する肺結核と闘いながら制作を続けました。1924（大正13）年12月24日、肺結核による喀血のため37歳の若さで亡くなりました。

基本情報
東京都新宿区下落合3-5-7　TEL：03-5906-5671
□アクセス：JR 山手線「目白駅」より徒歩10分
□開館時間：10:00～16:30（入館は16:00まで）　□休館日：月曜日（休日の場合は開館し、翌日休館）、年末年始
□入館料：無料

あわせて立ち寄りたい！
●佐伯祐三アトリエ記念館：夭折の天才画家・佐伯祐三の記念館。新宿区立。
●切手の博物館：世界でも珍しい郵便切手の専門博物館。世界的に著名な切手収集家・水原明窓が私財を投じて設立しました。

日本で唯一の国立映画専門機関

国立映画アーカイブ

国立映画アーカイブ本館の外観
（写真提供：国立映画アーカイブ）

国立映画アーカイブの上映ホール、
長瀬記念ホール OZU
（写真提供：国立映画アーカイブ）

多様なテーマの映画を通して文化・芸術や歴史・社会を知る美術館

　中央区京橋の鍛治橋通りを歩いていると思わず足を止めるのが、国立映画アーカイブの特徴的な建屋。1952年に国立近代美術館（のちに東京国立近代美術館）の映画事業（フィルム・ライブラリー）として誕生し、東京国立近代美術館フィルムセンターとして当地京橋に開館したのが1970年。1995年には、芦原義信の設計による現在の京橋本館が完成し、2018年に独立行政法人国立美術館の6番目の館、国立映画アーカイブとして設立されました。

　館内には2つの上映ホールが設置されていて、監督・俳優・製作国・ジャンル・時代など、さまざまなテーマにあわせた特集上映を行っています。上映プログラムには芸術的・映画史的に重要な作品だけでなく、時事的・文化史的に貴重な映画のほか、発掘・復元された作品なども含まれています。常設展示は「NFAJコレクションでみる 日本映画の歴史」。

■所蔵品：映画フィルム数（2021年3月末時点）は、日本映画73,133本、外国映画10,611本、計83,744本。映画関連資料数（2021年3月末時点）は、和書45,471点、洋書5,495点、シナリオ約4万9千点、ポスター約6万1千点、スチル写真約76万点、プレス資料約7万6千点、技術資料約770点。また、日本で初めて重要文化財に指定された映画フィルム『紅葉狩』をはじめ、ネガフィルム3点とポジフィルム1点の計4点の重要文化財指定フィルムを所蔵しています。

基本
情報

東京都中央区京橋 3-7-6　TEL：050-5541-8600（ハローダイヤル）
□アクセス：東京メトロ銀座線「京橋駅」出口1より徒歩1分、都営浅草線「宝町駅」出口A4より徒歩1分
□開室時間：展示 11:00 ～ 18:30　□休館日：月曜日、上映準備・展示替期間、年末年始
□入館料：観覧料は一般250円、大学生130円、高校生以下及び18歳未満、65歳以上は無料
　　所蔵作品の上映は一般520円、高校・大学生と65歳以上 310円、小・中学生 100円

あわせて
立ち
寄りたい！

● POLA MUSEUM ANNEX：銀座という街で美意識・感性を磨く展覧会を開催している美術館。
●ギャラリー小柳：杉本博司や内藤礼など国際的に活躍する日本人アーティストが多数在籍する現代美術ギャラリーです。ギャラリースペースは杉本博司によるデザイン。

015

築地市場駅の改札内にある大型陶板壁画

片岡球子の江戸の浮世絵師たち

左から面構『浮世絵師勝川春章』、面構『国貞改め三代目豊国』（ともに片岡球子）

日本三大女流画家とも称される片岡球子の代表作

　駅の上が朝日新聞東京本社の築地市場駅の改札口を入ると、目の前にパブリックアートが飛び込んできて、一気に浮世絵の世界に誘います。床から天井まで大迫力の本作品を見ると、まるで江戸時代にタイムスリップしたかのような気分に。本作品が築地市場駅に設置された由来は、築地をはじめ明石町から日本橋あたりは江戸時代に浮世絵が広まった地域だからだそうです。

　作品の原画は、「富士山」シリーズとともに高い評価を得た片岡球子の「面構（つらがまえ）」シリーズのうちの2作品。片岡球子は、1966年からおよそ40年にわたりライフワークとして歴史上の人物を独自に描き続けました。本作品は、そのうちの江戸時代の浮世絵師の様子を描いた2つの四曲一双屏風です。右が『国貞改め三代目豊国』（1976年作、神奈川県立近代美術館蔵）、左が『浮世絵師勝川春章』（1987年作、東京・世田谷美術館蔵）です。

■原画・監修：片岡球子（かたおか・たまこ）。昭和から平成時代にかけて活躍した日本画家。1989年には文化勲章を受章しています。女流画家の受章は上村松園と小倉遊亀に次いで3人で、この3人を「日本三代女流画家」と称することもあります。

■作品：片岡球子の原画をもとに大塚オーミ陶業株式会社が大型美術陶板に拡大複製したもので、精緻な制作手法で片岡球子の繊細な描写と大胆な色使いを再現しています。ちなみに、世界で初めての「陶板名画美術館」として注目を集める徳島県の「大塚国際美術館」の陶板絵画の展示を、独自のやきもの技術により可能にしたのがこの会社です。

基本情報
東京都中央区築地 5-1-2
□アクセス：都営大江戸線「築地市場駅」構内の「ゆとりの空間」

あわせて
立ち
寄りたい！
●パナソニック汐留美術館：世界で唯一、ルオーを冠した「ルオー・ギャラリー」で作品を展示。パナソニック東京汐留ビル4階にある美術館。
●アドミュージアム東京：世界でただひとつの広告に特化したミュージアム。

写真の作品を専門としているギャラリー

PGI

竹之内祐幸作品展「距離と深さ」（写真提供：PGI、©Hiroyuki Takenouchi）

実際に足を運んでオリジナルプリントを見る「場」のギャラリー

PGIは、1979年に写真メーカーを母体としない独立した写真専門のギャラリーの先駆けとして、東京・虎ノ門に「フォト・ギャラリー・インターナショナル」を開廊。2015年に現在の東麻布へ移転し、ギャラリー名を「PGI」に変更しました。

写真は時代性を持ち、さまざまな断片をモチーフとして多様な表現を見せ、その多様性の中に、時や場所を超えたゆるぎない普遍性を併せ持ちます。PGIは、実際に足を運んでオリジナルプリントを見る「場」を提供している貴重なギャラリーと言えます。

オープン以来、アンセル・アダムス、エドワード・ウェストンなど西海岸の写真家をはじめ、ハリー・キャラハンやロバート・アダムス、ヨゼフ・スデック、エメット・ゴーウィンなど、アメリカを中心に多くの優れた海外作家による作品を紹介。

また、国内作家においても、石元泰博や川田喜久治、奈良原一高、細江英公といった戦後日本を代表する巨匠や、三好耕三や今道子、伊藤義彦など気鋭の写真家を新人時代から取り上げています。

■過去の展覧会：川田喜久治「エンドレス マップ」（2021年1〜4月）、圓井義典「天象 アパリシオン」（2020年10〜12月）、竹之内祐幸「距離と深さ」（2020年8〜10月）、三好耕三「櫻 SAKURA」（2020年3〜7月）、高橋宗正「糸をつむぐ」（2020年2〜3月）など。

基本情報
東京都港区東麻布2-3-4 TKBビル3F　TEL：03-5114-7935
□アクセス：都営大江戸線「赤羽橋駅」中之橋口より徒歩6分
□開館時間：11:00〜18:00　□休館日：日曜日、祝日、展示のない土曜日
□入館料：無料

あわせて立ち寄りたい！
●増上寺宝物展示室：展示の中心となるのは、2代将軍・徳川秀忠公の御霊屋「台徳院殿霊廟」を10分の1スケールで精巧に復元した英国ロイヤル・コレクション所蔵の「台徳院殿霊廟模型」と江戸末期から当山に秘蔵されてきた五百羅漢図です。

017

岡本太郎のアトリエ兼住宅だった記念館

岡本太郎記念館

岡本太郎記念館のサロン風景（写真提供：岡本太郎記念館）

いまでも岡本太郎のエネルギーが満ち満ちている爆発空間

　港区・南青山に建つ本記念館は、ル・コルビュジエの愛弟子だった建築家・坂倉準三が岡本太郎の求めに応えて、こだわりのアトリエ兼住宅を設計しました。1954年から42年近く生活したこの空間から、多くの岡本藝術が生まれました。

　門を入ってすぐ、岡本太郎ワールド全開の庭にまず度肝を抜かれます。植物が自由に生い茂る中、梵鐘『歓喜』、『母の塔』などの彫刻作品がランダムに置かれています。その迫力に圧倒されつつ、視線を上げると、ベランダからは太陽の塔のオブジェがそっとのぞいていることに気がついて二度びっくりです。

　館内1階には作家の等身大の超リアルなマネキン、『坐ることを拒否する椅子』などが展示されているサロンとアトリエが当時のまま残っていて、無数のキャンバスや筆、刷毛などがずらりと並んでいます。絵を描き、原稿を口述し、彫刻と格闘し、人と会い、万国博の太陽の塔をはじめ巨大なモニュメントや壁画など、あらゆる作品の構想を練り、制作したまさにその場所では、いまでも岡本太郎のエネルギーが満ち満ちている爆発空間を体感することができます。

　2階に上がると、2つの展示室があり、年間を通して、さまざまな企画展が開催されています。

■過去の展覧会：「暮らしのなかの芸術」（2021年3〜7月）、「対峙する眼」（2020年9月〜2021年3月）など。

基本情報
東京都港区南青山6-1-19　TEL：03-3406-0801
□アクセス：東京メトロ銀座線・千代田線・半蔵門線「表参道駅」より徒歩8分
□開館時間：10:00 〜 18:00（入館は17:30まで）　□休館日：火曜日（祝日の場合は開館）、年末年始、その他
□入館料：一般650円、小学生300円

あわせて立ち寄りたい！
●根津美術館：第二次世界大戦以前からの歴史をもつ、日本では数少ない美術館のひとつ。政治家・茶人でもあった初代根津嘉一郎の所蔵した日本・東洋の古美術品コレクションを収蔵。
●紅ミュージアム：江戸時代創業、現在に残るたった一軒の紅屋・伊勢半本店の博物館。

現存する日本で最古の画廊

資生堂ギャラリー

「荒木悠展：LE SOUVENIR DU JAPON ニッポンノミヤゲ」2019年（撮影：加藤健）

前衛性と純粋性を兼ね備えた同時代の表現を積極的に紹介

　資生堂ギャラリーは、のちの資生堂初代社長の福原信三により、1919（大正8）年に竹川町11番地（現・銀座7-8-10）の化粧品部2階に開設された「陳列場（のちの資生堂ギャラリー）」がはじまりで、現存する日本で最古の画廊と言われています。途中、震災や戦争、建物の改築による中断を除き、「新しい美の発見と創造」を活動理念として、数多くの展覧会を開催してきました。資生堂ギャラリーをデビューの場として、後に日本美術史に大きな足跡を残した作家も数多くいます。1990年代からは、現代美術に主軸を定め、前衛性と純粋性を兼ね備えた同時代の表現を積極的に紹介しています。

　2001年に、銀座8丁目のひと際目立つ赤レンガ色の「東京銀座資生堂ビル」の地下1階にリニューアルオープンして現在に至ります。照明を落とした回廊状の階段を下りると、5mを超える天井高をもつ銀座地区で最大級のギャラリー空間が出現します。広くはあるものの、一種蚕の繭の中に包まれるような心地よさを感じる空間の自由度が、多様な表現を可能にする場として、海外の作家からも注目を集めているのがうなずけます。

■過去の展覧会：「shiseido art egg」（2020年10〜12月／西太志展・橋本晶子展・藤田クレア展）、「記憶の珍味　諏訪綾子展」（2020年1〜2月・8〜9月）、「アートが日常を変える　福原信三の美学」（2019年1〜3月）など。

基本
情報
　東京都中央区銀座8-8-3　東京銀座資生堂ビル地下1階　TEL：03-3572-3901
□アクセス：東京メトロ「銀座駅」A2出口より徒歩4分、JR「新橋駅」銀座口より徒歩5分
□開館時間：11:00〜19:00（平日）、11:00〜18:00（日曜・祝祭日）　□休館日：月曜日（月曜日が祝日にあたる場合も休館）
□入館料：無料

あわせて
立ち
寄りたい！
●月光荘画材店：1917（大正6）年創業の日本の画材店。トレードマークは「友を呼ぶホルン」。自社工場にて絵の具や筆を製造し、世界で唯一オリジナル製品のみを扱っています。
●セイコーミュージアム　銀座：セイコーの発祥の地である東京・銀座に2020年に新たに開館した博物館。

国立音楽大学の附属の施設

国立音楽大学楽器学資料館

国立音楽大学楽器学資料館の展示室風景

実際に見て、触れて、音を出すことができる楽器も展示

　自由・自主・自律の精神を教育理念に掲げ、広々としたキャンパスと、ハイグレードな音響空間を備えた施設を有する国立音楽大学（くにたちおんがくだいがく）。

　その音と緑にあふれた「くにたち」のキャンパス内にある大学附属施設の「楽器学資料館」では、世界各地の楽器を系統的に収集・展示するとともに、楽器に関する調査、文献・音・映像資料の収集、目録・資料集の作成、楽器の修復などを行っています。

　展示室に入ると、企画展示エリアと常設展示エリアにずらりと並ぶ楽器の数にまず圧倒されます。常設展示エリアでは、ザックス＝ホルンボステル分類をもとに、体鳴楽器・膜鳴楽器・弦鳴楽器・気鳴楽器・電鳴楽器の5つのコーナーにわけて、古今東西さまざまな収蔵楽器2,555点の中から選んだ約300点の楽器が展示されています。楽器を見るだけでも楽しいですが、その技巧を凝らした装飾に注目するもよし、美術館で観た西洋画に描かれている楽器の記憶を辿り実物を比べてみるのも一興です。嬉しいことに、年間スケジュールにしたがって、さまざまな鍵盤楽器を試奏して実際の音を聞くこともできます。また、水・金曜日の12時40分から開催されている「楽器の10分講座」に参加できます。

■所蔵品：楽器2,555点、楽器計測資料約100点、写真資料約2,100点、楽器博物館資料（所蔵目録・各博物館出版物等）約700点（2021年3月現在）。

基本情報

東京都立川市柏町5-5-1　国立音楽大学4号館1階　TEL：042-535-9574（楽器学資料館直通）
□アクセス：西武拝島線・多摩モノレール「玉川上水駅」より徒歩8分
□開館時間：9:00〜17:00（展示室を見学できるのは水曜日の9:30〜16:30／学部開講期間のみ）
□休館日：土曜日・日曜日・祝日、大学の休暇、年末年始　※金曜日は「楽器の10分講座」のみ開催
□入館料：無料

あわせて
立ち
寄りたい！

●たましん美術館：多摩地区の作家と、近代日本の絵画・彫刻作品を中心に所蔵しています。
●PLAY! MUSEUM：2020年に開館した絵とことばがテーマの美術館。絵本やマンガ、アートの本格的な展覧会を開催しています。常設展と企画展の2つを楽しむことができます。

六本木の新たなアートコンプレックス

ANB Tokyo

アートブックコーナーを併設したコミュニティメンバー向け共有ラウンジ（2F）　撮影：山中慎太郎（Qsyum!）

多彩な「場」を活かし、アートと社会の新しい接続点をつくる

　ANB Tokyoは、多くのギャラリーや美術館が並ぶ六本木に2020年10月にオープンしたアートコンプレックスです。このビルは、アーティストの支援やコミュニティ形成など、文化が息づく社会システムを醸成していくことを目的に、一般財団法人東京アートアクセラレーションが運営しています。名前の由来は、既存の概念とは異なる何かを示す「Alternative」と、多様なものを受け入れる「Box」からきており、さらにはこの箱の中に無数の物語「Narrative」が詰まっていくことを示しています。

　2階から7階まで6フロアで構成されているANB Tokyoの中は、2階のコミュニティーラウンジにはじまり、3階・4階はギャラリーとガレージ、5階にはキッチンがあり、6階・7階はスタジオと、多彩な「場」を有し、文字どおりアートの玉手箱のようなスペースと言えます。アーティストの創作活動を支援、アートを軸にしたコミュニティの形成を目指し、各フロアの機能を活かした展覧会やイベントの企画運営が行なわれています。

■過去のイベントと展覧会：展覧会／中園孔二個展「すべての面がこっちを向いている」（2021年4〜5月）、ANB Tokyoオープニング展「ENCOUNTERS」（2020年10〜11月）、イベント／NY発のユニセックスファッションブランドOVERCOATポップアップ（2021年4月）、＜シアターコモンズ'21＞ツァイ・ミンリャン「蘭若寺の住人」VR映画上映（2021年2月）など。

基本
情報
東京都港区六本木 5-2-4　2〜7階
□アクセス：東京メトロ日比谷線・都営大江戸線「六本木駅」より徒歩 3分
□開館時間：イベントにより異なります　■休館日：イベントにより異なります
□入館料：イベントにより異なります

あわせて
立ち
寄りたい！
●サボア・ヴィーブル：日本有数のデザインギャラリーとしてAXISビルの中で積極的に活動。ギャラリー企画展として毎回斬新なテーマのもと、優れたデザインとその思想を紹介。
●森美術館：六本木ヒルズ森タワー内にある、国際的なアートの美術館。

021

大人も楽しめる国立の児童書専門図書館

国立国会図書館 国際子ども図書館

ルネサンス様式の洋風建屋とガラスボックスが見える国際子ども図書館外観（国立国会図書館ウェブサイトより）

明治・昭和・平成の3つの時代に造られた「歴史的建造物」は必見

　上野公園の黒田記念館から1分ほど歩くと、ルネサンス様式の洋風建屋が印象的な国際子ども図書館が目に飛び込んできます。「レンガ棟」と「アーチ棟」の2つの建物があり、レンガ棟は1906（明治39）年に帝国図書館として建てられ、のちに増築されて、さらに児童書の専門図書館としての機能を果たすための増築・改修を行い、2002年5月に全面開館しました。レンガ棟の改修の施設設計には建築家・安藤忠雄が参画し、旧建物の内外装の意匠と構造を生かしつつ、2つのガラスボックスが既存の建物を貫くイメージで増築されました。こうしてレンガ棟は明治・昭和・平成の3つの時代に造られた建物が一体となった児童図書館として再生されました。

　館内は、1階に「子どものへや」「世界を知るへや」「お話のへや」が、2階には「児童書ギャラリー」「調べものの部屋」があります。また3階の「本のミュージアム」ではさまざまなテーマで児童書に関する展示会が開催され、大人も楽しめる部屋となっています。1階から3階までが吹き抜けの大きな階段も見どころのひとつ。この場所にあるシャンデリア、ケヤキの扉、細かなデザインの階段手すりは、100年以上前の創建当時から使い続けられています。

■所蔵資料数（2020年3月31日現在）：図書（国内）316,089冊、図書（海外）118,722冊、雑誌（国内）1,836タイトル、雑誌（海外）191タイトル。

基本情報

東京都台東区上野公園12-49　TEL：03-3827-2053（代表）
□アクセス：JR「上野駅」公園口より徒歩10分、東京メトロ「上野駅」7番出口より徒歩15分
□開館時間：9:30 〜 17:00　□休館日：月曜日、祝日（5月5日のこどもの日は開館）、年末年始　第3水曜日
□入館料：無料

あわせて立ち寄りたい！

●東京国立博物館・黒田記念館：黒田清輝の油彩画約130点、デッサン約170点、写生帖などを所蔵し、特別室と黒田記念室で展示。
●東京藝術大学大学美術館：大学の美術館で、現在の収蔵品は日本有数の3万件あまり。

近代彫刻の天才作家の大作

天女（まごころ）像

1階中央ホールから見上げる『天女（まごころ）像』（佐藤玄々）

大迫力の生命感あふれる佐藤玄々の造形に圧倒される

　日本橋三越本店の本館 1階 中央ホールにある、あらかじめ心構えをしていた想像力をはるかに凌ぐ圧倒的な存在感で、まさに作品名のごとく瑞雲に包まれた天女が台座の花芯に降り立つ瞬間を見事にとらえた佐藤玄々の大作です。三越のお客様に対する基本理念「まごころ」をシンボリックに表現する像として「まごころ像」とも言われ、日本橋三越本店の象徴とも言える存在です。なお、この本館建物は、2016年に国の重要文化財に指定されました。

■作家：佐藤玄々（さとう・げんげん）。福島県相馬郡中村町（現相馬市）出身。幼い頃から木彫の技術を学びました。歴史や神話を題材にした本作や皇居の大手濠緑地内にある『和気清麻呂像』（ブロンズ）などのスケールの大きな作品が特徴的です。

■作品：高さ10.9m、重さ6.75tのこの超重量級の木彫作品は、樹齢500年におよぶ檜の大木で作られていますが、中心部には鉄の骨組みが入っていて全体を支えています。細かい彫刻や彩色、多くの貴石などが施され、その細部にわたる豪華さに思わず唸ります。本作品は、京都の妙心寺塔頭大心院のアトリエで10年をかけて制作されましたが、構想が膨らみ、作品が巨大化していったため、アトリエも改築せざるを得なかったそうです。三越創立50周年記念事業として1960年に当所に設置されました。

基本
情報

東京都中央区日本橋室町1-4-1　日本橋三越本店 本館1階 中央ホール
□アクセス：東京メトロ「三越前駅」より徒歩1分、
東京メトロ「日本橋駅」（B9出口）より徒歩5分、東京メトロ「大手町駅」A5出口より徒歩1分

あわせて
立ち
寄りたい！

●三井記念美術館：収蔵されている美術品は、江戸時代以来約350年におよぶ三井家の歴史の中で収集され、今日まで伝えられているものです。
●貨幣博物館：古貨幣収集家・研究家であった田中啓文が収集した銭幣館コレクションを中核とする博物館。

0 2 3

グラフィック中心のギャラリー

Gallery 5610

Gallery 5610のギャラリーウィンドー

グラフィックデザイナーの河野鷹思によって創設されたギャラリー

　表参道駅から徒歩3分、青山通りから一歩入ったところに建つ赤い煉瓦の外壁が印象的な「5610番館」。この建物の1階に構えるGallery 5610は、1972年、グラフィックデザイナーの河野鷹思によって創設されました。ギャラリーでは、創設者の作品展が時折開催されるとともに、さまざまなデザイナーやアーティストの作品展示が実施されています。名前の由来は、所在地の住所である港区南青山5-6-10から。

　ギャラリー奥の姉妹空間のSPaTio（スパティオ）から一段降りる緑多い屋外テラスには、創設者の造形的モチーフとしてひんぱんに登場する『SAKANA』の彫刻作品などがあり、静かな癒される空間を楽しめます。

■過去の展覧会：パッケージ幸福論2020「デザインは勇気の灯火」（2020年11月）、谷口広樹個展「ききき 喜びの声を」（2020年9～10月）、谷内庸生展（2020年8月）、川端潤写真展「東京失踪者」（2020年2月）、河野鷹思の「さかな」展（2019年10月）、駒形克己「ふしぎな穴」展（2018年7～8月）など。

■河野鷹思（こうの・たかし）：1906年東京・神田生まれ。本名・河野孝。東京美術学校（現・東京藝術大学）図按科在学中に、築地小劇場で舞台装置家・吉田謙吉に師事。1929年、松竹キネマ（現・松竹株式会社）に入社し、宣伝部で広告デザインを担当するかたわら、映画美術や演劇・舞踊の舞台美術、装幀、雑誌のイラストレーションなどを多数手掛けました。

基本情報

東京都港区南青山5-6-10 5610番館　TEL：03-3407-5610

□アクセス：東京メトロ銀座線・半蔵門線「表参道駅」B1出口より徒3分
□開廊時間：11:00～18:00　□休廊日：展覧会による
□入館料：無料

あわせて立ち寄りたい！

●エスパス ルイ・ヴィトン東京：ルイ・ヴィトン表参道ビルの7階に位置している美術館。
●岡本太郎記念館：岡本太郎の強烈な個性が溢れる記念館。ここ岡本太郎記念館は、1996年、84歳で亡くなるまで、岡本太郎のアトリエ兼住居だったところです。

一度観ると虜になるリャドの原画に逢える美術館

杉山美術館

中央に『エルベストンの早瀬』、左手に『トリニダッド・カンピン嬢』がかかる展示室

J・トレンツ・リャドの原画を12点所蔵している貴重な美術館

　江戸川区の住宅地に建つ一軒家の2階に構える杉山美術館は、スペインが生んだ20世紀最後の印象派と呼ばれた画家、J・トレンツ・リャドの原画を12点も所蔵する、日本では貴重な美術館です。館名の由来となっている館長の杉山岳久が、「リャドの原画は個人所有がほとんどで、一般の人が目にする機会がないことから、多くの人にいつでもリャドの原画に触れ、その素晴らしさを少しでも感じてもらいたい」との思いから2009年当地に設立しました。

　日本では、リャドを版画作家だと思っている人が多いなか、版画とは深みがまるで違うリャドの原画独特の「スプラッシング」という描画技法に新鮮な驚きを覚えます。近寄って見れば、筆の勢いを残す荒いタッチの印象ですが、少しずつ距離を取って眺めると、突如像を結び、全体がおだやかな光に包まれる瞬間が訪れます。加えて、照明を少し落として観ると、奥行きが増し、作品のまた違った楽しみ方を味わえます。

　館内では、リャドをはじめ、ルイ・イカールや藤田嗣治など国内外の心に残る絵画を展示しています。年に数回の所蔵作品展のほか、時には希少な自動車の展示も行われています。

　一度観ると虜になるリャドの原画が観られる同館は、心に残る美術館のひとつになること間違いありません。

基本情報
東京都江戸川区松島3-42-1　TEL：03-5879-9951
□アクセス：JR 総武線「小岩駅」南口より徒歩11分
□開館時間：10：30 ～ 16：30（月曜日〜金曜日および偶数週の土曜日・日曜日／最終入館は16：00）
□休館日：祝日、奇数週の土曜日・日曜日、開館の土曜日・日曜日の後の月曜日・火曜日
□入館料：大人500円、高校・大学生300円、小・中学生 200円

あわせて立ち寄りたい！
●東京都現代美術館：約5,400点の収蔵作品を活かして、現代美術の流れを展望できるコレクション展示や大規模な国際展をはじめとする特色ある企画展示など、絵画、彫刻、ファッション、建築、デザインなど幅広く現代美術に関する展覧会を開催。

025

品川のニコン本社内にある博物館

ニコンミュージアム

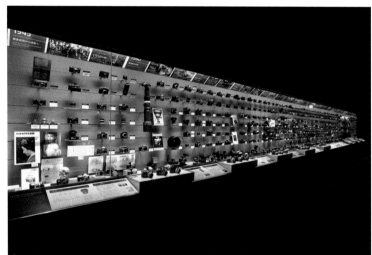

「映像とニコン」コーナーにずらりと並ぶ歴代のカメラとレンズ（写真提供：ニコンミュージアム）

ニコンの歴史、製品、技術。そこには、まだ知らないニコンがある

　品川インターシティC棟2階、ニコン本社ロビーの受付の先を左折したところがニコンミュージアムです。本ミュージアムは、ニコン創立100周年を記念して、2015年にオープンし、ニコンの歴史・製品・技術などを一堂に展示しているほか、ユニークなテーマで企画展も開催しています。

　少し照明を落とした黒を基調としたシックな館内では、広範にわたる展示を通して、まだ知らなかったニコンの発見の旅を楽しむことができます。

　入ってすぐに目につく同館のシンボルのインゴットは、その大きさと透明度の高さからニコンが持つ光学素材製造技術の粋を体感できます。「映像とニコン」のコーナーでは「ニコンI型」からデジタル一眼レフカメラまでニコンが発売してきた歴代のカメラやレンズなど約500点がずらっと並び、その展示は圧巻です。

　産業分野では、当時「史上もっとも精密な機械」と呼ばれ、国立科学博物館による重要科学技術史資料に登録されている、初期の半導体露光装置を展示しています。露光やステージなどが、実際に作動するほかに例のない展示です。バイオ・医療機器関連では健康・医療分野での展示が、「宇宙とニコン」では天体望遠鏡から人工衛星に搭載される光学機器までをパネルや模型で解説しています。

基本情報

東京都港区港南2-15-3　品川インターシティC棟2F　TEL：03-6433-3900
□アクセス：JR「品川駅」港南口より徒歩7分
□開館時間：10:00 ～ 17:00（最終入館は16:30）□休館日：月曜日・日曜日、祝日、その他
□入館料：無料

あわせて立ち寄りたい！

●キヤノンギャラリー|品川：2つのギャラリー「キヤノンギャラリー S」「キヤノンオープンギャラリー1・2」を有し、国内著名作家中心の企画展やコレクション展を開催しています。
●WHAT MUSEUM：寺田倉庫が運営する現代アートのコレクターズミュージアム。

東京藝術大学音楽学部キャンパス内の資料室

東京藝術大学音楽学部
小泉文夫記念資料室

（上）レコードコーナー
（下）インドの民族楽器

（左）室内の陳列棚のさまざまな
民族楽器
（写真提供：小泉文夫記念資料
室）

世界的な音楽民族学者のコレクションの展示からその魅力を知る

　小泉文夫記念資料室は、1985年に東京藝術大学音楽学部に開設されました。所蔵資料の中心は、1983年に急逝した世界的な音楽民族学者である故・小泉文夫本学元教授が収集した世界音楽コレクションで、教授の没後、広く音楽研究に役立てるよう遺族より寄贈されたものです。

　展示楽器の大部分については同室作成の解説書で理解を深めることができ、また一部の楽器は実際に手に取って試奏もできます。所蔵資料は閲覧および視聴ができ、所蔵資料を基に制作した楽器学習サイト「アジアの楽器図鑑」では、楽器の写真や楽器を演奏する様子、楽器の製作工程も見ることができます。

■**小泉文夫**（こいずみ・ふみお）：東京に生まれ、東京大学文学部で美学を専攻。在学中に日本伝統音楽の研究を志します。活躍は多岐にわたり、東京藝術大学（1959 〜 1983年）など、国内外の多くの大学で教鞭をとりました。欧米系の音楽中心であった日本の音楽界において民族音楽の地位を向上させ、長くテレビやラジオを通じて多くの人に、未知の領域だった諸民族の音楽を紹介しました。

■**所蔵資料**（2021年4月現在）：図書約5,200冊、楽譜940冊、雑誌約480種、楽器約800点、録音テープ2,324点、映像資料60点、LPレコード3,377点、カラー・スライド約16,000点、プリント写真・絵はがき約21,000点、民族衣裳58点、そのほかにフィールドノートなど研究資料3,000ファイル以上。

基本情報
東京都台東区上野公園12-8　東京藝術大学音楽学部　小泉文夫記念資料室
□**アクセス**：JR「上野駅」「鶯谷駅」より徒歩10分、東京メトロ「上野駅」「根津駅」より徒歩15分
□**開室時間**：公式ホームページで最新情報をご確認ください
□**休室日**：土曜日・日曜日、祝日、春期および夏期休暇、入試期間、年末年始
□**入室料**：無料　※学外の方が利用する場合は、1週間前までにホームページ問合せフォームにて予約が必要

あわせて
立ち
寄りたい！
●東京藝術大学大学美術館：大学の美術館で、常設展示はありませんが、現在の収蔵品は日本有数の3万件あまり。
●旧東京音楽学校奏楽堂：重要文化財。東京藝術大学音楽学部の前身、東京音楽学校の校舎として、1890（明治23）年に建築されました。日本で最初のコンサート用オルガンを持つ本格的な西洋式音楽ホールを有しています。

世界でも珍しい郵便切手の専門博物館

切手の博物館

企画展示「再登場！髪型切手図鑑」（2020年4～7月）の様子

1960年以降に発行の世界の切手を驚異の約75%所蔵

　切手の博物館は、1988年、世界的に著名な切手収集家・水原明窓が設立した財団が運営母体です。郵便切手文化に関する資料を収集・保存し、研究調査を行うとともに広く一般に公開している世界でも珍しい郵便切手の専門博物館です。

　ここでは、郵便切手の持つ魅力や面白さを伝えるため、さまざまな企画展・特別展・体験ワークショップ「切手はり絵」などが開催されていて、切手のことが1日でわかります。

　正面入口の前に立っている楳図かずおのデザインによる赤白のボーダー柄に塗られた『まことちゃんポスト』が目印。館内1階の展示スペースでは、生活に身近なテーマを設け、年4回の企画展示を行っています。所蔵する切手の中から毎回約800種類の切手が紹介されています。2階の図書室では、郵便切手関連の書籍約1万3千冊、雑誌約2千タイトルを公開。世界最初の切手「ペニーブラック（イギリス、1840年発行）」、日本最初の切手「竜文切手（1871年発行）」も見どころです。また、同館の創設者を記念し、その書斎を復元した水原明窓記念コーナーでは数々の著作や原稿も並んでいます。

■所蔵品：1960年以降に発行された世界の切手のほぼ75%、数にして約35万種類を所蔵しているほか、ステーショナリー類約15,000枚、切手関連の書籍・カタログ約13,000冊、切手関連の雑誌・オークション誌約2,000タイトルを所蔵。

基本情報
東京都豊島区目白1-4-23　TEL：03-5951-3331
□アクセス：JR「目白駅」より徒歩3分、JR・東京メトロ・西武「高田馬場駅」より徒歩7分
□開館時間：10:30～17:00　□休館日：月曜日（祝日の場合も休館）、展示替期間、年末年始
□入館料：大人200円、小・中学生100円

あわせて立ち寄りたい！　●中村彝アトリエ記念館：大正期に活躍した洋画家・中村彝（つね）の記念館。下落合に残る作家のアトリエを復元・整備し、2013年3月17日から新宿区立中村彝アトリエ記念館として公開されています。

日本を代表する彫刻家・朝倉文夫の美術館

台東区立朝倉彫塑館

朝倉彫塑館のアトリエ（写真提供：朝倉彫塑館）

敷地全体が「旧朝倉文夫氏庭園」として国の名勝に指定

　日本の彫塑界をリードし、中心的な存在として活躍した朝倉文夫の遺志により、遺族によって1967年から朝倉彫塑館は一般に公開されました。現在は、台東区がそのバトンを引き継ぎ、区立の美術館として建物を公開し、彫刻作品をはじめとする美術品の展示を行っています。

　彫刻作品もさることながら、アトリエ＆住居だった3階建ての建築も朝倉文夫自ら設計したもので、当時珍しかった数寄屋造とコンクリート造のハイブリッドの建築も見どころのひとつ。随所に作家の美意識とこだわりが感じられます。3階の「朝陽の間」は、饗応の間として使用される同館でもっとも格式高い部屋です。屋上庭園があることも驚きです。2001年には建物が国の有形文化財に登録され、さらに2008年には、敷地全体が「旧朝倉文夫氏庭園」として国の名勝に指定されました。

■所蔵品：朝倉文夫の代表作『墓守』（1910年）は、建物を入ってすぐ左手の天井高8.5mあるアトリエで見ることができます。石膏原型が国の重要文化財に指定されています。同じくアトリエ内にはびっくりするほど巨人の『小村寿太郎像』（1938年）や『大隈重信像』（1932年）がそびえています。3階の「朝陽の間」から見る旧アトリエ棟（非公開）の屋根の上で日を浴びる『浴光』の像も必見です。なお、展示内容は変更となる場合があります。

基本
情報
　東京都台東区谷中7-18-10　TEL：03-3821-4549
　□アクセス：JR、京成線、日暮里・舎人ライナー「日暮里駅」北改札口を出て西口より徒歩5分
　□開館時間：9:30 ～ 16:30（入館は16:00まで）　※入館の際は靴下が必要
　□休館日：月曜日・木曜日（祝日と重なる場合は開館し、翌平日休館）、年末年始、展示替期間、その他
　□入館料：一般500円、小・中・高校生250円

あわせて
立ち
寄りたい！
　●東京藝術大学博物館：国宝・重要文化財23件を含む約3万件の日本有数のコレクションをもちます。
　●大名時計博物館：陶芸家の故・上口愚朗のコレクションを展示。

029

白金台駅を彩る色鮮やかなステンドグラス

白金春秋

『白金春秋』（大津英敏）

日本の美術を代表する具象派の洋画家・大津英敏による原画

　東京メトロ南北線と都営三田線が乗り入れる「白金台駅」のコンコース改札外の正面に設置されている『白金春秋（しろがねしゅんじゅう）』。緑色とピンクが映えて印象的なステンドグラス作品です。忙しく駅を行き来する人が作品の前でほんの少し立ち止まって、ほっくりするひと時を提供しています。原画と監修は、日本の美術を代表する具象派の洋画家・大津英敏によるもの。

　本作品のモチーフとなったのは、当駅にほど近い、八芳園の池泉回遊式庭園です。向かって左手の春から右手の秋へと季節の移ろいが表現されていて、日本の美をステンドグラスで表現した文化の香り豊かな作品です。右手、石の塔を背にして膝に手を置いている少女は、作家の次女をモデルにしています。本作品以外にも長女・次女・長男をモデルにして描いてきましたが、若い命を描くことで、未来に対する夢や希望、そこに入り混じる少々の不安を表現しているそうです。

■原画・監修：大津英敏（おおつ・えいびん）。少年時代を福岡県大牟田市で過ごし、郷土の画家、青木繁・坂本繁二郎・古賀春江に影響を受け、画家を志しました。1969年、東京藝術大学大学院修了。1970年代には『毬シリーズ』と呼ばれる幻想的な作品を制作しました。1979年に家族とともに渡仏、それを機に2人の娘をモデルにした『少女シリーズ』を手がけるようになります。

■作品：高さ2.4m、幅8.6mのステンドグラス。企画は帝都高速度交通営団（現・東京地下鉄株式会社）と公益財団法人日本交通文化協会。製作はクレアーレ熱海ゆがわら工房。

基本
情報
東京都港区白金台4-5-10
□アクセス：東京メトロ南北線・都営三田線「白金台駅」2番出口へ通じる改札口内

あわせて
立ち
寄りたい！
●港区立郷土資料館：建物はスクラッチタイルで覆われた「内田ゴシック」と呼ばれる特徴的なデザインが目を引きます。
●近代医科学記念館：北里柴三郎博士らにより伝染病研究所として設立されました。東京大学白金キャンパス内。

現代美術を中心に取り扱う乃木坂のギャラリー

gallery ART UNLIMITED

会場風景：盛田亜耶「名画の身体」展より(photo© Tomonori Ozawa)

美術、建築、写真、映像などジャンルを超えて新たな創造力を追求

　東京メトロ千代田線「乃木坂駅」から徒歩1分の、丸くて白いビル「六本木ダイヤビル」の3階に位置しているgallery ART UNLIMITED（ギャラリー・アートアンリミテッド）。1階のフロア案内図の無限大がデザインされたマゼンタ色のロゴマークが目印です。

　国内の現代美術を中心に取り扱うギャラリーとして乃木坂に2006年より開廊しました。絵画、写真、立体などジャンルを超え、尽きることない創造性、深い問題意識、世界に誇る独創性を持った日本の作家たちとともに歩むギャラリーを運営。

　ギャラリースペースでは月に1回程度、所属作家の個展を中心に展開しています。マイケル・ケンナ、柴田敏雄、中野正貴、齋藤芽生、イイノナホ、大竹彩子、盛田亜耶ら、国際的に活躍するベテランから新進気鋭の若手アーティストまで、さまざまな作品に出会うことができます。その他、関連作家の写真集や画集も扱っています。

■過去の展覧会：Collection Unlimited「Michael KENNA / Toshio SHIBATA / Aya MORITA , etc.」（2021年9〜10月）、「大竹彩子 宇和島⇄東京」（2021年6〜7月）、「盛田亜耶 オフィーリアのために」（2021年1〜2月）、「マイケル・ケンナ 日本／仏陀」（2020年11〜12月）など。

基本情報　東京都港区南青山1-26-4　六本木ダイヤビル3F　TEL：03-6805-5280
□アクセス：東京メトロ千代田線「乃木坂駅」3番出口より徒歩1分、都営大江戸線「六本木駅」7番出口より徒歩5分
□開廊時間：13:00〜19:00（入場は18:30まで）　□休廊日：日曜日・火曜日、祝日
□入場料：無料

あわせて立ち寄りたい！
●国立新美術館：国内最大級の展示スペースを生かした多彩な展覧会を開催する美術館。
●TOTOギャラリー・間：TOTOが運営する建築専門のギャラリーです。人間・時間・空間、そしてそれぞれの「間合い」という、日本特有の概念を表象する「間」の一字を名称としています。

美術館運営と国内外の美術専攻学生へ奨学援助

佐藤美術館

美術館エントランス

所蔵品の中心は花と緑・日本画美術館から引き継いだ作品50点

　新宿区大京町にある佐藤美術館は、1990年3月に、美術館の運営とともに、国内外の美術専攻学生への奨学援助や美術を通じた国際交流への貢献を目的に掲げて設立された、たいへんユニークな美術館です。

　館内は、2階が受付で、併設のミュージアムショップがあり、3階から5階のフロアが展示室となっています。そこでは、美術学生の奨学という趣旨から、奨学金を受給した学生の個展やグループ展、卒業制作展、研究発表展などが開催されています。加えて、これから社会に必要とされてゆく若手作家の個展、活躍著しい過去の奨学生を取り上げる展覧会も企画されています。また、日本画の収蔵品は、定期的に開催される収蔵品展で観ることができますので、年間スケジュールを確認の上、お見逃しなく。

■所蔵作品：1990年「人と自然が調和する潤いのある21世紀の創造」をテーマとした「国際・花と緑の博覧会」が、大阪の鶴見緑地で開催され、その中の「花と緑・日本画美術館」は、日本美術界を代表する現代日本画家50名による花と緑―自然をテーマとした新作を一堂に展示し好評を博しました。博覧会終了後、本作品は佐藤美術館に寄贈されました。コレクションの中核となっている花と緑・日本画美術館から引き継いだ作品は50点で、高山辰雄、上村松篁、小倉遊亀らの作品が含まれています。

基本
情報
東京都新宿区大京町31-10　TEL：03-3358-6021
□アクセス：JR「千駄ヶ谷駅」より徒歩5分、JR「信濃町駅」より徒歩6分、
　都営大江戸線「国立競技場駅」A3出口より徒歩4分
□開館時間：10:00 ～ 17:00　□休館日：月曜日、展示替期間
□入館料：展覧会によって異なります

あわせて
立ち
寄りたい！
●聖徳記念絵画館：明治天皇を中心に成し遂げられた輝かしい時代の勇姿と歴史的光景を一流画家が描いた80枚の名画を常設。芸術作品であると同時に、貴重な歴史資料でもあります。
●東京おもちゃ美術館：おもちゃを創る、遊ぶ、学ぶ、楽しむ多世代交流型のミュージアムです。

くすりの街・日本橋にある企業ミュージアム

Daiichi Sankyo くすりミュージアム

Daiichi Sankyo くすりミュージアムの外観

見て、聞いて、くすりを身近に感じる体験型のミュージアム

　日本橋本町の医薬に関する歴史を紐解けば、1689（元禄2）年に薬種問屋「きぐすりや」の座が江戸本町に誕生したことまで遡ります。それ以来、日本橋本町は江戸時代から薬問屋街として発展し、試薬などを扱う小企業から、世界的メーカーまで軒を並べる大阪の道修町とともに日本を代表する「薬の街」として知られています。

　そのような歴史的背景を持つ日本橋本町にDaiichi Sankyoくすりミュージアムは位置し、歴史と未来が共存する日本橋を象徴する施設のひとつとして、地域文化・交流の場としての役割も担っています。製薬会社のミュージアムと聞いてもイメージしづらいかもしれませんが、ただ鑑賞する展示だけではなく、対戦型ゲームなどもあり、「くすりをもっと楽しく、わかりやすく知ること」ができる体験型のミュージアムとなっています。

　展示室は1階と2階にあり、数多くのコーナーがありますが、まずは1階の「一粒のくすり」コーナーで映像を鑑賞したあと2階に上がり、いよいよミュージアムのメインフロアでの体験は「カプセルエントリー」にてICチップが内蔵されているメダルの登録からスタートします。2階のシアターコーナーでは、3画面を使った大型スクリーンで「くすりの歩み」「くすりの未来」とともに、「くすりと日本橋」編では、日本橋と薬の歴史を概観することができます。

基本情報

東京都中央区日本橋本町3-5-1
□アクセス：東京メトロ銀座線・半蔵門線「三越前駅」A10出口より徒歩2分、
　JR総武線「新日本橋駅」出入口5より徒歩1分
□開館時間：10:30 ～ 17:00（予約制）
□休館日：月曜日（祝日・振替休日の場合は開館し、翌日休館）、年末年始　　□入館料：無料

あわせて立ち寄りたい！

●三井記念美術館：収蔵されている美術品は、江戸時代以来約350年におよぶ三井家の歴史のなかで収集され、今日まで伝えられた、日本でも有数の貴重な文化遺産です。
●貨幣博物館：貨幣と、貨幣に関する歴史的・文化的な資料を展示する博物館。

多摩ニュータウンに立地する音楽大学の展示室

武蔵野音楽大学
パルナソス多摩楽器展示室

パルナソス多摩外観（写真提供：武蔵野音楽大学楽器博物館）

西洋楽器の歴史的名器による常設展示と企画展示を楽しむ

　文化的な都市環境の多摩ニュータウン（東京都多摩市）の緑あふれる宝野公園に隣接する教育研究施設「武蔵野音楽大学パルナソス多摩」内にある市民に広く開放している音楽文化施設です。この施設の名称「パルナソス」は、古来より詩歌・音楽を司る神ミューズやアポロの霊域とされてきたギリシャの聖山の名にちなんでいます。

　展示室では、西洋楽器の歴史的名器による常設展示と、年に一度テーマを設定した企画展示が行われています。常設展示では、ヨーロッパの弦楽器、管楽器、クラリネット、ファゴット、トランペット、コルネット、エコーコルネット、ホルン、テナートロンボーンなどの西洋クラシック楽器を鑑賞することができます。そのほかオルゴール・蓄音機のようなめずらしいものもあります。所蔵総数は、入間キャンパスの楽器博物館とあわせて5,736点（2020年9月現在）にも上ります。

　展示品のなかには、大正から昭和にかけて多くの作品を残し、わが国におけるヴァイオリン製作の草分け的存在の宮本金八作のチェロ（1927年）、ギターのストラディヴァリと呼ばれるルネ・ラコート作のギター（1830年、パリ・フランス）、エジソンが発明した蝋製の録音円筒形を用いて音を再生する蝋菅機（1906年頃、ナショナルフォノグラフ社製、米国）など、興味が尽きません。

基本
情報

□東京都多摩市落合5-7-1　TEL：042-389-0711
□アクセス：京王・小田急・多摩モノレール「多摩センター駅」より徒歩15分
□公開時間：11:00 ～ 16:00　□公開日：水曜日・土曜日（祝日を除く）
　※臨時休館があるため、最新情報を公式ホームページの開館カレンダーでご確認ください。また、学園休暇中は休館
□入館料：無料

あわせて
立ち
寄りたい！

●多摩美術大学美術館：東京都世田谷区上野毛に本部を置く多摩美術大学のサテライトとしての付属施設。かつては大学所蔵作品の学生・職員向け展示が主でしたが、現在は学芸員が学外のクリエイターやコレクターと連携して、企画展やイベントに力を入れています。

034

日本銀行金融研究所内の博物館

貨幣博物館

貨幣博物館の外観

日本のお金の歴史について本物の資料を通してわかりやすく展示

　日本銀行本店の隣に立地する日本銀行金融研究所内の博物館です。日本銀行創立100周年（1982年）を記念して1985年11月に開館し、その後、2015年11月にリニューアルオープンしました。貨幣と文化・社会の関わりについて年代を追って体系的に俯瞰できる展示となっていて、実際に使われた本物のお金のリアリティーに触れることで、その貨幣が使われていた時代背景や往時の生活の様子に想像を膨らますことができる楽しい博物館です。

　館内2階の展示室では、常設展示の見どころとして、まばゆい光を放つ分銅金、豊臣秀吉や徳川家康がつくらせた金貨（大判）、ずらりと並ぶ歴代の日本銀行券、日本が世界に誇る日本銀行券の偽造防止技術などがあり、見逃せません。

■所蔵品：日本銀行が収集してきた日本および国外の貨幣類のほか、古貨幣収集家・研究家であった田中啓文から寄贈された「銭幣館コレクション」がもとになっています。世界有数の東洋貨幣のコレクションとして知られていますが、日本の貨幣史・経済史を研究するうえで必要な貨幣と関係資料を広く含み、その総数は10万点にもなります。これらの資料を自邸内に設立した煉瓦作りの建物で展示・保管されていたのが「銭幣館」です。コレクションは、東京への空襲が本格化するなかで1944年末に日本銀行へ寄贈され、現在に至っています。

基本情報
東京都中央区日本橋本石町1-3-1　日本銀行分館内　TEL：03-3277-3037
□アクセス：東京メトロ半蔵門線・銀座線「三越前駅」B1出口より徒歩1分
□開館時間：9：30 ～ 16：30（入館は16：00まで）
□休館日：月曜日（ただし、祝休日は開館）、年末年始、展示入替期間　□入館料：無料

あわせて立ち寄りたい！
●三井記念美術館：魅力ある建築と恵まれた都市環境という舞台の上で、所蔵する優れた美術品を展示の主役とする、これまでにない新しいスタイルの美術館です。
●「天女（まごころ）像」：日本橋三越本店の本館1階中央ホールに入ってすぐの巨大な天女像。

元祖・人気キャラクター『のらくろ』を知る美術館

田河水泡・のらくろ館

田河水泡・のらくろ館のアプローチ（写真提供：田河水泡・のらくろ館）

漫画『のらくろ』の作者・田河水泡の作品や愛用の品を展示

　田河水泡の業績を後世に残す目的で、1999年11月に江東区森下文化センター1階に開館した美術館です。センター前の高橋商店街は、愛称「高橋のらくろ～ド」と呼ばれていて、『のらくろ』がいかに地元で愛されているかがうかがえます。美術館前の「のらくろ広場」の床には『のらくろ』が描かれていて、楽しさが増します。

■田河水泡（たがわ・すいほう）：幼少期から青年期までを江東区で過ごした江東区ゆかりの漫画家。1931（昭和6）年に、大日本雄辯會講談社（現・講談社）の雑誌『少年倶楽部』に『のらくろ二等卒』を発表し、爆発的な人気を博して昭和初期を代表する漫画家となりました。

■漫画『のらくろ』：身寄りのない野良犬・のらくろが犬の軍隊へ入隊し活躍する物語です。自分の境遇にもめげず、明るく楽しく元気よく出世していくその姿を、当時の子どもたちは愛情を込めて応援しました。また、画家を志していた水泡の優れたデザインは、後の漫画家に多大な影響を与えました。

■主な展示品：単行本・原画（『のらくろ』の物語は、1931年にはじまり、1981年の『のらくろ喫茶店』で完結しました）、「のらくろのいる風景」（コンテと水彩で仕上げたスケッチに「のらくろ」が登場しています）、仕事場の再現（愛用の書斎机や道具類など作家を偲ばせる品々）などが展示されています。のらくろ広場では、『のらくろ』はもちろん、名作・話題のコミックや漫画評論などの書籍が閲覧できます。

基本情報

東京都江東区森下3-12-17　森下文化センター内　TEL：03-5600-8666
□アクセス：都営新宿線・大江戸線「森下駅」A6出口より徒歩8分
□開館時間：9:00～21:00　□休館日：第1・第3月曜日（祝日の場合は開館）、年末年始
□入館料：無料

あわせて立ち寄りたい！

●深川江戸資料館：160年前の江戸深川の街並みを実寸大で再現しています。一日の光の移り変わりも照明で再現されていて、江戸時代にタイムスリップした感覚を体感できます。
●東京都現代美術館：日本の戦後美術を中心に、広く内外の現代美術を展示。

036

西新宿の深層地下3階のパブリックアート

Crystal Stream-青の壁

左やや正面から見た『Crystal Stream-青の壁』（箕原真）

ただの"青い壁"ではない、観る者に謎かけをする壁画

　新宿副都心の深層部、地下鉄の駅に設置された遠目には文字通り青い壁画に見えるパブリックアートです。しかし、歩を進めるに従いその表情が複雑に変化することに気が付きます。だまし絵の「トロンプ・ルイユ」と思いきや、立体的な構造を持ち、見る角度によって駅構内の人の流れを映す鏡のようにもなり、ときに青い壁のように変化します。ここ西新宿は、かつて浄水場があった場所。その地域性と、雨水が地中深くに潜って浄化された水の流れがイメージされます。

　本作品は、都営大江戸線の開業の際に、「総合プロジェクト」の一環として設置されたもの。各駅の地域性を取り入れてそれぞれの個性を生かすという新しい方法で、民間スポンサーによるアートワークを設置するというプロジェクトのひとつです。

■作家：箕原真（みのはら・しん）。国内外の人と環境をつなぐ環境造形を多数手掛けているアーティストです。代表作は、文化学術研究交流施設「けいはんなプラザ」（京都府）が1993年にオープンした際に前庭に設置された文字盤面積世界一として1994年度のギネスブックに記載されている日時計。本書で紹介している「ファーレ立川」にも「人と球による空間ゲート」が設置されています。

■作品：横10m×縦2.5mの4:1の横長の壁画。とはいうものの、壁画の範疇を超えて蛇腹折の原理とランダムに穴のあいた鏡面仕上げのステンレス板をルーバーのように斜めに配した立体的な構造のインスタレーションです。

基本
情報　東京都新宿区西新宿1-3-17
　　　□アクセス：都営大江戸線「新宿西口駅」の改札内（地下3階改札内コンコース）

あわせて
立ち
寄りたい！　● SOMPO美術館：アジアで唯一、ゴッホの『ひまわり』に会えることで有名な旧名「東郷青児記念 損保ジャパン日本興亜美術館」が2020年7月10日に「SOMPO美術館」として移転リニューアルオープン。ゴッホ以外にもゴーギャン、セザンヌ、東郷青児、アメリカの素朴派画家グランマ・モーゼスなど珠玉のコレクションを持っています。

東洋の古美術を専門に扱うギャラリー

ロンドンギャラリー
London Gallery

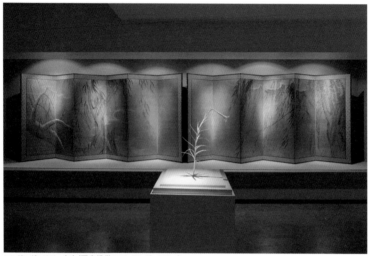

ロンドンギャラリー白金（写真提供：ロンドンギャラリー）

六本木と白金の2か所でギャラリースペースを展開

　ロンドンギャラリー（London Gallery）は、日本・中国・韓国など、東洋の古美術を専門に扱うギャラリーで、六本木と白金の2か所に展示室を構えています。ロンドンギャラリー六本木はギャラリーが多く集まるピラミデビルに、ロンドンギャラリー白金は屏風と仏像など大きな作品を展示するスペースを有しています。両所を訪ねて感じるのは、古美術を扱うギャラリーにふさわしいしっとりと落ち着いたたたずまい。同時に、洗練されたギャラリー空間にやさしく身を包まれる感動を覚えます。その空間のデザインは現代美術作家の杉本博司によるもので、新しい発見をしたような感動を覚えます。

　扱う作品は、古美術の仏教美術を中心に、屏風・掛軸・陶磁器・工芸品など、現代美術では橋本雅也など、古美術・現代美術という枠にとらわれないアートシーンが提供されています。オーナーの田島氏曰く「現代美術と古美術は、全く異質のものと感じる方が多いのではないでしょうか。しかし、アートを楽しむということに区別はなく、好きか嫌いを堂々と言えることが本来の楽しみ方だと思います。海外におけるアートの楽しみ方は、現代美術と古美術の区別がなく、生活の中に自分の好きなものを飾って楽しむという至ってシンプルなものです」（森ビル株式会社ニュースリリース 2011-11-18）。

基本情報

■ロンドンギャラリー六本木
東京都港区六本木6-6-9　ピラミデビル2F　TEL：03-3405-0168
□開館時間：11:00 〜 18:00　□休館日：日曜日・月曜日、祝日
□アクセス：東京メトロ日比谷線「六本木駅」1・3番出口より徒歩約1分
■ロンドンギャラリー白金
東京都港区白金3-1-15　白金アートコンプレックス4F　TEL：03-6459-3308
□開廊時間：11:00 〜 18:00　□休廊日：日曜日・月曜日、祝日
□アクセス：東京メトロ南北線・都営三田線「白金高輪駅」4番出口より徒歩約8分

あわせて立ち寄りたい！
●『ママン』：六本木ヒルズの66プラザでひときわ目を引く巨大なパブリックアート。ルイーズ・ブルジョワの作品。
●森美術館：六本木ヒルズ森タワー 53階に位置している国際的な現代アートの美術館。

都内で夢二作品を鑑賞できる唯一の美術館

竹久夢二美術館

（左）企画展「夢二に学ぶ恋のいろは」（2020年7～10月開催）の案内看板

（右）竹久夢二・画『水竹居』（1933年、竹久夢二美術館所蔵）

古き良き時代を思わせる大正ロマンの世界

　創設者・鹿野琢見（かの・たくみ／1919～2009年）の夢二コレクションを展示公開している美術館です。同館が建つ文京区は、竹久夢二が滞在した菊富士ホテルがかつてあり、また最愛の女性、笠井彦乃と逢瀬を重ねた場所で、今なお昔の風情を留め、静けさと木々の緑に包まれている文京区弥生の暗闇坂沿いにあります。圧倒的なコレクションを誇り、都内で夢二作品を常時鑑賞できる唯一の美術館です。古き良き時代を思わせる「夢二式美人画」から、モダンな表現を試みたデザイン作品まで、幅広く大正ロマンの世界に浸ることができます。館内では、年4回3か月ごとに企画展が開催されています。また、併設のカフェ「夢二カフェ 港や」でくつろぎのひとときを過ごすことができます。

■竹久夢二（たけひさ・ゆめじ）：明治38年末にデビューした夢二は、以後コマ絵や挿絵を数多く発表し、またセンチメンタルな美人画を多く残していて、いわゆる「夢二式美人画」を確立した画家です。また、夢二が作詞し、多忠亮が作曲した『宵待草』は当時一世を風靡しました。画家として、詩人として独自の芸術世界を形成し、大正ロマンを象徴する存在として高く評価されています。

■所蔵品：夢二の日本画・油彩・書・原画・スケッチ・版画・デザイン・著作本・装幀本・雑誌の他、書簡をはじめ、遺品や資料など、約3,300点のコレクションを所蔵。

基本
情報

東京都文京区弥生2-4-2　TEL 03-5689-0462

□アクセス：東京メトロ千代田線「根津駅」1番出口より徒歩7分、東京メトロ南北線「東大前駅」1番出口より徒歩7分

□開館時間：10:30～16:30（入館は16:00まで）　※事前オンライン予約制

□休館日：月曜日・火曜日、展示替期間、年末年始　※公式ホームページで最新情報をご確認ください

□入館料：一般1,000円、大・高生900円、中・小生500円

※竹久夢二美術館・弥生美術館は同じ建物内で見学ができ、上記料金で2館併せて鑑賞できます

あわせて
立ち
寄りたい！

●横山大観記念館：大観自身のデザインによる京風数寄屋造の建築と庭園が見どころ。

●旧岩崎邸庭園：庭園内の歴史的建造物の旧岩崎家住宅は国指定の重要文化財。

不思議なトリックアート美術館

東京トリックアート迷宮館

オリジナルシリーズ『ドラキュラのおやつ』

立体的に見える絵画や目の錯覚を利用して楽しく遊ぶ

　お台場に登場した「東京トリックアート迷宮館」は、立体的に見える絵画や目の錯覚を利用して楽しく遊ぶ、不思議な「トリックアート」の美術館です。「江戸エリア」や「愉快な忍者とお化けエリア」の他、トリックアートの名作が揃うギャラリーがあります。カメラのファインダーから覗く不思議な世界をバシャバシャ写真に撮って遊んだり、見る角度を変えて楽しんだり、さまざまな錯覚を体感することができます。世代を問わず難しいことを考えることなく単純に楽しめ、遊んだ記憶だけでなく、記録も残せるたいへん貴重な美術館だと言えるでしょう。

　ちなみに、トリックアート（TrickArt®）は、いわゆるトロンプ・ルイユ（騙し絵）をもとに、株式会社エス・デーが創造した「見て、触って、写真を撮って遊べる」全く新しいジャンルのアートを表現する造語です。「エイムズの部屋」やオダリスクなどが代表的なものです。展示されているトリックアート作品は、アクリル絵具でていねいに描かれ、保護のためトップコートが施されています。作品はすべて栃木にあるエス・デーの制作工房でていねいに創作されたものです。

■館内：大きく5つのフロアに分かれていて、江戸時代にタイムスリップできる「江戸エリア」、不思議な体験を楽しむことができる「愉快な忍者とお化けエリア」の他、「名作ギャラリー」「脳トレコーナー」「グッズコーナー」があります。

基本
情報
東京都港区台場1-6-1　デックス東京ビーチ シーサイドモール4F　TEL：03-3599-5191
□アクセス：ゆりかもめ「お台場海浜公園駅」より徒歩2分、りんかい線「東京テレポート駅」より徒歩5分
□開館時間：11:00 ～ 21:00（最終入館 20:30）
□休館日：不定休　※デックス東京ビーチが休館の際などに休館することがあります
□入館料：大人（高校生以上）1,000円、小人（4歳～中学生）700円、3歳以下無料

あわせて
立ち
寄りたい！
●森ビル デジタルアート ミュージアム（エプソン チームラボ ボーダレス）：アートコレクティブ・チームラボの境界のないアート群による「地図のないミュージアム」。境界のないアートに身体ごと没入し、10,000㎡の複雑で立体的な世界を、さまよい、意思のある身体で探索し、他者と共に新しい世界を創り、発見していくミュージアムです。

2月9日

本日の
テーマ ギャラリー・大学

京都工芸繊維大学が運営するアート展示空間

KYOTO Design Lab 東京ギャラリー

KYOTO Design Lab 東京ギャラリーの展示室風景（写真提供：KYOTO Design Lab）

3次元的な作品展示とデジタル／非デジタルなメディアの展覧会も

　KYOTO Design Lab 東京ギャラリーのある 3331 Arts Chiyoda は、2005年に統合により閉校した千代田区立・練成中学校の校舎を改修して、2010年にオープンした多目的文化センターで、極めて多彩な先進的アートやデザインのイベントや展覧会の場となっています。

　そのユニークな施設 3331 Arts Chiyoda の2階にある東京ギャラリーは、1899年に開学した国立大学法人京都工芸繊維大学が運営するアートの展示空間です。KYOTO Design Lab「D-lab」は、都市・建築の再生を建築教育・研究の中心に据えるとともに、デザインによる快適な社会像の設計を目指し、社会実装をテーマに活動を展開しています。D-labプロジェクトのプロセスと成果を共有し、その活動を広く一般に知ってもらえる場としての東京ギャラリーは、外部パートナー、サポーター、卒業生との相互対話の場であり、また新たな対話にともなう協働の生まれる場ともなっています。ギャラリーでは3次元的な作品展示のみならず、デジタル／非デジタルなメディアの展覧会を開催しています。

■過去の展覧会：「伝統への現代デザインの応答―丹後ちりめん300周年に向けて」（2020年10〜12月）、「para・textile 本を編む―繁茂する外延」（2020年9〜10月）、「Recombinant Imamiya―実質的な今宮神社を再構築する」（2019年11〜12月）など。

基本
情報

東京都千代田区外神田6丁目11-14　3331 Arts Chiyoda 203号室　TEL：03-6803-2491
□アクセス：東京メトロ銀座線「末広町駅」4番出口より徒歩1分、東京メトロ千代田線「湯島駅」6番出口より徒歩3分、都営大江戸線「上野御徒町駅」A1番出口より徒歩6分
□開館時間：12:00〜19:00　□休館日：月曜日・火曜日
□入館料：無料

あわせて
立ち
寄りたい！

●KIDO PRESS：版画、絵画、立体作品を中心とした現代美術の企画展を定期的に開催。併設の版画工房では、刷り師と作家の親密なコラボレーションによる版画制作を行っています。
●アキバタマビ21：多摩美術大学が運営する、若い芸術家たちのための作品発表の場です。

041

閑静な住宅街にたたずむ世田谷美術館分館

向井潤吉アトリエ館

庭よりの外観（©宮本和義）

〝民家〟を追い求め続けた洋画家・向井潤吉のアトリエ兼自宅

　東京都内とはいえ、武蔵野の面影を今に残す樹木に囲まれた、世田谷区弦巻の閑静な住宅街にたたずむアトリエ館。世田谷美術館の最初の分館として1993年に開館。洋画家で世田谷名誉区民でもある向井潤吉とその家族が、自宅を兼ねたアトリエを、生活をしていた当時の様子をそのままに、自費を投じて美術館として改装のうえ、自作の油彩画やデッサンとともに世田谷区に寄贈されました。そこには、戦後一貫して民家を描き続けた作家の日本の風景美や伝統の大切さを伝える願いが込められています。

　門をくぐって右手のコナラ、ケヤキ、エゴノキなどが茂る前庭に作家の自然観が垣間見え、アトリエ館を楽しむのにふさわしいプロローグとなっています。入館は、当時の向井家を訪ねるように玄関でスリッパに履き替えます。館内では、向井作品を年間を通じて展示するほか、実際に使用した絵画道具や地図なども展示されています。

■過去の展覧会：「向井潤吉の歩みと作品」（2021年4〜9月）、「向井潤吉の現場とアトリエ」（2020年10月〜2021年3月）、「民家への旅路」（2020年4〜10月）など。

■向井潤吉（むかい・じゅんきち）：1901年、京都市下京区生まれ。草葺き屋根の民家を描き続けた「民家の向井」と呼ばれた洋画家。つねに現場におもむき、誇張のない的確な写実表現によって、民家のありのままの姿とともに、日本の風土の美を描き出しました。

基本
情報
　東京都世田谷区弦巻2-5-1　TEL：03-5450-9581
　□アクセス：東急田園都市線「駒沢大学駅」西口より徒歩10分、東急世田谷線「松陰神社前駅」より徒歩17分
　□開館時間：10:00〜18:00（入館は17:30まで）
　□休館日：月曜日（祝・休日の場合は開館し、翌日休館）、年末年始、展示替期間
　□入館料：一般200円、大・高生150円、65歳以上・中小生 100円

あわせて
立ち
寄りたい！
●駒澤大学 禅文化歴史博物館：「東京都歴史的建造物」に選定されている「耕雲館」を公開している博物館。館内では禅の文化と歴史をテーマとした常設展示などを観ることができます。「耕雲館」は、現代建築にはない装飾が建物の各部に施されていて、その造形美を楽しむことができます。

緑豊かな砧公園の一角にある美術館

世田谷美術館

世田谷美術館へのアプローチ

恵まれた自然環境を存分に生かした建築も見どころ

　四季折々の変化が美しく、なかでもサクラの名所としても有名な都市公園である砧公園。同館は、その一角に位置している美術館です。公園の中を散策がてら向かうと、やがて美術館横の芝生に、都心の美術館にはめずらしい屋外彫刻が目に入り、いやが上にも期待が膨らみます。入館すると、すぐロビー左手のファサードに彫られた「芸術と自然はひそかに協力して人間を健全にする」というラテン語による至言に、同館のコンセプトが端的に表現されています。

　恵まれた自然環境を存分に生かした内井昭蔵のデザインによる建築そのものを楽しめるのも魅力。おそらく国内で唯一の企画ではないかと思われる作品をまったく展示しないたいへんユニークな「作品のない展示室」は、美術館という建物そのものを楽しむ機会となり、話題になりました。

■過去の展覧会：「アイノとアルヴァ 二人のアアルト フィンランド─建築・デザインの神話」（2021年3〜6月）、「世田谷美術館コレクション選 器と絵筆 魯山人、ルソー、ボーシャンほか」（2021年1〜2月）など。

■所蔵品：素朴派を代表する画家アンリ・ルソーをはじめ、近代から現代までの優れた作品を、国内外あわせて約16,000点収蔵。ジャン＝ミシェル・バスキアや横尾忠則、アウトサイダー・アーティストの作品、異文化が生み出すアフリカの現代美術などの作品の他、北大路魯山人の作品もあります。

基本情報
東京都世田谷区砧公園1-2　TEL：03-3415-6011
□アクセス：東急田園都市線「用賀駅」正面口より徒歩17分、バス：美術館行き「美術館」下車徒歩3分
□開館時間：10:00 〜 18:00（入館は閉館30分前まで）
□休館日：月曜日（祝休日の場合は開館し、その翌平日休館）、年末年始
□入場料：企画展によって異なります。ミュージアムコレクション一般200円、大・高生150円、65歳以上・中小生100円

あわせて立ち寄りたい！
●清川泰次記念ギャラリー：画家・清川泰次が長く生活と創作の場とした世田谷区・成城のアトリエ兼住宅を一部改装して、世田谷美術館分館として公開。
●宮本三郎記念美術館：洋画家・宮本三郎の油彩・素描などの収蔵品からテーマに沿って展覧会を開催。

043

アートを通じた街づくりの代表

ファーレ立川アート

■『会話』（ベンチ／ニキ・ド・サンファル／フランス）

36か国92人の作家によるアートが、20世紀末の現代世界を映し出す

　都内でもめずらしいパブリックアートの大集積地となっている「ファーレ立川」。ここは、1994年に立川駅北口の米軍基地跡地に誕生したホテル・デパート・映画館・図書館・オフィスビルなど、集客力の高い商業地区としてひとつの都市機能を満たす11棟の建物などからなる新時代の街です。「創る・創造する・生み出す」を意味するイタリア語の「FARE」に、立川の頭文字である「T」を付けて「ファーレ（FARET）立川」と名付けられました。

　その名を冠した街にふさわしく、アートディレクターの北川フラム氏により街は森に見立てられ、「世界を映す街」「機能（ファンクション）を美術（フィクション）に」「驚きと発見の街」の3つのコンセプトのもと、森に息づく小さな生命（妖精）のようにパブリックアート「ファーレ立川アート」が設置されたそうです。

　このパブリックアートが特徴的なのは、車止め・排気口・ベンチ・通路など、都市機能の一端を担って設置されている点です。すべての作品を紹介できませんが、広い敷地内を4つのブロックに分け、特徴的な作品13点を選んでみました。

「ファーレ立川アート」の各作品には、あえて説明板がつけられていませんが、作品の場所や説明、おすすめルートなどを写真・文章・音声・動画で案内するアプリ「ファーレ立川アートナビ」がサポートしています。お天気の良い日には、マップを片手に散策がてら現地を訪れて、ご自分の感性に合う作品を探しみてはいかがでしょうか。

基本
情報

□アクセス：JR「立川駅」北口より徒歩5分、多摩都市モノレール「立川北駅」より徒歩1分

あわせて
立ち
寄りたい！

●たましん美術館：「たましんコレクション」の中から近代日本の優れた絵画や彫刻作品、中国や日本の貴重な古陶器などの所蔵品を中心に展示。
●PLAY！MUSEUM：「絵とことば」がテーマの「ありそうでなかった」美術館。

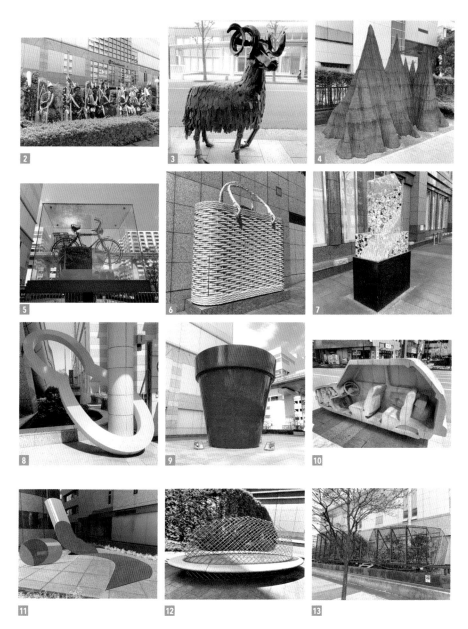

2オブジェ／サンデー・ジャック・アクパン／ナイジェリア　**3**道祖神（立川の動物たち‐羊）／ゲオルギー・チャプカノフ／ブルガリア　**4**『山』植栽内オブジェ／アニッシュ・カプーア／インド・イギリス　**5**『自転車もどきVI』駐輪場のネオンサイン／ロバート・ラウシェンバーグ／アメリカ　**6**『最後の買い物』排気口／タン・ダ・ウ／シンガポール　**7**『偶像』オブジェ／ジョゼ・デ・ギマランイス／ポルトガル　**8**換気口／伊藤誠／日本　**9**『オープン・カフェテラス』／ジャン＝ピエール・レイノー／フランス　**10**車止め（ベンチ）／ヴィト・アコンチ／アメリカ　**11**『リップスティック』オブジェ／クレス・オルデンバーグ／スウェーデン・アメリカ　**12**ベンチ／マーティン・プーリエ／アメリカ　**13**換気口／岡崎乾二郎／日本

ファッショナブルな街、代官山のギャラリー

アートフロントギャラリー
ART FRONT GALLERY

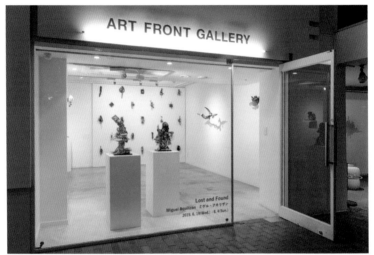

ミゲル・アキリザン 個展「Lost and Found」展示風景、2019（Photo by hiroshi noguchi　courtesy : Art Front Gallery）

多岐にわたる現代作家の表現を紹介

　代官山駅から歩いて5分、旧山手通り沿いの槇文彦による洗練された複合建築「ヒルサイドテラス」の一角に構え、代官山エリアを散策する際はぜひ立ち寄りたいギャラリー。もともとは版画企画の「アートフロント」が発祥で、ギャラリースペースは1984年以来20年以上、現代美術の発信地として川俣正や河口龍夫など150以上もの展覧会を企画してきた「ヒルサイドギャラリー」がルーツです。

　現在ギャラリースペースでは新進気鋭の若手アーティストから国内外で活躍するアーティストまで、年間10本程度の個展・グループ展を企画しています。先鋭的なアート・インスタレーションから親しみのある平面の絵画の展覧会まで、多様な現代の表現を幅広く紹介しています。越後妻有アートトリエンナーレや瀬戸内国際芸術祭など地域芸術祭の参加作家との連動を基軸とした企画を行っている点も特徴のひとつです。企画展のほか、自宅のインテリアなどに合わせたアートコーディネートの相談も受け付けています。

■過去の展覧会：金氏徹平 個展（2021年9〜10月）、春原直人 個展（2021年6〜7月）、中谷ミチコ 個展（2019年8〜9月）、冨安由真 個展（2019年1〜2月）、河口龍夫 個展（2019年2〜3月）、レアンドロ・エルリッヒ 個展（2018年1〜2月）、川俣正 個展（2017年8〜9月）、浅見貴子 個展（2017年4月）、大巻伸嗣 個展（2016年9〜10月）など。

基本情報

東京都渋谷区猿楽町 29-18　ヒルサイドテラス A棟　TEL: 03-3476-4869
□アクセス：東急東横線「代官山駅」より徒歩 5分、JR山手線「恵比寿駅」より徒歩 15分
□開廊時間：12:00〜19:00（水〜金曜日）、11:00〜17:00（土日）　□休廊日：月曜日・火曜日、夏季、年末年始
□入館料：無料

あわせて
立ち
寄りたい！

●『エレクトリックひまわり』（ピオトル・コヴァルスキー）、『七福神』（ジャウメ・プレンサ）：代官山アドレスのパブリックアート。
●KASHIYAMA DAIKANYAMA：ファッション、食、デザイン、アートが重なり五感を刺激する 代官山の新たな"丘"。

都心でも数少ない浮世絵専門の美術館

太田記念美術館

太田記念美術館の外観（写真提供：太田
記念美術館）

『冨嶽三十六景　神奈川沖浪裏』葛飾北斎
（太田記念美術館所蔵）

肉筆画と版画の両方を数多く所蔵する世界有数の浮世絵コレクション

　世界から見た日本を象徴する言葉のひとつ「カワイイ」で表現され、その独自性から海外にもそのファンを増やしている「カワイイ」文化発祥の地、原宿。太田記念美術館は、その原宿に立地する浮世絵専門の美術館です。かつて19世紀後半、フランス画壇において浮世絵や陶器の絵柄など日本独特の構図や平面的な色彩構成に画家たちが強い衝撃を受け、日本ブーム「ジャポニズム」の契機となったことを思い起こすと、同館のこの立地は、単なる偶然なのでしょうか、それとも必然なのでしょうか。

■過去の展覧会：「太田記念美術館コレクション展」（2020年7月）、「ニッポンの浮世絵」（2020年11 ～ 12月）など。

■5代太田清藏（おおた・せいぞう）：元東邦生命保険会長・社長。美術や文学への造詣が深く、大学生の頃から浮世絵に関心を持ち、欧米諸国を外遊した際、浮世絵が欧米の美術館で高く評価され、欧米の絵画に深い影響を与えていることを実感したのをきっかけに、浮世絵の蒐集を始めました。

■所蔵品：5代太田清藏のコレクション約1万2千点を含めた約1万5千点を所蔵。喜多川歌麿、葛飾北斎、歌川広重といった浮世絵師たちの代表作をはじめ、浮世絵の始まりから終焉まで、その歴史を網羅的に辿れる幅広い範囲を収めています。葛飾北斎の代表作『冨嶽三十六景　神奈川沖浪裏』は、世界でもっとも知られている日本絵画の作品のひとつで、西洋の絵画にも多大な影響を与えました。

基本情報

東京都渋谷区神宮前1-10-10　TEL：050-5541-8600（ハローダイヤル）
□アクセス：JR山手線「原宿駅」表参道口より徒歩5分、東京メトロ「明治神宮前駅」5番出口より徒歩3分
□開館時間：10:30 ～ 17:30（入館は17:00まで）
□休館日：月曜日（祝日の場合は開館し、翌日休館）、展示替期間、年末年始
□入館料：展示により異なります。　※公式ホームページで最新情報をご確認ください

あわせて
立ち
寄りたい！

●岡本太郎記念館：岡本太郎の強烈な個性が溢れる記念館です。1954年から1996年に84歳で亡くなるまで、岡本太郎のアトリエ兼住居でした。
●根津美術館：日本の実業家・初代根津嘉一郎の美術コレクションを展示する美術館です。

和紙や折り紙の魅力を気軽に楽しむ

お茶の水 おりがみ会館

お茶の水 おりがみ会館の外観

和紙・折り紙・千代紙が一堂に会した見て・遊んで・学べる施設

　近代教育発祥の地といわれる文京区湯島1丁目に立地する「お茶の水 おりがみ会館」の歴史は、1858（安政5）年に、ここ文京の地で「ゆしまの小林」の初代・小林幸助が襖具師・表具師として上野寛永寺の仕事などを通し和紙技術を習得して手がけた染め紙業にはじまります。

　同館を訪れてみると、正面の大きなウィンドウの季節の折り紙のディスプレイが目を引きます。「日本の伝統文化折り紙」「1枚の紙からできるアート」「子供から大人まで楽しめる折り紙」など、さまざまなキーワードで今日紹介されている折り紙。今や折り紙は「ORIGAMI」の7文字で綴られ、世界中に愛好家が存在し、「お茶の水 おりがみ会館」は魅力的な観光スポットとしても人気です。ただ折って楽しむだけのものではなく、リハビリテーションやセラピーの部門でもその効果が見直されています。経済産業省・伝統的産業振興会推薦のお店でもあります。

■展示室：1階のエントランスホールには、教室のサンプル作品が一挙に展示されています。続く中2階は紙の魅力と可能性をお披露目する企画ギャラリースペースとなっていて、企画展示を鑑賞することができます。3階のショップに入ると、玉手箱を開けたようなそのカラフルな風景に小躍りしてしまいます。かわいいおみやげから本格的な工芸まで、「お茶の水 おりがみ会館」オリジナルの和紙を使った折り紙キット、千代紙商品・書籍などが取り揃えられています。

基本
情報

東京都文京区湯島1-7-14　TEL：03-3811-4025
□アクセス：JR「御茶ノ水駅」より徒歩7分、東京メトロ丸ノ内線「御茶ノ水駅」より徒歩5分、東京メトロ千代田線「新御茶ノ水駅」より徒歩10分、東京メトロ銀座線「末広町駅」より徒歩7分
□開館時間：9:30 ～ 16:30　□休館日：日曜日、祝日、夏期休暇、年末年始
□入館料：無料

あわせて
立ち
寄りたい！

●日本サッカーミュージアム：文京区サッカー通り（本郷3-10-15）にある2002 FIFAワールドカップ™記念の日本サッカーミュージアム。数々の名勝負と感動的なドラマの歴史を彩る品々や貴重な文献、資料を観ることができます。

民俗資料室ギャラリーや収蔵庫をもつ資料室

武蔵野美術大学 美術館・図書館 民俗資料室

「民俗資料室ギャラリー展示 28　紙・木・藁にみる祈りの造形」（2020年）会場風景
（写真提供：武蔵野美術大学 美術館・図書館 民俗資料室）

収蔵資料が公開される企画展「民俗資料室ギャラリー展示」

　武蔵野美術大学 美術館・図書館は、図書館機能と美術館・博物館の機能を併せ持つ複合的な施設ですが、そのひとつ、キャンパス正門を入って右手の13号館にあるのが「民俗資料室」です。

　ここには、民俗資料室ギャラリーや収蔵庫があり、主として一般の民衆が日々の暮らしのなかで生み出し、使い続けてきた暮らしの造形資料（いわゆる民具）が約9万点あります。故・宮本常一教授の指導のもと収集がスタートし、30年来にわたって蓄積された、点数・内容ともに日本屈指の資料となっています。生活用具各種、郷土玩具、凧、信仰資料など、高度経済成長とともに失われてきた生活文化の資料は、それぞれの土地の自然環境や文化の中で生まれ、時代とともに変遷を重ねてきた民俗文化と生活史の重要な証拠資料です。また同時に、それぞれの目的に合わせて創出された暮らしのデザインの実物資料としても魅力あるものです。

　民俗資料室ギャラリーでは、収蔵資料の公開と活用を目的に、「民俗資料室ギャラリー展示」と題してさまざまなテーマの企画展を年に1〜2回開催しています。また、収蔵庫は「収蔵展示」という形で定期的に見学ができます。

■過去の企画展：民俗資料室ギャラリー展示28「紙・木・藁にみる祈りの造形」（2020年10〜12月）、民俗資料室ギャラリー展示27「くらしの中の布—まとう・つつむ・たたむ—」（2019年11〜12月）など。

基本情報
東京都小平市小川町1-736　TEL：042-342-6006
□アクセス：西武国分寺線「鷹の台駅」より徒歩18分、JR「国分寺駅」北口より西武バス「武蔵野美術大学」行または「小平営業所」行乗車「武蔵野美術大学正門」下車、JR「立川駅」北口より立川バス「武蔵野美術大学」行乗車「武蔵野美術大学」下車
□開室日時：公式ホームページで最新情報をご確認ください
□入場料：無料

あわせて立ち寄りたい！
●武蔵野美術大学 美術館・図書館：美術館としては、開館以来収集した3万点に及ぶポスターと400脚を超える近代椅子を中心に、4万点を超えるデザイン資料や美術作品のコレクションを持ち、年間を通じて多くの企画展を開催しています。

天折の天才画家・佐伯祐三の記念館

佐伯祐三アトリエ記念館

佐伯祐三アトリエ記念館の外観

アトリエを構え、創作活動の拠点とした日本で唯一の場所

　新宿区中落合の区立佐伯公園内にある佐伯祐三のアトリエを整備し、作家の功績を後世に遺すため、2010年、作家の誕生日4月28日に開館したのが新宿区立の佐伯祐三アトリエ記念館です。この地で作家が生活をしたのは、結婚翌年の1921年からフランスに渡るまでと、一旦帰国し再びフランスに戻るまでのあわせて4年間だけですが、アトリエを構え、創作活動拠点とした日本で唯一の場所です。現在も当時のままの敷地に、大正期のアトリエ建築を今に伝える当時の建物が残っているように感じる貴重な場所です。

　アトリエの入口では、モダンな洋装の作家の等身大のパネルがお出迎えしてくれます。館内は展示室（アトリエ）、展示室（小部屋）、テラスにわかれていて、妻であり自身も画家であった佐伯米子の作品（複製）も展示されています。入ってすぐ右手には、ここで仲間と作ったといわれる『ライフマスク（複製）』があり、作家の表情を偲ぶことができます。小部屋に展示されている旧居・アトリエ復元模型を見ると、作家の当時の生活の様子に想像が膨らみます。

■佐伯祐三（さえき・ゆうぞう）：大阪府大阪市出身の大正・昭和初期の洋画家。画家としての短い活動期間の大部分をパリで過ごし、30歳の若さでフランスの地で亡くなりました。作家の作品には、パリの街角や店先などを独特の荒々しいタッチで描いたものが多くあります。

基本
情報

東京都新宿区中落合2-4-21　TEL：03-5988-0091
□アクセス：西武新宿線「下落合駅」より徒歩10分、JR山手線「目白駅」より徒歩20分
□開館時間：10:00 〜 16:30（5 〜 9月）、10:00 〜 16:00（10 〜 4月）
□休館日：月曜日（祝日の場合は開館し、翌日休館）、年末年始
□入館料：無料

あわせて
立ち
寄りたい！

●中村彝アトリエ記念館：大正期に活躍した洋画家・中村彝（つね）のアトリエ記念館。
●漱石山房記念館：夏目漱石が暮らし、数々の名作を世に送り出した「漱石山房」の書斎、客間、ベランダ式回廊を記念館内部に忠実に再現した記念館です。

緑に包まれた都立府中の森公園内の美術館
府中市美術館

公園側から見る府中市美術館の外観

「生活と美術＝美と結びついた暮らしを見直す美術館」がテーマ

　緑豊かな都立府中の森公園の一角にある美術館で、通称「美術館通り」からアーケードを通って入口までアクセスすることができます。美術館1階は各施設がある明るいフリーなフロアで、2階に上がると作品を鑑賞するための落ち着いた展示空間のしつらえに。常設展示室では、江戸後期から現代にいたる2200点を超える所蔵作品の中から、各期のテーマに沿って常時約80～100点の作品を展示しています。あわせて、常設ではありませんが、洋画家の牛島憲之が多摩川近郊、特に府中によくスケッチに出かけた縁で、ご遺族から寄贈を受けた作品を常設展示の内容にそって紹介しています。

　また、3室ある企画展示室では基本テーマ「生活と美術」を軸に、バリエーションに富んだ企画展も展開されています。

■過去の展覧会：「映えるNIPPON 江戸～昭和 名所を描く」（2021年5～7月）、春の江戸絵画まつり 与謝蕪村「ぎこちない」を芸術にした画家（2021年3～4月）、「メイド・イン・フチュウ 公開制作の20年」（2020年12月～2021年2月）、日本の美術を貫く 炎の筆『線』（2020年9～11月）など。

■所蔵品：コレクションの収集方針として、親しみやすい近代以降の日本美術に焦点をあてます。特に西洋美術との相互関係、伝統的美意識の展開などを視野に入れ、日本近代美術の流れや特質を展望できるコレクションを形成しています。

基本情報

東京都府中市浅間町1-3　都立府中の森公園内　TEL：050-5541-8600（ハローダイヤル）
□アクセス：京王線「東府中駅」北口から「ちゅうバス」府中駅行き（30分間隔）「府中市美術館」下車すぐ
□開館時間：10:00～17:00（展示室への最終入場は16:30）
□休館日：月曜日（祝日の場合は開館し、翌日休館）
□入館料：[常設展] 一般200円、高校生・大学生100円、小学生・中学生50円　※企画展は展覧会によって異なります

あわせて
立ち
寄りたい！

●中村研一記念小金井市立はけの森美術館：年4回程度の展示替えを行い、基本コレクションとなる中村研一の作品を紹介する所蔵作品展のほか、美術館の企画による特別展も開催。

050

夏目漱石の小説『坊っちゃん』が題名の由来

坊っちゃんの塔

『坊っちゃんの塔』全景

見る角度によってさまざまな幾何学模様を見せる数学的に練られた作品

「飯田橋駅」を下車し、都会の中心に居ながらにしてリゾート気分が味わえる「CANAL CAFE」を目印に東京理科大学方向に歩くこと5分、摩訶不思議な幾何学模様のモニュメントが目に入ります。

この謎めいたモニュメントは、銘板に『坊っちゃんの塔』と題されていて、夏目漱石の小説『坊っちゃん』の主人公が東京理科大学の前身である東京物理学校を卒業した数学教師であったことに由来しているとあり、謎が解けました。加えて、モニュメントのすぐ先にある「東京理科大学近代科学資料館」は、1906（明治39）年に神楽坂に建てられた東京物理学校の木造校舎を復元したもので、機会を捉えて立ち寄り、往時の雰囲気を味わうのも一興です。

「主人公は、卒業後、四国松山の中学に赴任して、反俗精神に貫かれた豪放磊落な熱血教師として描かれています。本学（東京理科大学）が、明治の時代から"坊っちゃん"のような、人間味にあふれた実力ある理数系教師を多数輩出し、理学の普及に果たした役割を誇りにさらに未来に亘って脈々と継承していくことを期して、このモニュメントは建設されました」と、銘板にその建立の趣旨が書かれています。

■作品：見る角度によってさまざまな幾何学模様を見せる作品ですが、メタリックな龍がうねるように空に向かっているようなイメージをもちます。数学的にかなり深淵な理屈で成り立つ鏡像対称な一対の五面体「ペンタドロン」を最小単位としてそれらを組み合わせ構成されているのが、東京理科大学の面目躍如のモチーフといえます。

基本
情報

東京都新宿区神楽坂1-3
□アクセス：JR「飯田橋駅」西口より徒歩5分、東京メトロ「飯田橋駅」B3出口より徒歩3分

あわせて
立ち
寄りたい！

● 東京理科大学近代科学資料館：科学技術の過去・現在・未来を思考する空間となる博物館。
● MIZUMA ART GALLERY：日本を代表するギャラリスト・三潴末雄が創業のギャラリー。

日動画廊の現代美術のギャラリー

nca | nichido contemporary art

©Vik Muniz / Courtesy of nca | nichido contemporary art Photo by Kei Okano

国内外の作品を紹介する傍ら、台北支店ではプログラムをシェア

　1928年創業の老舗「日動画廊」の新部門として2001年に設立された現代アートのギャラリーです。日本に初めて西洋絵画を紹介し、革新的な企画によって文化の普及に努めてきた日動画廊の創業・開拓理念を受け継ぎ、国内外のアーティストによる最新の多様な表現方法を紹介することに取り組んでいます。従来の絵画展示に限らず、映像のインスタレーションなどもその表現方法のひとつ。

　展示会においては、常設展のほかに、毎年ゲストキュレーターを迎え、さまざまな視点から「Identity」というテーマについて考察する企画展が開催されています。

　なお、日動画廊の台北支店として、台湾の台北にも画廊が2015年に開設されています。台北支店では、アジアの現代美術を中心に、「nca | nichido contemporary art」のプログラムをシェアした展覧会が企画されています。昨今の台湾のアートシーンは新しい切り口として、メディアアート、マイノリティアートの問題にも取り組み、エッジの効いた活動が行われていて、マーケットとしても興味が尽きません。
■過去の展覧会：グループ展「SITES UNSEEN – 真ん中から緑を呼び続ける –」（2021年4～6月）、小品展「SMALL。」（2021年2～3月）、グループ展「KASAI VOICES」（2020年12月～2021年2月）、グループ展「Once upon a future–ある未来の話」（2020年10～11月）など。

基本
情報
東京都中央区八丁堀4-3-3 B1　TEL：03-3555-2140
□アクセス：東京メトロ日比谷線・JR京葉線「八丁堀駅」A3出口より徒歩3分、東京メトロ銀座線「京橋駅」より徒歩6分
□開廊時間：11:00～19:00　□休廊日：日曜日・月曜日、祝日
□入館料：無料

あわせて
立ち
寄りたい！
●日動画廊：ncaとは少し離れた銀座にありますが、ぜひ訪ねてみたい日本で最も歴史のある画廊です。油彩、彫刻、版画を主に、内外の物故・現存あわせてその取り扱い作家は数百名におよびます。
●国立映画アーカイブ：日本で唯一の国立映画専門機関。

052

東京ミッドタウン内にあるデザインの展示施設

21_21 DESIGN SIGHT

21_21 DESIGN SIGHTの外観（撮影：吉村昌也）

文化としてのデザインの未来を発見し、つくっていく拠点

　東京ミッドタウン「ミッドタウン・ガーデン」の中に建てられている同館の創立者は三宅一生で、施設名は「トゥーワン・トゥーワン・デザイン・サイト」と読みます。英語（ヤード・ポンド法の北米圏）では正常視力を「20/20 Vision (Sight)」と表現しますが、21_21 DESIGN SIGHTという名称は、さらにその先を見通す場でありたいという思いからつけられたそうです。どこにも書かれていませんが、あわせて、「21世紀」の未来を暗喩しているのかもしれません。「SIGHT」は、デザインの「視力」であり、ものごとの見方、見ることの大切さを表しています。

　デザインは生活を楽しく、豊かにし、思考や行動の可能性を広げてくれます。そのことに目を向け、「日常」をテーマにした展覧会の考え抜かれたディレクションによって、同館を訪れる人が、デザインの楽しさに触れ、新鮮な驚きを体験できる貴重な美術館です。

■建築：建築設計は安藤忠雄。三宅一生の服づくりのコンセプト「一枚の布」に着目し、一枚の巨大な鉄板を折り曲げたような屋根が地面に向かって傾斜する独創的な造形の建物は、ほとんどのボリュームが地下に埋まっていて、中に入ると外観からは思いもよらない空間が広がっています。

■過去の展覧会：「トランスレーションズ展 −『わかりあえなさ』をわかりあおう」（2020年10月〜2021年6月）、「㊙展 めったに見られないデザイナー達の原画」（2019年11月〜2020年9月）など。

基本
情報
東京都港区赤坂9-7-6　東京ミッドタウン「ミッドタウン・ガーデン」内　TEL：03-3475-2121
□アクセス：都営大江戸線・東京メトロ日比谷線「六本木駅」、東京メトロ千代田線「乃木坂駅」より徒歩5分
□開館時間：10:00 〜 19:00(最終入場は18:30まで)
□休館日：火曜日、年末年始、展示替期間
□入館料：一般1,200円、大学生800円、高校生500円、中学生以下無料

あわせて
立ち
寄りたい！
●サントリー美術館：国立新美術館、森美術館（3館で「六本木アート・トライアングル」を構成）など、大規模な美術館が集積する、日本における美術の重要な拠点。

世界に類を見ない全く新しいミュージアム

森ビル デジタルアートミュージアム：
エプソン チームラボボーダレス

人々のための岩に憑依する滝

複雑で立体的なデジタルアートの地図のないミュージアム

　森ビルとチームラボが共同で運営する「森ビルデジタルアートミュージアム：エプソン チームラボボーダーレス」。延べ床面積は約1万㎡。この巨大なデジタルアート空間には520台のコンピューターと470台のプロジェクターを駆使して、圧倒的なスケール感と多様な空間構成が特徴的な3次元空間が出現します。ここでは、文字どおり「ボーダーレス」で、館内フロアガイドを求めることは無意味なことで、当然そのようなものは備わっていません。なお、2019年において単一アート・グループとして世界で最も来館者が多い美術館としてギネス世界記録™に認定されました。

　入口でのオリエンテーリングのあと、いよいよ館内へ。暗闇の通路を抜けると、そこはもうアートコレクティブ・チームラボの圧倒的なデジタルアートの世界。複雑で立体的な境界のないアートの中に没入して動くことで、そのことが作品に影響を与え、作品が刻々と変化していきます。体を動かすことで自分の体が作品の一部になってしまうような没入感を感じ取ることができる、今まで経験したことがない新感覚のミュージアムです。なお、このミュージアムには作品のキャプション（説明文）がありません。なぜなら作品が移動していくからです。そのため自分の近くの作品コンセプトが読めるガイドアプリが用意されています。なお同館は、2022年8月末に閉館し、2023年に東京都心部で新たなチームラボボーダレスを開催予定です。

基本
情報

東京都江東区青海1-3-8　お台場パレットタウン 2階　TEL: 03-6368-4292（10:00 ～ 18:00）
□アクセス：りんかい線「東京テレポート駅」出口Aより徒歩5分、ゆりかもめ「青海駅」北口より徒歩3分
□開館時間：シーズンによって異なります（日時指定の事前予約制）
□休館日：詳細は公式ホームページで最新情報をご確認ください
□入館料：大人（高校生以上）3,200円、子供（中学生以下）1,000円、3歳以下無料

あわせて
立ち
寄りたい！

●『自由の炎』：見上げるほど高く天を突くマルク・クチュリエのパブリックアート作品です。2000年の「日本におけるフランス年」にフランスから贈られました。
●東京トリックアート迷宮館：立体的に見える絵画や目の錯覚を利用して楽しく遊ぶ不思議なトリックアート美術館。

本郷キャンパス内にある博物館

東京大学総合研究博物館本郷本館

UMUT オープンラボ正面（写真提供：東京大学総合研究博物館）

常設展示として総合研究博物館の研究現場の一部を公開

　東京大学総合研究博物館は、学内共同利用施設の1号機関として設置された総合研究資料館の改組拡充により、1996年春に国内で最初の教育研究型ユニバーシティ・ミュージアムとして誕生しました。東京大学には、明治10年の創学以来、総数にして600万点を超える各種学術標本が蓄積されていて、そのうち総合研究博物館に収蔵されている学術標本は、設置時当初の推計240万点に、その後の収集・寄贈・寄託標本が加わり、現在では300万点を超えています。主要展示公開施設は、本郷キャンパス内にある本館、小石川分館（建築ミュージアム）、そして、丸の内のインターメディアテクと、東京ドームシティの太陽系博物学研究室（宇宙ミュージアムTeNQ内）です。

　本郷キャンパス本館は、「懐徳門」を入って右手正面が博物館入口。常設展示『UMUT オープンラボー太陽系から人類へ』として、総合研究博物館の研究現場の一部を公開しています。

■展示：常設展示「UMUT オープンラボー太陽系から人類へ」、特別併設展示「人類先史、曙―東京大学所蔵明治期の人類学標本」、特別展示「疎と密―音景×コレクション」（2021年7～10月）、特別展示「珠玉の昆虫標本―江戸から平成の昆虫研究を支えた東京大学秘蔵コレクション」（2018年7～10月）など。

基本
情報

東京都文京区本郷7-3-1　東京大学本郷キャンパス内　TEL：050-5541-8600（ハローダイヤル）
□アクセス：東京メトロ大江戸線「本郷三丁目駅」より徒歩3分
□開館時間：公式ホームページで最新情報をご確認ください
□入館料：無料

あわせて
立ち
寄りたい！

●旧岩崎邸庭園：庭園内の歴史的建造物の旧岩崎住宅は国指定の重要文化財。
●国立近現代建築資料館：旧岩崎邸庭園に隣接の建築に特化した資料館。世界に誇る日本の近現代建築に関する貴重な図面や模型を展示しています。

055

日本随一のカメラや写真を保有・展示する博物館

日本カメラ博物館

日本カメラ博物館の展示室風景

日本のカメラの発展史を系統的に展示

　千代田区一番町にあるカメラに特化した博物館です。入口では、本物のスタジオカメラと同館のレリーフが出迎えてくれます。日本のカメラの発展史を系統的に展示している常設展示はもちろん、年に3〜4回ほど展示替えがある特別展で、機能別や国別など、カメラの魅力をあらゆる角度から掘り下げ、余すところなく伝えてくれます。世界中から集まったカメラの名機・名作・珍品も展示され、訪れるたびに新しい発見があり、1回だけの訪問ではもったいない博物館です。

■常設展示：入ってまず目に入る東日本大震災で陸前高田の津波被災跡から発見された泥にまみれたカメラが胸に迫ります。日本の歴史的カメラコーナーでは、明治時代のカメラから最新のデジタルカメラまで、日本カメラ財団で認定した日本の歴史的カメラの数々が展示されています。ライカコーナーでは、ライカの試作機「0型ライカ」や中島康夫のライカコレクションを数多く見ることができます。立体写真コーナーでは、イギリスのロックバンド・QUEENのギタリストで天文学者でもあるブライアン・メイが作成した小惑星「リュウグウ」の立体視画像、世界で初めて市販されたカメラで世界に数台しか現存していない貴重なカメラ「ジルー・ダゲレオタイプ・カメラ」など、貴重な展示が数多くあります。

■過去の特別展：「デジタルカメラ1981-2021　道具と発展の40年」（2021年2〜6月）、「小説のなかのカメラ『谷中レトロカメラ店の謎日和』より」（2020年10月〜2021年1月）など。

基本
情報

東京都千代田区一番町25番地　JCII一番町ビル（地下1階）　TEL：03-3263-7110
□アクセス：東京メトロ半蔵門線「半蔵門駅」より徒歩1分、東京メトロ有楽町線「麹町駅」より徒歩8分
□開館時間：10:00〜17:00
□休館日：月曜日（祝日の場合は閉館し、翌日休館）、年末年始、その他
□入館料：一般 300円、中学生以下 無料

あわせて
立ち
寄りたい！

●半蔵門ミュージアム：真如苑が所蔵する仏教美術品を一般に公開するために設立した文化施設です。地下1階の展示空間では、運慶作と推定されている大日如来坐像（重要文化財）や、ガンダーラ仏伝図浮彫を常設展示し、仏像や仏画、経典などを入れ替えながら展示しています。

056

中国および日本の書道史上重要な資料を所蔵

台東区立書道博物館

本館と新館を繋ぐ中庭に設置されている中村不折の胸像

洋画家で書家の中村不折が半生にわたり独力で蒐集した作品を展示

　書道博物館は、洋画家であり書家でもあった中村不折（なかむら・ふせつ／1866〜1943年）が、その半生40年余りにわたり独力で蒐集した、中国および日本の書道史上重要な資料を展示する専門博物館です。既存の建物である本館と、中村家から台東区へ寄贈後、新たに建設した中村不折記念館（新館）があります。本館には金石学に密接な関係のある、文字の刻まれた、あるいは書き込まれた収蔵品を常設展示していて、漢字の書法や文字の歴史をたどる上で非常に重要な資料を目にすることができます。書道というと紙本墨書の類を考えがちですが、それらの原点である金石関係の文字資料を数多く収蔵していることが、大きな特色です。

　中村不折は、書だけではなく、新聞や書籍の挿絵も残しています。夏目漱石の『吾輩ハ猫デアル』の挿絵も描き、「書籍が発売から20日で売り切れ、重版が決定したのは、軽妙な挿絵のおかげ」としたためた漱石による中村不折宛の手紙があり、テーマに合わせて展示されます。

■所蔵品：殷時代の甲骨文に始まり、青銅器、玉器、鏡鑑、瓦当、塼、陶瓶、封泥、璽印、石経、墓券、仏像、碑碣、墓誌、文房具、碑拓法帖、経巻文書、文人法書など、重要文化財12点、重要美術品5点を含む東洋美術史上貴重な文化財がその多くを占めています。

基本
情報
　東京都台東区根岸2-10-4　TEL：03-3872-2645
□アクセス：JR「鶯谷駅」北口より徒歩5分、北めぐりん⑬「入谷区民館根岸分館（書道博物館）」下車徒歩3分
□開館時間：9:30 〜 16:30（入館は16:00まで）
□休館日：月曜日（祝日の場合は開館し、翌平日休館）、年末年始、展示替期間など
□入館料：一般500円、小・中・高校生250円

あわせて
立ち
寄りたい！
●東京都美術館：「世界と日本の名品」に出会う特別展と人気企画として「アーツ&ライフ展」「現代作家展」「アーツ&ケア展」の3つのテーマを基本に毎年ひとつのテーマを取り上げる独自の企画展を開催。
●東京国立博物館：日本とアジア諸国の貴重な遺産約8万9千件を収蔵する日本屈指の博物館。

東京オペラシティのサンクンガーデンに立つ

シンギングマン

サンクンガーデンに佇む『シンギングマン』（ジョナサン・ボロフスキー）

ジョナサン・ボロフスキーの巨大彫刻

　東京オペラシティは、「本格的な西洋芸術が楽しめる場所を東京に」とつくられた複合文化施設。その施設内の古代ギリシアの円形劇場風の広場サンクンガーデンに立っている巨人の像がジョナサン・ボロフスキーの『シンギングマン』です。顎の部分が可動式になっていて時にゆっくりと口を動かし、低い声で何か歌いますが、その立ち居振る舞いから、なんとなくスタジオジブリ制作の長編アニメーション『天空の城ラピュタ』に出てくる癒し系園丁型ロボットを連想してしまいます。

　アルミ製のやや鈍い光を放つ本作品は、横から見ると迫力満点の立体感があるものの、正面に回ってみると、一見頼りなげに見える薄板で組まれている不思議な構造になっています。

■作家：ジョナサン・ボロフスキー。1942年アメリカ・ボストン生まれ。前衛芸術運動のコンセプチュアル・アートから始まった芸術家。作家の活動はのちに、コンセプチュアル・アート的な側面からは離れて、大きな空間を自由に使った表現に変化していきました。そのいずれも巨大な面積や体積がないと不可能な形態をとっていて、本作品もその一例と言ってよいでしょう。

■作品：作家の作品は、日本では滋賀県立近代美術館の『ブリーフケースを持つ人』、ファーレ立川などで観ることができ、渋谷の駅前にも作家の作品が出現したことがあります。世界一有名なスクランブル交差点前に建つ商業ビルの「QFRONT」の竣工時に、高さ42mの『ハートライト・マン』のパネルアートが飾られました。それから2年間、渋谷の新時代を象徴する21世紀のアイコンとなりました。

基本
情報
東京都新宿区西新宿3-20-2　東京オペラシティ サンクンガーデン
□アクセス：京王新線「初台駅」東口より徒歩1分

あわせて
立ち
寄りたい！
●東京オペラシティ アートギャラリー：多様な表現活動を紹介する企画展を年4回程度開催しています。また、寺田小太郎の寄贈による寺田コレクションには、日本を代表する抽象画家、難波田龍起・史男父子の作品をはじめとする戦後の美術作品が収蔵されています。

天王洲 TERRADA ART COMPLEX 内のギャラリー

MAKI Gallery／天王洲I＆MAKI Collection
MAKI Gallery／天王洲II

『24 Tennis Court Drawings』Jonas Room（写真提供：MAKI Gallery）

ギャラリーとしてだけでなく、コレクション作品を鑑賞できる空間

　　MAKIは、2003年にSAKURADO FINE ARTSとして設立され、のちに現名称となりました。戦後美術と現代美術に特価した世界の第一線で活躍する芸術家に焦点を当て、紹介しています。表参道のギャラリーに加え、2020年より天王洲に新しいスペースをオープン。オーナーの牧夫妻がこれまでコレクションしてきた世界トップクラスのアートを展示公開するコレクションスペース「MAKI Collection」をメインに、従来のギャラリースペース「MAKI Gallery／天王洲Ⅰ・Ⅱ」が融合したたいへん見ごたえのあるギャラリーです。ギャラリーは敷居が高いと思われる方も楽しめるアート空間です。

　　コレクションスペースでは、約半年ごとにテーマ性のある展示を展開し、多くの方が興味をもって作品を楽しめる工夫がなされています。そのなかでも世界的に活躍するジョナス・ウッドの作品を常設展示するJonas Room は見逃せません。

■Jonas Room：MAKI Collectionの一角に、世界的に注目されているロサンゼルスのアーティスト、ジョナス・ウッドの『24 Tennis Court Drawings』が常設展示されています。展示スペースに広がる、まるで歴代の王侯貴族の肖像画が陳列されるように24 点の各コートの姿が立ち並ぶ光景は圧巻です。作品はそれぞれのコートの特徴をよく捉え、テニスを知っている人は、見ただけでそれがどこかわかるそうです。なお、本作品は牧夫妻により2025年までにロサンゼルス・カウンティ（LACMA）に寄贈されることになっています。

基
本
情
報

東京都品川区東品川1-33-10＆1-32-8　TERRADA ART COMPLEX 1階　TEL：03-6810-4850
□アクセス：りんかい線「天王洲アイル駅」B出口より徒歩8分
□開廊時間：11:00 ～ 18:00（火～木曜日、土曜日）、12:30 ～ 20:00（金曜日）
□休廊日：日曜日・月曜日

あわせて
立ち
寄りたい！

●TERRADA ART COMPLEX I・II：寺田倉庫が運営する倉庫をリノベーションした現代アートの複合施設で、カフェやガーデンも併設されています。IとIIをあわせて日本最多のギャラリー数を誇る一大アート集約基地となっています。国際都市東京の大きな課題であるギャラリーの集約を実現しました。

059

国内で唯一、郵政関係の収蔵品を展示する博物館

郵政博物館

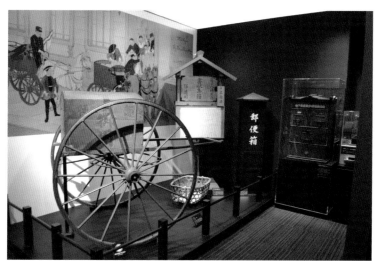

「郵便」ノ世界（人車、書状集箱、黒ポスト等）（写真提供：郵政博物館）

重要文化財と日本最大約33万種の切手を含む郵政関係資料を展示

　東京スカイツリータウン® ソラマチ9Fにある本館の起源は、1902（明治35）年に万国郵便連合（UPU）加盟25周年記念祝典行事の一環として逓信省が開館した「郵便博物館」にさかのぼります。その歴史に裏付けされた広範な収蔵品と郵便や通信の歴史のさまざまな物語が紹介されています。

■展示室：館内は郵便にまつわる歴史や物語を7つの世界に分けて展示や映像で紹介する常設展示室のほか、企画展示室、多目的スペースで構成されています。なかでも常設展示室の、日本最大の所蔵数を誇る世界中の切手約33万種が一堂に展示されている「切手」ノ世界のコーナーは圧巻です。

■収蔵品：絵画、版画、工芸技術など、国内外の郵政に関する資料が多数収蔵されています。常設ではありませんが、企画展示にあわせて展示されることのある次の歴史的資料は必見です。

　江戸の大名屋敷などで見世物として、また病気治療を目的として使用していた平賀源内作の「エレキテル」、日米和親条約締結のために2回目の来日を果たした米国遣日使節のペリー提督が、米国大統領フィルモアから徳川幕府への献上品のひとつとして持参した「エンボッシング・モールス電信機」、フランスのブレゲ社が19世紀に製作した電信機「ブレゲ指字電信機」4点は、いずれも国の重要文化財に指定されています。なお、展示期間については、公式ホームページでご確認ください。

基本情報

東京都墨田区押上1-1-2　東京スカイツリータウン® ソラマチ9F　TEL：03-6240-4311

□アクセス：東武スカイツリーライン「とうきょうスカイツリー駅」、東京メトロ半蔵門線「押上（スカイツリー前）駅」下車すぐ

□開館時間：10:00 ～ 17:30（最終入場は17:00まで）　□休館日：不定休

□入館料：大人300円、小・中・高校生150円

あわせて
立ち
寄りたい！

●たばこと塩の博物館：専売品であった「たばこ」と「塩」の歴史と文化をテーマとする博物館です。たばこと塩を中心としつつ、幅広いテーマを取り上げ、多彩な特別展を開催。

●千葉工業大学東京スカイツリータウン® キャンパス：最先端の科学技術による未来体験スペースです。

寺田倉庫の現代アートのミュージアム

WHAT MUSEUM

WHAT MUSEUMの外観(写真提供：WHAT MUSEUM)

「倉庫を開放、普段見られないアートを覗き見する」がコンセプト

「WHAT MUSEUM」とは何ぞやと、好奇心をくすぐる名前ですが、その正体は、寺田倉庫が2020年12月に天王洲にオープンした現代アートのコレクターズミュージアムです。

　寺田倉庫がコレクターから預かり、保管する貴重なアート作品の公開を目的とした新しい芸術文化発信施設です。倉庫会社ならではの視点で、日本を代表するコレクターが自らの価値基準で収集した作品との出会いを創出するというアート展示施設。「WHAT（WAREHOUSE OF ART TERRADA）」という施設名称には、「倉庫を開放、普段見られないアートを覗き見する」というコンセプトが込められています。現代アートシーンで活躍する作家の作品をコレクターの思いと共に展示する、新たな鑑賞空間を楽しめます。

　なお、2016年より保管・展示を行ってきた従来の「建築倉庫ミュージアム」は、「建築倉庫プロジェクト」と名称を変え、同施設内で継続して建築にまつわる展覧会が開催されています。また、模型保管庫の見学も引き続き日時指定の事前申し込み制で実施されています。

■過去の展覧会：「－Inside the Collector's Vault, Vol.1－解き放たれたコレクション」展（2020年12月〜 2021年05月）、同時に建築倉庫プロジェクト企画「謳う建築」展など。

基本情報
東京都品川区東品川2-6-10　G号
□アクセス：りんかい線「天王洲アイル駅」より徒歩4分、東京モノレール「天王洲アイル駅」より徒歩5分
□開館時間：11:00 〜 17:00(平日)、11:00 〜 18:00(土曜日・日曜日、祝日)　□休館日：月曜日
□入館料：オンラインチケット制　一般1,200円、大学生・専門学校生700円　中・高生500円、小学生以下無料
　※オプションの建築模型倉庫見学は500円

あわせて立ち寄りたい！
●TERRADA ART COMPLEX：天王洲に立地の寺田倉庫が運営する日本最多のギャラリー数を誇るアート複合施設。アトリエスペース、ギャラリースペース、美術品の物流総合サービスなど、アート事業のコンテンツが集まっています。

東京家政学院大学町田キャンパス内の博物館

東京家政学院生活文化博物館

東京家政学院生活文化博物館の展示室の様子

古今東西の生活資料・遺物のコレクションを幅広く展示

東京家政学院生活文化博物館は、1990（平成2）年に、東京の郊外の緑豊かな東京家政学院大学町田キャンパスに開設されました。本学には、家政研究所（大正12年に大江スミにより創設）以来培われてきた生活文化研究の歴史があり、この伝統は同館の教育・研究の大きな柱となっています。

収蔵資料をもとに、ひとつのテーマに沿って展示する企画展、年間展示会でもっとも力を入れている特別展などを通して、身近な暮らしと結びついた生活文化とその歴史を知ることができます。

■収蔵資料：江戸時代に両替商が使った両替天秤、オランダ船がもたらした更紗を真似て日本の職人たちが日本的な図柄を取り入れてつくった明治時代の木綿布・和更紗（わさらさ）、赤松の薄板材を小判形に曲げた弁当箱（入山めんぱ）、浮彫りの立体的な文様が特徴で高い工芸技術を示す中国・唐時代の銅鏡（海獣葡萄鏡）、明治時代初期にガラス職人がホヤ（火屋）や油壺を作り販売するようになった豆ランプ、江戸時代に高価な布製の人形の代わりに作られた粘土製の人形・土人形（伏見土人形）、木綿糸の経糸と和紙を細く裁断して撚りあげた緯糸で織った布・紙布（しふ）、木地玩具（江戸ゴマ）、江戸時代の提重（さげじゅう）などが挙げられます。

■過去の特別展：「本気で見せます！江戸の料理」、「40年ぶりに目覚めたオートクチュール― P・カルダンとE・ウンガロ―」、「うっとり…レース 一本の糸からつくる美空間」など。

基本
情報
東京都町田市相原町2600 東京家政学院大学1号棟1階 TEL：042-782-9814（博物館事務室）
□アクセス：JR 横浜線「相原駅」西口（のりば2番）から東京家政学院行バスで約9分
□開館時間：9:30 ～ 16:30
□休館日：土曜日・日曜日、祝祭日、創立記念日（5月21日）、大学入試期間、夏季・冬季休業期間、展示替期間
□入館料：無料

あわせて
立ち
寄りたい！
●KDDIミュージアム：先人たちの挑戦の歴史に学び、未来をデザインするミュージアム。
●多摩美術大学美術館：歴史的芸術から現代芸術まで、幅広いジャンルの創造の世界を、展覧会やワークショップ、公開講座などで紹介しています。

062

複合施設内にある現代アートブックショップ
NADiff a/p/a/r/t

ショップ内風景

NADiff a/p/a/r/tが入る複合施設
NADiff A/P/A/R/T外観

アートグッズやマルチプルなども揃う他にはない魅力的な美術書店

　渋谷区・恵比寿、目黒川がすぐ近くを流れる一方通行の道から一歩入ったカルデサックに建つガラス張りが印象的なコンテンポラリーアートコンプレックスビルが「NADiff A/P/A/R/T」。アート・ラボのスクールデレック芸術社会学研究所、ギャラリー MEM などが入るその複合施設の1階に、アートショップを展開するNADiff a/p/a/r/tの本店があります。コンテンポラリーアート、フォトに関する国内外の書籍を中心に、アートグッズやマルチプルなども揃う、他にはない魅力的なブックショップです。

　展覧会の図録、写真集、作家の自費出版物、美術論・美術史関連の書籍、洋書など、コンテンポラリーアートに関する書籍の充実の品揃えは、アートファンにとって嬉しいショップです。書籍以外にも、作家やショップのオリジナルグッズも紹介されています。また入ってすぐのスペースでのミニ展覧会、インストアで行うイベント、併設のNADiff Galleryでの企画展開催など、商品の販売に留まらない情報発信をさまざまな取り組みで行っています。

■ブックショップ：NADiff a/p/a/r/tのほかに、NADiff BAITEN｜東京都写真美術館、NADiff modern｜Bunkamuraブックショップ、gallery 5｜東京オペラシティギャラリーショップ、NADiff contemporary｜東京都現代美術館ミュージアムショップがあります。

基本
情報
東京都渋谷区恵比寿1-18-4　NADiff A/P/A/R/T 1階　TEL：03-3446-4977
□アクセス：JR「恵比寿駅」東口より徒歩6分
□開館時間：13:00 ～ 19:00
□休館日：月曜日～水曜日(祝日の場合は開館)
□入館料：無料

あわせて
立ち
寄りたい！
●山種美術館：山種証券(現・SMBC日興證券)創業者・山﨑種二による速水御舟、川合玉堂、奥村土牛のコレクションをメインとして、近代・現代の日本画を中心に約1,800余点を所蔵。
●MA2ギャラリー：ディレクションは松原昌美。千葉学が設計した4層の展示空間が特徴の現代アートのギャラリー。

日本唯一の写真・映像の総合美術館

東京都写真美術館（TOPMUSEUM）

東京都写真美術館のエントランス（写真提供：東京都写真美術館）

世界的にも希少な写真・映像の黎明期のものから現代作家のものまで

　JR恵比寿駅から動く歩道に続く印象的な市松模様のアプローチを辿った先に、東京都写真美術館のシンボルマーク「TOPMUSEUM」が目に入ってきます。同館は、日本における写真映像文化の充実と発展を目的として、1990（平成2）年の一時開館を経て、日本で初めての写真と映像に関する総合的な美術館として、1995（平成7）年に恵比寿ガーデンプレイスに総合開館しました。2016年9月には、リニューアル・オープンし、愛称を「トップミュージアム（TOPMUSEUM）」と一新されました。

　館内には3つの展示室があり、2階・3階の展示室では同館の収蔵作品を中心とした展覧会や多様な自主企画展を、一方、地下1階の展示室では、同館が収蔵する歴史的な映像作品や国内外の注目作家の映像作品などによる展覧会が開催されています。アートの国際フェスティヴァル「恵比寿映像祭」なども興味のあるところで、写真・映像文化のセンター的な施設として、「写真美術館で観る映画」と題して同館ならではの作品が上映されるホールやスタジオ、図書室、ミュージアム・ショップ、カフェなどが備わっていて、一日中多彩な写真・映像文化を楽しむことができます。

■過去の展覧会：「新・晴れた日 篠山紀信」（2021年5〜8月）、「世界報道写真展2021」（2021年6〜9月）など。

■収蔵作品:収蔵する作品数は36,274点（2021年3月末現在）におよびます。また、雑誌を含む写真・映像に関する図書11万2千冊が収蔵されています。

基本情報
　東京都目黒区三田1-13-3　恵比寿ガーデンプレイス内　　TEL：03-3280-0099
　□アクセス：JR「恵比寿駅」東口より徒歩約7分
　□開館時間：10:00 〜 18:00（入館は17:30まで）
　□休館日：月曜日（祝日の場合は開館し、翌日休館）、年末年始、臨時休館日
　□入館料：展覧会・上映によって異なります

あわせて立ち寄りたい！
　●東京都庭園美術館：白金迎賓館として使われた旧朝香宮邸。「アール・デコの美術品」と称されてきた名建築は重要文化財。

064

飯野ビルディングを彩るアート作品のひとつ

Cloud

飯野ビルディングのピロティに設置された『Cloud』(レアンドロ・エルリッヒ)の夜景

昼と夜で異なる表情を見せてくれる建築と一体化したアート

　日比谷公園から続く木立を辿ると、ほどなく建築デザインの粋を結集した飯野ビルディングのピロティで、常設のインスタレーション『Cloud』に出会うことができます。ここは、飯野海運株式会社の本社ビルで、本作品以外にもイイノの森と館内に点在する国内外の著名アーティストによる質の高い作品があり、来訪者を楽しませてくれます。

　作品を正面から眺めると、透けて見える背景の中心に、どのような仕組みになっているかは謎ですが、立体的に見える「雲」が出現しています。横に回ってみると、その内部構造のヒントのようなものがわかるかもしれませんが、いずれにせよなんとも不思議なアート作品で、作家の心地よい挑戦魂としゃれっ気に思わず唸ってしまいます。

■作家：作者は、国際的に活躍するアルゼンチン出身の現代アーティストのレアンドロ・エルリッヒ。一種のだまし絵のような手法によるエルリッヒの作品は、見る人に謎かけをしているようでもあります。日本で見ることができる作品では、石川県の金沢21世紀美術館のプールがつとに有名です。

■作品：文字通り「雲」をイメージした作品で、板ガラス10枚を等間隔で並べることで、立体的なインスタレーションとして表現しています。内部にはLEDライトが仕込まれていて、夜にはより幻想的な雲を出現させます。また、この作品は防風スクリーンとしても機能しています。

基本
情報

東京都千代田区内幸町2丁目1-1　飯野ビルディング
□アクセス：東京メトロ丸ノ内線・日比谷線・千代田線「霞が関駅」C4出口直結

あわせて
立ち
寄りたい！

●飯野ビルディングの他のアート作品：『The Pond』(レアンドロ・エルリッヒ)、『空を見るために イイノの森のためのミナレット』(平田五郎)、『spiral point』(山本一弥)など。
●『ルーツ』：虎ノ門ヒルズにあるジャウメ・プレンサのパブリックアート作品。

TERRADA ART COMPLEX IIに新設

TOKYO INTERNATIONAL GALLERY

グループ展「H─C三N」（2020年10月1日～11月14日）

さまざまな個性を持つアーティストによる実験的な作品を展示

　TOKYO INTERNATIONAL GALLERY（TIG）は、島村航介・代表取締役のもと、日本のアートシーンに世界で活躍するアーティストとグローバルな手法を紹介することを使命とし、2019年に設立されました。そして翌2020年10月、新設された天王洲のTERRADA ART COMPLEX IIにギャラリースペースをオープン。TIGは、環境問題や都市構想、歴史的伝統や表現の自由、個人や集団、主観や客観といった関係性の中で生まれる問いや表現など、社会におけるアートの立場を問い直すとともに、枠組みに捉われない切り口や今まで積極的には語られてこなかった主題もボーダレスに扱いたいと考えて、さまざまな個性を持つアーティストによる実験的な作品を展示することを目指しています。その意味合いでも、日本最大のアート集約地であるTERRADA ART COMPLEXに立地していることの意義があるように感じます。

■過去の展覧会：グランドオープン／新進気鋭のアーティスト、マイケル・ホー、水戸部七絵、川井雄仁、渡部快によるグループ展「H─C三N」（2020年 10 ～ 11月）、マイケル・ホーのコレクション展「TOKYO / SEASON 1」（2020年11 ～ 12月）など。

■所属・作品取扱作家：所属／マイケル・ホー、作品取扱作家／牧田愛、木下令子、山本雄基、水戸部七絵、川井雄仁、渡部快、友沢こたお、熊倉涼子、一林保久道。

基本情報

東京都品川区東品川1-32-8　TERRADA ART COMPLEX II 2F　TEL：03-6810-4997
□アクセス：東京臨海高速鉄道りんかい線「天王洲アイル駅」B出口より徒歩8分
□開館時間：12:00 ～ 18:00　□休館日：日曜日・月曜日、祝日
□入館料：無料

あわせて立ち寄りたい！

●WHAT MUSEUM：現代アートのコレクターズミュージアム。旧建築倉庫ミュージアム。
●TERRADA ART COMPLEX：寺田倉庫が天王洲を芸術文化の発信地とするべく2016年9月に現代アートの複合施設としてオープン。アート事業に関連したコンテンツが集積。

066

新宿の新しいアートランドマークを演出

SOMPO美術館

SOMPO美術館の外観

『ひまわり』（フィンセント・ファン・ゴッホ
／1888年／油彩・キャンヴァス／写真
提供：SOMPO美術館）

アジアで唯一、ゴッホの『ひまわり』を鑑賞できる美術館

　末広がりの構造がユニークな高層の損保ジャパン本社ビルを背に立地している美術館です。東郷青児作品をイメージした柔らかな曲線を取り入れた建築デザインは、遠目にはマットなグレーの色彩があたかも巨象のようにも見え、あるいは建物自体をひとつの巨大な彫刻と捉えることもできるでしょう。エントランス脇に掲げる「散歩する人」のような美術館のロゴマークは、東郷青児の作品『超現実派の散歩』をモチーフにしたもので、「美術がもたらす心の自由を大切にしたい」というメッセージが、この美術館を楽しむための良きプロローグとなっていると感じます。

　常設展はなく、その時々の企画展を5階の展示フロアから4階・3階へと下っていく順路で鑑賞します。ただ1点、『ひまわり』だけは、3階展示フロア最後の一角に常設展示されていますので、それを楽しみに順路を辿っていくと良いでしょう。

■過去の展覧会：「モンドリアン展　純粋な絵画をもとめて」（2021年3 〜 6月）、「東郷青児蔵出しコレクション」（2020年11月〜 2021年1月）など。

■所蔵作品：『ひまわり』が有名ですが、収蔵品の始まりは、1978年に逝去した洋画家・東郷青児から提供を受けた作品345点です。その後、ルノワール、ゴーギャン、セザンヌなどの印象派とポスト印象派やアメリカの素朴派画家グランマ・モーゼスの作品などを受託。

基本
情報

東京都新宿区西新宿1-26-1　TEL：050-5541-8600（ハローダイヤル）
□アクセス：JR「新宿駅」西口より徒歩5分
□開館時間：10:00 〜 18:00（入館は17:30まで）
□休館日：月曜日、年末年始、展示替期間
□入館料：展覧会により異なります　※小中高生は無料

あわせて
立ち
寄りたい！

●東京オペラシティ　アートギャラリー：日本を代表する抽象画家、難波田龍起・史男父子の作品をはじめとする戦後の美術作品が収蔵されています。
●『花尾（Hanao-San）』：新宿駅東口広場にあるパブリックアート（松山智一、2020年）。

白洋舎の創業者・五十嵐健治の記念館

五十嵐健治記念洗濯資料館

資料館が入る白洋舎本社ビル外観

（上）五十嵐健治記念洗濯資料館
エントランス（写真提供：白洋舎）
（下）復元した白洋舎の箱車

洗濯とクリーニングに特化したたいへんユニークな資料館

　クリーニングと言えばすぐにイメージできる、日本のクリーニング業界最大手の老舗クリーニング会社である白洋舎。その創業者の五十嵐健治は、日本におけるドライクリーニングの創始者であり、業界のパイオニアでもありました。

　大田区下丸子にある白洋舎本社ビル。名は体を表すといいますが、真白な建屋がとても印象的です。ビル1階に設置された同資料館は、クリーニングに関する資料を一堂に、一般にはあまり知られていない洗濯に特化した興味深い資料を展示しているたいへんユニークな資料館です。

　館内では、創業者・五十嵐健治の足跡、白洋舎の歴史、クリーニング業の歩み、洗濯の歴史、最新の技術に関する資料などが展示されています。創業者の足跡では、クリーニング技術の発展とともに歩んだ五十嵐健治を偲ぶ愛用の文箱などの遺品、著書や写真などの資料が展示されています。白洋舎の歴史については、白洋舎は1906(明治39)年3月14日、日本橋呉服町に開業し、翌年には、東京大井に日本最初のドライクリーニング工場を開設していることが辿れます。その昔、洗剤として用いられた植物や、洗濯板、洗い桶、そして集配用具などを通して、クリーニング業の歴史を紹介しています。また、知られざる洗濯の歴史については、西洋ならびに日本の洗濯の歴史をたどり、昔のアイロンや火のしなども合わせて展示しています。

基本
情報
　東京都大田区下丸子2-11-8　白洋舎本社ビル1F　TEL：03-5732-5111(代表)
　□アクセス：東急多摩川線「下丸子駅」より徒歩10分
　□開館時間：10:00 〜 17:00　□休館日：土曜日・日曜日、祝祭日、年末年始
　□入館料：無料

あわせて
立ち
寄りたい！
　●東京工業大学博物館：日本の工業の創出に大きな役割を果たし、科学・技術で世界をリードする理工系総合大学である東京工業大学の大学博物館。白川英樹博士のノーベル賞、フェライト、水晶振動子、光通信などの業績が保存・展示されています。

神田駿河台にある明治大学の大学博物館

明治大学博物館

博物館の展示室風景

商品・刑事・考古の3部門の常設展示と企画展・特別展を開催

　2004年、神田駿河台にオープンした近代的なガラス張りの新校舎アカデミーコモンに、商品・刑事・考古の3博物館を統合して明治大学博物館が新規開館しました。刑事部門の収蔵品・資料は、1929年にまで遡ることができます。

　博物館では、常設展示として明治大学史資料センターが運営している「大学史展示室」と先の刑事・商品・考古の3つの展示部門があります。商品部門では商品を通した生活文化のあり方を、刑事部門では法と人権についての考えを、考古部門では人類の過去と多様性を取り上げています。また、企画展・特別展も随時開催されています。

　商品部門の展示は、商品の原材料、部品、製造技法、半製品から完成品にいたる製造工程、意匠の種別などを紹介し、世界にたぐい稀な意匠表現の豊富さを誇る日本の伝統的工芸品（漆器、染織品、陶磁器、文具、和紙など）の全体像を概観できます。刑事部門では、江戸時代のものが中心の捕者具、拷問・処刑具、フランスのギロチンなどが展示されていて驚きますが、これは、人権抑圧の歴史を踏まえ、人間尊重の理解を深めてもらうというコンセプトによるもの。考古部門は、1950年に文学部考古学専攻ができて以来、旧石器時代から古墳時代にいたる各時代の遺跡の調査研究してきた成果の公開をしています。同館を訪れることで、先人の息吹と共に「かつての日常」を垣間見ることができます。

基本
情報

東京都千代田区神田駿河台1-1　アカデミーコモン地階
TEL: 03-3296-4448（日曜日・祝祭日・大学の定める休日は博物館事務室は閉室）
□アクセス：JR・東京メトロ「御茶ノ水駅」より徒歩5分、東京メトロ「神保町駅」より徒歩10分
□開館日時：公式ホームページで最新情報をご確認ください
□入館料：無料（特別展は有料の場合があります）

あわせて
立ち
寄りたい！

●宮内庁三の丸尚蔵館：皇室に代々受け継がれた絵画・書・工芸品などの美術品類が1989（平成元）年6月に、国に寄贈されたのを機に、一般にも展示公開となりました。皇居東御苑内。
●KIDO PRESS：版画、絵画、立体作品を中心とした現代美術の企画展を定期的に開催しています。

069

フランスベッド創業者が発起した博物館

家具の博物館

車の付いた収納家具

人々の暮らしの中で育まれてきた伝統の家具が一堂に

　ともすれば散逸しがちな家具を収集保存し、「後世に伝えなければならない」と、フランスベッド株式会社の創業者である池田実の情熱により1972年に晴海に誕生した博物館です。その後、2004年に現在の昭島市のフランスベッド東京工場内に移転しました。設立当初に掲げた「家具の伝統─継承─創造」というテーマのもと、人類の作りだした文化遺産としての家具を収集・保存し、展示しています。

　ふだん何気なく使っている家具ですが、急速な住環境の変化の中で、時代をさかのぼりながらさまざまな展示を鑑賞すると、生活の中に占める家具の役割や価値をあらためて考えてみる良い機会になることでしょう。館内には、「博物館だより」が置いてあり、巻頭記事の「ものしり家具講座」は、トリビア的な話のネタが満載で、一読をおすすめします。

■収蔵作品：開設当初は池田実のコレクションである筆笥や椅子を中心に所蔵していましたが、現在は寄贈もあり、収納具、照明具、暖房具、容飾具、飲食具、座臥具など1,800点余りになります。そのコレクションの中から約180点を選び常時展示しています。なかには、江戸時代の商家で金品や帳面などの大事なものを収め、金庫のように使われた筆笥もあります。下部に車が付いていて火事などの災害時には綱を付けて引っ張って容易に移動できるようにした車筆笥は貴重です。

基本情報

東京都昭島市中神町1148　フランスベッド東京工場内　TEL：042-500-0636
□アクセス：JR青梅線「中神駅」北口より徒歩5分
□開館時間：10:00 ～ 16:30（入館は16:00まで）　□休館日：水曜日
□入館料：一般200円、高校生以下・65歳以上・身障者手帳お持ちの方および付添者は無料

あわせて
立ち
寄りたい！

●たましん美術館：多摩の自然×人×芸術が交差する地域に根ざした豊かな文化の創生を目指して、2020年6月、東京・立川駅北口にオープンした新街区「GREEN SPRINGS」内に立地。公益財団法人たましん地域文化財団が運営。多摩地域の作家作品のほか、中国や日本の貴重な古陶器も収蔵。

070

皇居東御苑内に立地の博物館施設

宮内庁三の丸尚蔵館

宮内庁三の丸尚蔵館の外観

皇室に代々受け継がれた絵画・書・工芸品などの美術品を常設展示

　皇居東御苑の大手門をくぐってすぐの右手に見えてくるのが三の丸尚蔵館です。皇室に代々受け継がれた絵画・書・工芸品などの美術品類が1989（平成元）年6月に、国に寄贈されたのを機に、1993（平成5）年11月3日に開館しました。本館は、宮内庁が管理を行っています。

　館内では、皇室のゆかりのご遺贈品、ご遺品、ご寄贈品の品々を常設展示しています。なお、宮内庁管理の美術品は、慣習的に文化財保護法による指定の枠外となっているため、三の丸尚蔵館の所蔵品も国宝や国指定の重要文化財などには指定されていませんが、絵巻物の『蒙古襲来絵詞』、伝狩野永徳の『唐獅子図屏風』、伊藤若冲の『動植綵絵』など、国宝級の貴重な作品を多く収蔵しています。

■収蔵作品：故秩父宮妃のご遺贈品、香淳皇后のご遺品、故高松宮妃のご遺贈品、さらに2014（平成26）年3月には三笠宮家のご寄贈品が加わり、現在約9,800点の美術品類を収蔵しています。主なものは次の通り。絵画／『蒙古襲来絵詞』2巻、『唐獅子図屏風』六曲一双（右隻・狩野永徳、左隻・狩野常信）、『動植綵絵』30幅（伊藤若冲）、『西瓜図』1幅（葛飾北斎）、『朝陽霊峯』六曲一双（横山大観）、『雪月花』・3幅対（上村松園）など。書／『玉泉帖』1巻（小野道風）、『更級日記』1帖（藤原定家）など。彫刻・工芸／『矮鶏置物』1対（高村光雲）、『四季花鳥図花瓶』1点（並河靖之）など。

基本
情報

東京都千代田区千代田1-1　皇居東御苑　TEL：03-5208-1063（展示会情報）
□アクセス：東京メトロ「大手町駅」C13a出口より徒歩5分、JR「東京駅」丸の内北口より徒歩約15分
□開館時間：公式ホームページで最新情報をご確認ください
□入館料：無料

あわせて
立ち
寄りたい！

●三菱一号館美術館：赤煉瓦の建物は、三菱が1894年に建設した「三菱一号館」（ジョサイア・コンドル設計）を復元したもの。コレクションは、19世紀末西洋美術が中心。
●東京ステーションギャラリー：東京駅丸の内駅舎の歴史を感じる展示室。

新宿駅西口地下広場のパブリックアート

新宿の目（L'OEIL DE SHINJUKU）

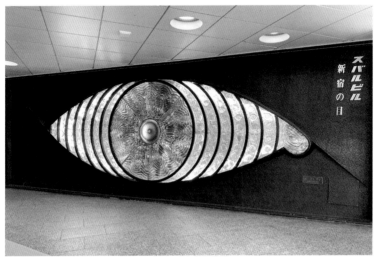

ビジネスマンが行き交う地下広場に設置された『新宿の目』（宮下芳子）

半世紀にわたり新宿駅を行き交う人々を見守る巨大な目

　新宿駅西口地下広場に面した当時のランドマーク、新宿スバルビル地下にあたる壁面に本作品があります。遡ること1969年に設置されていますので、半世紀にわたり新宿副都心のビジネス街を行き交う人々を見続けていることになります。残念ながらスバルビルの地上部分は2019年に解体されましたが、本作品の横に「スバルビル」の表記があることに一種のノスタルジーを感じます。本作品は、向かって右側に目頭の造作が見てとれ、だとするとこの眼はおそらく右目を表現したものと想像されます。たいへん目立つ作品ゆえ、いくつかの都市伝説を免れませんが、純粋に次の50年も静かに行き交う人を見守ってほしいと願うばかりです。

■作家：彫刻家であり画家の宮下芳子（みやした・よしこ）。鹿児島市出身。彫刻に限らず、ガラスモザイク、ブロンズ、ステンドグラス、絵画など、その制作手法や素材は多岐にわたります。1965年には岡本太郎と共に、堂ヶ島温泉ホテルの壁画（ガラスモザイク）を制作。本作品のようなパブリックアート作品も高い評価を受けています。

■作品：目を模した高さ約3.4m、幅10mの巨大なパブリックアートで、内部に照明が組み込まれていて、白目の部分は黄色いライト、黒目の部分はブルーのライトになっています。瞳の部分が回転する構造で、東日本大震災以降は節電のため一時消灯するも、消費電力の少ないLEDライトに入れ替え、2015年2月にあらためて再開しました。

基本
情報

東京都新宿区西新宿1-7-2　旧・新宿スバルビル地下

□アクセス：JR「新宿駅」西口地下広場

あわせて
立ち
寄りたい！

●SOMPO美術館：アジアで唯一、ゴッホの『ひまわり』を鑑賞できる美術館。洋画家・東郷青児の作品をはじめとして、ルノワール、ゴーギャン、セザンヌなどの印象派やポスト印象派やアメリカの素朴派画家グランマ・モーゼスの作品などを収蔵しています。

MIYASHITA PARK 内のアートギャラリー
SAI

KYNE 個展「KYNE TOKYO 2」(2020 年 7 〜 8 月)

さまざまな切り口から芸術への視点を提供する新しいスタイルを追求

　あの渋谷区立宮下公園が、2020年7月、複合施設「4階建ての公園」MIYASHITA PARK として新しく生まれ変わり、旧宮下公園はその施設屋上に移設となりました。

　SAI はその施設の下層部の商業施設「RAYARD MIYASHITA PARK」の South 3階に位置するアートギャラリー。さまざまな切り口から芸術への視点を提供する、新しいスタイルのアートギャラリーです。時代性を反映したアーティストによる展覧会や POP UP をはじめ、1920年代から現代までの美術を時代やジャンルの枠組みを超えて紹介しています。日本のアートシーンにおけるアーカイブの役割を果たすと共に、さまざまな人や文化が集うプラットフォームとしてその可能性を広げています。

　ギャラリーの展示室は、South の2階と3階を穿つ4面ガラス張りの吹き抜けのうちの3階部分の2面を共有する L 字状のレイアウト。RAYARD MIYASHITA PARK の建付けとシームレスで融合するユニークな構造がもたらす展示空間の自由度と視覚的な効果は、絶大です。展示室内で作品を鑑賞する従来の見方に加えて、距離をおいて吹き抜けの対面のガラス越しから観る新しい見方の発見も。

■過去の展覧会:石川竜一写真展「いのちのうちがわ」(2021年3 〜 4月)、ヨーゼフ・ボイスの「ポスターエキシビション」(2021年1 〜 2月)、長場雄個展「The Last Supper」(2020年12月)、KYNE 個展「KYNE TOKYO 2」(2020年7 〜 8月)など。

基本情報

東京都渋谷区神宮前6-20-10　MIYASHITA PARK SOUTH 3F　TEL：03-6712-5706
□アクセス：JR 山手線・東京メトロ・東急「渋谷駅」より徒歩3分
□開館時間：11:00 〜 21:00　□休館日：会期中無休
□入館料：無料

あわせて立ち寄りたい!

● 『渋谷の方位磁針 | ハチの宇宙』：MIYASHITA PARK 屋上に設置された鈴木康広によるパブリックアート作品。
● 『ハチ公ファミリー』：JR 渋谷駅のハチ公前広場のパブリックアート陶板レリーフ。原画・監修は北原龍太郎。

日本にほとんど類例を見ない日本刀専門の博物館

刀剣博物館

「日本刀の見方パートⅢ 刃文」展

日本刀に秘められた魅力と文化を世界に発信する拠点

　墨田区横網の国技館通り沿いの池泉回遊式の庭園が残る旧安田庭園の一角にある博物館です。実際に現地を訪れてみると、立地を活かし、庭園散策はもちろん、地域の展示空間や名所旧跡と連携する庭園博物館としても入念に計画されていることに感心させられます。洗練された外観のデザインが印象的で、期待感が高まります。刀剣博物館は、日本刀を保存・公開し、日本刀文化の普及のため設立された日本美術刀剣保存協会が運営する施設で、日本刀という特殊な美術工芸品の保存のほか、日本のみならず世界に日本刀の魅力を発信していく拠点となっています。

　庭園との連続性の高い1階は、気軽に立ち寄れる利用無料のパブリックなスペースで、中でも情報コーナーは、制作工程をはじめとした日本工芸の粋である日本刀の魅力を知ることができる貴重な展示スペースとなっています。3階の展示室では、年間でテーマを決め、5〜6回開催される企画展を鑑賞することができます。

■所蔵作品：刀剣・刀装・刀装具・甲冑・金工資料などを多数所蔵し、刀剣類の中には国宝 太刀 銘延吉、国宝 太刀 銘 国行(来)(号 明石国行)、国宝 太刀 銘 国行(当麻)、重要文化財 太刀 銘 信房作、重要美術品 太刀 銘 真景(古伯耆)など、国の指定認定物件も数多く、平安・鎌倉・南北朝期の古名作をはじめとしてさまざまな時代・流派の作品を収蔵しています。

基本
情報
　東京都墨田区横網1-12-9　TEL：03-6284-1000
　☐アクセス：JR総武線「両国駅」西口より徒歩5分、都営大江戸線「両国駅」A1出口より徒歩5分
　☐開館時間：9:30〜17:00(入館は16:30まで)
　☐休館日：月曜日(祝日の場合は開館し、翌日休館)、展示替期間、年末年始
　☐入館料：通常展大人1,000円、学生(高校・大学・専門学校)500円、中学生以下無料

あわせて
立ち
寄りたい！
　●江戸東京博物館：江戸東京の歴史と文化を振り返り、未来の都市と生活を考える場を提供する、国内に限らず、インバウンドの観光客にも人気のスポット。高床式の倉をイメージしたユニークなデザインの建物が目印。
　●すみだ北斎美術館：北斎および門人の作品を紹介展示する美術館。

新宿中村屋の美術館

中村屋サロン美術館

中村屋サロン美術館の展示室1(写真提供:中村屋サロン美術館)

日本近代美術史にその名を刻む「中村屋サロン」の歴史を伝える

　1901(明治34)年創業の老舗、新宿中村屋の商業ビル「新宿中村屋ビル」3階にある本館。館名になっている「中村屋サロン」は、東京・本郷でパン屋「中村屋」を創業した相馬愛蔵・黒光夫妻が芸術・文化に深い理解を示し、若き芸術作家などを支援していたことで、1909(明治42)年に本店を新宿に移転して以来、多くの芸術家、文人、演劇人が出入りするようになったことがはじまりです。その様子はのちにヨーロッパのサロンに例えられ、日本近代美術史にその名を刻みました。中村屋サロン美術館は、その歴史を今に伝えるため、2014年10月に開館しました。

　同館では、中村屋サロンの芸術家たちの作品を展示するとともに、新進芸術家や地域に関する作品展示・イベント、その他、広く芸術・文化の振興につながる企画が実施されています。館内に入ると「くつろぎ空間」のあと、展示室2、展示室1と続きます。展示内容によっては、中村屋サロンゆかりの洋画家であり、「新宿中村屋」のロゴを書いた書家でもある中村不折書になる「東京新宿　中村屋」の看板が展示される機会にうまくめぐり合うなど、当時の交流の様子を垣間見ることができます。

■所蔵作品:中村屋が所蔵する主な「中村屋サロンの芸術家たち」の作品として、荻原守衛(碌山)『女』(ブロンズ)、中村彝『小女』(油彩/キャンバス)、高村光太郎『自画像』(油彩/キャンバス)、會津八一『林下十年夢 湖邊一笑新』(墨/紙)など。

基本
情報

東京都新宿区新宿3丁目26番13号　新宿中村屋ビル3階　TEL: 03-5362-7508
□アクセス:JR「新宿駅」東口より徒歩2分、東京メトロ丸ノ内線「新宿駅」A6出口直結
□開館時間:10:30 ～ 18:00(入館は17:40まで)　□休館日:火曜日(休日の場合は開館し、翌日休館)、年末年始
□入館料:展覧会によって異なります。高校生以下は無料

あわせて
立ち
寄りたい!

●『花尾(Hanao-San)』:JR新宿駅の東口駅前広場全体がアート作品となるように設置されたパブリックアート。ニューヨークを拠点に活動する松山智一の作品。
●『新宿の目』:新宿駅西口広場の地下に現れる巨大な宮下芳子によるパブリックアート。

日本で最初の裁縫専門学校が前身の大学博物館

東京家政大学博物館

博物館常設展(裁縫雛形)風景(写真提供:東京家政大学博物館)

見どころは重要有形民俗文化財「渡辺学園裁縫雛形コレクション」

　東京家政大学は、1881(明治14)年に渡邉辰五郎が本郷区湯島の地に開設した私塾「和洋裁縫伝習所」としてはじまり、1922年に専門学校令による日本で最初の裁縫を教授する専門学校を経て、時代の要請に応えて着実な発展を遂げながら、現在の「東京家政大学」になり、2021年には創立140周年を迎えました。

　東京家政大学博物館は、その長い歴史をもつ東京家政大学の板橋キャンパス内の百周年記念館の4・5階にあり、創立当初から収集してきた、衣服を中心とする生活文化関連の資料約2万点を所蔵しています。

　常設展では、見どころの重要有形民俗文化財「渡辺学園裁縫雛形コレクション」をはじめとした所蔵品や学園の歴史のほか、収蔵品の中からテーマを決めて紹介する「コレクション展示」を公開しています。また、毎年春と秋には企画展を開催し、関連イベントも実施しています。

■収蔵品:主なものは、渡辺学園裁縫雛形コレクション。明治30年頃から昭和18年の間に製作されたミニチュアの衣服や生活用品などの「裁縫雛形」約5,000点を収蔵しています。なお、裁縫雛形2,290点と教科書や製作用具等61点が、国の重要有形民俗文化財に指定されています。ほかにも、グァテマラ民族衣装約1,500点、台湾先住民族の衣装や織物、インドネシアの伝統芸能のワヤン人形など。

基本
情報
　東京都板橋区加賀1-18-1　百周年記念館4・5階　TEL:03-3961-2918
　□アクセス:JR 埼京線「十条駅」より徒歩5分、都営三田線「新板橋駅」より徒歩12分
　□開館時間:10:00〜16:00(入館は閉館時間の30分前まで)　※企画展開催中は開館時間が変わります
　□休館日:土曜日・日曜日、祝日、年末年始、夏期休業、展示替期間
　□入館料:無料

あわせて
立ち
寄りたい!
　●紙の博物館:飛鳥山公園内の世界でも数少ない紙専門の総合博物館です。「和紙」と「洋紙」の両面から、紙の歴史・文化・産業を紹介しています。
　●北区飛鳥山博物館:北区立の博物館で、北区の歴史・民俗・自然が楽しく学べます。

076

江戸の伝統の技を受け継ぐ伝統工芸を紹介

江戸たいとう伝統工芸館

江戸たいとう伝統工芸館の外観

約50業種、250点あまりの伝統工芸品を常設展示

浅草の浅草寺、上野の寛永寺をはじめ、寺町として賑わいを見せていた現在の台東区は、江戸の市域が再編され、拡大するにつれて多くの職人が集まるようになりました。また、遊里「吉原」、歌舞伎や人形浄瑠璃の劇場が浅草に移されたことで、浅草は江戸随一の盛り場として栄え、人と物の供給も増え、さまざまな場面で職人の技能が求められるようになりました。このような歴史的背景のもと、台東区には多くの職人が集まりました。現在でもなお、江戸時代から受け継いだ下町の文化や気質が色濃く残っていますが、職人もまた、先人が培ってきた下町の心意気を受け継ぎ、現在に至るまで伝統の技を受け継ぎ、活躍を続けています。

「浅草ひさご通り商店街」のほぼ中央に位置するのが「江戸たいとう伝統工芸館」。江戸文様をあしらった正面エントランスを入った2階建ての館内では、約50業種、250点あまりの伝統工芸品が常設展示されています。また、館内展示品の多言語解説をスマートフォンに対応させ、大型ディスプレイを備えて映像による詳しい解説を加えるなどの工夫が凝らされています。

■伝統工芸品（一部）：江戸簾（すだれ）、江戸手描提灯、江戸べっ甲、東京手植ブラシ、東京銀器、江戸木版画、銅器、江戸指物など。

基本
情報

東京都台東区浅草2-22-13　TEL：03-3842-1990
□アクセス：つくばエクスプレス「浅草駅」より徒歩5分、東武・東京メトロ・都営「浅草駅」より徒歩15分
□開館時間：10:00 〜 18:00
□休館日：第2・第4火曜日（祝日の場合は開館し、翌日休館）、都合により開館日・開館時間の変更あり
□入館料：無料

あわせて
立ち
寄りたい！

●上野の森美術館：上野恩賜公園のなかで唯一の私立の美術館として1972（昭和47）年4月に開館。重要文化財をはじめさまざまなジャンルの美術を紹介しています。
●国立科学博物館：自然史・科学技術史に関する国立の唯一の総合科学博物館です。

近代日本彫刻の巨匠・平櫛田中の美術館

小平市平櫛田中彫刻美術館

平櫛田中彫刻美術館のシンボル・彫刻用のクスノキの原木

平櫛田中の芸術に触れる展示館と記念館をあわせて訪ねる

　すぐ脇を玉川上水が流れる小平市の閑静な住宅街に、武蔵野の面影が残るこの地を好んだ近代日本彫刻の巨匠・平櫛田中が亡くなるまでの約10年を過ごした「記念館（旧邸宅）」と1994年に新築された「展示館」の2館併設の美術館が佇んでいます。

　展示館では、代表作の『鏡獅子』、『尋牛』、『法堂二笑』などを含む、彫刻作品40点をはじめ、作家が晩年に趣味で取り組んだ書や、蒐集した美術・工芸品を、テーマごとに企画展示しています。また、作家と関係の深い方々の作品紹介を中心とする特別展も開催されます。

　記念館は、別名「九十八叟院」といわれ、国立能楽堂などを手がけた大江宏の設計による書院造りの名建築ですが、玄関部分と前庭が公開されています。前庭に置かれた同館のシンボルとなっている巨大な彫刻用のクスノキの原木もお見逃しなく。

■平櫛田中（ひらくし・でんちゅう）：写実的な作風で、高村光雲、荻原碌山、朝倉文夫などと並び、近代日本を代表する彫刻家のひとり。107歳の長寿で大往生しました。

■所蔵作品：作家が手元に残した作品に加え、収集した彫刻・絵画・工芸・古美術などのコレクションを所蔵。主なものに棟方志功『二菩薩釈迦十大弟子』、高村東雲『西行法師』など。

基本
情報

東京都小平市学園西町1-7-5　TEL：042-341-0098
□アクセス：西武「一橋学園駅」南口より徒歩10分
□開館時間：10:00 ～ 16:00（なるべく15:30までに入館）
□休館日：火曜日（祝日の場合は開館し、翌日休館）、年末年始、展示替期間
□入館料：一般300円、小・中学生150円　※特別展の観覧料はその都度定めています

あわせて
立ち
寄りたい！

●町田市立国際版画美術館：世界でも数少ない版画を中心とする美術館で、現在3万点を超える収蔵品を有しています。本格的な設備が整った版画工房とアトリエも併設されています。
●府中市美術館：江戸後期から現代にいたる絵画を中心としたコレクションを持つ美術館です。

東京駅の待ち合わせの定番スポット

銀の鈴

ケースに収まる銀の鈴の全景

『銀の鈴』（宮田亮平）のアップ

現在の銀の鈴は、金属工芸家・宮田亮平による4代目

　いわずと知れた東京駅の待ち合せ場所のシンボル的存在です。本作品は、1968年に利用者が増えたことをきっかけに東京駅社員の発案で設置された初代の銀の鈴から数えて4代目となります。初代は手製の張子で竹鈴の型を作り、銀紙で装飾したものが、時代の変遷とともに鋳銅製に変わり、2007年には現在のアルミ合金製となりました。

　設置されている場所は、JR東京駅改札内地下中央通路の八重洲口側にあります。通路の両側は「グランスタ」というお土産ショップストリートとなっています。作品を子細に見ると、鈴の胴回りと鈴を吊る龍頭の部分にイルカのデザインが施されているのがわかります。台座に設置されている8個のLEDライトが刻々と色を変えながら銀の鈴をライトアップし、現代においては、単なる待ち合わせのスポットとしてだけではなく、3Dのアート作品としていつまでも見ていて飽きません。

■作家：宮田亮平（みやた・りょうへい）。日本の金属工芸家で、第22代文化庁長官、第9代東京藝術大学学長を務めました。代表作に故郷の佐渡島から上京する際、フェリー船上から見たイルカの群れをモチーフとした『シュプリンゲン（Springen）』シリーズがあります。日本橋三越の新館7階の外壁に「越」のマークの周りをイルカが優雅に泳ぐ姿が描かれているエンブレムなどにも見ることができます。

■作品：直径は約80cm、重量約70kgのアルミ合金製。毎時0分に鈴の音をイメージしたメロディーが鳴ります。

基本情報	東京都千代田区丸の内1　東京駅内（グランスタ） □アクセス：JR東京駅改札内地下中央通路

あわせて立ち寄りたい！	●東京ステーションギャラリー：東京駅舎内という利便性の高さを活かし、近代美術を中心に幅広い時代とジャンルの展覧会が開催されています。館名はギャラリーですが、東京駅丸の内駅舎の歴史を体現するレンガ壁の展示室で親しまれている美術館です。

六本木が拠点の現代アートのギャラリー

小山登美夫ギャラリー
TOMIO KOYAMA GALLERY

Installation view from "Measured Divisional Entities" at Tomio Koyama Gallery, Tokyo, 2019
©Kishio Suga　photo by Kenji Takahashi（写真提供：小山登美夫ギャラリー）

日本における現代アートの基盤となる潮流を創出

　六本木にお出かけの際はぜひ立ち寄りたいギャラリーです。1996年に江東区佐賀町に開廊し、2016年より現在の六本木のcomplex665 2Fに移転。complex665は、それぞれのスペースの内装設計を別々の建築家が務めていますが、同ギャラリーはムトカ建築事務所。

　ギャラリーでは、現代美術のアーティストの展覧会を多数開催。国外アーティストを日本に紹介するなど、日本における現代アートの基盤となる潮流を創出しました。また、開廊以来、海外のアートフェアへも積極的に参加し、日本アーティストの実力を世界に知らしめるとともに、マーケットの充実と拡大にも大きく貢献しています。

　来廊者との関係性においては、ギャラリー代表の小山登美夫氏は、エピソードも交えて「割と、気軽にアートに触れる機会を持ってもらいたいと思っていて、お客さまにこのアーティストに興味があるけど作品何点かみたいというご希望があれば、ミーティングルームで、何点かの作品を持ってきて、見てもらうことよくあります。作品の裏や、サインなどをつぶさに見てもらって、買っていただくということがよくありますね。この間は、お見せしている最中に、その作品の作者であるアーティストが遊びに来てあったりして喜んでもらいました」と述べられています。

■過去の展覧会：菅木志雄展「集められた〈中間〉」（2021年6〜7月）、安藤正子展「Portraits」（2021年4〜5月）など。

基本
情報

東京都港区六本木6-5-24　complex665 2F　TEL：03-6434-7225
□アクセス：東京メトロ・都営「六本木駅」より徒歩3分
□開廊時間：11:00〜19:00　　□休廊日：日曜日・月曜日、祝日、年末年始
□入館料：無料

あわせて
立ち
寄りたい！

●森美術館：六本木アートトライアングルの一角を占める六本木ヒルズ森タワー53階に位置している国際的な現代アートの美術館。
●森アーツセンターギャラリー：漫画・アニメ作品、映画、ファッション、デザインまで多彩で質の高い展覧会を開催。

080

ヤマサ醤油株式会社が開設の美術館

ミュゼ浜口陽三・ヤマサコレクション

螺旋階段を下りた展示スペース(写真提供：ミュゼ浜口陽三・ヤマサコレクション)

世界を代表する銅版画家のひとり、浜口陽三の作品を収蔵・展示

「ミュゼ浜口陽三・ヤマサコレクション」は、浜口陽三の作品を収蔵展示する美術館として1998年11月に中央区日本橋蛎殻町に開館しました。浜口陽三は、埋もれていたモノクロの銅版画のメゾチント技法を20世紀に復活させ、さらには色彩を加えることで独自の芸術表現を確立した世界を代表する銅版画作家のひとりです。

　繊細で静謐な作風の作家の作品を鑑賞するのにふさわしい落ち着いた雰囲気の館内には、展示スペースが1階と地下1階にありますが、地下に降りる螺旋階段が印象的です。浜口陽三展では、ヤマサコレクションの中から銅版画作品を中心に、作家の愛用した道具類や写真などの展示もあり、浜口陽三の世界に浸ることができます。浜口陽三夫人で、繊細な「銅版詩」を描く作家として知られる南桂子の作品を紹介する南桂子展(年1回)も見どころです。

■収蔵作品：浜口陽三／『パリの屋根』1956年、『てんとう虫』1965年、『びんとサクランボ』1971年、『2匹の蝶』1977年、『野』1985年など。

■浜口陽三(はまぐち・ようぞう)：1909年にヤマサ醤油の10代目社長・濱口儀兵衛の三男として和歌山に生まれました。作家は家業を離れ、東京美術学校(現・東京藝術大学)の彫塑科に入学。1953年に再渡仏し、現地でカラーメゾチントを開拓すると、国際舞台で華やかに活動しました。

基本情報

東京都中央区日本橋蛎殻町1-35-7　TEL：03-3665-0251
□アクセス：東京メトロ半蔵門線「水天宮前駅」3番出口より徒歩1分、東京メトロ日比谷線「人形町駅」A2出口より徒歩8分
□開館時間：11:00～17:00(土曜日・日曜日・祝日は10:00～17:00)
□休館日：月曜日(祝日の場合は開館)、年末年始、展示替期間
□入館料：大人600円、大・高校生400円、中学生以下は無料

あわせて立ち寄りたい！

●nca | nichido contemporary art：銀座の老舗画廊「日動画廊」の現代美術部門のギャラリー。
●深川江戸資料館：江戸時代に関する資料を展示する資料館。深川佐賀町の街並みを実物大で再現。

銀座並木通りにある化粧品会社のギャラリー

ノエビア銀座ギャラリー

ノエビア銀座ギャラリーの外観

明るく開放的な空間で、気軽にアートを堪能

　世界で唯一、オリジナル製品のみを扱う画材店「月光荘画材店」から歩いて数分、上質な街路空間の魅力が詰まった銀座並木通りに入ると、通りに面した大きなショーウィンドウが目印のノエビア銀座ギャラリーがあります。通りから展示の様子が垣間見え、思わず立ち寄ってみたくなること請け合いです。オープンは2007年6月。化粧品会社であるノエビアの「外見の美しさはもちろん、アートを通じて内面からも輝く女性でいて欲しい」という思いから生まれたギャラリーです。

　明治・大正期より、文化や流行を発信し続けてきた銀座の地で、「時代を超えて価値あるもの」をテーマに、白をベースとした明るく開放的な空間で、絵画、書、版画、ポスター、写真と、ジャンルを問わず、気軽にアートを堪能することができます。アートに触れることで感性を磨き、まさに内面からの美を育むのにふさわしい場所だと言えるでしょう。年4〜5回の企画展を開催していますが、いずれも普遍性のあるテーマが厳選されていて、必見の展示会ばかりです。

■過去の展示会：レイモン・サヴィニャック ポスター展「陽気な動物たち」（2020年11月〜2021年1月）、「写真家、林忠彦の銀座ー戦後の記憶」（2020年1〜3月）、「岩合光昭写真展ーねこの京都、秋」（2019年8〜11月）、「安西水丸展ー一本の水平線」（2019年6〜8月）、「中原淳一原画展ー中原淳一のスタイル」（2019年3〜5月）など。

基本情報

東京都中央区銀座7丁目6番地15号　ノエビア銀座ビル 1F　TEL：0120-401-001
□アクセス：東京メトロ「銀座駅」より徒歩5分、JR・東京メトロ「新橋駅」より徒歩5分
□開館時間：9:00〜17:30　□休館日：会期中無休
□入館料：無料

あわせて
立ち
寄りたい！

●資生堂ギャラリー：現存する日本で最古の画廊と言われています。5mを超える天井高をもつ銀座地区で最大級の空間は、さまざまな表現を可能にする場として、海外の作家からも注目を集めています。
●月光荘画材店：世界で唯一、オリジナル製品のみを扱う画材店として知られています。

082

東京美術学校の第五代校長・正木直彦の記念館

東京藝術大学正木記念館

藝大アートプラザから望む正木記念館

日本美術を陳列するための書院造の和室で作品鑑賞できる幸運

　東京藝術大学大学美術館の「陳列館」と並び建つ「正木記念館」は、1935(昭和10)年、東京美術学校(現・東京藝術大学)の第五代校長・正木直彦の長年にわたる功労を記念するため建設されました。建屋は、近世和風様式の鉄筋コンクリート造ですが、2階は正木校長の希望によって、日本美術を陳列するために書院造の和室が設けられています。1階は瓦を埋め込んだ白漆喰壁の造りで、その玄関には沼田一雅作の陶製による正木直彦像がありますので、入館前にお見逃しなく。

　現在、2階は展示室となっていますが、展覧会会期中以外は閉じています。不定期にしか展覧会は開かれませんので、偶然に出会うか、狙っていくかのどちらかです。開催の幸運に恵まれると、照明を落とした室内で、書院造の要素である畳、欄間、床の間、畳床、障子などの造作が仄かに浮かび上がる空間に並ぶ作品を、心穏やかに鑑賞することができます。1階展示室は平櫛田中の作品その他を展示するスペースとして不定期に公開。

■過去の展覧会:東京藝術大学日本画第一研究室研究発表展(2020年8～9月)は、日本画第一研究室の学生と教員による研究発表展。修士学生が主体となり企画運営を行い、今後作家活動をするにあたって必要な経験を積む演習授業です。ほかに「シン・マサキキネンカン展」(2020年12月)、「平櫛田中記念室 コレクション展示 2019」(2019年11月)など。

基本情報
　東京都台東区上野公園12-8　TEL:050-5541-8600(ハローダイヤル)
　□アクセス:東京メトロ千代田線「根津駅」1番出口より徒歩10分、JR「上野駅」公園口より徒歩10分
　□開館日時:展覧会会期中のみ公開　※公式ホームページで最新情報をご確認ください
　□入館料:無料

あわせて立ち寄りたい!
　●東京藝術大学大学美術館:国宝・重要文化財23件を含む、約30,000件という日本有数のコレクションを有し、製作と教育研究の現場である芸術大学という特質を合わせもつ美術館。

　●台東区立旧東京音楽学校奏楽堂:東京藝術大学音楽学部の前身、東京音楽学校の校舎。重要文化財の指定。

083

GINZA SIXの6階にある書店

銀座 蔦屋書店

銀座 蔦屋書店のイベントスペースGINZA ARTIUM（写真提供：銀座 蔦屋書店）

アートと日本文化と暮らしをつなぐ「アートのある暮らし」を提案

　GINZA SIXの6階に位置する「銀座 蔦屋書店」は、確かに「書店」ですが、本を介してアートと日本文化と暮らしをつなぎ、「アートのある暮らし」を提案しています。

　世界中から集めたアートブックアーカイブに出会える書籍フロア、ゆっくりとアート作品と向かいあい購入できるギャラリー、アート雑誌を心ゆくまで読めるカフェ、そして、アートやクリエイションを体験できるイベントスペースなど、思い思いにアートを楽しむ贅沢な時間が過ごせる空間が備わっています。

　丁寧なキュレーションのもと、日本ではまだ目にする機会が少ないコンテンポラリーアーティストを中心に、時代や分野を超えた展示を行っているアートギャラリー「THE CLUB」、スターバックス前の展示スペースで個展などが開かれる「アートウォール・ギャラリー」など、ギャラリー三昧を楽しむことができるたいへん贅沢なアートスペースとなっています。

■過去の展覧会：リリー・シュウ個展「局部麻酔」（アートウォール・ギャラリー／2021年6月）、12人の選ばれた気鋭アーティストを提案する展覧会「ブレイク前夜展」（GINZA ATRIUM／2021年5〜6月）、陶作家・酒井智也「リビングの未確認生命体」フェア（文具売り場／2021年5〜7月）、「やましたあつこ作品展」（アートエディション売場前／2021年6月）、上路市剛「上路市剛作品展」（アートエディション売場前／2021年5〜6月）など。

基本情報
東京都中央区銀座6-10-1　GINZA SIX 6階　TEL：03-3575-7755
□アクセス：東京メトロ「銀座駅」A3出口より徒歩2分、東京メトロ・都営「東銀座駅」A1出口より徒歩3分
□開館時間：10:00〜22:30　□休館日：不定休
□入館料：無料

あわせて立ち寄りたい！
●資生堂ギャラリー：現存する日本で最古の画廊。「新しい美の発見と創造」が活動理念。
●セイコーミュージアム 銀座：時計の進化の歴史、和時計、セイコーの歴史・製品の展示のほか、スポーツ計時体験コーナーなどを通じて、大人から子どもまで、楽しめる博物館。

084

国内最大級の展示スペースを誇る国立美術館

国立新美術館

国立新美術館横からの外観（写真提供：国立新美術館）

「森の中の美術館」をコンセプトに黒川紀章が設計の美術館

　　アートで六本木を活性化することを目的とした六本木アート・トライアングルの一角をなすのが国立新美術館です。東京大学生産技術研究所跡地に建設され、2007（平成19）年に開館しました。美術館としては1977（昭和52）年に開館した国立国際美術館以来、30年ぶりに新設された日本で5館目の国立美術館です。

　　国立美術館としては異色のコレクションを持たない国立新美術館は、国内最大級の展示スペースを生かし、企画展・公募展など多彩な展覧会の開催、また、美術に関する情報や資料の収集・公開・提供、教育普及など、アートセンターとしての役割を果たす、新しいタイプの美術館として、その存在意義を発揮しています。

「森の中の美術館」をコンセプトに設計された建物は、黒川紀章の生前最後に完成した美術館です。同館南面の波のようにうねるガラスのカーテンウォールが美しい曲線を描き、個性的な外観を創り出しています。館内にはミュージアムショップ・レストラン・カフェなどが併設されています。

■過去の展覧会：「佐藤可士和展」（2021年2～4月）、「古典×現代2020―時空を超える日本のアート」（2020年6～8月）、国立新美術館開館10周年「草間彌生 わが永遠の魂」（2017年2～5月）など。

基本
情報

東京都港区六本木7-22-2　TEL：050-5541-8600（ハローダイヤル）
□アクセス：東京メトロ千代田線「乃木坂駅」6出口より直結、東京メトロ日比谷線「六本木駅」4a出口から徒歩約5分
□開館時間：10:00～18:00（入場は閉館の30分前まで）※企画展会期中の金曜日・土曜日は20:00まで
□休館日：火曜日（祝日・振替休日の場合は開館し、翌平日休館）、年末年始
□入場料：無料　※観覧料は展覧会ごとに異なります

あわせて
立ち
寄りたい！

●21_21 DESIGN SIGHT：港区立檜町公園に続く緑地「ミッドタウン・ガーデン」の中に立地。創立は三宅一生。デザインの視点からさまざまなことを発信しています。
●サントリー美術館：東京ミッドタウンにある、日本の古美術が中心の私立美術館。

銀座メゾンエルメスのビルに沿う彫刻作品

宇宙に捧ぐ

新宮晋『宇宙に捧ぐ』を宇宙に向かって仰望する

大都会の中で、目には見えない自然のリズムを感じる作品

　銀座メゾンエルメスのソニー通り側のファサードに沿って吊るされた『宇宙に捧ぐ』と題された彫刻作品。大きさがあるにもかかわらず、レンゾ・ピアノの設計によるガラスブロックのビル外壁に見事にとけ込んだ印象をもつこの彫刻は新宮晋の手によるものです。

「建築空間のために彫刻を制作する時、わたしはその作品が付加的な装飾となることを望まない。むしろ私は美術と建物との間の境界を取り去りたいと思う」と作家は述べています。まさに先の印象がそのことを物語っています。

　あらためて地面からはるか46m先に視線を投げると、時折そよぐ銀座の風に『宇宙に捧ぐ』がゆっくりと動くのがわかり、彫刻が3点のステンレスのモビールからなることに気づきます。大都会の中で、目には見えない自然のリズムを感じさせてくれるとともに、東京の光をとらえて、その光を街路へと導く、なんとも贅沢な光景を提供しています。

■作品：素材はステンレス・スチール。最上部取り付け高さは地上46m。最上部モニュメントの最大回転幅は5.6mで、アトリウムモニュメントのそれは4.5m。

■作家：新宮晋（しんぐう・すすむ）。風や水で動く彫刻のほか、絵本、舞台作品などを発表している彫刻作家です。1937年大阪生まれ。東京藝術大学絵画科を卒業後、イタリアに留学。6年間の滞在のうち、風で動く作品を作り始めます。以来、自然エネルギーで動く作品を世界各地に作り続けています。

基本情報

東京都中央区銀座5-4-1　銀座メゾンエルメス
□アクセス：東京メトロ「銀座駅」より徒歩0分、JR「有楽町駅」より徒歩4分

あわせて
立ち
寄りたい！

●銀座メゾンエルメスフォーラム：ランタンの灯りのようなガラスブロックが印象的な銀座メゾンエルメス8階のアート・ギャラリーで、アーティストと共に創造する空間です。
●「若い時計台」：数寄屋橋公園内にある岡本太郎のパブリックアート作品。

complex665内の現代アートのギャラリー

タカ・イシイギャラリー
Taka Ishii Gallery

六本木 新ギャラリースペース オープニング展「Inaugural Exhibition: MOVED」展示風景
（タカ・イシイギャラリー 東京／2016年10月21日～11月19日、photo: Kenji Takahashi）

日本を代表する写真家や新進気鋭の日本および欧米の作家を紹介

　六本木は、個性豊かな実力派のギャラリーが数多く集積している東京のアートシーンを語るうえで外せない街のひとつです。その六本木に、2016年10月にオープンしたギャラリーコンプレックスビル「complex665」の3階フロアにTaka Ishii Gallery（TIG）があります。

　作品の搬入出用の大型のエレベータで3階のギャラリーに足を踏み入れた瞬間、光あふれるギャラリー越しに見える植栽に思わず癒されます。complex665は、それぞれのギャラリースペースの内装設計が個別の建築家の手によることでも話題になりましたが、当TIGの内装はブロードビーンが設計しました。

　Taka Ishii Galleryは1994年開廊。独自の審美眼と国際的な視座で、国内・国外、キャリアやメディウムなどさまざまな作家とともに、多彩なプログラムを四半世紀にわたり展開。荒木経惟、森山大道、畠山直哉など日本を代表する写真家や、五木田智央、法貴信也、川原直人、村瀬恭子らの画家、そして荒川医、木村友紀、前田征紀、竹村京など、新進気鋭の日本人作家の展覧会を開催。同時にトーマス・デマンド、ダン・グラハム、スターリング・ルビー、ケリス・ウィン・エヴァンスなど、国際的に評価の高い作家から、ルーク・ファウラーやマリオ・ガルシア・トレスら今後の活躍が期待される若手作家などの展覧会も多く開催しています。また、1階にはビューイング・ルームが設けられています。

基本
情報

東京都港区六本木6-5-24　complex665 3F　TEL：03-6434-7010
□アクセス：東京メトロ日比谷線「六本木駅」3番出口より徒歩3分
□開館時間：12:00 ～ 18:00　□休館日：日曜日・月曜日、祝祭日
□入館料：無料

あわせて
立ち
寄りたい！

●ギャラリーペロタン東京：1989年にエマニュエル・ペロタンがフランスで創業した現代美術ギャラリーの支店として、2017年に六本木にオープンしました。
●森美術館：東京のどこからでも見える森タワーの最上層にある現代アートの美術館。

桜の季節には花見客で賑わう目黒川のほとりの美術館

郷さくら美術館

郷さくら美術館の外観

四曲一隻の屏風『櫻雲の目黒川』
（中島千波、2013年）

1年を通じて満開の桜を日本画で楽しめる美術館

　ファサードには、目黒川沿いの桜と呼応するように、「郷さくら美術館」の紋様をモチーフにしたタイルが施されていて期待が高まります。現代日本画に特化した専門美術館として、2006年10月に福島県郡山市に開館した郷さくら美術館。その東京館として、2012年3月に、桜の季節には多くの花見客で賑わう目黒川のほとりにオープンしました。都度テーマを設けて構成されるコレクション展を中心に、年に4・5回の展覧会が開催されています。4室となる展示室には、毎回40点余りの作品が展示され、細密な現代日本画の魅力に触れることで、親密な落ち着いた展示空間を楽しめます。

　満開の目黒川を散策がてら、同館を訪ねるのもひとつのきっかけとして良いですが、1年を通じて"お花見"を楽しめる桜の絵画だけの企画展示室「桜百景」には、全国の桜の名所・名木など、桜がモチーフの屏風作品を含めた大作十数点が常設されていますので、季節を問わず、ぜひ訪れてみてください。日本人ならずともインバウンドの方にもぜひ訪ねてほしい美術館です。

■過去の展覧会：日本画「GOLD＋＋」展（2021年6〜9月）、桜百景展（2021年3〜5月）など。

■所蔵作品：昭和以降の日本画家の作品を中心に収集し、約800点を超える収蔵作品の多くが、50号を超える大判の作品であることも同館のコレクションの特徴です。三春町や須賀川での写生をもとに描かれた素晴らしい作品が数多く収蔵されています。

基本
情報

東京都目黒区上目黒1-7-13　　TEL：03-3496-1771
□アクセス：東急東横線・東京メトロ日比谷線「中目黒駅」正面出口より徒歩5分
□開館時間：10:30〜18:00（最終入館は17:30）
□休館日：月曜日（祝日・振替休日の場合は開館し、翌日または直後の平日休館）
□入館料：一般500円、シニア（70歳以上）400円、大学生・高校生300円、中学生100円、小学生は無料

あわせて
立ち
寄りたい！

●アートフロントギャラリー：1984年に代官山＜ヒルサイドテラス A棟＞に開設し、時代を牽引する展覧会を多数企画しているギャラリーです。
●スターバックス リザーブ® ロースタリー 東京：日本文化へのリスペクトとクラフトマンシップが作り上げた特別な空間。

カバンに特化した世界的にめずらしい博物館

世界のカバン博物館

世界のカバンコレクション（ヨーロッパ）

世界五大陸50か国から収集された希少価値の高いコレクション

　　バッグとラゲージの総合メーカーであるエースの東京店（台東区・駒形）の7階にあるカバンに特化した世界的にめずらしい博物館です。

　　同館では、世界五大陸50か国から収集された希少価値の高いコレクションをはじめ、カバンの歴史や文化に触れることができます。しっとりと落ち着いた雰囲気の館内は、テーマごとに見応えのある展示ですが、なかでも「世界のカバンコレクション」のずらりと並ぶカバンの展示に圧倒されると同時に、カバンでめぐる五大陸の旅をしているような感動を覚えます。目を見張るほどの名品や、自然素材を生かした民族の英知が光るカバンなど、世界中から集められた550点あまりの収蔵品から、その都度コレクションが270点ほどセレクトされています。

　　なお、一階上がった8階には、創業者・新川柳作の記念館とビューラウンジがあります。

■世界のカバンコレクションの見どころ：最高級船旅用トランク「ワニ革のキャビントランク」（モラビト社／フランス）、ていねいに造り上げられた逸品「シマウマのボストンバッグ」（1846年創業のロエベ社／スペイン）、中央アジア・キルギスの伝統的なフェルト素材を使用した現代的なデザインのバッグ「キルギスのフェルトバッグ」、スポーツシーンで使用するとは思えない究極のお洒落バッグ「ラケットカバーつきバッグ」、クジャクの美しい羽根が使われた「クジャクのハンドバッグ」など。

基本
情報

東京都台東区駒形1-8-10　エース株式会社 東京店　TEL：03-3847-5680
□アクセス：都営浅草線「浅草駅」A1出口より徒歩1分、都営大江戸線「蔵前駅」A5出口より徒歩6分
□開館時間：10:00 ～ 16:30　□休館日：日曜日・祝日、年末年始　※不定休あり
□入館料：無料

あわせて
立ち
寄りたい！

●郵政博物館：歴史や物語を7つの世界に分けて郵便および通信に関する収蔵品を展示・紹介する博物館。日本最大となる約33万種の切手展示も。

●たばこと塩の博物館：専売品であった「たばこ」と「塩」の歴史と文化をテーマにした博物館。

世田谷区の緑豊かなキャンパス内の博物館

昭和女子大学光葉博物館

ベルコレクション〈特別展「くらしを映すBELL」より〉
（写真提供：昭和女子大学光葉博物館）

漆採取から漆器製作まで〈特別展「日本の文化とくらし」より〉
（写真提供：昭和女子大学光葉博物館）

モノから学ぶ－観て・聴いて・触れ合う大学の博物館

　世田谷区の緑豊かな昭和女子大学のキャンパスの一番奥の7号館1階に、1994（平成6）年に設立された光葉博物館があります。「光葉」とは、本学同窓会の名称。博物館に入る左手の気になる水辺は、自然の湧き水を利用した滝と色とりどりの錦鯉が優雅に泳ぐ大きな池が中心にある庭園「昭和之泉」。

　常設展示室はありませんが、毎年、春と秋にはさまざまなテーマの特別展を開催するほか、収蔵資料展、卒業制作展、附属小中高校やブリティッシュ・スクールの作品展など、年6～7回の企画展を開催。収蔵品のなかでも、ベルコレクションは一押しで、本学の人見楠郎2代理事長が「見た目に楽しく、手に触れても面白くて、しかも耳にして爽やかなもので鈴の右に出るものはない」と、世界各地で収集したさざまなな種類の鐘、鈴、鐸です（展示品は触れません）。

■過去の展覧会：新春収蔵資料展「日本の郷土玩具」（2021年1～2月）、「徳川将軍家を訪ねて－江戸から令和へ－」（2020年10～12月）、秋の特別展「羽化する渋谷－渋谷駅135年の時系列模型から見る2020年」（2019年10～12月）など。

■収蔵作品：複製浮世絵673点、民族資料（ベル1826点、日本の民芸品1874点、世界の民芸品1068点、仮面564点）、中国の硯145点、彫刻6点、服飾資料142点、美術史資料19点、民具資料310点、漆芸資料95点など。

基本
情報

東京都世田谷区太子堂1-7-57　TEL：03-3411-5099
□アクセス：東急田園都市線「三軒茶屋駅」より徒歩7分
□開館時間：09：00～17：00　※開館時間・休館日は、展覧会により異なります
□休館日：日曜日、祝日、年末年始、大学の定める休日
□入館料：無料　※展覧会により異なります

あわせて
立ち
寄りたい！

●アクセサリーミュージアム：近代ファッション150年のコスチュームジュエリーを展示。
●日本民藝館：伝統的工芸品を主に収蔵展示する美術館。思想家の柳宗悦らにより企画され、実業家で社会事業家の大原孫三郎をはじめとする多くの賛同者の援助で1936年に開設。

真如苑が所蔵する仏教美術品を一般に公開

半蔵門ミュージアム

地下1階の展示室（写真提供：半蔵門ミュージアム）

大日如来坐像（重要文化財）や、ガンダーラ仏伝浮彫を常設

　半蔵門ミュージアムは、真如苑が所蔵する仏教美術品を一般に公開するために設立した文化施設で、2018年千代田区一番町に開館しました。

　同館は、展示エリアを中心に、地下1階から3階に多様なスペースが設けられています。1階の格調高いエントランスホールは、吹き抜けとギャラリー横の透過ガラスから光が入る、開放的な心地よい空気感を醸し出し、鑑賞前の気持ちを落ち着かせます。地下1階は、諸仏を納める神聖な御堂をイメージし、「積層する大理石（トラバーチン）の床、壁で構成された石室のような空間は、信仰心を呼び起こす、精神性の高い空間を意図したもの」（建築家・栗生明）となっています。その展示空間では、運慶作と推定されている大日如来坐像（重要文化財）や、ガンダーラ仏伝浮彫を常設し、仏像や仏画、経典などを定期的に入れ替えながらさまざまな特集展示をおこなっています。

　2階には図書閲覧や休憩が可能なラウンジと、多目的に利用できるマルチルームがあります。3階には、仏教文化に関する映像を楽しめるシアターと、講座などを開催するホールが併設されています。

■常設展示作品（一部入替あり）：『大日如来坐像』（鎌倉時代、12世紀、重要文化財）、『不動明王坐像』（平安～鎌倉時代、12～13世紀）、『両界曼荼羅』（1706［宝永3］年）、『仏涅槃図』（江戸時代、17世紀）、ガンダーラ仏伝浮彫（2～3世紀）『誕生』『出城』『初転法輪』『王の帰依と涅槃』など。

基本情報
東京都千代田区一番町25　TEL：03-3263-1752
□アクセス：東京メトロ半蔵門線「半蔵門駅」4番出口左すぐ、東京メトロ有楽町線「麹町駅」3番出口より徒歩5分
□開館時間：10:00～17:30（入館は17:00まで）　※公式ホームページで最新情報をご確認ください
□休館日：月曜日・火曜日、年末年始、その他臨時休館日あり
□入館料：無料

あわせて
立ち
寄りたい！
●日本カメラ博物館：世界中から集まったカメラの名機・名作・珍品を展示。カメラや写真の企画展を定期的に開催。世界最初の市販カメラ「ジルー・ダゲレオタイプ・カメラ」を国内で唯一、所蔵・展示しています。

081

東京・区立美術館ネットワークのひとつ

O美術館

デジタル版画展2020の展示風景（2020年8月）

品川・大崎の地域に根ざした品川区立の美術館

　O美術館は、品川区が設立した公益財団法人品川文化振興事業団が運営する美術館として1987年4月に開館しました。同館は、2018年に東京都の区立11館でスタートした東京・区立美術館ネットワークを構成する美術館のひとつです。

　同館は、JR大崎駅から歩いて2分の高層ビルが立ち並ぶ品川区大崎の再開発地区「大崎ニューシティ」2号館の2階に立地しています。目印は、黄色地に黒く「O美術館」と書かれた天井から下がるバナー。OHSAKIの頭文字Oと山手線の環状の輪を表現し、現代感覚あふれる新しいタイプの美術館を目指して、「O美術館」と名付けられました。美術鑑賞や作品発表の場に、多目的な利用のできる美術館です。現在、年1～2回の企画展を開催、また一般の人に貸ギャラリーとして展示室を開放しています。

　お帰りには、同館横の長谷川栄のパブリックアート『宇宙からのメッセージ』もお見逃しなく。

■過去の展覧会：「5TH ANNIVERSARY デジタル版画展2021 ―記憶の集積回路から―」（2021年8月）、「品川アーティスト美術館展2021」（2021年2～3月）、「みつめよう　今わがまちーしながわ百景原画展―」（2020年10～11月）、「第33回しながわ美術家協会展」（2020年9月）、「デジタル版画展2020」（2020年8月）など。

基本
情報

東京都品川区大崎1-6-2　大崎ニューシティ・2号館2F　TEL：03-3495-4040
□アクセス：JR 山手線・りんかい線「大崎駅」北改札口・東口より徒歩2分
□開館時間：10:00～18:30　※展示内容により開催時間は異なります　□休館日：木曜日、年末年始
□入館料：展示内容により異なります

あわせて
立ち
寄りたい！

●『グローイング・ガーデナー』：アートヴィレッジ大崎内のパブリックアートで、ドイツのアート集団インゲス・イデーの作品。ガーデナー＝庭師＝森の守り神の妖精がモチーフ。
●容器文化ミュージアム：容器包装の中にかくれているさまざまな秘密を「ひらく」施設。

97

4月1日
本日の
テーマ　パブリックアート

092

不思議の国のアリスシリーズ-1

Hop, Step, Hop, Step

東京メトロ副都心線「新宿三丁目駅」の『Hop、Step、Hop、Step』（山本容子、2008年）

楽しくもあり都会的で洗練された雰囲気のある山本容子の原画作品

　東京メトロ副都心線「新宿三丁目駅」に設置された色鮮やかなステンドグラス作品。ルイス・キャロルの『不思議の国のアリス』の物語をイメージした銅版画家・山本容子の「不思議の国のアリス」シリーズ作品のひとつです。

『不思議の国のアリス』に出てくる白うさぎが、真剣な顔をしながらホップ、ステップする様子を連写したような躍動感のある作品に、思わず観る方もスキップしたくなります。駅を行き交う通勤客にとって、朝の出勤時にはその日のエネルギーをもらい、夕の帰宅時には仕事疲れを癒してくれるようにも感じます。作品説明プレートには「日常の時間から離れて異次元へ誘う兎をテーマにしています。私たちの生活する空間は、時間軸を含めて四次元の空間だといわれていますが、楽しい気分になった時は、もっと高次元にいるように感じます。そのような世界への入口を描きました」（山本容子）とあります。

■原画・監修・描画：銅版画家・山本容子（やまもと・ようこ）。1952年生まれ。都会的で軽快洒脱な色彩で、独自の銅版画の世界を確立。絵画に音楽や詩を融合させるジャンルを超えたコラボレーションを展開。数多くの書籍の装幀、挿絵を手がけ、絵本やエッセイの著作も多くあります。また、医療現場で壁画制作の創作にも活動の場を広げています。

■作品：2008年設置のバックライト付きステンドグラス。縦2.6m×横8.1m。企画は公益財団法人日本交通文化協会。製作はクレアーレ熱海ゆがわら工房。

基本情報
東京都新宿区新宿5-18-22
□アクセス：東京メトロ副都心線「新宿三丁目駅」地下2階　新宿三丁目交差点方面改札
□オフィシャルサイト：https://www.lucasmuseum.net/

あわせて
立ち
寄りたい!
●『ウォーターフォール』：同じく東京メトロ副都心線「新宿三丁目駅」の地下2階・高島屋方面改札を出た通路に設置されている千住博によるパブリックアート。
●『花尾(Hanao-San)』：JR「新宿駅」東口駅前広場に設置されている松山智一のパブリックアート作品。

TERRADA ART COMPLEX I 内のギャラリー

Takuro Someya Contemporary Art

Installation view of Shuhei Ise ¦ Mere Painting, 2020 ／ Photo by Shu Nakagawa ／ Courtesy of Takuro Someya Contemporary Art

ジャンルを問わず多様なアーティストを迎え定期的に展覧会を開催

　寺田倉庫が運営し、天王洲に展開する日本最大のアート複合施設「TERRADA ART COMPLEX」の3階にギャラリーを構えるTakuro Someya Contemporary Art｜TSCA。

　Takuro Someya Contemporary Artは、ギャラリストの染谷卓郎が2006年に千葉県柏市にTSCA Kashiwaを開廊し、その後2010年に築地にオープンしたあと、ほかをクローズして六本木・南麻布に集約してオープンしたのが2015年。時を経て、世界的な現代アートギャラリー集積拠点となるTERRADA ART COMPLEX が開設されたのを機に、2018年11月、現在地にオープンしました。

　人・荷物兼用の大型エレベータで3階に上がると、特徴のあるTSCAのロゴデザインがあしらわれた大きなガラス扉の先に白壁の展示室を垣間見ることができますが、中ではジャンルを問わずユニークなアーティストを迎え、定期的に展覧会が開催されています。

■過去の展覧会：「特別展示｜岡﨑乾二郎、大山エンリコイサム、ラファエル・ローゼンダール」（2021年3～4月）、「村山悟郎｜Painting Folding」（2020年12月～2021年1月）、「岡﨑乾二郎｜TOPICA PICTUS てんのうず」（2020年10～12月）など。

■取扱作家：岡﨑乾二郎、伊勢周平、岩井優、大山エンリコイサム、鈴木基真、ラファエル・ローゼンダール、矢津吉隆、山下麻衣＋小林直人、黒川良一、細倉真弓、村山悟郎。

基本情報
東京都品川区東品川1-33-10　TERRADA Art Complex 3F & 5F　TEL：03-6712-9887
□アクセス：りんかい線「天王洲アイル駅」B出口より徒歩8分、
　東京モノレール羽田空港線「天王洲アイル駅」中央口より徒歩11分
□開廊時間：11:00～18:00（火・水・木・土曜日）、11:00～20:00（金曜日）　□休廊日：日曜日・月曜日、祝日
□入館料：無料

あわせて立ち寄りたい！
● WHAT MUSEUM：現代アートのコレクターズミュージアム。旧建築倉庫ミュージアム。
● TERRADA ART COMPLEX II：隣接するTERRADA ART COMPLEX I（2016年9月オープン）に引き続き、2020年9月にオープンしたアート複合施設です。

084

川合玉堂が愛した御岳渓谷にある美術館

玉堂美術館

玉堂美術館の日本庭園（枯山水）

自然豊かな奥多摩に抱かれた建屋と日本庭園が見どころ

　玉堂美術館は、日本画壇の巨匠・川合玉堂が昭和19年から10余年を青梅市御岳で過ごしたのを記念して建てられました。御岳は、川合玉堂が第2次世界大戦中に疎開していた場所です。

　美術館を辿る道すがら、青く透き通った源流に近い多摩川を眺めると、いかに作家がこの地を愛してやまなかったかが実感できます。また、近所の人から野菜などをもらい、そのお返しに色紙を書いたなどのエピソードが残されていて、土地の人々に慕われていた作家の人柄がしのばれます。

　美術館の建設にあたっては、香淳皇后をはじめとした有志の寄付が寄せられました。その建屋は、数奇屋建築の名手で芸術院会員の故・吉田五十八の設計によるもの。日本庭園も必見で、2020年には「Japanese Garden Journal」で第5位にランキングされています。

■川合玉堂（かわい・ぎょくどう）：日本画壇の中心的存在のひとりで、日本の四季の山河と、そこで生きる人間や動物の姿を美しい墨線と彩色で描くことを得意としました。作家のもとには、多くの門人がいました。

■所蔵作品：15歳頃の写生から晩年の作品まで幅広く約300点を所蔵。奥多摩の自然に合わせて展示替えは年7回ほど行われています。なかでも作家が最も描きたかった景趣の鵜飼をテーマにした晩年83歳の『鵜飼』は必見です。

基本
情報

東京都青梅市御岳1-75　TEL：0428-78-8335
□アクセス：JR青梅線「御嶽駅」より徒歩3分
□開館時間：季節によって変わります　※電話にてご確認ください
□休館日：月曜日（祝日の場合は開館し、その翌日休館）、年末年始
□入館料：大人500円、大学生・中学生・高校生400円、小学生200円

あわせて
立ち
寄りたい！

●櫛かんざし美術館：小澤酒造株式会社（澤乃井）の関連事業で、各時代の女性を彩った髪飾りの美術館。所蔵品は約4,000点で、髪飾りのほかに、当時の女性風俗を偲ぶ衣装、身装品、生活用品も幅広く展示しています。
●青梅市立美術館：多摩川を臨む青梅街道沿いに立地する美術館。

東京ガスの歴史博物館

ガスミュージアム
GAS MUSEUM

ガス灯館の外観

くらし館の外観

明治時代を彷彿とさせる2棟の赤レンガの建物が印象的

　東京ガスの事業の歴史とくらしとガスの関わりを知ることができる歴史博物館です。入口を入ると、すぐに芝生と緑が鮮やかな中庭が目に入ります。国内外の実際に使われていた貴重なガス灯を庭園に移築したガスライトガーデンで、ガス灯それぞれの造形の美しさを楽しむことができます。丸の内の三菱一号館に建っているものと同じデザインの浜離宮のガス灯やフランスのパリで街路灯として使われていたガス灯など興味が尽きません。

　ガスライトガーデンを挟んで建つ2棟の美しい赤レンガの建物が、街にガス灯が灯っていた明治時代に連れて行ってくれます。左の「ガス灯館」の建物は、1909（明治42）年建築の東京ガス本郷出張所の建物を移設復元したもの。裸火、マントルガス灯、花ガスの3つのガス灯のたいへん珍しいスタッフによる点灯実演が貴重です。右の「くらし館」の建物は、1912（明治45）年建築の東京ガス千住工場計量器室を移設復元したもの。明治から現代まで100年以上にわたってくらしのあらゆるシーンで熱源として使われてきたガス器具を一覧できます。なかでも珍しいのは、ガスを利用したオルガン。鍵盤を押すとガラス管の中のガスの炎が変化し、やわらかい音色を奏でるそうです。

■所蔵品：明治時代からのさまざまなガス器具が主要な所蔵品です。加えて、美術資料として「明治錦絵」を中心に約400点あまりの所蔵品をホームページでも紹介しています。

基本
情報
□東京都小平市大沼町4-31-25　TEL：042-342-1715
□アクセス：西武新宿線「花小金井駅」北口より西武バス(武21)「東久留米駅西口」(錦城高校・西団地経由)行き
　乗車、「ガスミュージアム入口」下車徒歩3分
□開館時間：10:00 〜 17:00　□休館日：月曜日(祝日の場合は開館し、翌日休館)、年末年始
□入館料：無料

あわせて
立ち
寄りたい！
●江戸東京たてもの園：現地保存が不可能な文化的価値の高い歴史的建造物を移築し、復元・保存・展示するとともに、貴重な文化遺産として次代に継承することを目指しています。
●小平市平櫛田中彫刻美術館：近代日本彫刻の巨匠・平櫛田中の作品を保存・展示しています。

086

東京物理学校の木造校舎の外観を復元

東京理科大学近代科学資料館

東京理科大学近代科学資料館の外観（写真提供：東京理科大学近代科学資料館）

科学技術の過去・現在・未来を思考する空間となる博物館

　JR総武線「飯田橋駅」から徒歩5分、『坊っちゃんの塔』を曲がってすぐの白い洋館が、近代科学資料館が入る施設です。この施設は、東京物理学校卒業の故・二村冨久氏の寄付により1991年に建設されましたが、外観は、1906（明治39）年に神楽坂に建てられた東京理科大学の前身である東京物理学校の木造校舎を復元したもの。冒頭の『坊っちゃんの塔』は、夏目漱石の小説『坊っちゃん』の主人公が東京物理学校を卒業し、数学教師として松山中学に赴任する物語に由来しています。

　近代科学資料館は、東京理科大学創立110周年を記念して1991年11月に開館しました。本学は、1881（明治14）年、東京大学で理学を学んだ21人の若者たちによる「理学の普及を以て国運発展の基礎とする」という熱い思いによって創立されました。本館は、2020年にリニューアルされ、江戸時代の算術書や明治初期に発刊された理学書、大学で使用された実験機器、エジソン蓄音機、創立者とゆかりの夏目漱石の資料などを展示しています。日本の科学の黎明期に本学創立の経緯や近代科学の普及に貢献してきた史料を通して、日本の近代科学のあゆみを知ることができます。

　風情のある神楽坂の街並みから一歩入った場所の洋館に足を踏み入れ、科学技術の過去・現在・未来を思考する落ち着いた空間で、科学教育の普及にかけた先人たちの志に思いを馳せてみてはいかがでしょうか。

基本情報

東京都新宿区神楽坂1-3　TEL：03-5228-8224
□アクセス：JR総武線「飯田橋駅」西口より徒歩5分、東京メトロ「飯田橋駅」B3出口より徒歩3分
□開館時間：公式ホームページでご確認ください　□休館日：公式ホームページで最新情報をご確認ください
□入館料：無料

あわせて立ち寄りたい！

●MIZUMA ART GALLERY：日本を代表するギャラリストの三潴末雄が創業したギャラリー。
●宮城道雄記念館：箏曲の演奏家であり、「春の海」をはじめ、多数の名曲の作曲家として知られた宮城道雄の記念館。音楽家の記念館としては、日本で最初のものです。

夏目漱石生誕150年の2017年に開館

新宿区立漱石山房記念館

漱石山房記念館の外観(写真提供：漱石山房記念館)

漱石山房再現展示室。書斎内の家具・調度品・文具は、資料を所蔵する県立神奈川近代文学館の協力により再現。書棚の洋書は東北大学附属図書館の協力により、同館が所蔵する「漱石文庫」の蔵書の背表紙を撮影し、製作されました。
(写真提供：漱石山房記念館)

夏目漱石が暮らし、名作を世に送り出した「漱石山房」を再現

　外苑東通りを折れて漱石山房通りの先に見える夏目漱石胸像が目印の漱石山房記念館。ゆるやかなスロープを辿り館内に入ると、1階右手には、漱石と新宿の関わり、漱石の生涯、人物像、漱石の家族など、漱石を知る上で基本的な情報が紹介されている無料の導入展示があります。その奥からは有料展示となりますが、本館のひとつのみどころの「漱石山房再現展示室」があり、漱石が暮らした「漱石山房」の一部、書斎・客間・ベランダ式回廊が再現されています。回廊を曲がると、漱石公園の緑をバックに座る夏目漱石人形が置かれた撮影スポットがありますので、カメラをお忘れなく。

　2階に上がるとテーマ展示や特別展が開催される資料展示室があり、途中、『吾輩は猫である』のモデルであろう黒猫（パネル）が現れますのでお見逃しなく。特に階段を上がる猫の姿には思わず顔がほころびます。2階では、グラフィックパネルや映像などにより、漱石と作品世界、漱石を取り巻く人々（52名）、漱石と俳句、漱石と絵画などについて紹介するほか、新宿区が所蔵する草稿や書簡、初版本などの資料が展示公開されています。

■主な所蔵資料：夏目漱石『道草』草稿、夏目漱石『明暗』草稿、夏目漱石『ケーベル先生の告別』原稿、夏目漱石「「土」に就て」原稿、夏目金之助（漱石）松根豊次郎（東洋城）宛葉書、夏目金之助（漱石）夏目鏡子宛書簡、漱石の長襦袢、津田青楓 画讃「漱石先生像」。

基本情報　東京都新宿区早稲田南町7　TEL：03-3205-0209
□アクセス：東京メトロ「早稲田駅」1番出口より徒歩約10分、東京メトロ「神楽坂駅」2番出口より徒歩15分
□開館時間：10:00 〜 18:00　□休館日：月曜日（休日の場合は開館し、直後の平日休館）、年末年始、その他
□観覧料：通常展は一般300円、小・中学生100円
※特別展等開催時の観覧料は、内容により変わります。無料展示と有料展示があります。

あわせて
立ち
寄りたい!　●坪内博士記念演劇博物館：早稲田大学早稲田キャンパス内にある大学の博物館。アジアで唯一の、そして世界でも有数の演劇専門総合博物館です。
●早稲田大学 會津八一記念博物館：會津八一が蒐集した東洋の古美術が収蔵品の柱のひとつです。

098

近代日本画の巨匠と称される川端龍子の記念館

大田区立龍子記念館

大田区立龍子記念館の外観

展示室の迫力ある大画面の作品群の鑑賞と龍子公園を散策

　高床式のタツノオトシゴをイメージした建築デザインが特徴的な大田区立龍子記念館。1963年に、川端龍子の喜寿を記念して、長年住んだ東京都大田区に作家自らの設計で建てられました。広い展示室に入ると、作家直筆の「右より奥へと御覧されたし」の案内板が中へと誘います。大画面を描く作家がいなかった当時、訪れたボストン美術館の展示に影響を受け、広い会場で見せる大画面に描く作品が特徴で、同館の展示作品でもその迫力に圧倒されます。作品以外にも作家が愛用していた画材や、ずらっと並ぶ日本画の絵具の雲母や岩群青などの展示も見応え十分。記念館での鑑賞後は、龍子記念館の向かいの龍子公園に立ち寄り、アトリエと晩年を過ごした旧宅もぜひご堪能ください。

■川端龍子（かわばた・りゅうし）：本名は川端昇太郎。大正・昭和の日本画壇の巨匠で、馬込文士村の住人のひとり。「会場芸術」を「大衆の文化的福祉」へ拡大しようと、戦後復興の中で再建がすすむ寺院の天井画を次々に制作するなど、芸術を展覧会場から人々の身近な場所へとさらに接近させていきました。代表作に『怒る富士』『孫悟空』（いずれも大田区立龍子記念館蔵）など。

■所蔵作品：大正初期から戦後にかけての約140点あまりの作家の作品を所蔵し、多角的な視点から作家の画業を企画展と特別展で紹介しています。

基本
情報

東京都大田区中央4-2-1　TEL：03-3772-0680
□アクセス：都営浅草線「西馬込駅」南口より徒歩15分
□開館時間：9:00 〜 16:30（入館は16:00まで）
□休館日：月曜日（祝日の場合は開館し、翌日休館）、年末年始、展示替期間
□入館料：展覧会によって異なります。通常展は大人（16歳以上）200円、小人（6歳以上）100円

あわせて
立ち
寄りたい！

●大田区立熊谷恒子記念館：現代女流かな書の第一人者として活躍した熊谷恒子（1893 〜 1986年）が、生前に住んでいた自宅を改装し、平成2年4月に開館した記念館。記念館は、昭和11年に建てた自宅の雰囲気をそのままに、作家の優美な書を鑑賞することができます。

手塚治虫の原画を基に製作された陶板レリーフ

Osamu Tezuka, Characters on Parade
～手塚治虫キャラクターズ大行進

手塚治虫キャラクターズ大行進

思わず心が弾む手塚治虫のキャラクターが勢揃いのパレード

　本作品が設置されている国際展示場駅は、アニメ・コミックに関する多くのイベントが開催され、また国際的なビジネスステージとしてインバウンド客が多数訪れる東京ビッグサイトの最寄り駅。題名の英語表記が良きウェルカムボードに。この陶板レリーフの基になったイラストは、1976年に手塚治虫の手で描き下ろされたもの。本来92体の手塚キャラクターたちによる大行進を描いた中から36体を選び再レイアウトされたそうです。「人間だけでなく動物たちやロボット、宇宙人も加わり楽しげに進むこのパレードの先が、平和で明るい未来であることを作家とともに願っています」という手塚プロダクションのメッセージが込められています。

　陶板レリーフの右端から、手塚治虫のサインとともに『ジャングル大帝』『鉄腕アトム』『リボンの騎士』『火の鳥』『ブラック・ジャック』『マグマ大使』などなど、思わず心が弾みます。

■原画作家：手塚治虫（てづか・おさむ）、1928 ～ 1989年。日本を代表するストーリー漫画の第一人者でありアニメーション作家。医学博士。作品は、冒険ファンタジー、恋愛漫画、社会派ドラマと多岐にわたりますが、『鉄腕アトム』『火の鳥』『ブラック・ジャック』などは代表作品。

■作品：横約8.8m x 縦約2.6mの陶板レリーフ。監修は株式会社手塚プロダクション。公益財団法人日本交通文化協会が「人々が行き交い、集まる場を心豊かなものにしたい」との思いで公共空間にアートを設置してきた531作品目のもので、製作はクレアーレ熱海ゆがわら工房。この作品は、宝くじの社会貢献広報事業として助成を受け整備されました。

基本情報

東京都江東区有明3丁目7

□アクセス：りんかい線「国際展示場駅」改札内コンコース

あわせて立ち寄りたい！

●森ビル デジタルアートミュージアム：エプソン チームラボ ボーダレス：延べ床面積は約1万㎡もあり、巨大なデジタルアート空間となっています。

●実物大ユニコーンガンダム立像：ダイバーシティ東京 プラザ2F フェスティバル広場に展示の立像。

シュルレアリストの作品に特化したギャラリー

Galerie LIBRAIRIE6

展示室の様子（写真提供：Galerie LIBRAIRIE6）

シュルレアリスム運動関連の作家を中心に作品と書籍を展示

　Galerie LIBRAIRIE6は、蔦のからまる築40年の木造アパートの一室に、6畳のギャラリースペースと2畳ほどの書店を併設したギャラリーとして、2010年に恵比寿で開廊。2015年3月、建物の取り壊しをきっかけに前ギャラリーから程近くの現在の場所で再開しました。

　名前の由来は、詩人フィリップ・スーポー（アンドレ・ブルトンと共に自動記述実験を行い『磁場』という作品を発表した）がパリ7区に開いた書店兼ギャラリーの名前から付けたもので、そこは1921年にマン・レイがパリでの初の個展を開いた場所でもあります。シュルレアリストの作品を紹介する場にしたいという思いから、Galerie LIBRAIRIE6という名になりました。同ギャラリーでは、パリで起こった芸術運動のシュルレアリスムの創始者アンドレ・ブルトンとその関係作家たち、そしてシュルレアリスム運動を日本に紹介した瀧口修造や澁澤龍彦と、その影響を受けた周辺作家を中心に企画展示とコレクションを行なっています。第一回の企画展である野中ユリ「夢の結晶力」を皮切りに、岡上淑子、金子國義、四谷シモン、細江英公、M.W. Svanbergなど、企画ギャラリーとして毎月さまざまな作家を紹介しています。ギャラリー奥に併設のシス書店では、アンドレ・ブルトンの『シュルレアリスム宣言』など、シュルレアリスム関連書籍が多数展示されています。

■過去の展覧会：第88回企画 宇野亞喜良展「鏡の風景」（2021年5～6月）など。

基本
情報
東京都渋谷区恵比寿南1-12-2　南ビル3F　TEL：03-6452-3345
□アクセス：JR 山手線「恵比寿駅」東口より徒歩3分
□開廊時間：12:00 ～ 19:00(水曜日～土曜日)、12:00 ～ 18:00(日曜日・祝日)
□休廊日：展覧会期間中は月曜日・火曜日が定休日。展覧会開催日以外は基本的に閉廊
□入館料：無料

あわせて
立ち
寄りたい！
●東京都写真美術館（TOPMUSEUM）：日本唯一の写真・映像の総合美術館。収蔵する作品は36,274点に及びます。その中には、今日では得難くなった貴重な作品も多くあります。

「美術館通り」の渋谷側の起点となる美術館

山種美術館

山種美術館の展示室風景（写真提供：山種美術館）

山種証券の創業者のコレクションをもとにした日本画専門美術館

　山種美術館は、山種証券（現SMBC日興証券）創業者・山﨑種二が個人で集めたコレクションをもとに、1966（昭和41）年7月、東京・日本橋兜町に日本初の日本画専門美術館として開館。のち2009年10月、現在の渋谷区・広尾に移転して新美術館を開館しました。

　山種美術館が入るビルの外観は、美術館らしくなおかつ周囲に溶け込むような佇まいが感じられ、短冊状に連続する自然石の重なりの中に1階の美術館ロビーが仄見えます。

　開放感あふれるロビーから、地下1階の展示室へと至る階段横の壁面には、加山又造の陶板壁画『千羽鶴』が常設され、美術館の顔となっています。

　地下に位置する落ち着いた雰囲気の展示室は、企画展示室と山種コレクションルームがあり、心ゆくまで美術鑑賞ができます。企画展示室は、長さが40.5mもある壁面展示ケースで屏風作品もゆったりと展示されています。これらの展示室では年5〜6回の展覧会を通じて所蔵品を紹介しています。

■過去の展覧会：開館55周年記念特別展「百花繚乱─華麗なる花の世界」（2021年4〜6月）、「川合玉堂─山﨑種二が愛した日本画の巨匠」（2021年2〜4月）など。

■所蔵作品：明治から現在までの近代・現代日本画を中心に約1800余点を所蔵。その所蔵品は、日本画だけにとどまらず、古画、浮世絵、油彩画なども含まれています。

基本情報
東京都渋谷区広尾3-12-36　TEL：050-5541-8600（ハローダイヤル）
□アクセス：JR「恵比寿駅」西口・東京メトロ日比谷線「恵比寿駅」2番出口より徒歩約10分
□開館時間：10:00〜17:00（公式ホームページで最新情報をご確認ください）
□休館日：月曜日（祝日の場合は開館し、翌日火曜日休館）、展示替期間、年末年始
□入館料：一般1,100円、大高生900円、中学生以下無料（付添者の同伴が必要）　※特別展は料金が異なります

あわせて
立ち
寄りたい！
●國學院大學博物館：日本文化の講究に必要な文化財を収集・保存し一般に公開。常設展示と企画展示フロアに分かれ、常設展示は、考古展示室、神道展示室、校史展示室の構成です。
●白根記念渋谷区郷土博物館・文学館：渋谷の地理・歴史・民俗などを総合的に紹介。

信託をテーマとする国内初の博物館

三菱UFJ信託銀行 信託博物館

三菱UFJ信託銀行 信託博物館の入る
日本工業倶楽部会館

文学や映画に登場する「信託」（写真提供：
三菱UFJ信託銀行 信託博物館）

時間を超えた多彩な体験がいっぱいの展示空間で信託の世界を見る

　三菱UFJ信託銀行 信託博物館は、三菱UFJ信託銀行本店の隣、国登録有形文化財である日本工業倶楽部会館の1階に設置されています。同館は、三菱信託銀行とUFJ信託銀行の経営統合10周年を機に、信託をテーマとする国内初の博物館として開館しました。

　同館では、英国ナショナル・トラストに多大な貢献をした、絵本ピーターラビットシリーズの作者・ビアトリクス・ポターの遺言をはじめとする多彩な資料のほか、オリジナル動画によって信託の歴史や今日の姿を紹介しています。常設展示と年2回程度企画展が開催されていて、時間を超えた、多彩な体験がいっぱいの展示空間が広がります。

■見どころ：信託の歴史ゾーンでは、文豪チャールズ・ディケンズの遺言（レプリカ）のほか、ウォルト・ディズニーやマリリン・モンローといった著名人が遺言の中でどのような内容の信託を設定し、想いを遺そうとしたかが紹介されています。高度成長期に信託会社各社が販促用に配布した昔懐かしいキャラクターの貯金箱もお楽しみです。絵本『ピーターラビットのおはなし』の作者ビアトリクス・ポターが、イギリス湖水地方のナショナル・トラストに貢献したことを紹介するコーナーも感動させられます。「信託が登場する文学作品」コーナーでは、文学や映画で信託が登場する作品が紹介されています。

■過去の企画展：「スポーツと信託」（2020年2〜3月）、「信託と文学」（2019年9〜11月）など。

基本情報
　東京都千代田区丸の内1-4-6　日本工業倶楽部会館1階　TEL：03-6214-6501
　□アクセス：東京メトロ丸ノ内線「東京駅」徒歩1分、JR「東京駅」より徒歩4分
　□開館時間：平日10:00〜18:00（入館は17:30まで）　□休館日：土曜日、祝日、年末年始
　□入館料：無料

あわせて
立ち
寄りたい！
●複製美術陶板『ゲルニカ』：原画はパブロ・ピカソの『ゲルニカ』。レプリカでありながらほぼ原寸大に大塚オーミ陶業によって世界最高の技術で精巧に複製され、2004年丸の内オアゾのオープンに建物のシンボルとして「○○（おお）広場」に設置されました。

日本大学芸術学部江古田キャンパス内のギャラリー

日本大学芸術学部 A & D ギャラリー

ギャラリー展示風景（photo：大山智子／写真提供：日本大学芸術学部）

学生たちの創作作品や教職員の研究成果を学外へ発信する企画展

「日藝」こと日本大学芸術学部は、日本大学の江古田キャンパスにあります。西武池袋線・江古田駅から徒歩1分で、「江古田」と言えば「日藝」と言われるほど、その存在は地域のランドマークとして広く知られていて、学科の枠を超えた自由なコラボレーションのほか、芸術教育や創作活動の社会への発信の場となっています。

A & D ギャラリーは、その江古田キャンパス西門横のギャラリー棟内1階に位置していますが、「日藝」らしく西門入口すぐのところの屋外彫刻『挑発しあうかたちⅡ』（1975年／土谷武）が訪問者を歓迎してくれます。

A & D ギャラリーは、文字通り「Art」と「Design」をテーマとするギャラリーですが、昨今の多様な美術の新しい流れを見据えつつ、新しい絵画・彫刻の創造をめざす学生たちの創作作品や教職員の研究成果を学外へ発信する企画展が随時開催されています。鑑賞のあとは、要所要所に設置されている屋外彫刻を巡るのも「日藝」を楽しむ方法のひとつでしょう。

■過去の展覧会：「日本大学大学院芸術学研究科 造形芸術専攻 修了制作展 絵画・彫刻分野」（2021年1月）、「大山智子展 日本大学大学院芸術学研究科博士後期課程芸術専攻創作成果発表」（2020年12月）、「日本大学芸術学部デザイン学科助手＋技術員展」（2020年9〜11月）など。

基本
情報
東京都練馬区旭丘 2-42-1　日本大学芸術学部江古田キャンパス　TEL：03-5995-8201
□アクセス：西武池袋線「江古田駅」北口より徒歩1分
□開館時間：展示会により変わります　□休館日：展示会により変わります
□入館料：無料

あわせて
立ち
寄りたい！
●日本大学芸術学部アートギャラリー：江古田キャンパスの西門横に建つ常設のギャラリー。
●日本大学芸術学部芸術資料館：江古田キャンパスにあり、芸術学部創設以来収集してきた資料の保管・展示・調査・研究を行う機関ですが、年間を通じて企画展を開催して一般に公開。

日本初の書道を専門とする美術館
日本書道美術館

日本書道美術館の外観（写真提供：日本書道美術館）

古筆、近代書道名家、現代書道代表作家の作品約5千点を所蔵

　日本書道美術館は板橋区・常盤台の閑静な高台に、1973（昭和48）年に開館した日本初の書道専門の美術館。古筆、近代書道名家、現代書道代表作家の作品約5千点を収蔵しています。

　同館所蔵作品を公開している常設展（特別展開催以外の期間）と新春・春季・秋季の年3回開催の特別展では、日本の伝統芸術分野（例えば、絵画、人形、漆芸、陶芸など）の作品を書とあわせて紹介する展示会などが行われています。また、同館主催による日本書道美術館展は、厳正公平な審査を公開するなど公募展の正しいあり方を示すものとして、各方面から注目を集めています。また、同展では、優秀な作品を買い上げて作家活動の援助をするなど、書道振興に貢献しています。

　なお、庭園内の筆塚では、毎年10月に筆供養が執り行われています。筆塚は、文人・小笠原真が設計したものでアーリントン墓地にヒントを得たユニークなデザインの筆塚として知られています。

■過去の展覧会：新春特別展「女流の書」（2021年1～3月）、秋季特別展－日本書道美術館所蔵名品展「平安時代から江戸時代」（2020年10～11月）、日本書道美術館展など。

■収蔵品（一部）：二十巻本類聚歌合（平安時代）、藤原定信（平安時代）、藤原為家（鎌倉時代）、寛永の三筆と称される近衛信尹・本阿弥光悦・松花堂昭乗、頓阿（室町時代）、本阿弥光悦・松花堂昭乗・良寛・小堀遠州・近衛家熙（江戸時代）などの古筆、近代書道名家作品、現代書道代表作家作品。

基本情報
東京都板橋区常盤台1-3-1　TEL：03-3965-2611
□アクセス：東武東上線「ときわ台駅」北口より徒歩1分
□開館時間：9:00～17:00　※開館時間は展覧会によって異なります
□休館日：月曜日・火曜日　※公式ホームページで最新情報をご確認ください
□入館料：常設展は無料　※展覧会の入館料は展覧会によって異なります

あわせて
立ち
寄りたい！
●東京家政大学博物館：約4500点の裁縫雛形を所蔵していて、そのうちの2290点が教科書や製作用具61点とともに、2000年に国の重要有形民俗文化財に指定されています。
●紙の博物館：飛鳥山公園内の博物館。紙の歴史・文化・産業を紹介しています。

三鷹の森にあるジブリの不思議な世界

三鷹の森ジブリ美術館

三鷹の森ジブリ美術館の外観 ©Museo d'Arte Ghibli

屋上庭園の「ロボット兵」

宮崎駿監督が手がけた夢あふれる世界へいざなう美術館

　JR中央線「三鷹駅」から歩いて約15分、豊かな緑に抱かれた童話に出てくるような建物が見えてきます。正門横には、トトロが乗っている「三鷹の森ジブリ美術館」の看板が中へと誘います。中に入ると、おっきなトトロが受付でお出迎えです。のぞき窓をのぞくと、マックロクロスケもいます。実はここはニセの受付で、美術館のエンブレムが埋め込まれたアプローチを通り正面の丸みを帯びた白壁の建物が本当の入口。

　扉をあければそこはもう夢あふれる世界です。地下1階から地上2階までの吹抜けの中央ホールは、宮崎駿監督の映画に出てくる建物のような不思議な構造です。常設展示室「映画の生まれる場所（ところ）」は、5つの小部屋で構成されています。机の上の描きかけの絵や、転がっている鉛筆から、まさに一本の映画の制作が始まろうとしている雰囲気を醸し出しています。地下1階にある映像展示室「土星座」では、ここでしか見ることのできないオリジナル短編アニメーションなどが公開されます。2階の部屋では、ネコバスが待っています。ネコバスルームの脇から螺旋階段を上っていくと緑鮮やかな屋上庭園が現れます。そこにはロボット兵が立っていて、季節や天候によってはトカゲが日向ぼっこをしているなど、自然が感じられのびのびする屋上庭園は必見です。

「入った時より、出る時ちょっぴり心がゆたかになってしまう美術館！」は、宮崎駿の願いです。

基本情報
東京都三鷹市下連雀1-1-83　TEL：0570-055777（ごあんないダイヤル）
□アクセス：JR「三鷹駅」から徒歩約15分。駅南口からコミュニティバス2路線が開設されています。
　JR・京王「吉祥寺駅」、京王「井の頭公園駅」より徒歩約15分
□開館時間：10:00～17:30　※日時指定の予約制　※公式ホームページで最新情報をご確認ください
□休館日：火曜日、長期休館ほか
□入館料：大人・大学生1,000円、高校・中学生700円、小学生400円、幼児（4歳以上）100円

あわせて
立ち
寄りたい！
●三鷹市美術ギャラリー：近・現代美術を中心にジャンルにとらわれない企画展示を開催。
●三鷹市星と森と絵本の家：国立天文台の森の中にある大正時代の建物を保存活用し、広い庭も使って、絵本の展示や絵本を楽しむ場を提供。

106

副都心線「明治神宮前駅」に設置の作品

希望

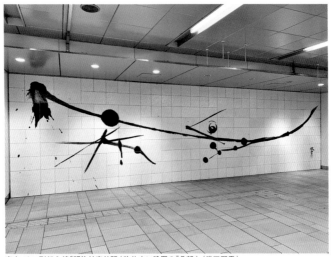

東京メトロ副都心線「明治神宮前駅」改札内に設置の『希望』（武田双雲）

書道家・武田双雲が書き下ろしたダイナミックな陶板タイル作品

　2008年に東京メトロの副都心線の開業にあたって、池袋駅から渋谷駅までの8駅に、合わせて14のパブリックアートが設置されました。明治神宮前駅に設置の『希望』はそのうちのひとつで、書道家の武田双雲が書き下ろした書の陶板作品です。

　左斜め上から筆を力強く入れ、飛び散った墨から一気に弧を描くように筆を運び、右端で軽やかに払う様から、創作のエネルギーがリアルに迫ってきます。作品に掲げられたメッセージは「希望が希望を生み　人を強くしていく」と締めくくられています。このエネルギーをタイル陶板に再現する難しさは想像に難くありません。あらためて作品を観てみると、壁面に配置されたタイルはひとつの決まった形と大きさではなく、大小の正方形と長方形のタイルの組み合わせそのものがアート作品であることに気が付きます。

■作家：書道家で現代アーティストの武田双雲（たけだ・そううん）。熊本県熊本市出身で東京理科大学理工学部情報科学科卒業。3歳より書家である母・武田双葉に師事し、書の道を歩みます。大学卒業後、NTTに入社するも約3年間の勤務を経て書道家として独立。音楽家・彫刻家などさまざまなアーティストとのコラボレーションや斬新な個展など、独自の創作活動で注目を集めます。2019年元号改元の際には、「令和」の記念切手に書を提供。

■作品：横10m×高さ2.7mの陶板タイル。

基本情報
東京都渋谷区神宮前6-30-4
□アクセス：東京メトロ「明治神宮前駅」の千代田線と副都心線の改札口を結ぶ連絡通路の途中の壁面

あわせて
立ち
寄りたい！
■太田記念美術館：かつて東邦生命保険相互会社の社長を務めていた5代太田清蔵が蒐集した浮世絵コレクションを公開するために設立された美術館。

107

渋谷PARCO 地下1階にあるギャラリー

GALLERY X

ギャラリー外観。桑島智輝写真展「前我我後」（2020年12月）

アートからミュージックまでボーダレスに、ユニークで幅広い企画

渋谷PARCOは、1973年にオープンして以来、渋谷カルチャーの代名詞的存在であり、「公園通り」「スペイン坂」などのストリート名を付けるなどの街づくりも話題になりましたが、建物の老朽化のため、2016年8月に閉店。そのあとの建て替えを終え、2019年11月にリニューアルオープンしました。

その渋谷PARCOでさまざまな企画を展開していたGALLERY Xは、渋谷・スペイン坂に「GALLERY X BY PARCO」として一時的に拠点を移設していましたが、新生渋谷PARCOのオープンにあわせて同施設に移転しました。

GALLERY Xが立地している場所は、館内のちょっと意外な「CHAOS KITCHEN」とテーマ付けされた地下1階の飲食店がメインに並ぶフロアにあります。ここでは、唯一無二の国内外カルチャーを代表するアーティストの展覧会をはじめとして、映画関連、アニメ、ゲーム、ミュージックまでボーダレスに、ユニークで幅広い企画展が開催されています。最初は違和感をもったギャラリーの立地場所ですが、実際に体験すると、モノとコトが創りだされる場所として、「CHAOS KITCHEN」との親和性があるように感じられてきます。

■過去の展覧会：MR.BRAINWASH EXHIBITION "LIFE IS BEAUTIFUL"（2021年2～3月）、桑島智輝 写真展「前我我後」（2020年6～7月）など。

基本
情報

東京都渋谷区宇田川町15-1　渋谷PARCO B1F　TEL：03-6712-7505
□アクセス：JR・東京メトロ「渋谷駅」より徒歩5分
□開館時間：11:00 ～ 20:00（渋谷パルコの営業時間により異なる場合もあります）　□休館日：渋谷パルコの休館日
□入館料：企画により異なります

あわせて
立ち
寄りたい！

●PARCO MUSEUM TOKYO：ジャンルレスかつボーダレスに、独自の目線で新しいモノやコトの企画展を創造。渋谷PARCOの4階に位置しています。

108

大倉喜八郎が設立した日本最古の私立美術館

大倉集古館

大倉集古館の外観（写真提供：大倉集古館）

国宝『普賢菩薩騎象像』（平安時代12世紀、大倉集古館蔵／写真提供：大倉集古館）

国宝&重要文化財を含む日本の近代絵画などの名品に出会う

「大倉集古館」は、明治・大正期の実業家で大倉財閥を創始した大倉喜八郎が、長年に亘って収集した古美術・典籍類を収蔵・展示するため、自身の敷地内に1917（大正6）年に財団法人大倉集古館として開館した日本初の私立美術館です。開館まもなく関東大震災によって展示館と一部の展示品を失いますが再建され、また太平洋戦争時の空襲も乗り越えるなどの歴史を経て、対面に建つホテルオークラ東京の建て替えに沿って2019年9月にリニューアルオープンしました。

　特徴的な中国古典様式の2階建ての建物は国の登録有形文化財（建造物）で、先の再建の際に設計を手がけた伊東忠太によるものです。1階と2階が展示室となっています。常設展はありませんが、企画展や特別展が開催され、その時々で収蔵品の中から名品に出会うことができます。

■過去の展覧会：企画展「彩られた紙−料紙装飾の世界−」（2021年4〜6月）、特別展「海を渡った古伊万里−ウィーン、ロースドルフ城の悲劇−」（2020年11月〜2021年1月）、など。

■収蔵作品：大倉喜八郎が生涯をかけて蒐集した日本・東洋各地域の古美術品と跡を継いだ嫡子・喜七郎が蒐集した日本の近代絵画などを中心として、国宝3件、重要文化財13件、および重要美術品44件を含む美術品約2,500件を収蔵しています。

基本情報

東京都港区虎ノ門2-10-3 The Okura Tokyo 前　　TEL：03-5575-5711
□アクセス：東京メトロ南北線「六本木一丁目駅」より徒歩5分、東京メトロ日比谷線「神谷町駅」より徒歩7分
□開館時間：10:00 〜 17:00（入館は16:30まで）
□休館日：月曜日（祝日の場合開館し、翌平日休館）、展示替期間、年末年始
□入館料：1000円、大学生・高校生800円、中学生以下無料　※展覧会によって異なる場合があります

あわせて立ち寄りたい！

●菊池寛実記念 智美術館：創設者は菊池智（とも）。現代陶芸の著名作家の作品が揃う美術館です。
●泉屋博古館東京：開館20周年を迎える2022（令和4）年3月にリニューアルオープン予定。2021年4月に「泉屋博古館分館」から名称を変更しました。

ルイ・ヴィトン表参道ビル7階のアートスペース

エスパス ルイ・ヴィトン東京

フォンダシオン ルイ・ヴィトンの外観
（パリ、フランス）

展示風景、エスパス ルイ・ヴィトン東京、2018年 Courtesy of the artist and Fondation Louis Vuitton© Adagp, Paris 2018.Photo credits: Jérémie Souteyrat/Louis Vuitton

空に浮かぶガラス張りの異空間がインスピレーションを喚起

　街路樹が美しく、また多くのトレンドやカルチャーを生み出してきた地である表参道の中心に位置するルイ・ヴィトン表参道ビル。買い物をするわけでもなく、少し入るのに敷居が高く感じる向きには、ご安心ください。入ってすぐ右のエレベータで一気に7階のエスパス ルイ・ヴィトン東京に。足を踏み入れて圧倒される床から天井まで届くガラス張りの展示空間は、まるで空に浮かぶ異空間です。夜の帳が下りるころには夜景とともにワクワク感が増します。

　ここは、空間そのものが刺激的なインスピレーションを喚起させる場であり、新たなコンテンポラリーアートの創造を育むアートスペースです。展示会は、これまで未公開のフォンダシオン ルイ・ヴィトン所蔵作品を、東京、ミュンヘン、ヴェネツィア、北京のエスパス ルイ・ヴィトンで展示する「Hors-les-murs（壁を越えて）」プログラムの一環として企画されています。表参道ならではの極上空間でアートを味わうことができます。

■過去の展覧会：ダグ・エイケンによる没入型インスタレーション作品「New Ocean: thaw」（2020年11月〜 2021年5月）など。

■フォンダシオン ルイ・ヴィトン：2014年10月にフランス・パリ16区にある森林公園ブローニュの森の一角に開館した「ルイ・ヴィトン財団」の設立による芸術機関。アーティスティック・ディレクター、スザンヌ・パジェ監修のもと、フォンダシオンコレクションを確立しました。

基本
情報
　東京都渋谷区神宮前5-7-5　ルイ・ヴィトン表参道ビル7F　TEL：0120-00-1854
　□アクセス：東京メトロ半蔵門線・銀座線「表参道駅」より徒歩4分
　□開館時間：12:00 〜 20:00（エキシビジョン会期中のみ）　□休館日：ルイ・ヴィトン表参道店に準じる
　□入館料：無料

あわせて
立ち
寄りたい！
●太田記念美術館：かつて東邦生命保険相互会社の社長を務めていた五代・太田清蔵が蒐集した浮世絵コレクションを、広く大勢の人々に公開しています。
●岡本太郎記念館：岡本太郎の強烈な個性が溢れる記念館。84歳で亡くなるまでアトリエ兼住居でした。

110

東京五美大のひとつの東京造形大学の美術館

東京造形大学附属美術館

東京造形大学附属美術館（横山記念マンズー美術館）の外観（写真提供：東京造形大学附属美術館）

デザインと美術を「造形」という観点から捉える大学の美術館

　東京造形大学の美術館は、東京造形大学附属美術館（横山記念マンズー美術館）、ZOKEIギャラリー、CSギャラリーの3館で構成されています。

　横山記念マンズー美術館は、1986年に八王子の医師である故・横山達雄から寄贈されたジャコモ・マンズーの作品（彫刻5点、版画23点）からスタートしました。1994年、同館開館式に来日したインゲ・マンズー夫人により寄贈された彫刻5点、版画8点が新たに加えられ、充実したコレクションとなっています。特徴的な外観を持つ同館の建築は、渋谷区立松濤美術館などの設計を手がけた白井晟一の設計原案に基づいています。同館では、ZOKEI展、ZOKEI賞選抜作品展、助手展などが定期的に開催されています。ZOKEI展は、東京造形大学卒業研究・卒業制作展と東京造形大学大学院修士論文・修士制作展を一堂に出展・展示する展覧会で、東京造形大学での教育成果をより多くの人々に観覧してもらいたいという趣旨のもと開催されています。観る側にとっても、実際に足を運んでみると、作品から放たれる若々しいエネルギーを直に感じることができます。

■ジャコモ・マンズー：現代具象派を代表するイタリアの彫刻家。鋳物の肌触りをそのまま生かした独特のスタイルは、1960年代から1980年代にかけて世界的な人気を博し、その後の日本の彫刻界にも多大な影響を及ぼしました。

基本
情報
　東京都八王子市宇津貫町1556　キャンパス内6号館　TEL：042-637-8111（代表）
□アクセス：JR 横浜線「相原駅」よりスクールバスで5分（徒歩15分）
□開館時間：10:00 ～ 16:30（公式ホームページで最新情報をご確認ください）
□休館日：日曜日および大学が定める日
□入館料：無料

あわせて
立ち
寄りたい！
●ZOKEIギャラリー／CSギャラリー：3館で構成されている東京造形大学の美術館のうちの2つのギャラリー。企画展、大学院生の研究成果発表、教員の企画展など、東京造形大学の教育・研究活動の発表を目的とした展示スペースです。

111

亡くなる直前まで絵に情熱を注いだ洋画家
入江一子シルクロード記念館

ずらりと大型の作品が並ぶ記念館の展示フロア

シルクロードを描き「男の平山郁夫、女の入江一子」と言わしめた

　洋画家・入江一子が84歳の時に杉並区・阿佐ヶ谷の自宅を改装してオープンした入江一子シルクロード記念館。ターコイズブルーに塗られたドアの向こうには、光を受けて鮮烈な色彩が溢れる展示室が待ち受けています。ここは、100号を超える大作を壁面いっぱいに掛けるだけでは間に合わず、小ぶりのものはイーゼルに立てかけるなど、エネルギー溢れるギャラリーであると同時に、入江一子が2021年8月10日に105歳で亡くなる直前までキャンバスに向かっていたアトリエでもあります。

　作家は、戦前に大陸で見た、大河・嫩江が夕日で真っ赤に染まる光景に大きな感動を覚え、その後、シルクロードの国々に創作のテーマを求め、雄大な自然や文化遺産などを数多く描き、「男の平山郁夫、女の入江一子」と言わしめました。作家は、旅先には極力多くの絵具を持参し、モチーフとなる情景と徹底的に向き合い、帰国後、画面上の再構築を加えつつ、色彩はそのままに大作に仕上げます。展示室の色彩に囲まれていると、時空を超えてその制作過程が再現されるような感覚を覚えます。

■入江一子（いりえ・かずこ）：山口県萩出身。韓国・大邱（テグ）で、3人姉妹の長女として生まれました。幼少より絵の才能を示し、女子美術専門学校（現・女子美術大学）に入学するため単身日本へ渡って西洋画を学び、卒業後は洋画家・林武画伯に師事し、師が創立した独立美術協会や自身が創立に参加した女流画家協会へ作品を出品するなどの創作活動を続けました。105歳で永眠。

基本情報
東京都杉並区阿佐谷北2-8-19
□アクセス：JR中央線「阿佐ヶ谷駅」より徒歩6分
□開館時間：11:00 〜 17:00　□休館日：月曜日〜木曜日、年末年始
□入館料：一般500円、中・高校生300円、小学生以下無料

あわせて立ち寄りたい！
●東京工芸大学 杉並アニメーションミュージアム：世代を超えて、日本のアニメーション全体を体系付けて学び、体験し、理解しながら楽しめる日本で初めての施設です。「日本のアニメの歴史」から「これからのアニメ」までアニメ全般を総合的に紹介しています。

112

白金迎賓館として使われた旧朝香宮邸
東京都庭園美術館

東京都庭園美術館本館正面の外観（写真提供：東京都庭園美術館）

「アール・デコの美術品」と称されてきた名建築が重要文化財に

　都心とは思えない白金の緑ゆたかな庭園にたたずむ東京都庭園美術館は、1933年に朝香宮夫妻の邸宅として当時最新の建築様式によって建造されました。美術館としては1983年に開館し、2014年にリニューアルオープン。特色は、なんといってもその建物の美しさにあります。建物内部のデザインは、壁飾りから家具・照明器具にいたるまで、アール・デコと呼ばれる装飾様式で統一され、そのモダンな優美さは息をのむほどです。

　入館して最初に出会うアール・デコは、正面玄関の『ガラスレリーフ扉』（フランスのガラス工芸家ルネ・ラリックの作品）です。同作家のものとして、大客室のシャンデリア『ブカレスト』、大食堂のシャンデリア『パイナップルとザクロ』などを見ることができます。次室にはアンリ・ラパンが1932年にデザインし、国立セーヴル製陶所で製作された白磁の『香水塔』があります。館名になっている庭園は、朝香宮邸時代から引き継がれている芝庭、日本庭園、往時は宮内省の官舎があった西洋庭園の3つのエリアがあり、都心にいながらにして春夏秋冬それぞれ異なった表情を楽しむことができます。
■過去の展覧会：「ルネ・ラリック リミックス─時代のインスピレーションをもとめて」（2021年6〜9月）、「建物公開2021 艶めくアール・デコの色彩」（2021年4〜6月）、20世紀のポスター［図像と文字の風景］（2021年1〜4月）、「生命の庭─8人の現代作家が見つけた小宇宙」（2020年10月〜2021年1月）など。

基本
情報
東京都港区白金台5-21-9　TEL：050-5541-8600（ハローダイヤル）
□アクセス：JR 山手線「目黒駅」東口・東急目黒線「目黒駅」正面口より徒歩7分
□開館時間：10:00〜18:00（入館は17:30まで）　□休館日：月曜日（祝日の場合は開館し、翌日休館）、年末年始
□入館料：展覧会によって異なります。庭園入場料は、一般200円、大学生160円、中・高校生・65歳以上は100円

あわせて
立ち
寄りたい！
●港区立郷土資料館：建物はスクラッチタイルで覆われた「内田ゴシック」と呼ばれる特徴的なデザインが目を引きます。隣に建つ東京大学医科学研究所と対になって建てられました。
●『白金春秋』：日本の美術を代表する具象派の洋画家・大津英敏のパブリックアート作品。

113

六本木ヒルズの象徴として圧倒的な存在感

ママン

メトロハットを遠景に観る『ママン』（ルイーズ・ブルジョワ）

フランス・パリ出身のルイーズ・ブルジョワの彫刻作品『ママン』

　東京メトロ日比谷線の「六本木駅」を降り、メトロハットのエスカレータを上り切ったところに突然現れる巨大なクモには度肝を抜かれます。六本木ヒルズのメインエントランスとなる66プラザに設置された高さ10メートルのこの巨大なクモは、フランス・パリ出身のルイーズ・ブルジョワの彫刻作品『ママン』です。この街の象徴として圧倒的な存在感と同時に優しさを感じさせてくれますが、それには理由がありました。

　題名の『ママン』はフランス語の「母」を意味しますが、ブロンズ製の蜘蛛のお腹に20個の白く輝く大理石の卵を抱えているこの作品は、作家の母親への想いが込められています。病死した母親への「ode（フランス語で頌歌。個人的・内省的な叙情歌）」で、巣を編んで疫病を運ぶ蚊を食べてくれる有益な蜘蛛は、「家業のタペストリー工房の織り手で、自分を守ってくれた母親と同じように優しい存在である」と、その制作の意図を語っています。

■作家：ルイーズ・ブルジョワ。フランス・パリ出身のアメリカ合衆国のインスタレーションアートの彫刻家。画家、版画家でもあります。1990年代からは、巨大な蜘蛛の彫刻『ママン』を多く制作。この蜘蛛をモチーフにした彫刻は六本木ヒルズ以外にも、オタワのカナダ国立美術館、ビルバオのビルバオ・グッゲンハイム美術館、ロンドンのテート・モダンなどに常設されています。

■作品：2002年（1999年）。ブロンズ、ステンレス、大理石。9.27×8.91×10.23メートル。

基本情報

東京都港区六本木6-10-1　66プラザ
□アクセス：東京メトロ 日比谷線「六本木駅」1c出口直結

あわせて立ち寄りたい！

●森美術館：世界に開かれた現代美術館として、「現代性」と「国際性」を追求しながら、多様な地域の先鋭的な美術や建築、デザイン等の創造活動を独自の視座で紹介しています。
●メトロハット：商業空間の建築設計を多く行ったアメリカの建築家ジョン・ジャーティによる設計。

114

世界的アーティスト村上隆主宰のギャラリー

カイカイキキギャラリー

展示風景：「2019 Kaikai Kiki Summer Show」, 2019年7月16日〜7月27日, Kaikai Kiki Gallery, 東京
撮影：高山幸三　©MADSAKI/Kaikai Kiki Co., Ltd. All Rights Reserved. ©FUTURA ©Virgil Abloh

ユニークな展示空間でメディウムを問わない多種多様な現代アートを

　　カイカイキキギャラリーは世界的アーティストの村上隆主宰のもと、2008年に港区・元麻布にオープンしました。元麻布という国際色豊かな土地柄、カタール国大使館隣の元麻布クレストビル地下1階に降りたところにあるギャラリーですが、たいへんユニークなのは、フロアの半分が畳敷きとなっていて、普通のホワイトキューブギャラリーとはまた違う展示空間でアートを鑑賞できる点です。同ギャラリーでは、アーティストのマネジメントの一環として作品販売を行い、アートの社会的価値の創造に貢献しています。

　　展示室では、カイカイキキ所属アーティストの展覧会をはじめ、国内外からアーティストを招いての個展が開催されています。また、若手アーティストから著名アーティストまで幅広く取り上げ、メディウムを問わず、絵画からグラフィティ、インスタレーションから陶芸と、多種多様な現代アートを紹介。

■過去の展覧会：細川雄太「-YES-」（2021年6月）、KYNE「KYNE Kaikai Kiki」（2021年4月）、グループ展「Healing x Healing」（2021年3月）、上田勇児「種を拾う」（2020年12月）、MADSAKI「1984」（2020年9〜10月）など。

■所属作家：Mr.、タカノ綾、MADSAKI、TENGAone、くらやえみ、ob、大谷工作室、青島千穂、村田森。

基本
情報

東京都港区元麻布2-3-30　元麻布クレストビルB1F　TEL：03-6823-6038
□アクセス：東京メトロ日比谷線「広尾駅」1番出口より徒歩8分
□開廊時間：11:00〜19:00　□休廊日：日曜日・月曜日、祝日（展覧会期間中のみ開廊）
□入館料：無料

あわせて
立ち
寄りたい！

●山種美術館：山﨑種二（山種証券創業者）が個人で集めたコレクションをもとに、1966年に東京・日本橋兜町に日本初の日本画専門美術館として開館。現在は渋谷区広尾。
●森美術館：六本木ヒルズ53階にある世界に開かれた現代アートの美術館。

世にも珍しく楽しさ満載の美術・博物館

村内美術館

第3章　花鳥風月－日本の雅　西洋の華麗（和家具　洋家具）－

モイーズ・キスリング『カーテンの前の花束』（写真提供：村内美術館）

日本初の家具と絵画が相互に融合する斬新な展示方法の美術館

「家具は村内　八王子！」のキャッチフレーズで有名な村内ファニチャーアクセスの会長・村内道昌が、1976（昭和51）年から40年以上をかけて作品を蒐集して創り上げた、日本初の「家具と絵画のコラボレーション」美術館です。

　美術館エントランスには、世界的に有名な建築家・家具のデザイナーのル・コルビュジエゆかりの『BMWイセッタ300エクスポート』などの車が展示されています。

　同館は、フランス19世紀バルビゾン派の絵画をもとに1982年に開館。館内のところどころに羊のインテリアが置かれていますが、これはバルビゾン村ののどかな風景をイメージしたそうです。そして2013年に世界の名作家具デザインの展示が加わり、リニューアルオープン。館内展示は7部屋あり、コンセプトごとに作品が常設展示されています。前半は、木のぬくもりあふれる椅子や家具の「世界の名作家具デザイン展」、後半はスケールの大きい迫力ある絵画「東西名画展」で、何度でも訪ねたくなる楽しさ満載の美術館です。

■所蔵品：絵画／コロー『ヴィル・ダヴレーのカバスュ邸』、ルノワール『ジャン・ルノワールとガブリエル』、キスリング『緑色のスカートの女性』、ビュフェ『溜息の橋』。椅子／モンローチェア（磯崎新）、バタフライスツール（柳宗理）、セブンチェア（アルネ・ヤコブセン）など。

基本情報

□東京都八王子市左入町787　村内ファニチャーアクセス八王子本店内3階　TEL：042-691-6301
□アクセス：JR 中央線「八王子駅」北口より無料シャトルバス、もしくは路線バス「村内ファニチャーアクセス」下車すぐ
□開館時間：10:30 〜 17:30（入館は17:00まで）　□休館日：水曜日（祝日の場合は開館し、翌平日に休館）、年末年始
□入館料：一般600円、大学・高校生400円、中学・小学生300円

あわせて立ち寄りたい！

●東京富士美術館：総合的な美術館で、コレクションは、日本・東洋・西洋の各国、各時代の絵画・版画・写真・彫刻・陶磁・漆工・武具・刀剣・メダルなどさまざま。
●オリンパスミュージアム：オリンパスの企業博物館。歴代の製品や技術を体験できます。

シャネル銀座ビル

CHANEL NEXUS HALL
シャネル・ネクサス・ホール

©CHANEL

©CHANEL

コンサートとエキシビションの2つの柱をベースに企画を開催

　2004年12月、世界のトップブランドが集まる銀座3丁目角に立地するシャネル銀座ビルディングのオープンとともに、活動をスタート。以来、芸術を愛し、支援したガブリエル シャネルの精神を受け継ぎ、コンサートとエキシビションの2つの柱をベースに、シャネルならではのユニークな企画を開催しています。

　エキシビションでは、写真展を中心に、絵画や彫刻など、さまざまなアート作品の展覧会を開催。アーティストに、チャレンジと発表の機会を提供すると共に、今まで誰の目にも触れられていない作品を紹介するなど、シャネルならではの出会いがもたらす企画を行っています。

　加えて、若手アーティストに発表の機会を提供する音楽プロジェクト「シャネル・ピグマリオン・デイズ」を実施しています。毎年選ばれた5名の才能あふれる若手アーティストが、1年を通してソロコンサートを開催しています。また「室内楽シリーズ」として、さまざまな国籍・世代のアーティストたちと共に、室内楽を開催しています。

　ホールでは、「結びつき」を意味するNEXUSならではの至福の時間を楽しむことができます。

■過去のエキシビション：「MIROIRS – Manga meets CHANEL ／ Collaboration with 白井カイウ＆出水ぽすか」（2021年4 〜 6月）など。

基本
情報
> 東京都中央区銀座3-5-3 　シャネル銀座ビル4階 　TEL：03-6386-3071
> □アクセス：東京メトロ有楽町線「銀座一丁目駅」、東京メトロ銀座線・丸ノ内線・日比谷線「銀座駅」
> □開館時間：イベントにより異なります
> □入館料：無料

あわせて
立ち
寄りたい！
> ●王子ペーパーライブラリー：紙にまつわるさまざまな展示を行っています。
> ●セイコーミュージアム 銀座：セイコーミュージアムは、1981年、創業100周年事業として設立。2020年には創業の地である銀座に移転し、時計の進化の歴史、和時計などを展示。

大学全体の博物館として機能する総合博物館

帝京大学総合博物館

帝京大学総合博物館の展示室入口

常設展示と最先端の研究成果など力のこもった企画展を広く公開

　2015年に開館した「帝京大学総合博物館」は、板橋区・加賀に本部を置く帝京大学の八王子キャンパスのソラティオスクエア内にある大学博物館。八王子キャンパスだけでなく帝京大学全体の博物館として機能する「総合博物館」です。

　ソラティオスクエアの広いロビーを通り地下1階に下りると、フローリング張りの上質な博物館空間が広がります。館内は、常設展示と企画展示室に分かれてゾーニングされています。本館展示の中核となる「企画展」では、最先端の研究成果など力のこもった展示が年に数回の展示替えをもって広く一般に公開されています。

　常設展示では、帝京大学の「歴史」と「今」を紹介する「帝京大学のあゆみ」と多摩地域の自然・考古学・歴史について紹介する「多摩の歴史と自然」があります。見どころは、床一面に貼られている建物が一軒一軒識別できる大きさの2500分の1の多摩エリア航空写真で、各ポイントにARマーカーが設定されています。

■過去の展覧会：「理工学部のラボのなか！-コトワリとワザの探究-」（2020年10月〜2021年5月）、ミニ企画展「Teikyo Art Annual vol.3」（2020年3〜9月）、ミニ企画展「経済学の古典をみる」（2020年3〜9月）、「古代多摩に生きたエミシの謎を追え」（2019年10月〜2020年2月）など。

基本
情報
東京都八王子市大塚359　帝京大学八王子キャンパス ソラティオスクエア地下1階　TEL：042-678-3675
□アクセス：京王線「高幡不動駅」「多摩センター駅」「聖蹟桜ヶ丘駅」より京王バス「帝京大学構内」行きで終点「帝京大学構内」下車
□開館時間：9:00〜17:00（入館は16:30まで）　□休館日：詳細は公式ホームページの最新情報をご確認ください
□入館料：無料

あわせて
立ち
寄りたい！
●多摩美術大学美術館：歴史的芸術から現代芸術まで、幅広いジャンルの創造の世界を、展覧会やワークショップ、公開講座などによって紹介。
●KDDIミュージアム：先人たちの挑戦の歴史に学び、未来をデザインするミュージアム。

日本最大のギャラリーコンプレックス

TERRADA ART COMPLEX

TERRADA ART COMPLEXの全景パース図(提供：TERRADA ART COMPLEX)

国際都市・東京における貴重なアート発信基地

　寺田倉庫は、アート事業に関連したコンテンツを天王洲に集積させ、芸術文化の発信を行っています。そのアート事業の一環として2016年9月、天王洲にTERRADA ART COMPLEXをオープン。

　このアート複合施設は、倉庫をリノベーションした、大型作品にも対応できる天井高5メートルのギャラリースペースを備え、日本のコンテンポラリーアートを牽引するギャラリーが入居し、国際都市・東京における貴重なアート発信基地となっています。

　2020年9月には新たに「TERRADA ART COMPLEX II」をオープンし、新旧あわせて日本最多のギャラリー数を誇るアート複合施設に発展しています。

　現地を訪れると、倉庫をリノベーションした施設のため、各階のギャラリーには倉庫仕様の大型エレベーターに乗ることになりますが、普段体験できない冒険心をくすぐり、一層の期待感が高まります。

■TERRADA ART COMPLEX I：MAKI、KOTARO NUKAGA、児玉画廊、TSCA、Yuka Tsuruno Gallery、ANOMALY、SCAI PARK、KOSAKU KANRCHIKA

■TERRADA ART COMPLEX II：MAKI、YUKIKO MIZUTANI、gallery UG TENNOZ、TOKYO INTERNATIONAL GALLERY、Contemporary Tokyo、THE ANZAI GALLERY、MU GALLERY、SOKYO ATSUMI

基本情報

東京都品川区東品川1-33-10
□アクセス：りんかい線「天王洲アイル駅」B出口より徒歩8分、東京モノレール「天王洲アイル駅」より徒歩11分
□開館時間：公式ホームページをご確認ください　□休館日：公式ホームページで最新情報をご確認ください
□入館料：無料

あわせて立ち寄りたい！　●東京海洋大学マリンサイエンスミュージアム：東京海洋大学品川キャンパス内にある博物館。「海へのいざない」をテーマにさまざまな水産資料を展示。「鯨ギャラリー」も見どころ。

旧岩崎邸庭園に隣接の建築に特化した資料館

国立近現代建築資料館

国立近現代建築資料館の展示室風景

世界に誇れる日本の近現代建築に関する貴重な図面や模型を展示

　世界に誇れる日本の近現代建築ですが、現実には建築関係の戦前の資料は戦火焼失しているものも多く、建物そのものも老朽化や経済性から解体の憂き目にあっています。そのため、その学術的・歴史的・芸術的価値を次世代に十分に継承できていませんでした。そこで、日本の近現代建築に関する資料（図面や模型等）の劣化・散逸や海外流出を防ぐための収集・保管、建築物の調査研究と啓蒙活動や資料の展示を目的に、2013年に文化庁国立近現代建築資料館が開館。名誉館長には建築家の安藤忠雄が就任しました。

　本館建物は、旧岩崎邸庭園に隣接していて湯島地方合同庁舎の敷地の一角にある別館と新館を改修したもの。その別館の一部が資料室に充てられ、2階の展示スペースで貴重な収集品の展覧会が開催されています。建築に詳しくない方にもその芸術的な価値を見出していただけること請け合いです。

■過去の展覧会：「工匠と近代化 大工技術の継承と展開」（2020年12月～ 2021年2月）、「ミュージアム1940年代－1980年代：始原からの軌跡」（2020年10 ～ 11月）、「安藤忠雄初期建築原図展―個の自立と対話」（2019年6 ～ 9月）など。

■収蔵資料：明治時代から図面のデジタル化が進んだ1990年代頃までに作成され、緊急に保護が必要な資料約16万点を収蔵しています。

基本
情報

東京都文京区湯島4-6-15　湯島地方合同庁舎正門内　TEL：03-3812-3401
□アクセス：東京メトロ千代田線「湯島駅」より徒歩7分、東京メトロ「上野広小路駅」より徒歩10分
□開館時間：10:00 ～ 16:30（展覧会開催時のみ）　□休館日：企画展示により異なります
□入館料：無料

あわせて
立ち
寄りたい！

●旧岩崎邸庭園：三菱を創設した岩崎家の第3代当主・久彌の本邸として建てられ、往時の3分の1の面積を持つ園内には、洋館、和館、撞球室の3棟が現存しています。
●横山大観記念館：大観が暮らした家の客間、居間、アトリエなどを、そのまま展示・公開。

120

丸の内オアゾの「○○広場」にあるアート

ゲルニカ

丸の内オアゾ内「○○広場」の「ゲルニカ」（複製美術陶板）

パブロ・ピカソが描いた『GUERNICA』の複製美術陶板

　JR「東京駅」の丸の内北口から歩いて数分の場所にある「丸の内オアゾ」。館内に入ると、吹き抜けのオープンスペースにいきなりあのパブロ・ピカソの『ゲルニカ』が現れて驚くととともに、「なぜここに？」と疑問が湧きます。

　丸の内オアゾは、旧国鉄本社跡地の再開発事業としてできた複合商業施設ですが、日本生命などとともに三菱地所が主要デベロッパーとして参画し、同社が「丸の内オアゾ」のシンボルとなるような作品の設置を構想し、当時彫刻の森美術館に展示されていた陶板『ゲルニカ』（大塚オーミ陶業株式会社所蔵）を彫刻の森監修により展示することに。レプリカでありながらほぼ原寸大に精巧に複製されています。2004年、丸の内オアゾのオープンに合わせて施設のシンボルとしてここに設置されました。

　ゲルニカが受けた都市無差別爆撃を主題としていて、あえてモノトーンの濃淡で描き分ける表現が、逆に色彩を感じさせ胸に迫ってきます。

■作品：パブロ・ピカソ『ゲルニカ』の複製美術陶板。大塚オーミ陶業株式会社の特殊技術により、紙やカンヴァスに描くように陶板上に自由に絵を描けるほか、写真製版技術を用いて写真を陶板上に焼き付け、繊細なタッチや微妙な色彩も再現することができます。この『ゲルニカ』は、ピカソの令息クロード氏の承諾を得てほぼ実寸大かつ忠実に再現されたセラミックによる複製作品です。

■『GUERNICA』（原画）：パブロ・ピカソ（スペイン）。1937年制作。

基本
情報

東京都千代田区丸の内1-6-4　丸の内オアゾ1階○○広場（おお広場）
□アクセス：JR「東京駅」丸の内北口地下通路より徒歩1分

あわせて
立ち
寄りたい！

●東京ステーションギャラリー：重要文化財でもある東京駅丸の内駅舎の歴史を体現するレンガ壁の展示室の美術館。近代美術を中心に幅広い時代とジャンルの展覧会を開催しています。
●『天地創造』：JR東京駅の京葉ストリートに設置の福沢一郎のパブリックアート。

121

都会的でおしゃれなイラストが勢揃い

わたせせいぞうギャラリー白金台

ギャラリー内の様子

『ボクとカノジョのレストラン』
© SEIZO WATASE ／ APPLE FARM
INC.

思い出のグランドピアノ（写真提供：
わたせせいぞうギャラリー白金台）

わたせせいぞうをこよなく愛するファンが作ったギャラリー

　JR目黒駅から東京都庭園美術館へ向かう並木道を歩いて5分、目黒通り沿い右手の白いマンション1階のショーウィンドウいっぱいに並ぶわたせせいぞうの作品にワクワクします。入ってすぐ、イラスト作品とともに目に入ってくるのがギャラリーでは珍しいYAMAHAのグランドピアノ。由来は、作家のファンで、ギャラリーを運営管理しているAPPLE FARMのオーナーが以前代官山で営業していたフランス料理レストラン「ラ ジュネス代官山」にあったピアノだそうです。音楽を聴きながらフランス料理を楽しむというコンセプト、その雰囲気がたまらなく愛おしく思い、当時レストランで使っていた丸テーブルも椅子もそのまま移してきたと聞いて納得です。その雰囲気を再現したのがジクレー作品『ボクとカノジョのレストラン』。

　ギャラリーでは、代表作の『ハートカクテル』から最新の作品まで、1980年代の多くの若者を魅了した都会に生きる男女の恋愛を描く作家のカラフルな癒しの世界を楽しめます。

■わたせせいぞう：兵庫県神戸市生まれ。グラフィックデザイン風のレイアウトや色彩感覚を用いたカラー原稿は透明感に溢れ、新鮮でおしゃれな作風が特徴です。

■展示品：わたせせいぞうの版画・ポスター作品のほか、過去に手がけた出版物や商品パッケージ等を展示・販売しています。

基本
情報

東京都港区白金台5-22-11　ソフトタウン白金1階　TEL：03-6456-2942
□アクセス：JR 山手線「目黒駅」東口・東急目黒線「目黒駅」正面口より徒歩2分
□開廊時間：10：00 ～ 18：00
□休館日：月曜日（祝日も休廊）、年末年始
□入館料：無料

あわせて
立ち
寄りたい！

●東京都庭園美術館：都心とは思えない白金の緑ゆたかな庭園にたたずむ美術館。「アール・デコの美術品」と称される旧朝香宮邸。
●港区立郷土資料館：建物はスクラッチタイルで覆われた「内田ゴシック」と呼ばれるデザイン。

久米父子ゆかりの地、目黒駅前の美術館

久米美術館

久米美術館の展示室風景

歴史家・久米邦武と洋画家・久米桂一郎、父子の業績を紹介

　JR山手線目黒駅西口を出てすぐの久米ビル8階に、駅前の喧騒が嘘のように静かで落ち着いた雰囲気の中にある美術館です。歴史家・久米邦武とその長男で洋画家の久米桂一郎を記念して、1982年に開館しました。ここ目黒駅前の地と久米家との関わりは、明治10年代に久米邦武が『米欧回覧実記』編修の功により下賜された500円を基に権之助坂に面した一帯の土地を購入し、富士山の見晴らしが良いことから「林間の山荘」として利用していたことに始まります。江戸時代までさかのぼると、富士山の眺めの素晴らしい景勝地として歌川広重の名所図絵などに数多く取り上げられています。

　久米美術館のユニークなところは、日本古代史の科学的研究に先鞭をつけた近代歴史学成立期における先駆者である久米邦武のコーナーと、黒田清輝と共に明るい外光派の画風を広げ、明治洋画壇の指導的役割を果たし、中期以降は美術行政家、教育者としての功績を多く残した久米桂一郎のコーナーの2つの展示があることです。通常は久米父子の資料や作品を通年展示していますが、久米桂一郎の師であったラファエル・コランや友人・黒田清輝などの館蔵作品の展示や、久米・黒田の東京美術学校（現・東京藝術大学）の教え子たちの作品展なども順次行われています。

■過去の展覧会：「久米美術館 館蔵品展」（2021年1〜4月ほか）、「藤島武二が描いた時代一大川美術館コレクションを中心に」（2020年10〜12月）など。

基本
情報
　東京都品川区上大崎2-25-5　久米ビル8階　TEL：03-3491-1510
　□アクセス：JR山手線「目黒駅」西口より徒歩1分
　□開館時間：11:00〜16:00（入館は15:30まで）
　□休館日：月曜日（祝日の場合は開館し、翌日休館）、年末年始、展示替期間
　□入館料：一般500円、大・高校生300円、中・小学生200円

あわせて
立ち
寄りたい！
●東京都庭園美術館：白金迎賓館として使われた旧朝香宮邸。戦前にパリに遊学された朝香宮夫妻の邸宅として、当時最新の建築様式よって建造されたものです。庭園とともに必見。
●わたせせいぞうギャラリー白金台：わたせせいぞうをこよなく愛するファンが作ったギャラリーです。

世界に類を見ない「ボタン」専門の博物館

ボタンの博物館

ボタンの博物館の展示室風景

ボタンの歴史を紐解けば、ロマンあふれる文化史が見えてくる

　ボタン製造では長く国内最大手の株式会社アイリスが、文化活動の一環として運営している「ボタン」に特化した博物館です。

　隅田川沿いの柳が揺れる浜町河岸通りを歩いていると、ボタンを模したかわいいヨーロッパの雰囲気が漂う木製の看板が掲げられているのが目に入り、思わず心が弾みます。

　同館では世界各地から収集した貴重なボタンのうち約1600点が、素材・モチーフ・年代・国別に展示されています。これらの展示品は、世界有数のアンティークボタン研究家のロイックアリオ氏の監修によるもので、服飾や宝飾の文化史を綴る圧倒的な世界観を演出しています。優雅なボタンの歴史の中で、一時代のステータス・シンボルであったり、生活に密着したミニチュア工芸品として時代の一端を表現するものであったりと、館内をめぐることで、ロマンあふれる文化史を知ることができます。なお、11月22日は「ボタンの日」だそうです。

　見どころの展示品は数多くあり目移りしますが、陶磁器、アール・ヌーボー、手編みのボタンなどどれも「小さな芸術品」と言えます。例えば、ココ・シャネルのスーツのボタンにはライオンの顔がついていて、獅子座生まれのシャネルのシンボルでした。このライオンは、新しい時代を切り開く女性へのエールでもありました。

基本
情報

東京都中央区日本橋浜町1-11-8　ザ・パークレックス 日本橋浜町 2階　TEL：03-3864-6537
□アクセス：都営新宿線「浜町駅」A1出口より徒歩5分、都営浅草線「東日本橋駅」B1出口より徒歩10分
□開館時間：10:00 ～ 17:00（完全予約制）　□休館日：公式ホームページで最新情報をご確認ください
□入館料：500円、団体10名様以上400円

あわせて
立ち
寄りたい!

●江戸東京博物館：江戸東京の歴史と文化を振り返り、未来の都市と生活を考える場として1993年に開館しました。
高床式の倉をイメージしたユニークな建物が印象的です。
●すみだ北斎美術館：墨田区立の美術館で、北斎および門人の作品を紹介しています。

複合施設のひとつを構成する大学美術館

武蔵野美術大学 美術館・図書館

「オムニスカルプチャーズ—彫刻となる場所」（2021年）会場風景　撮影：KEI OKANO

大小5つの展示室で展覧会を開催

　武蔵野美術大学は1967年、書籍だけでなく美術作品も親しめるような美術大学ならではの図書館を作るという発想から、「図書館」に「美術館・博物館」の機能を持たせた複合施設、武蔵野美術大学美術資料図書館を開館。その美術資料図書館が母体となり、現在の美術館・図書館は、美術館と図書館、および民俗資料室、イメージライブラリーの4つのセクションで構成されるユニークな施設。

　鷹の台キャンパスにある美術館は、大学正門を直進した突き当たりの、学生が寛ぐ芝生の広場に面しています。吹き抜けのアトリウムを中心に各階合計5つの展示室があります。上下階を機能的に繋ぐデザイン性のあるスロープが目を引き、美術館建築を特徴づけます。館内では多岐にわたる分野の展覧会が年間約10本開催されています。

■過去の展覧会：「令和2年度 武蔵野美術大学 卒業・修了制作 優秀作品展」（2021年7〜8月）、「オムニスカルプチャーズ—彫刻となる場所」（2021年4〜6月）、「片山利弘—領域を越える造形の世界」（2021年4〜6月）、「膠を旅する—表現をつなぐ文化の源流」（2021年5〜6月）など。

■所蔵品：開館以来収集した3万点に及ぶポスターと400脚を超える近代椅子を中心に、4万点を超えるデザイン資料や美術作品のコレクションを所蔵。

基本
情報
東京都小平市小川町1-736　TEL：042-342-6003
□アクセス：西武国分寺線「鷹の台駅」より徒歩18分、JR「国分寺駅」北口より西武バス「武蔵野美術大学」行または「小平営業所」行乗車「武蔵野美術大学正門」下車
□開館時間：10:00-18:00　□休館日：展覧会により異なります
□入館料：無料　※公式ホームページで最新情報をご確認ください

あわせて
立ち
寄りたい！
●武蔵野美術大学 美術館・図書館 民俗資料室：複合的な施設「美術館・図書館」のなかのひとつが「民俗資料室」。一般の民衆が日々の暮らしのなかで生み出し、使い続けてきた暮らしの造形資料（いわゆる民具）を約9万点収蔵しています。

神宮外苑のシンボルといえる国の重要文化財

聖徳記念絵画館

聖徳記念絵画館の遠景（写真提供：聖徳記念絵画館）

近代日本のあけぼの、壁画に観る幕末・明治の歴史

　青山通りから絵画館に向かって連なる明治神宮外苑のいちょう並木の景観は、東京を代表する風景のひとつといっていいでしょう。聖徳記念絵画館は、明治天皇・昭憲皇太后の御聖徳を永く後世に伝えるために造営され、神宮外苑のシンボル的存在となっています。

　館内に展示されている壁画は、明治天皇のご生誕から崩御までの出来事を「画題」の年代順に、前半を入って右側の展示室に日本画40枚、後半を左側の展示室に洋画40枚、計80枚の名画が常設展示されています。実際に展示室に入ってみると、金色の額縁に収まる縦3m・横2.7mの大きさに統一された各壁画の迫りくる臨場感に圧倒されますが、その壁画80枚が延べ250mにわたって展示されているそのスケール感に感動を覚えます。一流画家による歴史的光景を史実に基づいた厳密な考証の上で描かれた80枚の名画を楽しむとともに、名画を通して近代日本のあけぼの、幕末・明治の歴史に触れることができる貴重な場でもあると感じます。

　必見作品は、5番『大政奉還』（作家／邨田丹陵）、サブタイトルに「あのころはみんな若かった」と記されている13番『江戸開城談判』（作家／結城素明）、31番『徳川邸行幸』（作家／木村武山）はサブタイトルに「4月4日は何の日？」とあり、行幸の際、満開の桜を愛でながらあんぱんを初めて食したことにちなんで「あんぱんの日」になりました。時間のある限りすべて見てほしいところです。

基本情報
東京都新宿区霞ヶ丘町1番1号　TEL：03-3401-5179
□アクセス：JR「信濃町駅」より徒歩5分、都営「国立競技場駅」より徒歩5分、
　東京メトロ各線・都営「青山一丁目駅」より徒歩10分
□開館時間：9:00 〜 16:00（入館は15:30まで）　※公式ホームページで最新情報をご確認ください
□休館日：水曜日　□入館料：500円（施設維持協力金）

あわせて立ち寄りたい！
●国立新美術館：コレクションを持たず、国内最大級の展示スペース（14,000㎡）を生かした多彩な展覧会を開催しています。黒川紀章の設計で、コンセプトは「森の中の美術館」。
●ワタリウム美術館：世界的な視点を基に現代アートを紹介しています。

126

上野公園に立地の台東区立の重要文化財

旧東京音楽学校奏楽堂

旧東京音楽学校奏楽堂の外観

日本最初のコンサート用オルガンを持つ本格的な西洋式音楽ホール

　上野恩賜公園の西端に位置する台東区立旧東京音楽学校奏楽堂は、日本近代建築史における歴史的建造物で、1988（昭和63）年に国の重要文化財に指定されています。日本で最古の本格的な西洋式音楽ホールとされます。

　本館は、東京藝術大学音楽学部の前身、東京音楽学校の校舎として、1890（明治23）年に建築され、以来、日本の近代音楽の礎を築いた多くの音楽家がここで学び、巣立っていきました。本館は木造2階建ての浅瓦葺きで、中央家と翼家からなり、奏楽堂とは中央家2階にある講堂兼音楽ホールのことです。やがて本館は老朽化が目立つようになり、以降、数奇な物語を辿り、移築・保存の要請のもと解体され、1987年に現在の地へ移築・復原されました。2018年には、リニューアルオープンし、「生きた文化財」として、建物の公開のほか、演奏会や音楽資料の展示が行われています。

　館内1階の展示室には、ブリュートナー製のピアノ、東京音楽学校の校舎模型、奏楽堂の防音や音響効果をねらった当時の壁模型などが常設展示されています。見どころの2階の音楽ホールは、かつて瀧廉太郎がピアノを弾き、山田耕筰が歌曲を歌い、三浦環が日本人による初のオペラ公演でデビューを飾った由緒ある舞台です。舞台にあるパイプオルガンは、2020年に100歳になりました。

基本
情報

東京都台東区上野公園8-43　TEL：03-3824-1988
□アクセス：JR「上野駅」公園口より徒歩10分、東京メトロ「上野駅」より徒歩15分
□公開時間：9：30 ～ 16：30（入場は16：00まで）　※木曜日・金曜日・土曜日はホールの使用がなければ公開
□休館日：月曜日（祝休日の場合は開館し、翌平日休館）、年末年始、その他
□入館料：一般300円、小・中・高校生100円

あわせて
立ち
寄りたい！

●東京国立博物館・黒田記念館：黒田清輝の油彩画約130点、デッサン約170点、写生帖などを所蔵。
●国際子ども図書館：レンガ棟とアーチ棟の2つの建物があります。レンガ棟は、明治39年に帝国図書館として建てられた建物を原形保存して児童書の専門図書館として開館。

池袋・サンシャインシティに設置のアート作品

江戸の四季

『江戸の四季』（片岡球子）

日本を代表する女流画家・片岡球子の雄大華麗な陶板壁画

『江戸の四季』と題されたこの陶板壁画は、1978年に池袋のサンシャインシティの開業に合わせて、日本交通文化協会の企画のもと、日本を代表する女流画家・片岡球子による原画・監修により制作されたものです。当初は、「サンシャイン60」地下1階のメインエントランスに設置されていましたが、2016年のサンシャインシティのリニューアルを機にサンシャインシティ西街区1階の表正面に移設されました。

　片岡球子がテーマのひとつとしていた、なんとも雄大な「富士山」ですが、自然光の中で季節の花々があしらわれた陶板壁画が一段と輝きを放っています。最初に設置されてから40年以上も経つ現在もその輝きをとどめているのは、移設の際にひとつひとつのブロックを洗浄して組み立て直したため。「霊峰富士は、四季を通じて　この江戸、即ち東京の地を守り、　人々の心を清めるかの様な雄姿をあらわしている。梅、桜花、牡丹に花菖蒲、菊に南天を添えて献花したい」（片岡球子）。

■原画・監修：片岡球子（かたおか・たまこ）。1905年、北海道・札幌市生まれの日本を代表する女流画家。強い個性で日本的イメージを鮮烈な色彩で大胆に表現し、「富士山」シリーズでは特に高い評価を受けています。1989年には女性で3人目の文化勲章受章。片岡球子、上村松園、小倉遊亀を「日本三大女流画家」と称することも。

■作品：陶板レリーフで、高さ3.3m・横14.0m。壁画家のルイ・フランセンが造形を担当し、クレアーレ熱海ゆがわら工房が製作。

基本情報

東京都豊島区東池袋3-1-1　サンシャインシティ西街区1階の表正面
□アクセス：JR・東京メトロ・西武・東武「池袋駅」35番出口より徒歩約8分

あわせて
立ち
寄りたい！

●自由学園明日館：羽仁もと子・吉一夫妻が創立した自由学園の校舎として、巨匠フランク・ロイド・ライトの設計により建設されました。
●古代オリエント博物館：日本最初のオリエント専門の博物館。

128

六本木に立地のSCAI第3の展覧会場

SCAI PIRAMIDE
スカイピラミデ

SCAI PIRAMIDEのギャラリーエントランス（撮影：Nacàsa & Partners Inc.）

既存の枠組みを超え、新たな切り口を提示する企画展スペース

「SCAI THE BATHHOUSE（スカイザバスハウス）」は、現代アートに特化したギャラリースペースとして、台東区・谷中に1993年に創設されました。創設以来、スカイザバスハウスでは、数々の展覧会やコミッションプロジェクト、パブリックアートを実現するなど、最先鋭の日本のアーティストを世界に向けて発信すると同時に、海外の優れた作家を積極的に紹介しています。2017年には作品保存の現場を展示空間へ拡張し、ビューイングスペースとして天王洲のTERRADA ART COMPLEXにSCAI PARKを開設するなど、新たなビジョンを実現してきています。

　このSCAI PIRAMIDEは、SCAI THE BATHHOUSE（谷中）とSCAI PARK（天王洲）に続く第3の展覧会場として、現代アートシーンのさらなる交流と進展を育む企画展スペースを、2021年4月に六本木の商業ビル・ピラミデの3階にオープンしました。ビル中庭の広い吹き抜け空間にはルーブル美術館のピラミッドを彷彿させるガラスのピラミッドがありますが、同ギャラリーも既存の枠組みを超え、新たな切り口を提示することで時代に即したコンテテクストの更新を図っていることを体感できる斬新なギャラリーです。

■過去の展覧会：磯谷博史「さあ、もう行きなさい」鳥は言う「真実も度を越すと人間には耐えられないから」（2021年8〜9月）、オープニング展 荒川修作「BOTTOMLESS − 60年代絵画と現存する2本の映画−」など。

基本情報

東京都港区六本木6-6-9　ピラミデビル3F　TEL：03-6447-4817
□アクセス：東京メトロ日比谷線「六本木駅」より徒歩3分
□開廊時間：12:00〜18:00　□休廊日：日曜日・月曜日・火曜日・水曜日、祝日
□入館料：無料

あわせて
立ち
寄りたい！

●ギャラリーペロタン東京：卓越した才能をもつアジアのアーティストを世に送り出してきたフランスの現代美術ギャラリー・エマニュエル・ペロタンの5番目のギャラリーです。
●森美術館：六本木ヒルズ森タワーの53階に位置する国際的な現代アートの美術館。

南青山でピカソに出会える美術館

ヨックモックミュージアム

ヨックモックミュージアムの外観Ⓒ Shingo Fujimoto
（写真提供：廣村デザイン事務所）
（左）『Tripod Vase with Head of Woman』Pablo Picasso, 1951, A.R.125
Ⓒ 2020 - Succession Pablo Picasso - BCF(JAPAN)

世界有数のピカソのセラミックコレクションに出会える美術館

　南青山でピカソに出会える幸運。そこは、「ヨックモック」創業者の「菓子は創造するもの」という想いを受け継ぎ、創業家二代目の藤縄利康がその言葉やお菓子と共鳴するピカソのセラミック作品を展示するために開館した美術館です。建築の素材も、一貫してセラミックやお菓子のように焼き物をテーマにしているのが見事。屋根には、ピカソがセラミック製作をしたコート・ダジュールの瓦ディテールをオマージュした瓦が載り、床や壁は陶芸窯と同じ素材が使われています。サインシステムの素材にもセラミックが使われるなど、美術館の空間そのものを楽しんでもらいたいという想いが伝わります。カフェが併設されているのもうれしい点です。

　順路はまず、地下階へ続く照明を落とした長い階段の先の企画展示室に。テーマに沿って絵画や版画なども展示しています。次に2階に上がると、地下階とは対照的に、自然光をやさしく取り入れた常設展示の空間の中で、色鮮やかなセラミック作品を鑑賞できます。

■所蔵品：館長の藤縄利康が精選し、ヨックモックグループとして長年をかけて蒐集してきた500点以上のピカソのセラミック作品を包括した「ヨックモック・コレクション」。コレクションには、お椀、水差し、食器、大皿といったエディション（＊）として生産された多岐にわたる容器や優れた大型の作品が含まれています（＊エディションとは、南仏の町ヴァローリスにあるマドゥラ工房で、ピカソが熟練した職人たちと協働し創り出した作品のこと）。

基本
情報
東京都港区南青山6-15-1　TEL：03-3486-8000
□アクセス：東京メトロ銀座線・半蔵門線・千代田線「表参道駅」B1出口より徒歩9分
□開館時間：10:00 〜 17:00　※入館は閉館30分前まで
□休館日：月曜日（祝日の場合は開館）、年末年始、展示替期間
□入館料：一般1,200円、大学生・高校生・中学生800円、小学生以下は無料

あわせて
立ち
寄りたい！
●根津美術館：日本の実業家である初代・根津嘉一郎の美術コレクションを展示する美術館。国宝7件、重要文化財87件、重要美術品94件を含む約7,400件を収蔵しています。
●紅ミュージアム：江戸時代創業の紅屋 伊勢半のミュージアム。

130

東急プラザ銀座6Fで新しい図鑑体験

ZUKAN MUSEUM GINZA

博物館ロビー（写真提供：ZUKAN MUSEUM GINZA）

図鑑の世界に入り込む 新感覚の体験型デジタルミュージアム

　　東京の都心ど真ん中の銀座で、世界中の自然環境を旅するかのようなスケールの大きな体験をできるミュージアムができました。東急プラザ銀座6Fにある「ZUKAN MUSEUM GINZA powered by 小学館の図鑑NEO」は、デジタルとリアルが融合した空間をめぐりながら、図鑑の中でしか見ることのできなかった生き物たちに出会い、その息吹を感じ、さらにほかの生き物との出会いに歩みを進める、そんな世界に没入できる新感覚の体験型施設です。「"地球の自然"が凝縮された、生きるミュージアム」である同施設は、情報に溢れさまざまなテクノロジーが日々更新されていくこの時代において、書籍のページをめくるのではなく、あらゆる生き物が共存している世界の空間や時間を"めぐる"ことで、"地球の自然"を五感で体感できる、新しい図鑑体験ができます。

　　同館のその体験をするスタートは、入口で渡される重要なナビゲーターアイテム「記録の石」で、館内で出現する生き物の検知や、生き物の記録を行うことができ、最後にたどり着く場所で自分が記録した生き物が飛び出すエンディングを見ることができます。館内は、5つのゾーンで構成されていますが、1日を24分に凝縮した固有の「時間の流れ」があります。朝・昼・夕方・夜と、時間の経過とともに移り変わる風景の中に現れるさまざまな生き物との出会いを楽しむことができる工夫が秀逸です。

基本
情報

東京都中央区銀座5-2-1　東急プラザ銀座 6F　TEL：03-6228-5611
□アクセス：東京メトロ「銀座駅」C2・C3出口より徒歩1分、東京メトロ・都営三田線「日比谷駅」A1出口より徒歩2分、JR「有楽町駅」銀座口徒歩4分
□開館時間：11:00 〜 20:00　□休館日：東急プラザ銀座の休館日に準ずる
□入館料：大人（18歳以上）2,500円、中学生・高校生1,700円、小学生1,200円、未就学児（3歳以上）900円

あわせて
立ち
寄りたい！

●銀座メゾンエルメスフォーラム：銀座メゾンエルメスの8階・9階に位置するアーティストと共に創造するエルメス財団の運営するアート・ギャラリーです。
●『宇宙に捧ぐ』：銀座メゾンエルメスのビルの建築に溶け込んだ新宮晋の大型彫刻作品。

多摩美術大学が運営のユニバーシティ・ミュージアム

多摩美術大学美術館

美術館外観

バリエーション豊かな展覧会とイベントを企画

　東京郊外の多摩センター駅から徒歩7分、サンリオピューロランドの目と鼻の先に、地域と社会へ開かれた大学美術館として2000年にこの地に移設されました。東京都世田谷区に本部を置く多摩美術大学のサテライト的な位置付けとされています。

　同館のユニークな取り組みとして、世界の版画作品の最新作を紹介するとともに、素材・技術・表現などに関する学術的なデータ収集もかねた目的で、1995年から開催している「東京国際ミニプリント・トリエンナーレ」があります。版画の特性を活かし、出品作品のサイズをミニプリントとすることで「世界のどこからでも郵送によって、誰でも自由に参加できる」というアイデアから始まった本展は、ひとつの大学が試みた国際公募展として大きな反響を呼んでいます。

　開催される展覧会の内容はバリエーション豊か。年に4〜5本の展示替えを行い、歴史的な造形から現代アート、そして日本文化に根差した美と世界の芸術と造形文化を紹介しています。また、デザイン分野への積極的な取り組みも同館の特徴です。

■所蔵作品：本学において学生の指導に尽力された教員の作品、および古代エジプト、ギリシャ、西アジア、ローマ、北・中・南米、ヨーロッパ、中国、朝鮮、東南アジア、日本などの美術工芸品、考古学資料、デザイン資料などによって構成されています。

基本情報
　東京都多摩市落合1-33-1　TEL：042-357-1251
　□アクセス：京王相模原線「京王多摩センター駅」、小田急多摩線「小田急多摩センター駅」、
　　多摩モノレール「多摩センター駅」よりいずれも徒歩7分
　□開館時間：10:00〜17:00（入館は16:30まで）
　□休館日：火曜日（祝の場合は開館し、翌日休館）、展示替期間、年末年始
　□入館料：大人300円（団体料金を設置しています）、学生・生徒・障がい者および付添者は無料

あわせて
立ち
寄りたい！
　●帝京大学総合博物館：大学の総合博物館というその名称に相応しい活動を目指していて、「大学教育レベルに対応した内容を保持すること」と「ある特定分野だけに偏らない総合性を保持すること」の2つをいつも念頭に、高度で幅広い博物館活動を展開することをモットーとしている大学博物館です。

立川駅北側 GREEN SPRINGS の美術館

PLAY! MUSEUM（プレイミュージアム）

PLAY! エントランス

「絵とことば」がテーマの、「ありそうでなかった」美術館

　東京・立川の新街区 GREEN SPRINGS の心地よい空間に、「絵とことば」をテーマにした美術館 PLAY! MUSEUM と、「未知との出会い」を合言葉にした子どものための屋内広場 PLAY! PARK をオーガニックに結びつけた複合文化施設 PLAY! があります。この「ありそうでなかった」取り組みをさらに深めるため、PLAY! と立川市のあいだでは、文化および芸術の振興、地域社会の発展および振興を目的とした相互協力を行う協定が締結されています。

　施設2階にある美術館は、さまざまな体験を通じて、絵とことばについて自由に感じて、発見できる場所となっています。絵本やマンガ、アートの本格的な展覧会が開催され、有名な絵本作家の世界を紹介する「年間展示」と、五感を使って体感的に楽しめる「企画展示」を同時に観ることができます。館内に入った瞬間から遊び心が刺激される仕掛けがいたるところにあり、子どもだけでなく大人も楽しめ、決まった順路はないので、館内を自由に行き来できるのもうれしい点です。

■展覧会：有名な絵本作家の世界を紹介。開館記念展では、「エリック・カール 遊ぶための本」展が開催されました。絵本の魔術師とも称され、日本でも人気の高いアメリカ人の絵本作家・故エリック・カールの代表作『はらぺこあおむし』などが原画とともに紹介されました。また、年間展示として「ぐりとぐら しあわせの本」展（2021年4月〜2022年4月末予定）など。

基本
情報

東京都立川市緑町3-1　GREEN SPRINGS W3　TEL：042-518-9625
□アクセス：JR「立川駅」北口・多摩モノレール「立川北駅」北口より徒歩約10分
□開館時間：10:00〜18:00（入館は17:30まで）　□休館日：展示入替時、年末年始
□入館料：一般1,500円、大学生1,000円、高校生800円、中・小学生500円

あわせて
立ち
寄りたい！

●たましん美術館：「たましんコレクション」の中から近代日本の優れた絵画や彫刻作品、中国や日本の貴重な古陶磁などの所蔵品を中心に展示。また、多摩地域で活動をしている作家や多摩地域にゆかりのある作家の作品を展示。

現代女流かな書の第一人者・熊谷恒子の記念館

大田区立熊谷恒子記念館

筆を持つ熊谷恒子の銅像と記念館玄関

生前住んでいた自宅の雰囲気そのままに、氏の優美な書を堪能

　大田区は古くから文士や芸術家に縁のあることでも知られていて、山王から馬込にかけてのエリアは、かつて「馬込文士村」と呼ばれていました。その文士村をたどる文士村散策の道沿いに、生前に熊谷恒子が住んでいた自宅を改装して開館した熊谷恒子記念館があります。

　石階段を上ると右手に筆を持つ熊谷恒子の銅像が建っています。1936年に建てられたという当時そのままの自宅を訪ねるように玄関でスリッパに履き替え、作家の優美な書を落ち着いた雰囲気のなかで鑑賞することができます。1階と2階の館内には、談話室、展示室、資料室などがあり、旧書斎には生前使われていた遺愛品の筆、ルーペ、硯、眼鏡、文鎮、湯飲みがあり、当時の様子がうかがえます。本館では、熊谷恒子の作品約170点のほか、書道関係の書籍などを所蔵しています。

■熊谷恒子（くまがい・つねこ）：京都府出身。鳩居堂東京支店支配人であった熊谷幸四郎と結婚したのを機に東京へ転居。子どもの手習いに付き添ったことから書の道へ。尾上柴舟に師事したのち、岡山高蔭に漢字とかな文字を学び、平安朝の古筆を独習して独自の境地をひらき、現代女流かな書の第一人者として活躍。1965年には皇太子妃美智子殿下（現・上皇后陛下）へ書道ご進講を拝命されました。

■過去の展示：かなの美術「日本の四季を愛でる　第1期　中世歌人を中心に」（2021年4〜7月）など。

基本
情報
東京都大田区南馬込4-5-15　TEL：03-3773-0123
□アクセス：都営浅草線「西馬込駅」南口より徒歩10分。
□開館時間：9:00〜16:30（入館は16:00まで）
□休館日：月曜日（祝日の場合は開館し、翌日休館）、年末年始、展示替期間
□入館料：大人（16歳以上）100円、小人（6歳以上）50円、65歳以上と6歳未満は無料

あわせて
立ち
寄りたい！
●大田区立龍子記念館：同じく大田区立の記念館。近代日本画の巨匠と称される川端龍子によって、文化勲章受章と喜寿とを記念して1963年に設立されました。大正初期から戦後にかけての約140点あまりの龍子作品を所蔵し、多角的な視点から龍子の画業を紹介しています。

134

代官山アドレスのシンボルオブジェ

エレクトリックひまわり

代官山アドレスをバックにした
『エレクトリックひまわり』(ピオ
トル・コヴァルスキー)

「エレクトリック」と名付けられたそのなぞを解く

　代官山駅駅前の同潤会アパートの跡地に建設された複合施設「代官山アドレス」。そこには高層マンション「ザ・タワー」が凛と建っていますが、本作品はそれに負けないくらい存在感のあるオブジェです。当地には多くのパブリックアートがあり、共通コンセプトは「都市生活で見失いがちな自然」となっています。

　題は「ひまわり」ですが、節のある茎、ギザギザの葉っぱが椰子の木のように見えます。代官山アドレスの2階に上って俯瞰すると、オブジェの上部には茶黒色のソーラーパネルがびっしり貼られていて、ひまわりの花弁に模したことがようやく理解されます。ところで、代官山アドレスの地下には、再開発事業の一環として東京電力の変電所があり、渋谷区域を中心に電力を供給する拠点変電所となっていますが、地上ではソーラーパネルで蓄えた「エレクトリック」で夜間には作品のLEDライトが点灯する仕掛けになっているのがおもしろい符合です。

■作家：ポーランド出身の現代美術家で建築家のピオトル・コヴァルスキー。数学、科学・技術に通じ広い分野で活動しました。美術館内の作品だけでなく、巨大な野外彫刻が世界中に存在することでも知られています。

■作品：大きくしなっている「ひまわり」の茎を観察すると、濃い緑から黄緑そして黄色へと変化する美しいグラデーションに見とれてしまいます。

基本
情報
　東京都渋谷区代官山町 17-6　代官山アドレス
　□アクセス：東急東横線「代官山駅」北口よりすぐ

あわせて
立ち
寄りたい！
　●『七福神』：スペイン出身のアーティスト、ジャウメ・プレンサのパブリックアート作品。オープンスペースにベンチを囲むようにガラスブロックが立ち、それぞれが七福神を表しています。夜になると七色にライトアップされるので、本『エレクトリックひまわり』同様に夜に見るのもおすすめ。

中央区・京橋にある現代アートのギャラリー

ギャルリー東京ユマニテ

木村太陽「ペインティング＆立体」展（2020年7月）撮影：加藤健

1階展示フロアと地下1階ギャルリー東京ユマニテ bis が併設

　ギャルリー東京ユマニテは、1974年に名古屋に開廊したギャルリーユマニテの東京店として1984年銀座に開廊しました。日本を代表する作家である宮崎進、加納光於、池田龍雄を取り扱うほか、野田裕示、川島清、林孝彦、流麻二果など国内作家を中心に現代美術を幅広く紹介しています。「ユマニテ」とはフランス語「humanité（人類、人間性）」に由来しています。その後、2017年に中央区・京橋の京栄ビル1階に移転。

　また、美術大学の学生や若手アーティストのための作品発表の場として、ラボラトリー（実験室）を意味する「humanité lab」を企画し、富田菜摘、向山裕、時松はるななど若手作家も紹介しています。2013年からは、より多くの表現者に作品発表の場を提供できるように貸しギャラリー「ギャルリー東京ユマニテ bis」が地下1階に設けられています。ギャラリー訪問の際は、ぜひ立ち寄ってみてください。

■過去の展覧会：1階展示室では、中井川由季展（2021年3月）、飯嶋桃代展「Recovery room－ましましいねつるかも」（2021年2月）、石井厚生展「－花とヒコーキと…－」（2021年1月）、川島清「パティオⅢ －七題－」（2020年11～12月）などを開催。地下1階展示室では、多摩美術大学・版画専攻学生自主活動プログラム「RAWとLow」展（2021年3月）、西川由里子展「今日もどこかで」（2021年3月）など。

基本
情報

東京都中央区京橋3-5-3　京栄ビル1F　TEL:03-3562-1305
□アクセス：東京メトロ銀座線「京橋駅」より徒歩2分、東京メトロ有楽町線「銀座一丁目」より徒歩5分
□開廊時間：10:00 ～ 18:30　□休廊日：日曜日、祝日
□入場料：無料

あわせて
立ち
寄りたい！

●国立映画アーカイブ：国立美術館の6番目の館として設立の日本で唯一の国立映画専門機関。
●南天子画廊：1960年に京橋で創業。60年代よりミロ、ジャコメッティ、カディンスキーら外国作家をいち早く紹介。

日本でも数少ない陶磁器専門の美術館

戸栗美術館

戸栗美術館の外観

色絵 獅子牡丹菊梅文 蓋付壺／伊万里 江戸時代（17世紀末～18世紀前半）／通高74.6㎝／戸栗美術館所蔵（写真提供：戸栗美術館）

旧鍋島藩屋敷跡の渋谷区松濤の閑静な住宅街にたたずむ

　戸栗美術館が建つ渋谷区松濤エリアは、東京を代表する高級住宅街です。かつては紀州徳川家の下屋敷があり、明治時代に旧佐賀藩主の鍋島家に譲渡されました。鍋島家がここで茶園を開き、「松濤園」と名付けたことが地名の由来となっています。

　外観は、磁器製の栗色のグラデーションのタイル張りの外壁が印象的です。本館では、創設者の戸栗亨が長年にわたり蒐集した陶磁器を中心とする美術品を公開。もともとは「用の美」を志向し、無名の工人により作られた古い民具を蒐集していましたが、次第に興味の対象は「鑑賞陶磁」に向けられました。収蔵品の陶磁は、江戸時代には暮らしの中で使用される器でしたが、今では絵画のように鑑賞する美術品として、私たちの眼を楽しませてくれます。展覧会は年4回の企画展を開催しています。

■所蔵品：中核をなすのは、日本初の国産磁器。江戸時代の人々の暮らしを豊かに彩った伊万里焼や将軍献上を目的とした贈答品である鍋島焼などの肥前磁器のほか、中国・朝鮮などの東洋陶磁を約7,000点所蔵しています。とくに肥前磁器は、一点一点の質はもちろんのこと、江戸時代を通観しうる内容で、質・量ともに一大コレクションと言えます。

■過去の展覧会：「古伊万里の重さを見る展覧会」、同時開催「磁器誕生から100年の変遷」（特別展示室）（2021年6～9月）など。

基本情報
東京都渋谷区松濤1-11-3　TEL：03-3465-0070
□アクセス：JR「渋谷駅」ハチ公口より徒歩15分、京王井の頭線「神泉駅」北口より徒歩10分
□開館時間：公式ホームページで最新情報をご確認ください
□休館日：月曜日・火曜日（祝日の場合は開館し、両日とも祝日の場合は翌平日休館）、展示替期間、年末年始
□入館料：展覧会によって異なります

あわせて立ち寄りたい！
●松濤美術館：渋谷区立の美術館。建物は、哲学的な建築家といわれる白井晟一による設計。
●Bunkamura ザ・ミュージアム：近代美術の流れに焦点をあてた展覧会を中心に、テーマ性・先見性・話題性を持った展覧会を開催しています。

コスチュームジュエリーに特化したミュージアム

アクセサリーミュージアム

10周年の飾りつけの美術館外観

コスチュームジュエリーの美しいデザインを巡る時間旅行を楽しむ

　目黒区上目黒の住宅街の一角にたたずむ個人邸宅を改築して、2010年に開館した美術館です。初めて訪ねる人にとっては、一見エントランスからは想像ができない、しかし中に入ってみると、半日をかけても鑑賞する価値ありの宝石箱のような美術館です。

　展示されているコスチュームジュエリーは、貴金属や宝石などの高価な材料を使って作るジュエリーと区別されるもので、ファッション性に重きを置き、素材を問わずに作られた装身具などです。展示方法にも工夫が凝らされていて、ヴィクトリア時代に始まり、アール・ヌーヴォー、アール・デコ、オートクチュール、プレタポルテ、アヴァンギャルドと、各時代のファッショントレンドを辿ることができます。さらに同館を魅力的にしているのは、ファッション・帽子などの小物を用いた当時のアイコン的コーディネートだけでなく、時代をあらわす絵画・家具などのアート作品とあわせて、美しいデザインを巡る時間旅行の気分が味わえることです。

■常設展：コスチュームジュエリーを文化・風俗の時代考証を加えて展示。ひと部屋ひと部屋に時代の空気をパッケージングし、全体で欧米を中心とした近現代ファッション史が俯瞰できるようになっています。

■企画展：ファッションにまつわるさまざまなカテゴリーの企画展を開催しています。

基本情報
東京都目黒区上目黒4-33-12　TEL：03-3760-7411（10:00〜17:00／休館日を除く）
□アクセス：東急東横線「祐天寺駅」より徒歩7分
□開館時間：10:00〜17:00（入館は16:30まで）　□休館日：月曜日、第4・5日曜日、夏期、年末年始
□入館料：一般1,000円、学生（小学生以上）600円　※障がい者手帳をお持ちの方と他1名まで600円

あわせて
立ち
寄りたい！
●郷さくら美術館：桜がモチーフの屏風作品を含めた大作十数点を常設する展示室が設けられています。
●AOYAMA｜MEGURO：彫刻、映像、サウンド、絵画、写真、パフォーマンスと多岐に渡り、コンセプチュアルかつ空間・状況に呼応するアプローチをとる作品を紹介するギャラリー。

白金台にある東京大学医科学研究所の記念館

近代医科学記念館

近代医科学記念館の外観

貴重な資料が揃う日本医学史を語る上で外すことができない記念館

　東京大学医科学研究所の近代医科学記念館は、東京大学白金台キャンパス内にあります。おしゃれな街として知られる白金台と東京大学との結びつきがすぐにはピンときませんが、目黒通りに面している本研究所の正門を通ってすぐ左手に緑に囲まれて佇む建物が同館です。レンガ風の建物と未来をイメージさせるガラスの館との不思議な調和を醸し出しています。西門に続く道の両側には本研究所の名誉教授により寄贈された椿が植えられていて気持ちが和みます。

　2001年に開設された近代医科学記念館は、東京大学医科学研究所が1892(明治25)年、北里柴三郎博士らにより伝染病研究所（伝研）として設立されてから半世紀以上にわたり、我が国の伝染病研究の中心として活躍した時代の貴重な歴史的資料を紹介しています。

　レンガ風建屋のデザインは伝研時代の馬の厩舎を模したもので、当時、破傷風やジフテリアの治療用の血清製造のため馬が多く飼われていたことに由来します。

　館内入って右の展示室では、伝染病研究所から医科学研究所に至るまでの歴史の流れの中で、いかに難病と闘ってきたかをさまざまな貴重な資料や年表を交えて紹介しています。北里柴三郎博士と野口英世博士の履歴書の実物、カールツァイス社製の顕微鏡、実験ノート、服部正作曲の『伝研の歌』の「元気よく」と注書された楽譜など、日本の医学史を語る上で外すことができない記念館です。

基本情報
東京都港区白金台4-6-1　　TEL：03-5449-5470(直通)
□アクセス：東京メトロ南北線・都営三田線「白金台駅」より徒歩1分
□開館時間：10:00 〜 13:00、14:00 〜 17:00　※公式ホームページで最新情報をご確認ください
□入館料：無料

あわせて立ち寄りたい！
●港区立郷土歴史館：郷土歴史館が入る建物は、東京大学建築学科教授の内田祥三により設計され、1938(昭和13)年に建設された旧公衆衛生院。特徴的な「内田ゴシック」デザインです。
●『白金春秋』：日本の美術を代表する具象派洋画家・大津英敏のパブリックアート作品。

伝統ある東京染小紋の技法を伝える工房

東京染ものがたり博物館

（上）SARAKICHIギャラリー
（左）工房の「板場」の様子

レトロな工房見学で東京染小紋と江戸更紗の世界に触れる

　新宿区・西早稲田にある富田工芸の「東京染ものがたり博物館」は、唯一現存する都電荒川線「面影橋駅」から徒歩約3分の神田川沿いに建つ日本家屋のレトロな工房です。明治以降、染色に適した清流を求め新宿の地に染色とその関連業者が多数集まるも、現在では新都心・新宿の数少ない地場産業として伝統の技を継承しています。

　本館は、1914（大正3）年にここ新宿の地で創業した富田染工芸が扱う東京染小紋と江戸更紗を中心に、染織の技法や作品、粋でモダンな感覚を折り込んだ東京の染めものを広く紹介しています。ひとつひとつ手作業で微細な幾何学模様で染められた「東京染小紋」は、まさに「日本ならではの職人技」。そんな和の手仕事を見学し、体験できる貴重なミニ博物館です。

　木の引き戸を開けて工房内に入ると、「板場」と言われる7メートルはある板が何枚も置かれた中で作業を行っている光景が飛び込んできます。「張り板」などとも言われるその板は、生地を貼り、染めの工程を行うもみの木の厚い板で、作業場の頭上にも何枚も収納されています。作業場には、東京染小紋と江戸更紗に使われる肝の型紙や一列にずらりと並ぶ丸刷毛のほか、専門的な道具が数多く置かれていて、実際の工房を目の当たりにすると、この貴重な伝統工芸を未来に継承するありように感銘を覚えます。一角に設けられた染もののスカーフなどを展示するSARAKICHIギャラリーも必見です。

基
本
情
報
　東京都新宿区西早稲田3-6-14　TEL：03-3987-0701
　□アクセス：東京さくらトラム（都電荒川線）「面影橋駅」より徒歩3分
　□開館時間：9:00～16:00（12:00～13:00は休館）　□休館日：土曜日・日曜日、祝日、年末年始、その他
　□入館料：無料

あわせて
立ち
寄りたい！
●永青文庫：目白台にある、江戸時代から戦後にかけて所在した広大な細川家の屋敷跡の一隅にある美術館。大名細川家に伝来する歴史資料や美術品などの文化財を一般に公開。
●日本女子大学成瀬記念館：正門を入って左手に建つ赤煉瓦のロマネスク調の建物です。

140

北区王子の飛鳥山公園内にある博物館

北区飛鳥山博物館

北区飛鳥山博物館の外観

江戸時代までさかのぼって桜の名所、飛鳥山の歴史をたどる

　約300年前、8代将軍徳川吉宗が享保の改革の施策のひとつとして、江戸っ子たちが日帰りで行ける行楽の地とするため、飛鳥山に桜が植えられ、庶民に花見の名所として親しまれてきました。その公園のなかにある3つの博物館のうちのひとつが北区飛鳥山博物館です。飛鳥山に立地しているため、博物館の2階にあたるところが入口となっています。らせん階段を上がった3階では、2室あるアートギャラリーで北区所有の美術工芸品が展示されています。第1室には北区コレクションの絵画作品など、また第2室には同工芸作品が展示されています。入口フロアからひとつ降りた1階フロアは常設展示室となっていて、北区の歴史・自然・文化を14のテーマに分けて展示しています。

■常設展示：3階の第2室で通年展示されている人間国宝・鍛金作家の「奥山峰石作品展」は必見です。2018年秋に日本伝統工芸への貢献により「名誉都民」として選定された、北区在住の人間国宝・奥山峰石の鍛金工芸作品を展示し、その制作工程を記録したビデオも上映されています。展示品は定期的に展示替えされます。また、1階に常設展示の「花見弁当」の展示では、江戸時代の人々がお花見に持参したお弁当が再現されていて、ここ飛鳥山でお花見をした当時の様子をうかがうことができます。あわせて、律令時代の米を収めた倉を復元した象徴展示の「豊島郡街の正倉」もお見逃しなく。

■過去の企画展示：「ASUKAYAMAセレクション★2021★」（2021年3〜5月）など。

基本
情報
東京都北区王子1-1-3　TEL：03-3916-1133
□アクセス：JR京浜東北線「王子駅」南口より徒歩5分、東京メトロ南北線「西ケ原駅」より徒歩7分
□開館時間：公式ホームページで最新情報をご確認ください
□休館日：月曜日（祝日の場合は開館し、翌平日休館）、年末年始、その他
□入館料：一般300円、小・中・高校生100円、65歳以上150円

あわせて
立ち
寄りたい！
●紙の博物館：日本の伝統的な「和紙」、近代日本の経済発展を支えた「洋紙」の両面から、紙の歴史・文化・産業を紹介している世界でも数少ない紙専門の総合博物館です。
●お札と切手の博物館：国立印刷局が製造した各種製品を展示。

新宿三丁目駅で出会う千住博の代表作

ウォーターフォール

『ウォーターフォール』(千住博) (写真提供:Senju Studio)

雑踏を忘れてモノクロならではの圧倒的な迫力の瀑布に見入る

　東京都で一番新しい東京メトロの副都心線ですが、2008年の開業にあたっては、ゆとりと潤いのある文化的空間の創造を目指し、池袋駅から渋谷駅までの8駅に、合わせて14のパブリックアートが設置されました。アートテーマを「活力(ENERGY)」とし、12作家のどの作品も各駅の地域の特徴などが表現されています。

　東京メトロ「新宿三丁目駅」の高島屋方面改札を出てすぐの地下2階の連絡通路では、千住博の代表作のひとつ『ウォーターフォール』を観ることができます。モノクロならではの圧倒的な迫力でいくつもの水流を描きながら流れ落ちるパノラマの瀑布。流れ落ちた先の水しぶきが細かく砕け靄をなしています。通路を忙しく行き交う人の流れの中で作品を眺めていると、雑踏を忘れて水しぶきから発生するマイナスイオンを浴びているような感覚を覚えます。

■原画:千住博(せんじゅ・ひろし)。1958年、東京都生まれ。1982年、東京藝術大学美術学部絵画科日本画専攻を卒業。1993年に拠点をニューヨークに移します。代表作の『ウォーターフォール』は1995年ヴェネツィア・ビエンナーレで名誉賞を受賞しています。日本画の存在やその技法を世界に認知させ、真の国際性をもった芸術領域にすべく、絵画制作にとどまらず、講演や著述など幅広く活動しています。自然の側に身を置くという発想法を日本文化の根幹と捉え、自身の制作活動の指針としています。本作品のほかに同じく東京メトロ「赤坂駅」3番出口には『四季樹木図』を観ることができます。

基本情報
東京都新宿区新宿5-18-22
□アクセス:東京メトロ副都心線「新宿三丁目駅」高島屋方面改札口よりすぐ

あわせて
立ち
寄りたい!
●『花尾(Hanao-San)』:JR新宿駅東口駅前広場に設置された松山智一のパブリックアート作品。
●『Hop, Step, Hop, Step』:銅版画家・山本容子の「不思議の国のアリス」シリーズのひとつ。東京メトロ副都心線「新宿三丁目駅」に設置された色鮮やかなステンドグラス作品。

142

東麻布に立地の現代美術のギャラリー

TAKE NINAGAWA

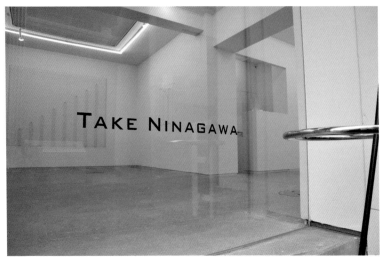

TAKE NINAGAWAのエントランス

躍進し続けるコンテンポラリーアートの国際的ギャラリー

　Take Ninagawaは、2008年に港区・東麻布に設立されたコンテンポラリーアートのギャラリーです。ギャラリーをオープンして数年後には、世界有数のアートフェア「Art Basel」や「Frieze」へ出展するなど、国内外の若手アーティストを国際的な枠組みの中で紹介している、ぜひとも押さえておきたいギャラリーのひとつです。

　その躍進を続けるギャラリーのオーナーの蜷川敦子氏は、大学で美術史や芸術学を学び、ニューヨークでキャリアを積んだあと帰国し同ギャラリーを立ち上げました。蜷川氏は、現在、アートバーゼル香港のセレクションコミッションを努めており、また「South South」というグローバルサウス問題を扱うアートイニシアチブのコラボレーターを務めるなど、国際的なギャラリーとして活動しています。

■過去の展覧会：「アンドロ・ウェクア：Drift Angle」（2021年4〜6月）、「宮本和子」（2020年6月〜2021年1月）、「泉太郎：コンパクトストラクチャーの夜明け」（2020年2〜4月）、「テア・ジョルジャゼ：All」（2019年11月〜2020年1月）など。

■紹介アーティスト：青木陵子、泉太郎、ヤン・ヴォー、大竹伸朗、ケン・オキイシ、河井美咲、笹本晃、テア・ジョルジャゼ、イライアス・ハンセン、シャルロッテ・ポゼネンスケ、松本力、宮本和子、山崎つる子、吉増剛造、ワン・ビン（王兵）。

基本
情報
東京都港区東麻布 2-12-4　信栄ビル1F　TEL：03-5571-5844
□アクセス：都営大江戸線「麻布十番駅」より徒歩11分
□開廊時間：11:00〜19:00　□休廊日：日曜日・月曜日、祝日
□入館料：無料

あわせて
立ち
寄りたい！
●増上寺宝物展示室：徳川家康公没後400年にあたる平成27年に増上寺本堂の地下1階に開設。展示の中心となるのは、英国ロイヤル・コレクションとして保管されてきた台徳院殿霊廟模型と江戸末期から当山に秘蔵されてきた五百羅漢図。

日本で最初のオリエント専門の博物館

古代オリエント博物館

博物館受付に続く回廊

タイムスリップ！古代オリエントの世界に浸る

　池袋のサンシャインシティ文化会館7階にある博物館です。博物館受付に続く回廊の、井上靖による題字の「古代オリエント博物館」の看板をお見逃しなく。1970年代後半のシルクロード・ブームに乗って設立されましたが、その経緯がたいへん興味深いです。設立の原動力となったのが、今里広記（サンシャインシティ初代会長、同館初代理事長）、江上波夫（同館初代館長、東京大学名誉教授）、平山郁夫（画家、東京藝術大学元学長）、井上靖など、シルクロードを愛した財界人・学者・文化人・作家などのイニシアチブでした。この4人は、1973年に一緒にシルクロード諸国を旅行しており、その最中に日本にも古代オリエントの専門博物館を作るべきだと話し合ったものが、5年後に実現しました。

■展示品：コレクション展（常設展）の「シリアの発掘コーナー」で展示されている復元住居の模型は、シリアで1970年代に実際に発掘した成果を基に復元したもので、そのコーナーに並べられている土器は本館の元研究員がシリア政府の許可を得て自ら発掘して持ち帰った実際の出土品です。本館の「発掘コーナー」の展示物は、無名の小さな遺跡の出土品ですが、実際に海外発掘調査で出土したものを並べている博物館は、日本では数少ないと聞いています。「研究する博物館」を標榜するゆえんではないでしょうか。このほかにも、興味深い展示として、ハンムラビ法典碑（複製）、ロゼッタストーン（複製）などがあります。

基本情報　東京都豊島区東池袋3-1-4　サンシャインシティ文化会館7階　TE：03-3989-3491
　□アクセス：JR「池袋駅」東口より徒歩13分、東京メトロ有楽町線「東池袋駅」6・7番出口より徒歩6分
　□開館時間：10:00 〜 16:30（入館は16:00まで）　□休館日：年末年始、展示替期間
　□入館料：展覧会によって異なります。常設展は、一般600円、大・高校生500円、中・小学生200円

あわせて立ち寄りたい！　●豊島区立熊谷守一美術館：熊谷守一が45年間住み続けた旧宅跡地に、1985年に私設の個人美術館として開館。末永い展示を条件に、豊島区が守一作品150余点の寄贈を受け、2007年から豊島区立となりました。

144

味の素グループ高輪研修センター内の博物館

食とくらしの小さな博物館

「食とくらしの小さな博物館」が入る「味の素グループ高輪研修センター」の外観

1946年から1975年までの「くらしと食卓」の展示の様子（写真提供：食とくらしの小さな博物館）

時代ごとの世相や人々のくらしの様子を概観できる楽しい展示

「食とくらしの小さな博物館」は、港区・高輪の二本榎通りに面した味の素グループ高輪研修センター内2階にあります。研修センターは、味の素グループの従業員向けの施設ですが、資料展示室として一般に公開されていて、誰でも楽しめる博物館となっています。

「小さな」と謳っていますが、その展示内容は決して小さくはなく、時代ごとの世相や人々のくらしの様子を楽しみながら概観できる豊富な展示内容が並び、あわせて味の素グループの100年にわたる歴史と、将来に向けた活動を知ることができます。

　館内入口では、味の素グループの人気キャラクター「アジパンダ®」の立て看板が出迎えてくれて、思わず顔がほころびます。展示室では、「味の素®」誕生物語からはじまり、1900から現在までを4つの時代に区分して時代の流れに沿ってわかりやすく展示しています。

■見どころ：「味の素®」誕生物語コーナーの、大正期までは「味の素®」（グルタミン酸ナトリウム）の生産には不可欠であった愛知県常滑市の粘土製の道明寺甕。「社会と歩んだ一世紀」では、それぞれの時代を語るモノや写真と重ね合わせながら、味の素グループ100年の歴史を商品や広告とともに辿ることができます。「くらしと食卓」では、時代を象徴する食卓風景が立体再現され、食と生活の姿を自分自身と重ね懐かしく感じる向きもいれば、若い人々には新鮮な発見があることでしょう。

基本
情報

東京都港区高輪3-13-65　味の素グループ高輪研修センター内2階　TEL：03-5488-7305
□アクセス：都営浅草線「高輪台駅」より徒歩3分、JR「品川駅」より徒歩11分
□開館時間：10:00〜17:00　□休館日：日曜日、祝祭日、年末年始
□入館料：無料

あわせて
立ち
寄りたい！

●味の素の文化センター　食文化展示室：同じフロアのすぐ隣にあり、常設展では江戸時代から現代までの日本の食文化を錦絵や料理書のパネルのほか、再現料理のレプリカとともに展示。
●物流博物館：日本通運およびグループ企業の企業博物館ですが、物流全般について紹介されています。

日本では数少ない服飾専門の博物館

文化学園服飾博物館

文化学園服飾博物館のエントランスホール

生活に欠かせない衣を通して日本と世界の文化を知る

　学校法人文化学園を母体とする日本では数少ない服飾専門の博物館です。ロビーに入ると、まず正面の美しい壁画に目を奪われます。白黒の市松模様のフロアと一体をなすこの壁画は、文化学園の母体が創設された1923年のフランスのファッション誌に掲載されたファッション画をもとに、フィレンツェにおいて大理石の象嵌により制作されたものです。

　展示室においては、服飾ならではの工夫が凝らされていて、うしろ姿も見えるように鏡張りになっている展示方法が秀逸です。展覧会は、「衣を通して日本と世界の文化を知る」をテーマに、所蔵品を中心とした年4回程度の企画展が行われています。ヨーロピアン・モード展は、毎年春に開催。

■収蔵品：日本をはじめ、アジア、ヨーロッパ、アフリカ、中南米など、広い地域の服飾・染織品におよんでいます。主な収蔵品は、日本のきものや近代の官廷衣装、戦前、「被服協會」が収集した東アジア・東南アジアの民族衣装、また、アメリカのファッション・ジャーナリストであるビル・カニンガムの収集したドレスや帽子、被服環境学の権威であった小川安朗が収集した民族衣装、パレスチナ地域の民族衣装の研究家であるウィダード・カワールのコレクション、遊牧民の染織品収集家である松島きよえのコレクションなどがあります。

基本
情報

東京都渋谷区代々木3-22-7　新宿文化クイントビル 1階　TEL：03-3299-2387
□アクセス：JR・京王・小田急「新宿駅」南口より徒歩7分、都営「新宿駅」新都心口より徒歩4分
□開館時間：10:00 ～ 16:30（入館は16:00まで）
□休館日：日曜日、祝日・振替休日、年末年始、夏期休暇、展示替期間
□入館料：一般500円、大学・専門学校・高校生300円、小・中学生200円

あわせて
立ち
寄りたい！

●東京オペラシティ アートギャラリー：日本を代表する抽象画家、難波田龍起・史男父子の作品をはじめとする戦後の美術作品が収蔵されています。
●『シンキングマン』：東京オペラシティ・サンクンガーデンにあるジョナサン・ボロフスキーによるパブリックアート作品。

146

渋谷Bunkamuraに附属する美術書店

NADiff modern

NADiff modernの店内の様子

近代美術書を中心に、絵本やライフスタイル系の書籍も取り揃える

　　多様なカルチャーが交差する渋谷という街に立地するBunkamura。その地階にある美術館ザ・ミュージアムの向かい側に立地しているのが、近代美術を多く取り上げる美術書店のNADiff modernです。「ニュー・アート・ディフュージョン」の頭文字をとってNADiffと表記しています。アートを通して新しいムーブメントを提案している企画集団です。

　　店内は、アートに限らず絵本やライフスタイルの書籍も取り揃え、ジャンルにごとに分けずに展開し、来店する方に分け隔てなく店内を見てもらえる動線設計となっています。加えて、本の海におぼれないように本の隣に雑貨を配置するなど、"入口の書店"を標榜しています。アートとともにあるさまざまな文化も視野広く展開し、アートが木の幹となり好奇心の枝葉が多岐に広がるような店内では、本との出会いからまだ見ぬ新しい世界へのトリップが待っています。アートのフィーリングをもったデザイングッズも揃い、より身近で生活の中に取り入れやすいアートがさまざまなスタイルで紹介されています。

　　2018年にリニューアルした店内の特筆すべき仕掛けとして、20世紀美術をナビゲートする、彩り豊かな「イズム＝主義・様式」をクロニクルに紹介する書棚が店内2階に新設されていますので、ぜひ足を運ぶことをお勧めします。

　　ネットで簡単に本が買える時代にあって、実書店に足を運び、自身では選ぶことのない1冊と遭遇するセレンディピティな面白さを提供している貴重な書店です。

基本
情報
東京都渋谷区道玄坂2-24-1 Bunkamura B1　TEL：03-3477-9134
□アクセス：JR 山手線・東京メトロ銀座線・半蔵門線・副都心線「渋谷駅」より徒歩7分
□開館時間10:00 ～ 20:00（金・土曜日は10:00 ～ 21:00）　□休館日：Bunkamuraに準じます
□入場料：無料

あわせて
立ち
寄りたい！
●Bunkamura ザ・ミュージアム：複合文化施設Bunkamura内に位置する近代美術の流れに焦点をあてたいつでも気楽に楽しめる自由型美術館。
●戸栗美術館：創設者戸栗亨が長年にわたり蒐集した陶磁器を中心とする美術品を所蔵。

日本で初めてのアニメーションの総合博物館

東京工芸大学
杉並アニメーションミュージアム

東京工芸大学杉並アニメーションミュージアムの外観
（写真提供：東京工芸大学杉並アニメーションミュージアム）

アニメーションの世界の楽しさ、豊かさ、奥深さを感じ取る

「今やアニメは日本発の映像文化として世界で高く評価されるようになりました」と、館長の鈴木伸一は
ごあいさつの冒頭で述べています。そのアニメーションを対象とした日本で初めての総合博物館が、こ
こ「杉並アニメーションミュージアム」。なお、命名権公募により、同館は2018年9月から5年間は「東
京工芸大学杉並アニメーションミュージアム」と呼称されます。ちなみに、鈴木館長は藤子不二雄のマ
ンガ作品に登場する「ラーメン好きの小池さん」のモデルとしても有名です。

　博物館がある杉並会館の正面外壁には、『巨人の星』『天才バカボン』『クレヨンしんちゃん』『機
動戦士ガンダム』など数々のキャラクターのレリーフを見ることができ、これを観るだけでも日本のアニ
メの歴史の中でのエポックメーキングな世界を知ることができます。

■常設展：館内3階にある展示室は、「日本のアニメの歴史」「アニメができるまで」「これからの日本
のアニメ」「アニメの原理」「デジタルワークショップ」と、わかりやすい5つのゾーンに分かれています。
世代を超えて日本のアニメーション全体を体系づけて学び、体験し、理解しながら楽しめます。特に「ア
ニメができるまで」のゾーンでは、監督、作画監督、美術監督の机が再現されていて、多くのプロの方が
かかわるアニメの制作のプロセスを辿ることができる貴重な展示になっています。

■過去の展示：「ベイブレードワールド」（2021年4〜7月）など。

基本
情報

□東京都杉並区上荻3-29-5　杉並会館3階　TEL：03-3396-1510
□アクセス：JR中央線・東京メトロ丸ノ内線「荻窪駅」北口より徒歩約20分、JR中央線「西荻窪駅」北口より徒歩16分、
　　関東バス「荻窪警察署前バス停」より徒歩2分
□開館時間：10:00〜18:00（入館は17:30まで）　□休館日：月曜日（祝日の場合は開館し、翌日休館）
□入館料：無料

あわせて
立ち
寄りたい！

●杉並区立郷土博物館（本館、分館）：杉並区内の出土遺物・古文書・模型から杉並の歴史を展望できます。また、敷
地内には江戸時代後期の長屋門と古民家が移築復元されています。
●入江一子シルクロード記念館：洋画家の入江一子が84歳の時に阿佐ヶ谷の自宅を改装して開館。

148

新宿駅東口駅前広場の巨大彫刻

花尾（Hanao-San）

JR新宿駅東口駅前広場の『花尾』（松山智一）（Photo：Takumi Ota）

周囲の色を拾って新宿の街の風景に溶け込む松山智一の作品

　日本一の乗降客数を誇るJR新宿駅。その東口駅前広場のロータリー中央に突然出現した台座をふくめて8メートルある巨大彫刻には、誰もが一瞬言葉を失います。東京には数多くのパブリックアートがあり、その中にはそれなりに大きなものはありますが、これほど広がりのある彫刻を近くに見られる例は多くありません。作品を構成する床面にもパッチワークのようにカラフルな花柄が広がります。
『花尾（英語表記は「Hanao-San」）』と題されたこの作品は、ニューヨークを拠点に活動しているアーティスト・松山智一の作品。さて、この彫刻をどう観ればよいのでしょうか。ある部分は親指を立てる手を模したものであったり、ある部分は花びらを縁取ったものであったり、それぞれのエレメントがランダムに結合してひとつの集合体として焦点を結んでいます。その縁取られた空間は、ダマスク柄や網目など緻密な文様で埋めつくされています。平面の作品と違い、この作品には正面という定義はなく、どの方向から見ても違った顔を見せてくれます。鏡面仕上げの素材が広場を取り囲む風景の氾濫する色を拾い、混然一体となって新宿の街の風景に溶け込んでいます。
■作家：松山智一（まつやま・ともかず）。1976年、岐阜県生まれ。上智大学経済学部を卒業後、2002年に25歳で単身渡米。ニューヨークを拠点に活動。絵画を中心に彫刻やインスタレーションも手がけ、異なる時代や文化を融合し新たな解釈を加えることで昇華された作品は、まさに境界が消失しつつある現代社会を捉えています。

| 基本情報 | 東京都新宿区新宿3-38-1
□アクセス：JR「新宿駅」東口の駅前広場 |

| あわせて立ち寄りたい！ | ●中村屋サロン美術館：新宿中村屋ビル3階にある美術館。かつてサロンに集まった芸術家たちの作品を紹介するとともに、新進芸術家や地域に関する作品展示・イベントのほか、広く芸術・文化の振興につながるような企画を実施しています。 |

恵比寿にある現代アートのギャラリー

NADiff Gallery

ギャラリー展示風景

NADiff a/p/a/r/t に併設されている地下1階のギャラリー

　渋谷区・恵比寿、目黒川がすぐ近くを流れる一方通行の道から一歩入ったカルデサックの突き当りに前面総ガラス張りが印象的なビルを見つけることができます。この建物はアート専門書店やミュージアムショップの運営を行うNADiff a/p/a/r/tとアート・ラボのスクールデレック芸術社会学研究所、ギャラリー MEM などが入るコンテンポラリーアートコンプレックス「NADiff A/P/A/R/T」。

　そのビル1階フロアのNADiff a/p/a/r/tのショップを抜けて螺旋階段を下りた地下1階に併設のギャラリーがあります。ギャラリー自体はそれほど広くないですが、注目すべき企画展などが年間で約10回開催されています。また、展覧会によっては、ビルのガラス窓も作品展示の一部として展開され、また先の螺旋階段脇の壁にも作品を展示し、1階のショップ部分にも関連作品が展示されるなど、複合施設としての特性をフルに生かした三次元での展示方法を取っているのがユニークで、立ち寄る価値のあるギャラリーのひとつと言えるでしょう。

■過去の展覧会：水戸部七絵「I can't speak English」（2021年3〜4月）、田口まき「SECRET GARDEN /0」、淺井裕介「ピュシスとピュシス―テープと旅のドローイング」（2020年10月〜2021年1月）、伊藤彩「Blink」（2020年9〜10月）、吉田志穂+duenn「交信」（2020年2〜3月）、齋藤陽道『感動、』（2019年12月〜2020年2月）など。

基本情報
東京都渋谷区恵比寿1-18-4　TEL：03-3446-4977
□アクセス：JR 山手線「恵比寿駅」東口より徒歩7分
□開店時間：13:00 〜 19:00　□休館日：月曜日〜水曜日
□入館料：無料

あわせて立ち寄りたい！

●NADiff a/p/a/r/t：恵比寿にある文化施設内の現代アート専門書店。アートグッズも揃う。
●Galerie LIBRAIRIE 6：シュルレアリスムの創始者アンドレ・ブルトンやシュルレアリスム運動を日本に紹介した瀧口修造、澁澤龍彦などその影響を受けた作家を中心に企画展示。

150

世田谷区上野毛の閑静な住宅街の美術館

五島美術館

美術館外観（© photo by Shigeo Ogawa／写真提供：五島美術館）

国宝『源氏物語絵巻』をはじめとする数々の名品を収蔵

　世田谷区上野毛の閑静な住宅街にたたずむ美術館です。門構えに気品を感じます。美術館設立の構想は、東急グループの礎を築いた五島慶太によるものです。本館建物は、吉田五十八による設計で、寝殿造の意匠を随所に取り入れた建物自体も鑑賞する価値があり、近代建築史における貴重な建造物として国の登録有形文化財（建造物）にもなっています。

　鑑賞後は、武蔵野の雑木林が多摩川に向って深く傾斜する広大な庭園を散策するのも一興です。「大日如来」や「六地蔵」など石仏が点在し、ツツジ、枝垂桜など、季節ごとに多彩な花を咲かせます。

■過去の展覧会：館蔵「近代の日本画展」（2021年5 ～ 6月）、館蔵「茶道具取合せ展」（2020年12月～ 2021年2月）など。

■収蔵品：五島慶太が蒐集した日本と東洋の古美術品（明治期以前）をもとに構成されています。開館に際して、国宝『源氏物語絵巻』をはじめとする高梨仁三郎のコレクション、および守屋孝蔵の古鏡コレクションが加わりました。現在の収蔵品総数は国宝5件、重要文化財50件を含む約5,000件。国宝『源氏物語絵巻』は、蜂須賀家本の第38帖「鈴虫」の1番目と2番目の場面、第39帖「夕霧」、そして第40帖「御法」の3帖分です。例年、春のゴールデンウィークの頃に10日間程度展示されますので、同館公式ホームページでご確認ください。

基本情報
東京都世田谷区上野毛3-9-25　TEL：050-5541-8600（ハローダイヤル）
□アクセス：東急大井町線「上野毛駅」より徒歩5分
□開館時間：10:00 ～ 17:00（入館は16:30まで）
□休館日：月曜日（祝日の場合は開館し、翌平日休館）、年末年始、夏期整備期間、展示替期間
□入館料：一般1,000円、高・大学生700円、中学生以下無料　※入園料を含む（特別展は別途）

あわせて立ち寄りたい！
●長谷川町子記念館：日本のアニメーションを代表する『サザエさん』の原作者・長谷川町子の生誕100年を記念して2020年7月にオープン。
●長谷川町子美術館：漫画作家の長谷川町子が、姉の毬子と共に蒐集した美術品を展示。

gggの愛称で知られるギャラリー

ギンザ・グラフィック・ギャラリー（ggg）

地下1階の展示室一画の展示風景

国内でも有数のグラフィックデザインを専門とするギャラリー

　ギンザ・グラフィック・ギャラリー（ginza graphic gallery）は、中央区・銀座の「すずらん通り」と「交詢社通り」が交差する一角に建つ国内でも有数のグラフィックデザインを専門とするギャラリーです。

　3つのgの頭文字から「スリー・ジー（ggg）」の愛称で親しまれている本ギャラリーは、1986年、グラフィックデザインと密接なかかわりを持つ大日本印刷の文化活動の一環として、創業の地であり、画廊のメッカでもある銀座に開設されました。

　展示室は、入口に金文字の「ggg」のデザインが光るDNP銀座ビルの1Fと地下階にあり、グラフィックデザインを対象として、年間8回程度の企画展が開催されています。1階は外光も入る開放的な展示スペースですが、間接照明の当たる階段を下りた地下1階の展示室では、あらためてグラフィックデザインの素晴らしさと出会う落ち着いた展示空間が演出されています。

■過去の展覧会：ギンザ・グラフィック・ギャラリー第383回企画展「スポーツ・グラフィック」（2021年6～7月）、同第381回企画展「SURVIVE - EIKO ISHIOKA ／石岡瑛子 グラフィックデザインはサバイブできるか」（2020年12月～2021年3月）、同第380回企画展「いきることば つむぐいのち 永井一正の絵と言葉の世界」（2020年10～11月）、同第378回企画展「河口洋一郎 生命のインテリジェンス」（2020年1月30日～3月）など。

基本
情報
東京都中央区銀座7-7-2　DNP銀座ビル1F／B1F　TEL：03-3571-5206
□アクセス：東京メトロ「銀座駅」より徒歩5分
□開館時間：11:00～19:00　□休館日：日曜日、祝日
□入館料：無料

あわせて
立ち
寄りたい！
●セイコーミュージアム 銀座：創業の地・銀座にある「時計の進化の歴史」「和時計」「セイコーの歴史・製品」の展示のほか、スポーツ計時体験コーナーなどを通じて、誰でも楽しめる博物館。
●月光荘画材店：1917（大正6）年創業の世界で唯一オリジナル製品のみを扱う画材店。

152

東京工業大学博物館のサテライト

東京工業大学地球史資料館

東京工業大学地球史資料館の展示風景（写真提供：東京工業大学地球史資料館）

地球史解読の重要な手がかりとなる試料を6つのブロックで展示

　東京工業大学地球史資料館は、1995年に創設され、本学の教員が中心となり採取された資料の保管・展示と地球惑星科学研究成果の公開を通し、広く地域社会に貢献することを目的としています。

　世界各地から採取された16万個以上の岩石・鉱物試料は、総重量200トンにもおよび、岩石保管庫に収蔵され、採取地や年代別にデータベース化されています。当初、展示室は大岡山キャンパス内に位置する百年記念館の2階にありましたが、東京工業大学博物館のサテライトとして、2017年に現在の石川台地区の石川台実験棟1に移設されました。

　展示室では、地球史資料館に集められた研究用資料の一部として、地球史解読の重要な手がかりとなる試料をおもに公開していることが特徴で、地球46億年の歴史を学べます。

　順路に沿ってAブロックでは、宇宙が誕生した約138億年のなかで太陽系の歴史はその約3分1の約46億年で宇宙では中堅メンバーであることなどが、隕石とともに展示されていて、そのスケールには驚くばかりです。見どころは、Bブロックの世界中を旅して採取した"最古比べの"「最古コレクション」で、岩石で最古のものはカナダのアカスタで採取した約40億年前のもの。Dブロックでは動物の誕生から現在までの6億年の歴史を辿ります。Eブロックでは、「地球内部を探る」をテーマにダイヤモンドを含むエクロジャイトなどの展示が興味をそそります。

基本情報
東京都目黒区大岡山2-12-1　連絡先：admin@mue.titech.ac.jp
□アクセス：東急目黒線・大井町線「大岡山駅」より徒歩10分
□開館日：不定休　※公式ホームページで最新情報をご確認ください
□入館料：無料

あわせて立ち寄りたい！
●東京工業大学博物館：理系最高峰の国立大学として「東工大らしさ」を集約した博物館。
●五島美術館：国宝『源氏物語絵巻』をはじめとする数々の名品を収蔵。

153

オンワードホールディングスの新たな価値創造を目指す施設

KASHIYAMA DAIKANYAMA

KASHIYAMA DAIKANYAMAの全景（©Photo by Takumi Ota, Courtesy of KASHIYAMA DAIKANYAMA）

佐藤オオキのデザインオフィス・ネンドの国内初の大規模商業建築

　緩やかな小山のような構造の渋谷区・代官山。代官山を散策していると、箱を丘のように積み上げた目を引く建築が現れます。気になる建築ですが、ここは大手アパレルのオンワードホールディングスの新たな価値創造を目指した複合型商業施設。階段を下りた光あふれる開放的な空間のカフェが、この5階建ての建物のクリエイションとアートの発見の始まりです。

　大小さまざまな「コ」の字型の箱が重なる建物内には、外光が豊かに差し込み、自然の「丘」のように散策をすることができます。天然の木材や石、鉄など、自然を感じさせる素材の重なりと、植栽、階層ごとにつながる香りで彩られています。なかでも感心させられるのは石を使ったデザインで、丘の山頂・中腹・ふもとによって石の大きさが違うように、各フロアによって石の使い方に変化が与えられていることです。地下階では、小石を使用したモルタルの洗い出しを多用し、中層階ではかわいい水玉模様のタイルを嵌めた少し大きめの石を使用したテラゾーが象徴的に用いられています。さらに上階では大理石をそのまま用いることで、上階に行くにしたがって大きな面として石が見えてくるような変化をつくり出しています。見事としか言いようがありません。

　建物および内装デザインは佐藤オオキが率いるデザインオフィスnendo＋空間デザインオフィスonndoによるもので、訪れるたびに五感が刺激されます。

基本
情報

東京都渋谷区代官山町14-18　TEL：03-5784-1287（代表）
□アクセス：東急東横線「代官山駅」より徒歩5分
□開館時間：階ごとに時間が異なるので詳細はお問い合わせください
□休館日：4・5階のみ月曜日は休館、全館休館日は第1月曜日、ほかにも全館休館日あり

あわせて
立ち
寄りたい！

●アートフロントギャラリー：代官山ヒルサイドテラス内にあり、質の高い絵画やオブジェを扱っています。
●『七福神』：スペイン出身の作家、ジャウメ・プレンサのパブリックアート作品。オープンスペースにベンチを囲むガラスブロックは、それぞれが七福神を表しています。

154

復元建築物を含む森全体が一体となった博物館

府中市郷土の森博物館

府中市郷土の森博物館本館の外観

敷地内に博物館本館、プラネタリウム、復元建築物、梅園など

　かつて奈良・平安時代には武蔵国の国府が設置され、江戸時代には甲州街道の宿場町として栄え、明治以降は郡役所が置かれるなど、武蔵国や多摩地域の中心として歴史的役割を担ってきた府中。府中市郷土の森博物館は、その「郷土の森」の名のごとく、府中の自然・地形・風土の特徴を表現し、野外を含めた「森」全体を博物館とした総合博物館です。その中には、昔の農家や町屋、歴史的な復元建築物、梅園などもあり、博物館本館には、日本最大級のプラネタリウムが併設されています。本館エントランスの『知恵の門』（望月菊磨）、本館前の『魂』『祖』（速水史朗）などのアート作品もお見逃しなく。

■**常設展示**：本館2階にある常設展示室では、「くらやみ祭」「ムラのはじまり」「古代国府の誕生」「国府から府中へ」「宿場のにぎわい」「変わりゆく府中」「都市と緑」のコーナーで構成されていて、古代国府以来の伝統ある府中の歴史を中心に民俗・自然をビジュアルに紹介しています。

■**ぜひ鑑賞したい展示物**：郷土の森の中にある復元建物。旧府中町役場（東京都指定文化財）、旧府中郵便取扱所、旧三岡家長屋門（東京都指定文化財）など。

<table>
<tr><td rowspan="6">基本情報</td><td>東京都府中市南町6-32　TEL：042-368-7921</td></tr>
</table>

基本情報

□**アクセス**：JR武蔵野線・南武線「府中本町駅」より徒歩20分、京王・JR南武線「分倍河原駅」より徒歩20分、京王線・JR南武線「分倍河原駅」南側駅前ロータリーから「郷土の森総合体育館」行きバス約6分「郷土の森正門前」下車すぐ
□**開館時間**：9:00～17:00（入場は16:00まで）
□**休館日**：月曜日（祝日の場合は開館し、翌日休館）、年末年始、その他、臨時休館あり
　　※常設展示室は休室中（2022年3月まで）
□**入場料**：博物館の入場料は大人300円、中学生以下150円、4歳未満は無料
　　プラネタリウムの観覧料は大人600円、中学生以下300円、4歳未満は無料

あわせて立ち寄りたい！　●**府中市美術館**：江戸後期から現代にいたる絵画を中心としたコレクションは、1,000点を超えます。その中から常時60点ほどを選んで展示しています。

155

アフレスコ画の第一人者　洋画家・絹谷幸二の作品
きらきら渋谷

渋谷駅地下3階通路に設置の『きらきら渋谷』（絹谷幸二）

きらきらしてダイナミックな渋谷の街のエネルギーを全身で感じる

　大規模な再開発が進む渋谷駅の深淵部地下5階の東京メトロ副都心線・東横線からB3F改札を出てB1出口方向へ向かうと、通路右手に突然巨大な壁画『きらきら渋谷』が現れます。本作品の前は地下通路にしては贅沢な広場となっていて、引いた視線で作品全体を鑑賞できる恵まれた空間の中に設置されているため、その鮮烈な明るい色彩とスケール感が文字通りきらきらしてダイナミックな渋谷の街のエネルギーを全身で感じることができます。

■作家：絹谷幸二（きぬたに・こうじ）。洋画家。現代アフレスコ画（イタリア語の壁画技法：affresco）の第一人者で、日本洋画界を担う作家として活躍しています。豊かで自由なイマジネーション、極度の精神集中と持続力から生み出される作家の絵画世界には、鮮烈な色彩が奔流し、熱情と生の歓喜がダイナミックに展開します。

■作家より：文部省唱歌「春の小川」はその昔、里山で生れたが現代の「春の小川」は渋谷の街だ。新しいエネルギーと文化の薫りがいつも漂ってこの楽園に人々は集まり、より美しく、より楽しく、時を謳歌する。街全体が咲けよ、咲けよと、遊べ、遊べと、歌え、歌えよと招いているようだ。

■作品：陶板レリーフ。幅10m×高さ3.9m。公益財団法人日本交通文化協会の企画で、製作はクレアーレ熱海ゆがわら工房。

基本情報
東京都渋谷区渋谷1-22 ～ 24
□アクセス：東京メトロ副都心線「渋谷駅」B3F改札外通路B1出口方向（渋谷1丁目・明治通り方面）

あわせて
立ち
寄りたい！
●『渋谷の方位磁針 | ハチの宇宙』：渋谷の複合施設「MIYASHITA PARK」の屋上に設置されているアーティスト・鈴木康広による忠犬ハチ公をモチーフにしたパブリックアート。
●渋谷・トルコ 日本友好碑／平和の鐘：渋谷区役所前に設置のモニュメント。

156

独自の感性を持つ日本・アジアの作家を紹介

ミヅマアートギャラリー

ミヅマアートギャラリーのエントランスを見上げる

海外進出にも力を入れていて、国際的に活躍する作家を多数輩出

　ミヅマアートギャラリーは、エグゼクティブディレクターの三潴末雄により1994年に東京・青山に開廊しました。現在のミヅマアートギャラリーは、外濠沿いを走る桜並木が美しい外堀通りに面した新宿区・市谷田町の神楽ビル2階に位置しています。掲げられているギャラリーのエンブレムが良い目印になります。

　ギャラリーでは、その時々のスタイルにとらわれない独自の感性を持った日本およびアジアの作家を中心に、国際的なアートシーンを紹介しています。近年は、アートバーゼル香港やアーモリーショーなどの国際的なアートフェアにも積極的に参加するなど、海外進出に力を入れていて、国際的に活躍する作家を多数輩出しています。またアジアにおけるコンテンポラリーアートマーケットの発展と拡大化に伴い、2008年に北京、2012年にシンガポールのギルマンバラックスにMizuma Galleryを開廊。2014年にはインドネシアのジョグジャカルタに日本のアーティストと現地アーティストたちの交流の場としてレジデンススペース「ルマ・キジャン・ミヅマ」を開設しています(現在は閉鎖)。

■過去の展覧会：会田誠展「愛国が止まらない」（2021年7～8月）、会田誠、赤松音呂、O JUN、棚田康司、山口晃　グループ展「オーライ展」(2021年5～6月)、金子富之展「辟邪の虎」(2021年4～5月)など。

基本
情報
東京都新宿区市谷田町3-13　神楽ビル2F　　TEL：03-3268-2500
□アクセス：東京メトロ有楽町・南北線「市ヶ谷駅」より徒歩5分、JR中央線「飯田橋駅」西口より徒歩9分
□開廊時間：12:00～18:00　　□休廊日：日曜日・月曜日、祝日
□入館料：無料

あわせて
立ち
寄りたい!
●東京理科大学 近代科学資料館：建物は、東京物理学校の木造校舎の外観を復元したものです。
●宮城道雄記念館：箏曲の演奏家であり、「春の海」をはじめ、多数の名曲の作曲家として知られた宮城道雄の記念館。
音楽家の記念館としては、日本で最初のものです。

157

造形作家・友永詔三の手作り美術館
深沢小さな美術館

木彫の森の妖精と美術館入口

幻想的な木彫作品がぎっしり詰まった小宇宙に迷い込む

　この地へのアクセスは、徒歩もしくは車、いずれをとっても大冒険。最寄り駅から花と緑と清流を眺めて歩くこと約45分。車の場合は、いくつものすれ違えない細い道を奥深く分け入ってようやく辿り着けます。でも心配はご無用、ヘンデルとグレーテルの道しるべの光る白い石は必要ありません。要所要所に立つ赤い帽子の木彫りの道案内ジィージィー（森の妖精）が美術館へといざなってくれます。

　石畳のアプローチをぬけると、ちょこんと木のリンゴが置かれた美術館の扉が迎えてくれます。扉を開けて中に入ると、淡い照明の中に造形作家・友永詔三によるなんとも不思議な小宇宙が広がります。

　美術館の建物自体も、深沢の古民家を8年かけてご自身で改築されました。改築にあたっては、作家がその魅力を感じたというアントニオ・ガウディの初期建築を見るために、わざわざスペインのバルセロナまで行ったそうです。これも作家の造形作品のひとつではないかと納得してしまいます。建物もさることながら、展示室に併設された喫茶室の窓やテーブル、椅子ももちろん作家の手づくり。庭には大小の池が配置されていて、そのひとつには、めずらしいアルビノの白いチョウザメが泳いでいます。

■展示品：木やブロンズの少女像、木と和紙のオブジェ、和紙に手彩色の版画など、数々の素材を使った作品を展示。なかでも、人形美術を担当し人気を博したNHK連続人形劇『プリンプリン物語』の勢ぞろいしたキャラクターたちは圧巻です。

基本
情報
東京都あきる野市深沢492　TEL：042-595-0336
□アクセス：JR五日市線「武蔵五日市駅」より徒歩約45分、タクシーで約10分
□開館時間：10:00 ～ 17:00　□休館日：水曜日・木曜日、12月～ 3月（冬季休館）
□入館料：大人500円、小中高校生200円

あわせて
立ち
寄りたい！
●家具の博物館：昭島市のフランスベッド東京工場内にある博物館。伝統ある歴史上の家具を収集・保存し、家具の伝統を後世に伝えるとともに、新時代の家具の創造・研究に資することを目的に設立された博物館です。

158

椅子をテーマとした企業博物館

オカムラいすの博物館

8階の展示フロア「いすの展示室」

快適な空間づくりに欠かせない、椅子の歴史と進化を体感

　オカムラ山王ショールーム内にある、椅子に特化した博物館です。1階に展示してある真っ赤なスポーツモデル「ミカサ・ツーリング」が気になりますが、これについては後述するとして、7階から9階が博物館のフロアになっています。

　まず9階のシアタールームで「協力を資本として無から有を生む協同の工業」という岡村製作所のものづくりの全体像を掴むことから始まります。次に、7階の「いすの科学」のフロアで、椅子の人間工学やテクノロジーなどを、エルゴノミクス・シーティング・シミュレーターで体感できます。ツアーの最後は8階の「いすの展示室」。展示されている椅子の数に圧倒されますが、展示してある椅子は、すべて実際に座って座り心地を体感できるのがうれしい点です。

■展示品：創業時から現代に至るまでのオフィスなどに使われた椅子を一同に集めた展示を通して、オフィス・シーティングの歴史を紐解くことができます。展示品はそれぞれ興味深く、歌舞伎座の椅子、NHKホールの座席、ユーロスターのイタリアETR500のシート、小田急ロマンスカーのシート、京成スカイライナーのシートなどに、一度に座れるのはめったにない機会です。

■ミカサ：岡村製作所が1950年にトヨタに先駆けて国産初となるトルクコンバータ（自動変速装置）を開発し、1955年にこの装置を用いて製造・販売した日本初のオートマチック車も展示されています。

基本
情報
東京都千代田区永田町2-13-2　TEL：03-3593-6195
□アクセス：東京メトロ「赤坂見附駅」より徒歩5分、東京メトロ「溜池山王駅」より徒歩5分
□開館時間：2021年8月1日より一時休館中　※公式ホームページで最新情報をご確認ください
□入館料：無料

あわせて
立ち
寄りたい！
●日枝神社宝物殿ギャラリー：日枝神社が徳川幕府の直轄神社であった関係で、関連する資料が多くを占めています。常設展示のみですが、朱印状を除いて定期的に展示替えがあります。
●『White Deer』：名和晃平のパブリックアート作品で、東京ガーデンテラス紀尾井町にあります。

東京都選定歴史的建造物「耕雲館」を公開の博物館

駒澤大学禅文化歴史博物館

天井のステンドグラス

駒澤大学禅文化歴史博物館の
外観

現代建築にはない装飾が建物各部に施され造形美を楽しむ

　駒澤大学の駒沢キャンパスを歩いていると、高層の校舎に囲まれながらも、屏風のように稲妻型の外壁を覆うスクラッチタイルの堂々とした風格を備えた建物が目を引きます。この建物は、1928（昭和3）年に建設された「耕雲館」。旧駒澤大学図書館で、銀座サッポロライオンビヤホールなどで著名な建築家・菅原榮蔵の設計によるものです。「耕雲館」の名は、禅語「耕雲種月（雲を耕し、月に種を植えるように、苦労をいとわず、着実に努力するさま）」から採られました。

　1999（平成11）年に「耕雲館」が「東京都歴史的建造物」に選定されたことを契機に開校120周年記念事業の一環として、2002（平成14）年6月1日に駒澤大学禅文化歴史博物館としてリニューアルオープンしました。

　館内外にはフランク・ロイド・ライトの建築風のモチーフなど、大正時代に流行した外来様式が巧みに折衷されています。館内に入ると、吹き抜けの中央ホールで須弥壇と一佛両祖像が迎えてくれ、万華鏡のようなステンドグラスから入るやわらかい光が、「禅」の象徴空間を演出しています。また、回廊のテラコッタなど、現代建築にはみられない装飾が建物の各部に施され、造形美を楽しめます。

　展示室は3つに分かれていて、1階は本学の特色を生かした禅の文化と歴史がテーマの常設展示室、2階はさまざまな情報を発信する企画展示室と大学史展示室で構成されています。

基本情報

東京都世田谷区駒沢1-23-1　駒澤大学駒沢キャンパス内　TEL：03-3418-9610
□アクセス：東急田園都市線「駒沢大学」駒沢公園口出口より徒歩約10分
□開館時間：10:00 〜 16:30（入館は16:15まで）　※事前予約制
□休館日：土曜日・日曜日、祝日、大学の定める休業日
□入館料：無料

あわせて
立ち
寄りたい！

●長谷川町子美術館：『サザエさん』の漫画作家として知られる長谷川町子が、姉の毬子と共に蒐集した美術品を長谷川町子美術館として公開しています。

●長谷川町子記念館：長谷川町子の作品世界や、作家の生涯に深く触れられる記念館です。

160

「一口館長制度」による市民立の美術館

東京おもちゃ美術館

「おもちゃのまち あか」（写真提供：東京おもちゃ美術館）

美術館エントランス（写真提供：東京おもちゃ美術館）

『サンタクロース号』

遊びを通して多世代の交流ができるおもちゃあふれるミュージアム

「人間が初めて出会う芸術は、おもちゃである」という理念から、「美術館」という名前にしたそうです。「一口館長制度」にもとづくお金の寄付と、ボランティアスタッフの「おもちゃ学芸員」による時間の寄付によって成り立っている「市民立」のミュージアムです。心を癒す木のおもちゃや大人も楽しいボードゲームなどを実際に手にとって楽しめ、遊びを通した「多世代交流」ができるにぎやかな美術館です。

　閉校した四谷第四小学校の一部をリノベーションして、中野から現在の四谷に移転。昭和初期にドイツの建築技法を取り入れて設計された校舎を活かしたシックな色とデザインが特徴となっています。旧校舎の2階と3階が美術館となっています。

■展示室：部屋全体に使われている木材は国産にこだわり、おもちゃもすべて日本各地の国産材でそろえた「おもちゃのもり」や、赤（朱色）で彩られ、日本の路地裏をイメージして、あえて入口を狭くしている「おもちゃのまちあか」など、館内に10部屋ある展示室にはそれぞれにテーマが設けられていて、楽しめる工夫がいっぱい詰まっています。

■『サンタクロース号』：パリでハートマンの作品を目にした故・津川雅彦が「サンタクロースをテーマにした作品を」と依頼して制作されたもの。常時展示されていますが、動いている姿が見られるのはクリスマスのシーズンだけですので、お見逃しなく。

基本情報

東京都新宿区四谷4-20　四谷ひろば内　TEL：03-5367-9601
□アクセス：東京メトロ丸ノ内線「四谷三丁目駅」2番出口より徒歩5分、都営新宿線「曙橋駅」A1出口より徒歩8分
□開館時間：10:00～16:00（完全事前予約制）　□休館日：木曜日
□入館料：大人（中学生以上）1,100円、こども（6か月～小学生）800円

あわせて立ち寄りたい！

●佐藤美術館：美術専攻学生の支援を目標に掲げている美術館。コレクションの中核となっている花と緑・日本画美術館から引き継いだ作品は50点で、高山辰雄、上村松篁、小倉遊亀らの作品が含まれています。

161

駅前の喧騒を一歩離れた落ち着いた環境の美術館

八王子市夢美術館

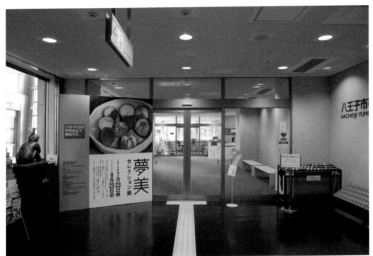

八王子市夢美術館のエントランス（写真提供：八王子市夢美術館）

日常生活の中で市民が気軽に親しめる「くらしの中の美術館」

　八王子市夢美術館は、JR中央線「八王子駅」の駅前の喧騒から一歩離れた落ち着いた環境の市街地に完成した地上29階建ての再開発ビル・ビュータワー八王子の2階にあります。2003（平成15）年10月に、市民が気軽に親しめる「くらしの中の美術館」として開館しました。ビルに掲げられた美術館のバナーが、沿道を歩く人々の目に止まります。

　館内は、第1展示室から第3展示室まであり、年5回程度の特別展（企画展示）を開催し、また年間を通して常設展（収蔵品展示）も行われています。あわせてワークショップや講演会なども企画され、学習機会の場を提供しています。日常生活の中でさまざまな美術品とふれあい、豊かな感性を育むことができる、魅力あるまちづくりの拠点となっています。

■過去の展覧会：特別展・東日本大震災から10年「土門拳×藤森武写真展－みちのくの仏像」（2021年2〜3月）、笠間日動美術館コレクション「近代西洋絵画名作展－印象派からエコール・ド・パリまで」（2020年11月〜2021年1月）、「宮廷画家 ルドゥーテとバラの物語」（2020年9〜11月）など。

■収蔵品：大野五郎『婦人像』、城所祥『Green Apples IV』、堀井英男『記憶のそとで（89-4）』、清原啓子『領土』、鈴木信太郎『越後の海』、小島善太郎『滝山展望（滝山城趾より多摩川を望む）』『読書』『大皿の桃』など。

基本
情報

東京都八王子市八日町8-1　ビュータワー八王子2F　TEL：042-621-6777
□アクセス：JR中央線「八王子駅」北口より徒歩15分、京王線「京王八王子駅」より徒歩18分
□開館時間：10:00〜19:00（入館は18:30まで）　□休館日：月曜日（祝休日の場合は開館し、翌火曜日が休館）、年末年始、展示替期間　※休館日は変更になることがあります
□入館料：展覧会によって異なります

あわせて
立ち
寄りたい！

●東京富士美術館：池田大作SGI（創価学会インタナショナル）会長により設立された総合的な美術館。日本・東洋・西洋の各国、各時代の絵画・版画・写真・彫刻・陶磁・漆工・武具・刀剣・メダルなど、さまざまなジャンルの作品約30,000点を収蔵。

162

オーク表参道のエントランスホールのアート

究竟頂（くっきょうちょう）

エントランスホールを演出する
『究竟頂』（杉本博司）

杉本博司の巨大な数理模型『究竟頂』を楽しむ

　ハナエ・モリビルの愛称で親しまれてきた旧・青山大林ビルの跡地にできた「オーク表参道」。その
エントランスの空間デザインを杉本博司が担当しました。

　高い吹き抜けの空間を包含する両サイドの石壁と、奥に伸びる階段の先から射す光。表参道にいる
とは到底思えない神秘的な空間に入り込んだような感覚を覚えます。その高い天井から、杉本博司の
数理模型シリーズのひとつ『究竟頂』が床に向かって伸びています。

　インスタレーション作品は、床や壁面に設置してあるものと思っていた固定観念が覆され、まさかの
天井から伸ばすという発想に度肝を抜かれます。作品のタイトルとなっている「究竟頂」とは、極楽浄土
を具現化した京都・金閣寺（鹿苑寺）の中でも、阿弥陀三尊と二十五菩薩を祭る最上階（究極の極楽浄
土）を指すのに選ばれた言葉です。

■作家：杉本博司（すぎもと・ひろし）。現代美術作家。本作品にみられるように緻密な数学的な解釈
を作品に落し込んでいるような作品が多くみられます。2017年には小田原に能舞台やギャラリー、茶
室などを備えた文化施設「小田原文化財団 江之浦測候所」を開館しました。

■作品：本作品の場合、「接地面」ではなく、天井の「接着面」の直径は約1.8m、長さは約6m。数理
式の計算値にしたがって下に向かってその直径は次第に小さくなり、先端は直径5mmに。

基本
情報

東京都港区北青山3-6-1　Oak Omotesando（オーク表参道）のエントランス
□アクセス：東京メトロ銀座線・千代田線・半蔵門線「表参道駅」A1出口すぐ、
　東京メトロ千代田線・副都心線「明治神宮前〈原宿〉駅」5出口より徒歩3分

あわせて
立ち
寄りたい！

●エスパス ルイ・ヴィトン東京：ルイ・ヴィトンと日本の共通点であるクリエイティビティに対する情熱への象徴であるこ
のアートスペースは、著名な建築家である青木淳がデザインしたルイ・ヴィトン表参道ビルの7階に位置しています。

六本木のピラミデビル1階にあるギャラリー

PERROTIN（ギャラリーペロタン東京）

ピラミッド側から見るPERROTIN外観

エマニュエル・ペロタン氏創業の現代美術ギャラリーの東京支店

　PERROTIN（ペロタン東京）は、エマニュエル・ペロタンがパリで創業した現代美術のギャラリーPERROTINの5番目のギャラリーとして、2017年に六本木に開設しました。

　六本木は、complex665など個性豊かな実力派のギャラリーが数多く集積している東京のアートシーンを語るうえで外せない街のひとつです。

　建築家のアンドレ・フーが空間設計を担ったPERROTINは、ガラスのピラミッドが建つビルの中庭のパティオに面しているため、訪ねる多くの人々の視線を集めます。ギャラリースペースに隣接してブックストア兼イベントスペースのPERROTIN STORE TOKYOがあり、版画、カタログ、限定コラボ商品など、アーティストにまつわる商品が揃っています。ギャラリー鑑賞のあとにぜひ立ち寄ってみてください。

■エマニュエル・ペロタン：フランスの画商。世界のコンテンポラリー・アートシーンを牽引するギャラリストのひとりで、日本国外で初めて村上隆の展示を行ったことで知られています。21歳のときに最初のギャラリーを開設以来、アーティストの作品を鑑賞する創造的な環境を提供することを目的とし、世界中に展示スペースを開設。

■過去の展覧会：リー・ベー（李英培）個展「THE SUBLIME CHARCOAL LIGHT」（2020年7～8月）、村上隆個展「SUPERFLAT DORAEMON」（2019年11月～2021年1月）など。

基本
情報
東京都港区六本木6-6-9　ピラミデビル1階　TEL：03-6721-0687
□アクセス：東京メトロ日比谷線「六本木駅」3出口より徒歩2分
□開館時間：11:00～19:00　□休館日：日曜日・月曜日、祝日
□入館料：無料

あわせて
立ち
寄りたい！
●complex665：ピラミデビルのすぐお隣にあるギャラリーコンプレックス。　日本を代表する現代美術ギャラリーが集積しているので、ギャラリーをハシゴすることができます。
●森美術館：六本木ヒルズ最上部53階に位置する国際的な現代アートの美術館。

164

港区・南青山にある日本有数の歴史ある美術館

根津美術館

根津美術館正門からのアプローチ（写真提供：根津美術館）

国宝7件、重要文化財88件を所蔵する日本有数の歴史をもつ

　根津美術館は、東武鉄道の社長などを務めた実業家・初代根津嘉一郎の遺志により、蒐集した日本・東洋の古美術品コレクションを一般に公開するため、1941（昭和16）年に南青山の根津家敷地内に開館しました。第二次世界大戦以前からの歴史をもつ、日本では数少ない美術館のひとつです。

　恵比寿から六本木に続く「美術館通り」と「みゆき通り」が交わる一画に建つ同館。2009年には、和風家屋を思わせる大屋根が印象的な同館が新創開館しました。設計は、日本を代表する建築家・隈研吾。建物前面の道路沿いに植栽された特徴のある竹が印象的です。金明孟宗竹という竹で、黄色い竹の一部が緑色の市松模様で、自然が創り出したアートに思わず見とれてしまいます。正門からは、美術館の建屋に沿って竹をテーマにしたアプローチの先が美術館の入口です。

　『燕子花図屏風』をはじめとした国宝7件、重要文化財88件、重要美術品94件を含む日本・東洋古美術約7400件のコレクション（2020年3月末）の中から、分野ごとに選りすぐりの名作が年7回の展覧会で紹介されています。

■過去の展覧会：企画展「茶入と茶碗 ─大正名器鑑の世界─」（2021年5〜7月）、企画展「狩野派と土佐派─幕府・宮廷の絵師たち」（2021年2〜3月）、企画展「きらきらでん（螺鈿）」（2021年1〜2月）、財団創立80周年記念特別展「根津美術館の国宝・重要文化財」（2020年11〜12月）など。

基本
情報
東京都港区南青山6-5-1　TEL：03-3400-2536
□アクセス：東京メトロ銀座線・半蔵門線・千代田線「表参道駅」A5出口より徒歩8分
□開館時間：10:00〜17:00（入館は16:30まで）　※日時指定の予約制
□休館日：月曜日（祝日の場合は開館し、翌火曜日休館）、展示替期間、年末年始
□入館料：展覧会によって異なります

あわせて
立ち
寄りたい！
●紅ミュージアム：伊勢半本店は、江戸時代創業で、現在に残るたった一軒の紅屋。創業時から今日まで受け継いできた紅づくりの技と、化粧の歴史・文化を数々の資料と共に公開。
●岡本太郎記念館：岡本太郎のアトリエ兼住居だった強烈な個性が溢れる記念館。

165

東京メトロ東西線「葛西駅」高架下に立地
地下鉄博物館

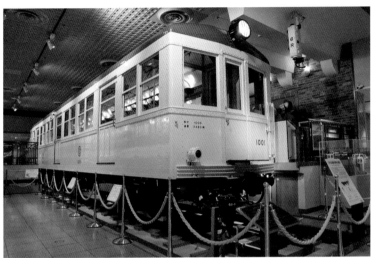

日本最初の地下鉄車両1001号車(国の重要文化財指定)

地下鉄の歴史から新しい技術までを体感できる参加型ミュージアム

　東京メトロ東西線に乗って地下鉄博物館の最寄駅である「葛西駅」に近づくと "葛西、地下鉄博物館前"との車内アナウンスが入り、期待感が高まります。

　葛西駅高架下に位置している関係で館内は横長の構造。展示は「地下鉄の歴史」から「ホール」までの8つのエリアが直線的に順番に配置されていて、順路としてはたいへん観やすくなっています。

　それぞれ見応えのある展示内容のなかでも、特に見応えがあるのは2017年に国の重要文化財の指定を受けた日本初の地下鉄車両1001号車です。

　レモンイエローが鮮やかな地下鉄車両1001号車は、1927年12月30日、東京地下鉄道が東洋初の地下鉄として営業を開始した上野〜浅草間2.2kmを走行した車両で、その後1968年4月までの約40年間、一貫して、営団地下鉄(現在の東京メトロ)銀座線で活躍しました。歴史的価値が高い文化財車両の保護のため中には入れませんが、外から当時の様子を再現した車内を見ると、乗客の服装が和装と洋装の混在が見てとれ、掲示されている車内マナー喚起の「おことわり」や、吊手は使用しないときはばねで跳ね上がる構造のリコ式(スプリング式)が採用されているなど、興味をそそられます。

■過去の特別展:特別展「南北線全通20周年記念展」(2021年1〜3月)、特別展「収蔵品に見る開通・開業ポスター展」(2020年8〜9月)など。

基本
情報
東京都江戸川区東葛西6-3-1　東京メトロ東西線葛西駅高架下　TEL:03-3878-5011
□アクセス:東京メトロ東西線「葛西駅」下車すぐ(※快速列車は止まりません)
□開館時間:10:00〜17:00(入館は16:30まで)
□休館日:月曜日(祝日・振替休日の場合、翌日休館)、年末年始
□入館料:大人220円、こども100円(満4歳以上中学生まで)
※障がい者手帳をお持ちの方の入館料は一般の半額割引(本人および介護者1名)

あわせて
立ち
寄りたい!
●東京都現代美術館:江東区・三好の木場公園内に立地する都立の美術館。日本の戦後美術を中心に内外の現代美術を展示。斬新な建築は、建築家・柳澤孝彦の設計によるもの。

166

国の重要文化財に指定の自由学園の旧校舎

自由学園明日館

自由学園明日館の外観（写真提供：自由学園明日館）

建築家フランク・ロイド・ライトと遠藤新の設計による建物群

　自由学園明日館（じゆうがくえんみょうにちかん）は、1921（大正10）年、ジャーナリストで教育者の羽仁もと子と吉一夫妻が創立した自由学園の校舎です。アメリカが生んだ巨匠フランク・ロイド・ライトの設計により建築され、生徒数の増加により1934年に移転（現・東久留米市）するまで校舎として使われました。

　明日館建設にあたり羽仁夫妻にライトを推薦したのは建築家・遠藤新。帝国ホテル設計のため来日していたライトの助手を勤めていた遠藤は、友人でもある羽仁夫妻をライトに引きあわせました。夫妻の目指す教育理念に共鳴したライトは、「簡素な外形のなかにすぐれた思いを充たしめたい」という夫妻の希いを基調とし、自由学園を設計しました。

　1997年には国の重要文化財に指定され、その後は、文化財として見学に開放されています。

　館内のみどころのひとつ、芝生の緑が鮮やかな前庭を臨むホールの大きなシンメトリーにデザインされたステンドグラスを模した窓は、明日館の顔とも言える部分です。ホールに置かれた六角の椅子と創立10周年を記念して生徒の手によって描かれた壁画、食堂、記念室、講堂なども必見です。建物内見学可能日の指定時間には、明日館スタッフによる30分程度の建物ガイドが開催され、建物のことはもちろん、フランク・ロイド・ライトや遠藤新のことなどを織り交ぜながら解説を聞くことができます。

基本情報

東京都豊島区西池袋2-31-3　TEL：03-3971-7535
□アクセス：JR・東京メトロ「池袋駅」メトロポリタン口より徒歩5分
□見学時間：10:00 〜 16:00
□休館日：月曜日（休日の場合は翌平日）、年末年始、不定休あり　※要事前確認
□入館料：喫茶付見学800円、見学のみ500円

あわせて
立ち
寄りたい！

●中村彝アトリエ記念館：大正期に活躍した洋画家・中村彝の下落合のアトリエが後年増築された建物を当初の姿に復元・整備し、2013（平成25）年から新宿区立中村彝アトリエ記念館として公開しています。
●切手の博物館：切手収集家・水原明窓が設立した世界でも珍しい郵便切手の専門博物館です。

167

和紙舗「榛原」が所蔵する歴史的資料を展示

聚玉文庫ギャラリー

聚玉文庫ギャラリーの外観

榛原を象徴する千代紙柄である「色硝子」をモチーフとした外観

　東京メトロ「日本橋駅」すぐ近く、日本橋交差点角の江戸文化の起点とも言える場所に建つ東京・日本橋で200年以上続く和紙舗の「榛原（はいばら）」の本店。
「聚玉（しゅうぎょく）文庫ギャラリー」は、榛原が集積してきた資料を広く公開している本店店舗内のギャラリーのことです。所蔵資料は江戸・明治・大正期を中心とする肉筆画・摺り物・画稿・版木・千代紙・彫刻などの美術工芸品、書籍類、原稿など。明治期の榛原の当主・3代目榛原直次郎は芸術への造詣が深く、時代を代表する作家と交流を深め、榛原商品の図案を依頼しました。便箋、団扇、千代紙など、日常生活で使う品々に芸術家の作品を取り込むことで、人々の生活と芸術を繋ぐことが目的でした。当時の図案は、現在も榛原に保管されていて、商品開発の参考とされています。
　日本橋においてモダンで、しかし日本情緒ある店舗の外観は、榛原を象徴する千代紙柄である「色硝子」をモチーフとしています。明治期の土蔵造りの建物のイメージを現代に再現するため、煉瓦職人による土練の技術と、瓦職人による成型技術を用い「3D カワラブリック」を特注したもの。凹凸のあるブロックを組み合わせて、紋様を構成するという試みが採用されています。コンセプトの発案は、榛原の社長をはじめ社員の方々が考えたそうです（中村陽子さん談）。伝統を継承しつつ新しいことに挑戦する和紙舗の心意気を感じます。

基本情報

東京都中央区日本橋2-7-1　東京日本橋タワー　TEL：03-3272-3801
□アクセス：東京メトロ銀座線「日本橋駅」B6出口より 徒歩1分
□開館時間：10:00 ～ 17:30　□休館日：祝日、年末年始
□入館料：無料

あわせて立ち寄りたい！

●アーティゾン美術館：ブリヂストンの創業者・石橋正二郎のコレクションを公開した旧ブリヂストン美術館が新築のミュージアムタワー京橋に、アーティゾン美術館として2020年1月に開館。
●三井記念美術館：洋風の建築空間のなかに日本および東洋の美術品を展示しています。

168

建築家・柳澤孝彦の設計による斬新な建築

東京都現代美術館（MOT）

東京都現代美術館の外観（写真提供：東京都現代美術館）

日本の戦後美術を中心に内外の現代美術を展示

　東京都現代美術館は、日本の戦後美術を中心に広く内外の現代美術を体系的に研究・収集・保存・展示することを目的に1995年に開館しました。東京オペラシティなどを手がけた建築家・柳澤孝彦（TAK建築研究所）の設計による斬新な建築がランドマークとなっています。

　三ツ目通りに面したメインエントランスから館内に入ると、高い天井をもつ、全長140メートルの大空間のエントランスホールが目の前に広がります。館内は地下2階から地上3階まであり、現代美術を中心に、幅広いテーマ、ジャンルを扱った多彩な企画展を年間6～8本開催。おもに1945年以降の国内外の美術の歴史を紹介するコレクション展は、収蔵作品の中から年間を4期に分けて各回およそ100点の作品を展示しています。

■過去の展覧会：「ライゾマティクス_マルティプレックス」「マーク・マンダース　－マーク・マンダースの不在」「MOTコレクション　コレクションを巻き戻す」いずれも2021年3～6月など。

■収蔵作品：東京都美術館（台東区・上野公園）が収集してきた現代美術コレクションを中心に、日本の戦後美術を概観できる日本国内でも優れたコレクションを持ちます。現在の収蔵作品数は約5,500点におよび、各々の時代を切り拓いてきた革新的な傾向の作品が中心になっていることも同館コレクションの魅力のひとつです。

基本情報

東京都江東区三好4-1-1(木場公園内)　TEL：050-5541-8600(ハローダイヤル)

□アクセス：東京メトロ半蔵門線「清澄白河駅」より徒歩9分、都営大江戸線「清澄白河駅」より徒歩13分

□開館時間：10：00～18：00（展示室入場は閉館の30分前まで）　□休館日：月曜日、年末年始、その他

□入館料：展覧会によって異なります

あわせて立ち寄りたい！

●深川江戸資料館：江戸時代に関する資料などを収集し、保存および展示している江東区立の資料館。深川佐賀町の街並みを実物大で再現しています。

●すみだ北斎美術館：北斎および門人の作品を紹介するほか、「すみだ」との関わりも紹介。

169

旧「こどもの城」に建つ岡本太郎の作品

こどもの樹

『こどもの樹』
（岡本太郎）

広がる樹と子どもの表情からあふれだす生命力に圧倒

　表参道駅から徒歩8分、1985年に開館した国立総合児童センター「こどもの城」の正面にシンボルモニュメントとして設置された岡本太郎作の『こどもの樹』。この施設は、2015年に老朽化を理由に惜しまれつつ閉館しましたが、東京都が土地と建物を国から購入する計画を進めていて、『こどもの樹』は敷地に残して活用する方針を明らかにしました。地域の象徴として親しまれてきたとして、施設と一体で引き継ぐ考えだそうです。

　ぜひ存続させていただきたい本作品ですが、心して眺めてみると、野太い幹から枝を縦横無尽にニョキニョキと広げる樹の生命力と、枝の先のそれぞれ個性のある顔をもった子どもの生命力、そのふたつが、雑念なしのストレートにタイトル通りに迫ってくるように感じます。

■作家：岡本太郎（おかもと・たろう）。大阪・万博記念公園の『太陽の塔』や、渋谷マークシティ連絡通路に設置の巨大壁画『明日の神話』など、数々の印象的な芸術作品を残したことで知られる日本を代表する芸術家。流行語にもなった「芸術は、爆発だ！」など名言を数多く残しています。

■作品：高さ7.5メートル、幅5.2メートルで、台座から伸びる太い幹から表情豊かでカラフルな顔がいくつも飛び出していて、文化や人種を越えた子どもの姿を表していると言われています。モニュメントの台座としては低く抑えられていますが、それは子どもが自由に登れるようにとの作家の想いからだと言われています。

基本
情報

東京都渋谷区神宮前5-53-1
□アクセス：東京メトロ銀座線「表参道駅」B1出口より徒歩8分

あわせて
立ち
寄りたい！

●ヨックモックミュージアム：「ヨックモック」創業者の「菓子は創造するもの」という想いを受け継ぎ、創業家二代目の藤縄利康がその言葉やお菓子と共鳴するピカソのセラミック作品を展示するために開館した美術館。

日本で最も歴史のある洋画専門の画廊

日動画廊

紫陽花が咲く沿道から臨む日動画廊のギャラリー外観

銀座の歴史と共に歩んできた「街の美術館画廊」を信条に

「日本で最も歴史のある洋画専門の画廊」と聞くと、なかなか入りづらい印象がありますが、お話を伺うとそこに見えてくるのは、画廊として誇りをもってすべてのお客様の多様なニーズに応えるパートナーとして、「洋画の百貨店」と言われることを良しとする姿勢です。

　画廊として長年培ってきた確かな目で厳選した油彩、彫刻、版画を主に、内外の物故・現存あわせてその取扱作家は数百名に及びます。「資産価値として絵画を扱うのではなく、お客様にその絵にほれ込んでいただくのが信条」というのがうなずけます。銀座での食事前にワクワク感のあるおしゃれな待ち合わせの場所として気軽に入り、好きな画家に出会い、そのあとの食事の際の話題にするのもありでしょう。

　ところで、入口に鎮座まします2体の灯篭のような石像が気になりませんか。これには、戦前、朝鮮半島から日本への輸入業をしていた通称「朝鮮爺さん」の輸入品を縁あって展示することになりましたが、いつまで経っても一番大きなこの石像には買い手がつかずそのまま現在に至るという興味深い物語があります。

■展覧会：代表的な展覧会は、年1回紫陽花の季節の初夏に開催される「太陽展」で、2021年には58回目を迎えています。新進気鋭の作家の新作から物故作家の名品まで新旧の競演を楽しむことができます。画廊で展示されている作品は、お手頃な数万円のものから数億円のものまで多彩です。

基本
情報　東京都中央区銀座5-3-16　TEL：03-3571-2553
　□アクセス：東京メトロ銀座線「銀座駅」B9出口より徒歩1分
　□開廊時間：10:00 〜 18:30（平日）／ 11:00 〜 17:30（土曜日・祝日）　□休廊日：日曜日

あわせて
立ち
寄りたい！　●『若い時計台』：銀座・数寄屋橋公園に設置されている岡本太郎によるパブリックアート作品。　数寄屋橋ライオンズクラブの結成記念として造られました。時計はシチズン社製です。
●銀座 柳画廊：近代洋画を主として、日本の若手作家から海外の巨匠作家まで幅広く取り扱っている画廊です。

開業当時の新橋停車場をできるだけ忠実に再現

旧新橋停車場 鉄道歴史展示室

旧新橋停車場の正面出入口

旧新橋停車場駅舎の再現に合わせて開設された鉄道歴史展示室

　JR「新橋駅」銀座口より徒歩5分、昭和通り沿いの植栽越しに、周辺にそびえる高層ビル群の中にあって、重厚な地上2階建ての鉄筋コンクリート造の建物が目に飛び込んできます。入口のアーチが印象的なこの建物は、1872（明治5）年10月14日に開業した日本最初の鉄道ターミナル「新橋停車場」の駅舎（関東大震災で駅舎本屋を焼失）の外観を、当時と同じ位置に、できるだけ忠実に再現したものです。再建にあたっては、残された遺構の寸法と当時の鮮明な外観写真に基づき、コンピューターによる3次元解析によって、外観寸法を正確に割り出しました。

　この新橋停車場駅舎は、アメリカ人建築家ブリジェンスの設計による木骨石張りの構造で、西洋建築がまだ珍しかった時代の東京で、鉄道開業直後に西洋風に整備された銀座通りに向かって偉容を誇っていました。

　再現に合わせて開設された鉄道歴史展示室は、螺旋階段を上がった2階が企画展示室で、1階が常設展示となっています。常設展示は、旧新橋停車場の縮尺100分の1の模型や新橋停車場駅舎の外壁に張られたと言われる伊豆斑石の石材が展示室の壁面に展示されています。展示室の床の一部はガラス張りで、開業当時の駅舎基礎石の遺構を見ることができます。お雇い外国人が使っていた西洋陶磁器類、改札鋏や工具類、汽車土瓶など、発掘調査で出土した遺物の展示品も見どころです。

基本情報
　東京都港区東新橋1-5-3　TEL：03-3572-1872
　□アクセス：JR「新橋駅」銀座口より徒歩5分、都営大江戸線「汐留駅」新橋駅方面改札より徒歩3分、
　　東京メトロ銀座線「新橋駅」2番出口より徒歩3分
　□開館時間：10:00 ～ 17:00（入館は16:45まで）
　□休館日：月曜日（祝祭日の場合は開館し、翌火曜日休館）、年末年始、展示替期間、設備点検時
　□入館料：無料

あわせて
立ち
寄りたい！
　●パナソニック汐留美術館：世界で唯一ルオーを冠した「ルオー・ギャラリー」で作品を常設展示しています。
　●アドミュージアム東京：世界でただひとつの広告ミュージアム。同館では、江戸時代から今日までの約28万点に及ぶ広告資料を所蔵し、各時代を反映した広告作品を展示しています。

KDDIの研修センター内に設置のギャラリー

KDDI ART GALLERY

KDDI ART GALLERY展示室風景（一部）

「先端技術」と対比した「感性との出会い」がコンセプト

　KDDI ART GALLERYは、京王・小田急「多摩センター駅」中央口からパルテノン大通りを辿った先のKDDIの研修センター（LINK FOREST）の2階に位置しています。
「先端技術」と対比した「感性との出会い」をコンセプトに、自然や私たちの地球で繰り広げられるさまざまな営みを共通のテーマに据えて、多彩な作品が同時に紹介されています。

　展示室は回廊構造となっていて、所蔵品約300点の中から60点前後が常設展示されています。東山魁夷や平山郁夫など日本特有の美の感受性で育まれた名匠の作品と海外の文化から生まれたブラマンクやルソー、梅原龍三郎らの洋画に加え、エミール・ガレやドーム兄弟、ワルターといったヨーロッパを代表するガラス工芸にも光をあて、多彩な表現との一堂に会しての「出会い」は、本ギャラリーの大きな特徴です。

　作品展示について特記すべきは、観る側に立っての見せかたの工夫が印象に残ります。そのひとつが、エミール・ガレの展示では鏡を使って裏のサインが見えるようになっています。加えて、冒頭の「先端技術」の切り口では、au5G×ARを活用した新たなアート鑑賞を体験できます。多様な美術作品の思いがけない出会いに感動すると同時に、その感動がインスピレーションを呼び起し、新たなアイディアの創出につながる場となっています。

基本
情報

東京都多摩市鶴牧3-5-3　LINK FOREST 2F　TEL：03-6678-0721
□アクセス：小田急・京王「多摩センター駅」から徒歩10分、多摩モノレール「多摩センター駅」から徒歩8分
□開館時間：10:00 ～ 17:00（事前予約制）　□開館日：水曜日・金曜日
□入館料：無料

あわせて
立ち
寄りたい！

●KDDI MUSEUM：KDDI ART GALLERYと同じ研修センター 2Fにある博物館。
●多摩美術大学美術館：大学附属の美術館で、歴史的芸術から現代芸術まで、幅広いジャンルの創造の世界を、展覧会やワークショップ、公開講座などによって紹介しています。

小石川植物園に残っている最も古い建物
柴田記念館

柴田記念館外観

東京大学植物学教室の柴田博士や植物園の歴史を紹介展示

　柴田記念館は、文京区・白山の小石川植物園の正門からゆるやかな坂を上り切ったところを右に折れた突き当たりにあります。煙突が印象的な本館は、1918（大正7）年、当時植物園内にあった東京大学植物学教室の柴田桂太教授が植物生理化学の研究業績に対して授与された学士院恩賜賞の賞金を寄付し、それをもとに翌年に建設され、生理化学の研究室として使われていました。戦時中の空襲にあっても被災のなかった、植物園に残っている最も古い建物です。2005年春に、外装が改修され、内部も展示・講演を目的とした部屋に改装されました。

　館内では、柴田博士や植物園の歴史を紹介する資料のほか、植物学関連の出版物などの展示品を見ることができ、園内で唯一のショップもあります。また、キュレーターが入っての企画展も開催されています。めずらしいのが、小石川植物園限定の、江戸時代〜明治時代に活躍した植物画家・小石川植物園画工の手になる植物画のグリーティングカードと絵ハガキです。江戸・明治期、植物より抽出した色鮮やかな色彩をそのままカードにし、ずらりとならぶこの美しいカードに見入ってしまいます。

■小石川植物園：一般には小石川植物園と言われている本園は、東京大学の附属施設のひとつで、「東京大学大学院理学系研究科附属植物園本園」が正式な名称。植物に関するさまざまな研究を行っていて、国の名勝および史跡に指定されています。

基本
情報
東京都文京区白山3-7-1 小石川植物園内　TEL：03-3814-0138
□アクセス：都営三田線「白山駅」A1出口より徒歩10分
□開館時間：10:30 〜 16:00　□休館日：休園日以外は無休
□入館料：無料　※入園料が必要：大人（高校生以上）500円、小人（中学生・小学生）150円

あわせて
立ち
寄りたい！
●東京大学総合研究博物館小石川分館：建築ミュージアムとして自然物や人工物の「アーキテクチャ（構成原理）」の探求を基本テーマとし、建築模型を多数展示しています。
●印刷博物館：凸版印刷が設立の博物館。バラエティ豊かな印刷関係の資料を収蔵。

174

味の素食の文化センター内の食文化の展示室

味の素食の文化センター 食文化展示室

食文化展示室のエントランス（写真提供：食文化展示室）

江戸時代の食文化から今につながる食文化の姿を見ながら楽しめる

　食文化展示室は、味の素グループ高輪研修センター内「味の素食の文化センター」の食の文化ライブラリーの2階にあります。江戸時代の食の場面を描く錦絵や料理書に基づく再現料理サンプルの展示など、今につながる食文化の姿を見ながら楽しめます。

　展示室入口には江戸錦絵の嵌め込み看板があり、記念写真を撮って遊んでみてはいかがでしょうか。常設展示は「日本の食文化・江戸から明治 そして現代・未来へ引き継ぐ日本の食文化」と銘打たれています。「四季に育まれ、四季を楽しむ日本の食文化」のコーナーでは、春の訪れを楽しむ食文化、暑さをしのぐ食文化、実りをいただく秋の食文化、越して迎える冬の食文化と、それぞれ四季のテーマに沿ったものが展示されています。また「料理書からみる日本の食文化」のコーナーでは、時代とともに変遷・発展を遂げた料理の姿を通して、秘伝であった料理が一般の人々に浸透していく様子が映像とともに紹介されるなど、いずれも日本の食文化を概観できるユニークな展示となっています。

　なお、同センターの「食の文化ライブラリー」は、食分野に特化した食の専門図書館で約4万冊を所蔵。開館時間内であれば自由に利用できます。

■過去の企画展示：「天皇の料理番 秋山徳蔵 メニューカード・コレクション展」（2015年11月〜2016年3月）、「三雑誌に見る 昭和食モダン展」（2013年11月〜 2014年3月）など。

基本
情報

東京都港区高輪3-13-65　味の素グループ高輪研修センター内　　TEL：03-5488-7319
□アクセス：都営浅草線「高輪台駅」A1出口より徒歩4分、JR・京急「品川駅」より徒歩15分
□開館時間：10:00 〜 17:00　□休館日：日曜日、祝日、年末年始、展示替期間、その他
□入館料：無料

あわせて
立ち
寄りたい！

●食とくらしの小さな博物館：同じ味の素グループ高輪研修センター内2階。味の素グループの歴史を彩ってきた商品や広告物の数々のほか、アミノ酸をはじめとする最新の情報を展示。
●物流博物館：日本通運とグループ企業の企業博物館。物流全般について紹介しています。

175

吉祥寺の街なかに立地している美術館

武蔵野市立吉祥寺美術館

武蔵野市立吉祥寺美術館の企画展示室(写真提供:武蔵野市立吉祥寺美術館)

「観る・創る・育てる」をモットーに独自性のある美術館活動を展開

　2002年2月、日常生活と文化・芸術を結び親しむ場として、多くの人々で賑わう吉祥寺の街なかのFFビル7階に開館しました。野田九浦、小畠鼎子、江藤純平ら、武蔵野市ゆかりの作家の作品など2500点以上を所蔵しています。

　企画展示室では、所蔵作品の紹介のほか、多彩なジャンルの企画展を年間数回開催。また、武蔵野市民の創作発表の場「市民ギャラリー」としても利用できます。

　本館に2つある常設展示の浜口陽三記念室および萩原英雄記念室が貴重な存在。両作家の版画作品や関連資料を常設展示しています。「観る・創る・育てる」をモットーとして教育普及活動にも力を注ぎ、コンパクトな施設を活かしながら、独自性のある美術館活動を展開しています。

■浜口陽三記念室:カラーメゾチントという独特な銅版画の技法を開拓し、多くの作品を創作した浜口陽三の主要作品の数々を広く公開しています。初期のモノクロームからカラーメゾチントに至る銅版画作品のほか、その原版や道具類もあわせて展示されています。

■萩原英雄記念室:従来の木版画の域を超えた複雑な表現を極め、世界的な木版画家として確固たる地位を築いた萩原英雄の「三十六富士」などのシリーズ作品をはじめ、抽象作品など多様な作品を展示しているほか、常時、作家自身の作成した道具類が展示されています。

基本情報

東京都武蔵野市吉祥寺本町1-8-16　FFビル7階　TEL:0422-22-0385
□アクセス:JR・京王「吉祥寺駅」中央口(北口)より徒歩3分
□開館時間:10:00〜19:30　□休館日:毎月最終水曜日、年末年始、展示替期間、その他
□入館料:常設展100円　企画展は一般300円、中高生100円

あわせて
立ち
寄りたい!

●三鷹の森ジブリ美術館:「迷子になろうよ、いっしょに。」をキャッチコピーにした不思議な美術館です。スタジオジブリに深く関わる宮崎駿が発案し、2001年に開館しました。名称のとおりジブリ関連の展示品を多数収蔵・公開しています。

176

数寄屋橋公園内のパブリックアート
若い時計台

数寄屋橋公園内に設置の『若い時計台』（岡本太郎）

芸術家・岡本太郎がデザインした昼と夜で違った顔を見せる時計台

　芸術家・岡本太郎がデザインした中央区・銀座の区立数寄屋橋公園にある『若い時計台』。緑豊かな公園は、隣接する中央区立泰明小学校等のツタの絡まる校舎の外壁との親和性が見事ですが、その一体となった都心のビルに囲まれた空間に建つ『若い時計台』もまた自然な立ち位置のように感じられます。

　『若い時計台』は1966（昭和41）年、「銀座ライオンズクラブ」から「東京数寄屋橋ライオンズクラブ」が独立したことを記念し、両クラブからの依頼を受けて岡本太郎がデザインしました。大阪万博（EXPO'70）のシンボルタワー『太陽の塔』に似たモチーフですが、本作品はそれより4年早い制作となります。

　高さ約8メートルの太い木の幹のような本体の途中からさまざまに闘牛の牛角のようなものが突き出し、上部にはメインとなる顔の時計盤が載っていて、顔の口の位置あたりに「TARO」のサインが見えます。また、上の位置には「CITIZEN」の文字も。黒い指針は、10時10分ごろには、きりっとした眉に、8時20分ごろにはヒゲに見えたりするのが楽しい点です。夜には、顔と牛角の根元が光り、昼間とはまた違った見え方になります。

■作家：岡本太郎（おかもと・たろう）。大阪・万博記念公園の『太陽の塔』や、渋谷マークシティ連絡通路に設置の巨大壁画『明日の神話』など、数々の印象的な芸術作品を残したことで知られる日本を代表する芸術家。流行語にもなった「芸術は、爆発だ！」など名言を数多く残しています。

基本情報
東京都中央区銀座5-1-1　数寄屋橋公園内
□アクセス：東京メトロ銀座線・丸ノ内線・日比谷線「銀座駅」より徒歩5分

あわせて立ち寄りたい！
●銀座メゾンエルメス フォーラム：ランタンの灯りのようなガラスブロックを使ったユニークなビル、銀座メゾンエルメスの8階にあるアート・ギャラリー。
●銀座 柳画廊：洋画を中心に、国内外の有望な現存作家を紹介しています。

177

代官山に立地するカフェも併設のギャラリー

LOKO GALLERY

ギャラリー内観
（© 傍島利浩）

ギャラリー外観（© 傍島利浩）

地下と1・2階の吹き抜けがあるコンテンポラリーアートギャラリー

　東急東横線「代官山駅」から駅周辺のおしゃれな街を散策すること6分、1階入口にカフェが併設された LOKO GALLERY に出会います。ここは、「国内外の若手作家に発表の場を」という思いを込めて2016年7月にオープンしたコンテンポラリーアートギャラリー。「新たな表現を知り、新たな才能を見つけ出すことは従来とは違った視点の獲得となり、新しい世界との接続を意味すると考えます。私たちの中にある意識の地図は、常に更新されていく事でそれぞれの目的地を曖昧ではあっても少しずつ明瞭にしてくれるのです」（LOKO GALLERY）と説明されています。

　さっそくカフェにさそわれて館内に入ると、ガラス越しにギャラリーの展示を観たり、タイミングによってはアーティストと会話を楽しんだり、展示会の準備風景に遭遇することも。フレンドリーな接客が街とギャラリーをつなげてくれます。そのギャラリーは、地下と1・2階の吹き抜けがある立体的な空間構成となっていて、思わず中を探検してみたくなります。このユニークな空間構成を活かした、これからの時代の起点となる企画展覧会が開催されています。鑑賞後は、カフェでくつろぐ至福の時間を楽しめます。

■過去の展覧会：佐々木成美「●」（2021年4〜5月）、森夕香・西條茜 二人展「流転するあいづち」（2021年2〜3月）、戸張花「内在 – Immanence」（2020年11〜12月）、「ドローイング展16 アーティスト」（2020年7〜8月）など。

基本情報
東京都渋谷区鶯谷町12-6　TEL：03-6455-1376
□アクセス：東急東横線「代官山駅」正面口より徒歩6分
□開館時間：11:00〜19:00（水曜日〜土曜日）、12:00〜18:00（日曜日）　□休館日：月曜日・火曜日、祝日
□入館料：無料

あわせて
立ち
寄りたい！
● KASHIYAMA DAIKANYAMA：オンワードホールディングスが代官山で展開する複合施設。建物および内装デザインを佐藤オオキが率いるデザインオフィス nendo が担当。
●アートフロントギャラリー：代官山ヒルサイドテラス内にある現代アートのギャラリー。

178

東京・京橋に時代を切り拓く美術館が開館

アーティゾン美術館
（ARTIZON MUSEUM）

アーティゾン美術館の外観

ピエール＝オーギュスト・ルノワール『すわ
るジョルジェット・シャルパンティエ嬢』
（1876年、油彩・カンヴァス、97.8×70
.8cm、石橋財団アーティゾン美術館蔵）

誰もが知っている名画を間近で鑑賞できる至福

　2020年1月「アーティゾン美術館（ARTIZON MUSEUM）」が新築のミュージアムタワー京橋にオープンしました。「ARTIZON」はART（美術）とHORIZON（地平）を合わせた造語で、時代を切り拓くアートの地平を多くの方に感じ取っていただきたい、という意志が込められています。前身のブリヂストン美術館から、活動内容もコレクションの幅も広げています。展示室は6階から3階まであり、鑑賞順路起点の6階フロアは柱が1本もなく、多様化する美術の表現に対応できる構造をとっています。展示室に入って驚くのは、鑑賞の妨げになるものを極力なくした空間で観る人と作品の距離が近いこと。日時指定予約制とあいまって、快適な空間で優れた美術作品を心行くまで鑑賞することができます。

■過去の展覧会：「STEPS AHEAD：新収蔵作品展示」（2021年2〜9月）、「琳派と印象派　東西都市文化が生んだ美術」（2020年11月〜2021年1月）など。

■所蔵品：源泉は創設者・石橋正二郎が収集したコレクション。石橋財団の約2800点の美術作品の核となるのは、19世紀フランス印象派と20世紀の西洋絵画とその影響を受けた明治以降の日本近代洋画、第二次大戦後の抽象絵画です。さらに日本の近世美術、印象派と抽象表現主義の女性画家たち、オーストラリアのアボリジナル・アートなどにコレクションの幅を広げ、美術の多彩な表現に触れる至福の機会を提供しています。

<table>
<tr><td rowspan="6">基本情報</td><td>東京都中央区京橋1-7-2　TEL：050-5541-8600（ハローダイヤル）</td></tr>
<tr><td>□アクセス：JR「東京駅」八重洲中央口、東京メトロ「京橋駅」6番・7番出口、
　東京メトロ各線・都営浅草線「日本橋駅」B1出口から徒歩5分</td></tr>
<tr><td>□開館時間：10:00〜18:00（日時指定予約制）</td></tr>
<tr><td>□休館日：月曜日（祝日の場合は開館し、翌平日休館）、展示替期間、年末年始</td></tr>
<tr><td>□入館料：展覧会によって異なります</td></tr>
</table>

あわせて立ち寄りたい！
●国立映画アーカイブ：6番目の国立美術館。日本で唯一の国立映画専門機関。
●ギャラリー椿：1983年に開廊。主に絵画、版画、立体など、詩情ある作品を数多く紹介。日本の現代アーティストを中心に焦点をあて、新進作家の表現の場となる「GT2」も併設。

奥多摩で観る日本文化の美

櫛かんざし美術館

美術館正面

日本文化へのいざない —— 各時代の女性を彩った髪かざりの美術館

　多摩川の南岸を通る通称「吉野街道」沿いに建つ同館は、1702（元禄15）年に創業した小澤酒造株式会社（澤乃井）の関連事業として設立されました。建屋の正面に立つと、まず目を引く本館をシンボリックに表象する大きな『桜花文様蒔絵櫛』の造作が、日本の櫛とかんざしの世界の旅の始まりを告げます。

　展示品は、故・岡崎智予の優れた審美眼によって集められたものを一括継承し、さらに新規の品を加えたもので、古くは江戸時代の櫛をはじめとした髪かざりのほかに、当時の女性風俗を偲ぶ衣装、身装品、生活用品も幅広く400点ほどが常時展示されています。展示品のなかにある、坂東玉三郎丈による寄贈のガラス簪各種（明治時代）も目を引きます。

　奥多摩の四季折々の季節にあわせた展示替えのタイミングで訪れて、日本の美と先人の精神的豊かさに思いをはせるのも贅沢な楽しみ方のひとつと言えるでしょう。

■所蔵品：世界的に著名であった岡崎智予の40年にわたるコレクションをもとに集大成されたもので、江戸から昭和に至る櫛とかんざしを中心に、紅板、はこせこ、かつら、姫印籠、蒔絵矢立など、その数は4,000点にものぼります。当時の職人たちの技術の粋を集めたこれらの工芸品は、わが国の風土の美しさ、日本人の精神的豊かさと併せて、先人たちの類まれな器用さを端的に示す貴重な文化遺産です。

基本情報
東京都青梅市柚木町3-764-1　TEL：0428-77-7051
□アクセス：JR青梅線「沢井駅」より徒歩約10分
□開館時間：10:00 〜 17:00（入館は16:30まで）
□休館日：月曜日（祝日の場合は開館し、翌日休館）・金曜日（祝日と11月は営業）、年末年始、その他
□入館料：一般600円、学生500円、小学生300円

あわせて立ち寄りたい！
●玉堂美術館：日本画壇の巨匠・川合玉堂が昭和19年から昭和32年に亡くなるまでの10余年を青梅市御岳で過ごしたのを記念して建てられました。展示作品は、15歳頃の写生から晩年の作品まで幅広く、奥多摩の自然に合わせて展示替えは年7回ほど行われています。

180

6月28日

本日の
テーマ　**博物館・大学**

広大なキャンパス内の一画に静かに建つ博物館

玉川大学教育博物館

博物館エントランス

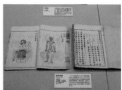

（上）第1展示室の解体新書 1774（安永3）年
（下）第2展示室のヴィーナス像（ローマ時代、堀内紀良氏寄贈資料）

歴史博物館と美術館をあわせ持つ充実のコレクションを展示

　玉川大学教育博物館は、町田市・玉川学園の広大なキャンパス内に立地している大学の附属機関です。キャンパス南口から入構して奥に歩くこと10分、記念グラウンド沿いの道を半周した落ち着いたところに建っています。

　玉川大学教育博物館（玉川大学小原國芳記念教育博物館）の歴史は、玉川学園が創立された1929年の教材標本が始まりです。1969年、創立40周年を記念して大学図書館内に「教育博物資料室」を設置し、1987年には「玉川学園教育博物館」を開設。1996年の開設10周年を機に大学附置機関となりました。

　印象的な半円形のガラス張りのエントランスから2階に上がったところには、ホールと2つの展示室があります。ホールでは、全41巻を所蔵するジョン・グールドの『鳥類図譜』の中から2冊を月替わりで公開しています。また、ノーベル平和賞を受賞したシュヴァイツァー博士や音楽家ガスパール・カサドと原智恵子の展示コーナーがあります。第1展示室では、日本教育史や創立者の小原國芳関係の資料が、第2展示室にはイコン、西欧宗教画、現代美術などが展示されています。同館は、広義の意味で歴史博物館ですが、欧米、日本の絵画、彫刻、版画、工芸品など約900点を所蔵している美術館も兼ねていると言えます。なお、常設展示以外にも独自の企画展を随時開催しています。

基本情報

東京都町田市玉川学園6-1-1　TEL：042-739-8656
□アクセス：小田急「玉川学園前駅」南口より徒歩15分
□開館時間：10:00 ～ 17:00（入館は16:30まで）　※事前予約制　□休館日：土曜日・日曜日
□入館料：無料

あわせて
立ち
寄りたい！

●町田市立国際版画美術館：世界でも数少ない版画を中心とする美術館。内外のすぐれた版画作品と、それに付随する美術資料を収集保存。1987年の開館以来、現在3万点を超える収蔵品を有しています。版画工房も併設されていて、実技講座も開催されています。

樋口一葉の文学業績を後世に残す文学館

台東区立 一葉記念館

一葉記念館の外観（写真提供：一葉記念館）

建築が印象的な、日本で初めての女流文学者の単独文学館

　　いわずとしれた日本の近代文学史に残る作品『たけくらべ』『にごりえ』『十三夜』『一葉日記』など
の作者で知られる女流文学者・樋口一葉の業績を後世に残すために建てられた台東区立の日本初の
単独文学館です。東京メトロ日比谷線「三ノ輪駅」を下車して10分ほど歩くと、隣接する一葉記念公園
と一体的な空間として整備された同館が姿を現します。建築の設計は、東京都現代美術館などの公
共建築を多く手がけている建築家・柳澤孝彦によるもの。建物前面を覆う縦に伸びるルーバー様のデ
ザインが印象的です。

　　3階建ての館内の1階にはエントランスギャラリーが、2階には常設の展示室が左右ひとつずつあ
ります。左手の展示室には、樋口一葉が住んでいたころの下谷龍泉寺町大音寺通りの街並み模型
（1/300）が展示されています。二軒長屋に住まい、荒物駄菓子屋を営んでいた当時の様子がビジュア
ルで伝わります。3階ではコーナー展示などが開催されています。

■所蔵品：『たけくらべ』（四）の後半から（六）までの下書き原稿22枚、明治26年9月1日から11月
23日までの仕入帳、指物師・渡辺松太郎作の一葉の文机（複製）、歌塾「萩の舎」に入門してから初め
ての発会で一葉が詠んだ短冊「月前柳」など。

基本
情報
東京都台東区竜泉3-18-4　TEL：03-3873-0004
□アクセス：東京メトロ日比谷線「三ノ輪駅」より徒歩10分
□開館時間：9:00 ～ 16:30（入館は16:00まで）
□休館日：月曜日（祝休日の場合は開館し、翌平日休館）、年末年始、特別整理期間中
□入館料：大人300円、小中高生100円

あわせて
立ち
寄りたい！
●上野の森美術館：上野恩賜公園のなかで唯一の私立の美術館。定期的に開催される独創的な企画展が魅力です。
●国立科学博物館：日本で最も歴史のある博物館のひとつで、国立の唯一の総合科学博物館。

182

上野恩賜公園内に立地する日本屈指の博物館

東京国立博物館

博物館の本館を望む（写真提供：東京国立博物館）

日本随一の数を誇る収蔵品を鑑賞できる「総合文化展」を堪能

　上野恩賜公園に立地する東京国立博物館（東博／トーハク）は、日本でもっとも長い歴史をもつ博物館です。1872（明治5）年3月10日、文部省博物局が湯島聖堂大成殿において最初の博覧会を開催したとき、その産声をあげました。のち、1882（明治15）年に現在の上野公園に場所を移しました。

　瞠目すべきは、東博が収蔵している文化財数で、国宝89件、重要文化財648件をふくめて約12万件にのぼります（2021年3月末）。広い構内には、本館、表慶館、東洋館、平成館、法隆寺宝物館の5つの展示館と、庭園・茶室、資料館、正門プラザと、道路を挟んで黒田記念館があります。

　同館の日本随一の数を誇る収蔵品を鑑賞できる「総合文化展」は、なんと年間300回程度の展示替が定期的に実施されていますので、何度訪れても文化財の新しい出会いがあります。

■総合文化展：[本館]2階は縄文時代から江戸時代までの日本美術の流れをたどる時代別展示、1階は彫刻、陶磁、刀剣などのジャンル別展示で構成。[東洋館]中国、朝鮮半島、東南アジア、西域、インド、エジプトなどの美術と工芸、考古遺物を展示。[平成館]考古展示室（1階）では、土偶、銅鐸、埴輪をはじめとする旧石器時代から江戸時代までの考古遺物を展示し、企画展示室（1階）では特集や教育普及事業に関連した展示などが行われます。[法隆寺宝物館]奈良の法隆寺から皇室に献納された宝物300件余りを収蔵・展示しています。

基本情報

東京都台東区上野公園13-9　TEL：050-5541-8600（ハローダイヤル）
□アクセス：JR「上野駅」・「鶯谷駅」より徒歩10分、東京メトロ「上野駅」・「根津駅」より徒歩15分
□開館時間：9:30 ～ 17:00（入館は16:30まで）　※事前予約制
□休館日：月曜日（祝休日の場合は開館し、翌平日に休館）、年末年始
□[総合文化展]入館料：一般1,000円、大学生500円、高校生以下および満18歳未満、満70歳以上は無料

あわせて立ち寄りたい！

●旧東京音楽学校奏楽堂：日本最古の洋式音楽ホールを擁する校舎として、国の重要文化財の指定を受けました。「生きた文化財」として、建物の公開のほか、演奏会も行われています。

港区赤坂・草月会館のパブリックアート

トコバシラ

『トコバシラ』（イサム・ノグチ）

20世紀を代表する彫刻家イサム・ノグチの黒花崗岩で造られた作品

　カーテンウォールに赤坂御所の緑を映し、青山通りにひときわ映える「いけばな草月流」の拠点となる文化施設「草月会館」。日本の近代建築を牽引した建築家・丹下健三の設計により、1977年に竣工しました。その「草月会館」のファサードに柱のような彫刻作品『トコバシラ』が建っています。会館1階部分を占める大空間「草月プラザ」にある石庭と同じく、世界的なアーティストのイサム・ノグチによる作品です。

『トコバシラ』と題された黒花崗岩で造られた本作品を観てみると、底辺が正方形で少しずつねじれながら上に伸び、上辺も正方形で終端しています。表面は磨き上げられ、外の緑と建物のガラス窓を映していますが、それ以外の加工は見当たらず、石の持つ美しさを生かしつつ、彫刻家としての意思はあえて最小限にとどめているように感じます。そこには、作家の「石」に対する畏敬のようなものがあるのではないでしょうか。辿ってみると1969年から作家は、古くから石材の産地として知られる香川県高松市牟礼町にアトリエと住居を構え、以降20年余りの間、ニューヨークを行き来しながら石の作家である和泉正敏をパートナーに制作に励んでいました。

■イサム・ノグチ：20世紀を代表する彫刻家。米国ロサンゼルス生まれで、彫刻、モニュメント、庭や公園などの環境設計のほか、家具や照明のインテリアから舞台美術まで幅広く芸術活動を行った類まれな芸術家です。東京国立近代美術館の屋外には『門』と題した同じく柱をモチーフとした彫刻作品を見ることができます。

基本情報
東京都港区赤坂7-2-21　草月会館
□アクセス：東京メトロ銀座線・半蔵門線、都営大江戸線「青山一丁目駅」南青山4番出口より徒歩5分

あわせて立ち寄りたい！
●虎屋 赤坂ギャラリー：「とらや 赤坂店」の地下1階に設けられたギャラリー。和菓子や日本文化にちなんだ企画展やイベントを開催しています。
●日枝神社宝物殿ギャラリー：歴代の将軍およびその世嗣たちが社参に奉納されものを公開しています。

特異な名前を持つ現代アートのギャラリー

ANOMALY（アノマリー）

Chim↑Pom個展「グランドオープン」展示風景（©Chim↑Pom, Photo by Kenji Morita, Courtesy of ANOMALY）

ギャラリーの新しいかたち

　現代美術のギャラリー「ANOMALY(アノマリー)」は、10年以上のキャリアを持つ3つのギャラリー「山本現代」「URANO」「ギャラリー・ハシモト」がユナイトして誕生、2018年11月に天王洲のTERRADA ART COMPLEXの4階にオープンしました。

　それぞれのギャラリーの個性を活かしながら、個々のギャラリーの枠組みを取り払い、大小のスペースと、プロジェクトごとにさまざまなジャンルの人々が集えるオフィスやラウンジを備え、展覧会のみならず、トークセッション、パフォーマンス、ライブなどを企画・開催する新しいかたちのギャラリーを標榜しています。ANOMALYという名前には、正論や常識では説明不可能な事象や個体、変則や逸脱の意味が込められています。

■過去の展覧会：今津景個展「Mapping the Land/Body/Stories of its Past」（2021年10〜11月）、永田康祐個展「Equilibres」（2021年10〜11月）、玉山拓郎個展「Anything will slip off / If cut diagonally」（2021年7〜8月、8〜9月）、青木野枝個展「Mesocyclone」（2021年4〜6月）、柳幸典個展「Wandering Position 1988-2021」（2021年3〜4月）、榎忠個展「RPM-1200」（2020年12月〜2021年1月）、岩崎貴宏個展「針の穴から天を覗く」（2020年12月〜2021年1月）など。

基本情報

東京都品川区東品川1-33-10　Terrada Art Complex 4F　TEL：03-6433-2988
□アクセス：京急本線「新馬場駅」北口より徒歩7分、りんかい線「天王洲アイル駅」B出口より徒歩9分
□開廊時間：12:00〜18:00（火曜日〜木曜日・土曜日）、12:00〜20:00（金曜日）
□休廊日：日曜日・月曜日、祝祭日

あわせて立ち寄りたい！
●東京海洋大学マリンサイエンスミュージアム：「海へのいざない」をテーマに生き物から食品まで、幅広く展示。「鯨ギャラリー」では、セミクジラとコククジラの全身骨格を展示。
●WHAT MUSEUM：旧・建築倉庫ミュージアム。寺田倉庫がオープンした現代アートのコレクターズミュージアム。

桜新町を彩る漫画家・長谷川町子の記念館

長谷川町子記念館

長谷川町子記念館の外観（写真提供：長谷川町子美術館）

半世紀にわたり昭和を駆け抜けた漫画家・長谷川町子の作品世界を体感

　1985年に世田谷区桜新町に開館した長谷川町子美術館の真向かいに、長谷川町子生誕100年を記念して2020年7月11日にオープンしたのが長谷川町子記念館です。

　建物の外壁素材は、作家自身が探したと言われる美術館のレンガと呼応するかのごとくスクラッチタイルが選ばれていて、両館のアプローチを直線でつなげることで一体感を演出しているのが見事です。エントランス前にある、「サザエさんうちあけ話」の表紙をモチーフにした作家自身を真ん中にし、サザエさんといじわるばあさんが両脇に立って内緒話をしている銅像を見ると、なんともほっこりした気持ちになります。同館前には作家が好きだった枝垂れ桜が植えられていて、春には美術館の桜とあわせて、「桜新町」の町名にふさわしい桜の競演が見られるのでは、と想像するだけで楽しくなります。

■展示室：1階の常設展示室「町子の作品」では、作家の代表作である『サザエさん』『エプロンおばさん』『いじわるばあさん』の世界観を、データと書籍の双方向から観ることができます。2階の常設展示室「町子の生涯」と企画展示室では、作家が描いたさまざまな作品やその人となりと仕事に関する資料などを観ることができます。

■長谷川町子（はせがわ・まちこ）：日本初の女性プロ漫画家として知られ、約半世紀におよぶ漫画家活動において常に第一線を走り続け、数々の作品を生み出しました。

基本情報
東京都世田谷区桜新町1-30-6　TEL：03-3701-8766
□アクセス：東急田園都市線「桜新町駅」より徒歩7分、東急バス「桜新町1丁目」より徒歩1分
□開館時間：10:00 〜 17:30（入館は16:30まで）
□休館日：月曜日（祝日の場合は開館し、翌日休館）、展示替期間、年末年始
□入館料：一般900円、65歳以上800円、大高生500円、中小生400円　※長谷川町子美術館もご覧いただけます

あわせて立ち寄りたい！
●長谷川町子美術館：『サザエさん』の作者として知られる漫画家・長谷川町子が、姉の毬子と共に蒐集した美術品を広く社会に還元しようと、1985年に開館。記念館の向かいに立地していますので、あわせての訪問がお勧めです。

物流を専門に扱う日本唯一の博物館

物流博物館

物流博物館外観
（写真提供：物流博物館）

近世から現代に至る物流にかかわる歴史上の重要事項を展示

　日本通運およびグループ企業の企業博物館ですが、1958年、大手町ビルにあった日本通運本社内に創設された「通運史料室」がその基礎となっています。時を経て、展示内容の一層の充実を図り、1998年、ひろく「物流」を一般の人々に関心を持ってもらうことを目的に、日本で初めての「物流博物館」として港区の高輪に誕生しました。外観がとても印象的です。

■展示室：展示室は、地下1階から2階までの3フロアがあります。1階の「物流の歴史展示室」では、主に江戸時代から昭和までの物流の歩みを、当時の資料、写真、模型、さまざまな映像などにより紹介しています。「運ぶ歴史」という観点から、日本の歴史を見直すことができます。「伝馬朱印状」（慶長6年・1601年）、江戸時代の宿場の問屋場や昔の鉄道駅の貨物ホームを再現した模型、江戸三度飛脚所看板、木やワラで荷造りされた昔の荷物など、見応えがあります。地下1階は「現代の物流展示室」で、ここの見どころは、陸・海・空の物流ターミナルの大型ジオラマ模型。貨物船が停泊する港湾と空港に、貨物列車やトラックなどを組み合わせたもので、照明の工夫で、夜明けから深夜までの一日の物流の様子がリアルに再現されているのが秀逸です。2階には映像展示室があります。

■所蔵品：収蔵資料はその多くが日本通運が所有する資料で、文書史料約6,000点、美術工芸資料約200点、実物資料約1,000点、写真資料約10数万点、映像資料約200点を収蔵しています。

基本
情報

東京都港区高輪4-7-15　TEL：03-3280-1616
□アクセス：JR・京急「品川駅」高輪口より徒歩7分、都営浅草線「高輪台駅」A1出口より徒歩7分
□開館時間：10:00 ～ 17:00（入館は16:30まで）
□休館日：月曜日と第4火曜日（祝日・休日の場合は開館し、その翌日休館）、年末年始、展示替期間、資料整理期間
□入館料：大人（高校生以上）200円、65才以上100円、中学生以下無料

あわせて
立ち
寄りたい！

●食とくらしの小さな博物館：時代ごとの世相や人々のくらしの雰囲気を楽しみながら、味の素グループの100年にわたる歴史と、将来に向けた活動を知ることができます。各時代を映し出すモノや写真、懐かしい食卓の風景をふり返りつつ、最新の情報を展示しています。

館名の「香雪」は学祖・下田歌子の号に由来

実践女子大学香雪記念資料館

「館蔵女性画家展」の看板が掲げられている記念館入口(写真提供：実践女子大学香雪記念資料館)

下田歌子の資料展示をはじめ、女性画家の作品展を数多く開催

　再開発が進行中の渋谷駅エリアから六本木通りを歩いて約10分、都心の中でも閑静で緑豊かな地域にある実践女子大学渋谷キャンパス(創立120周年記念館)に到着します。香雪記念資料館は、自然光が降り注ぐ吹き抜けが印象的なエントランスホールの左奥に位置しています。

　館内は企画展示室と下田歌子記念室とで構成されています。企画展示室では、女性の創作活動を紹介する女性画家展をはじめ、授業と連動した中国美術史入門展などが数多く開催されています。下田歌子記念室では、下田歌子旧蔵の宮中御下賜品や書画をはじめとして、文学著作、和歌作品、書簡、教育事業関係資料などの資料が順次公開されています。また、下田歌子愛用の校長室の机と椅子も展示されています。

■所蔵品：開館以来、江戸時代から昭和までの間に活躍した女性画家の作品を数多く収蔵・所蔵しています。

■下田歌子(しもだ・うたこ)：明治から昭和期にかけて活躍した教育者・歌人。女子教育の先覚者で、生涯を女子教育の振興にささげ、実践女子学園の基礎を築きました。女性への啓蒙活動の一環として、歴史上で活躍したさまざまな分野の女性たちを、著書や女性雑誌で紹介し、顕彰に努めました。

基本情報

東京都渋谷区東1-1-49　TEL：03-6450-6805
□アクセス：JR・東京メトロ・東急・京王「渋谷駅」東口C1 出口より徒歩約10分、
　東京メトロ「表参道駅」B1出口より徒歩約12分
□開館時間：10:30 ～ 17:00
□休館日　土曜日・日曜日、祝日、大学休業期間　※企画展の開催がない場合は休館することがあります
□入館料：無料

あわせて
立ち
寄りたい！

●國學院大學博物館：國學院大學渋谷キャンパス内にある博物館です。考古展示室・神道展示室・校史展示室・企画展示室の4つの展示室からなっています。
●白根記念渋谷区郷土博物館・文学館：渋谷の地理・歴史・民俗などが総合的に紹介されています。

2002 FIFAワールドカップ™記念

日本サッカーミュージアム

サッカー通りから見る日本サッカーミュージアム外観

100年の歴史を誇る日本サッカーの精神と熱い思いを感じ取る

　アジア初、FIFA史上初の共同開催となった2002FIFAワールドカップ™日本・韓国を記念して2003年に開館した博物館です。通称「サッカー通り」に面している日本サッカー協会ビル（JFAハウス）に設けられています。サムライブルーをイメージしたデザインの建屋の外観が印象的で、見逃す心配はありません。

　施設は地上1階、地下1階、地下2階の3フロアで構成されています。日本代表の戦いの記録やFIFA女子ワールドカップドイツ2011優勝トロフィー、そして日本が世界に誇るフェアプレー賞の数々から先駆者の軌跡を辿る貴重な資料まで、日本サッカーの歴史を彩る数多くの品々が展示されています。

■展示室：各階の呼び方がサッカースタジアムにちなんでいるのがファンにはたまらない点。入口がある1Fはアッパースタンドと呼ばれています。B1Fロゥアースタンドには「日本サッカー殿堂」の展示スペースがあり、語り継がれる先駆者たちがずらりと掲額されていて、その歴史に圧倒されます。B2ピッチは有料ですが、十分に時間をかけて見る価値があります。まず、ZONE1で出迎えてくれるのは、2002FIFAワールドカップ™日本・韓国の円陣のリアルな再現です。順路に従い、サッカーとの出会い、サッカーシアター、ロッカールーム、フェアプレー、ヒストリカルアーカイブ、トロフィーケース、FIFAワールドカップ™トロフィールーム、ワールドカップへの挑戦と続きます。

基本情報
東京都文京区サッカー通りJFAハウス　TEL：050-2018-1990
□アクセス：JR・東京メトロ「御茶ノ水駅」より徒歩約7分
□開館時間：火曜日〜金曜日12:00 〜 17:00、土曜日・日曜日・祝日10:00 〜 17:00（ともに入場は16:30まで）
□休館日：月曜日（祝日の場合は開館し、翌火曜日休館）
□入館料：大人550円、小中学生300円、幼児無料

あわせて
立ち
寄りたい！
●お茶の水 おりがみ会館：今や折り紙は「ORIGAMI」の7文字で綴られ、世界中に愛好家が存在します。本館は、折り紙の玉手箱。紙のこと、まつわる歴史、折り方などなど、ふたを開けたとたんに折り紙のイロイロがあふれ出してきます。

世界でも数少ない版画を中心とする美術館

町田市立国際版画美術館

町田市立国際版画美術館のエントランスホール

国内外のすぐれた版画作品や資料を多数収蔵する自然の中の美術館

　町田市立芹ヶ谷公園の四季おりおりの表情を見せる自然の中に抱かれて建つ町田市立国際版画美術館は、日本国内では数少ない版画専門の美術館として1987年に開館しました。

　豊富な収蔵作品をベースとした多様な企画展示を鑑賞できるのはもとより、市民展示室、講堂、版画工房、アトリエなどの施設が整っていて、市民・来館者に、展示されている版画作品を鑑賞するだけでなく、「作る楽しみ」「発表する楽しみ」も総合的に体験できる美術館として貴重な存在です。館内の1階には版画工房、ハイビジョンホール、市民展示室が、2階には企画展示室と常設展示室があります。

　同館の版画工房とアトリエは、館名に違わず本格的な版画作品の制作ができる施設です。銅版画、木版画、リトグラフ、シルクスクリーンのための機材や道具が備えられて、ある程度経験のある人向けから、初心者対象の版画教室など、各種制作技法を学ぶ実技講座などが開催されています。

■過去の展覧会：企画展「版画の見かた－技法・表現・歴史－」（2021年9〜12月）など。

■収蔵品：古くは奈良時代から現代まで、日本をはじめ海外の版画とそれに付随する美術資料を収集保存していて、収蔵作品数は現在3万点を超えています。このコレクションは、版画の歴史をたどり、美的価値はもちろんのこと、技法の変遷や社会的役割など、版画を多面的にとらえることのできるものになっています。

基本情報
東京都町田市原町田4-28-1　TEL：042-726-2771
□アクセス：小田急「町田駅」より徒歩15分、JR 横浜線「町田駅」中央口より徒歩約15分
□開館時間：平日10:00〜17:00（入場は16:30まで）、土曜日・日曜日・祝日10:00〜17:30（入場は17:00まで）
□休館日：月曜日（祝日・休日の場合は開館し、翌日休館）、年末年始
□入館料：展覧会によって料金は変わります

あわせて
立ち
寄りたい！
●玉川大学教育博物館：同館が収蔵する資料は、日本教育史、芸術、民俗、考古、シュヴァイツァー関連、ガスパール・カサドおよび原智恵子関連、そして創立者である小原國芳関連や校史関連など、多岐の分野にわたっています。

副都心線東新宿駅のアート作品

新宿躑躅

地下4F改札内から観る『新宿躑躅』（中山ダイスケ）

東新宿駅の地域の特徴を生かした中山ダイスケのアート作品

　東京都で一番新しい東京メトロの副都心線ですが、2008年の開業にあたって、ゆとりと潤いのある文化的空間の創造を目指し、副都心線池袋駅から渋谷駅までの8駅に、合わせて14のパブリックアートが設置されました。アートテーマを「活力（ENERGY）」とし、12作家のどの作品も各駅の地域の特徴などが表現されています。

　東新宿駅の地下4Fに設置されている現代的なデザインでビビッドな色使いの本作品『新宿躑躅』を目にすると、文字通り活力が湧いてくるように感じます。赤、白、黄色を組み合わせて、春先に一斉に咲きほこるつつじの様を立体的に表現したダイナミックな作品です。

　題名に表記の躑躅は「つつじ」と読みますが、音読みは「テキチョク」で、足踏みしてなかなか進まないの意。なぜ「つつじ」に「躑躅」の語が当てられているかですが、「美しさに立ち止まるから」という説があります。作品のモチーフにつつじが選ばれた理由は、新宿区の「区の花」がつつじであることが作品の脇に掲げられている寄せ書きから読み取れます。かつて当駅にほど近い地区が「つつじの里」（鉄炮組百人隊の武士たちが内職でつつじを栽培していた）として知られています。

■作家：中山ダイスケ（なかやま・だいすけ）。1968年、香川県生まれ。2004年には「VOCA展2004」現代美術の展望－新しい平面の作家たち佳作賞受賞。現代美術家、デザイナー、舞台美術家、アートディレクター。dnstudio＆ダイコン代表。東北芸術工科大学学長。

基本
情報

東京都新宿区新宿7-27-11
□アクセス：東京メトロ副都心線「東新宿駅」地下4F改札内通路

あわせて
立ち
寄りたい！

●『Tea Party』：東京メトロ副都心線「新宿三丁目駅」に設置されているルイス・キャロルの「不思議の国のアリス」の物語をイメージした銅版画家・山本容子のパブリックアート作品のひとつ。
●『Hop, Step, Hop, Step』：同じく「新宿三丁目駅」2つ目の銅版画家・山本容子のパブリックアート作品。

幅広い領域を扱う現代美術ギャラリー

オオタファインアーツ
OTA FINE ARTS

展覧会風景：アキラ・ザ・ハスラー＋チョン・ユギョン「パレードへようこそ」（2019年／写真提供：オオタファインアーツ）

「日本を含むアジア」という新たな眼差しを現代美術に向ける

　オオタファインアーツは、1994年、渋谷区・恵比寿に開廊。当初、PHスタジオ、嶋田美子、ブブ・ド・ラ・マドレーヌなどの展覧会を通し、都市や社会の諸問題を、美術やアクティヴィズムを通して、どのように考えられるかという試みからギャラリー活動を始めました。六本木、勝どきへの移転を経験後、2011年に現代アートシーンにおいて外せない六本木にふたたび戻り、活動を続けています。

　設立時より、世界を代表するアーティスト草間彌生を筆頭に、さまざまなアーティストを積極的に取り扱ってきました。扱う領域も、絵画やコンセプチュアルなものからスタートし、立体、インスタレーション、映像、写真、工芸へと幅が広がり、展覧会ごとに違った表現方法に出会える楽しみがあります。また若手作家の発掘にも力を注いでいます。2012年にシンガポール、2017年に上海にスペースをオープンし、現在はアジアという地域性、独自性、共通性を持つ「文化の帯」という思考の下に、中国、香港、インドネシア、フィリピンなど、東アジアや東南アジアの作家との関係も構築し、「日本を含むアジア」という新たな眼差しを現代美術に向けています。

■過去の展覧会：草間彌生の個展「私のかいたことばに　あなたのナミダをながしてほしい」（2021年6〜7月）、さわひらきの個展「/home」（2021年2〜4月）、ザイ・クーニン、ヒルミ・ジョハンディ、グオリャン・タンのグループ展「シンガプーラ」（2020年10〜11月）、竹川宣彰の個展「AMIGOS」（2020年8〜9月）など。

基本情報
東京都港区六本木6-6-9　ピラミデビル 3F　TEL：03-6447-1123
□アクセス：東京メトロ日比谷線・都営大江戸線「六本木駅」より徒歩5分
□開館時間：11:00〜19:00　□休館日：月曜日・日曜日、祝日
□入館料：無料

あわせて
立ち
寄りたい！
●『ママン』：六本木ヒルズのパブリックエリアに設置された森美術館監修による6作品のうちの代表作品。フランス出身の彫刻家、ルイーズ・ブルジョワが制作しました。
●森アーツセンターギャラリー：名だたる美術館の貴重なコレクションなど多彩な企画展を開催。

仙川の通称「安藤ストリート」に建つ美術館

東京アートミュージアム

東京アートミュージアムの外観

安藤忠雄が設計した建築空間の中で作品鑑賞を存分に楽しむ

　京王線仙川駅から歩いて4分の調布市仙川町に、6棟の安藤忠雄建築が建ち並ぶ全長432mの「安藤ストリート」と呼ばれる街並みがあります。国内はもとより世界でも例がないこの場所をぜひ歩いて、〝安藤ワールド〟を肌で感じてみてください。その起点に建つのが本館。安藤建築の代名詞であるコンクリート打ちっぱなしの細長い鉄筋3階建ての建屋です。館内は、高さ8mある吹き抜けが空間の広がりを感じられる構造で、考え抜かれた位置に穿たれた曇りガラスが入った窓からは自然光が差し込み、「光の教会」のような厳かな雰囲気を醸し出しています。この空間で鑑賞する展覧会は格別です。

　本館の概要は以上の通りですが、その現在地だけを切り取ってしまうと、本来の姿を見落とすことになります。本館誕生の裏には30年を遡ってのドラマがあり、その立役者は本館の創設者である伊藤容子。一家で所有する広大な土地が分断される形で都道が通ることになり、ならば残された432mの道路の両側の不整形地を有効利用して、そこに景観で統一された街並みを創りたいという氏の夢と思いが生まれました。その熱い想いに応えた建築家・安藤忠雄との出会いが、長い道のりを経てこの街を実現させたのです。

■展覧会：「TAMには世界の芸術や文化の『いま』がある」をコンセプトに、国内外のアーティストの作品を多岐にわたり企画展示しています。

基本情報

東京都調布市仙川町1-25-1　TEL: 03-3305-8686
□アクセス：京王線「仙川駅」より徒歩4分
□開館時間：11:00 〜 18:30(入館は18:00まで)　□休館日：月曜日〜水曜日、年末年始、夏期、展示替期間、その他
□入館料：一般 500円、大高生 400円、小中学生 300円

あわせて立ち寄りたい！

●武者小路実篤記念館：日本の美術界に大きな影響を与えた武者小路実篤が晩年の20年間を過ごした邸宅（現：実篤公園）の隣接地に1985年に開館した記念館。作家の本、絵や書、原稿や手紙のほか、作家が集めていた美術品などを所蔵しています。

セイコーの発祥の地、東京・銀座に新たに開館

セイコーミュージアム 銀座

セイコーミュージアム 銀座の外観

セイコーの製品史に加えて日時計から和時計まで広くその歴史を紹介

　銀座は並木通りに面した「セイコーミュージアム銀座」は、2020年に新たにオープンしました。5つのフロアからなる同館は、各階ごとにテーマが設けられていて、企業としてのセイコーの製品史にとどまらず、時計の歴史を総合的に紹介する都市型の文化施設となっています。

　その文化施設としてのこだわりは、壁面の洗練されたデザイン性にも見てとれます。銀座の街並みに合った並木の絵が描かれていますが、近づいてよく見ると、ウオッチとクロックの歯車によって描かれているという、ちょっとした発見があります。さらに、謎解きとして、セイコーに関するモチーフを歯車の中に紛れ込ませているのもしゃれている点。

　なお、毎正時少し前に入口で待っていると幸運が待っています。RONDEAU LA TOURという高さ5.8mの大型振り子時計から30分毎にメロディが流れ、人形が歯車を回し、虹色の光が流れるのを楽しむことができます。

■展示室：地下1階「極限の時間」では、2009年のベルリン世界陸上で9.58秒の世界新を出したときの電光掲示板とスターティングブロックが展示されています。2階「常に時代の一歩先を行く」では、「東洋の時計王」と呼ばれたセイコーの創業者・服部金太郎の足跡を、3階「自然が伝える時間から人がつくる時間」では、実物の日時計や和時計など、7000年の歴史を、それぞれ遡ることができます。

基本
情報

東京都中央区銀座4-3-13　セイコー並木通りビル　TEL：03-5159-1881
□アクセス：東京メトロ「銀座駅」B2・B4出口より徒歩1分
□開館時間：10:30 ～ 18:00 （インターネット予約制）
□休館日：月曜日、年末年始　※予定の変更もあります
□入館料：無料

あわせて
立ち
寄りたい！

●ノエビア銀座ギャラリー：「時代を超えて価値あるもの」をテーマに、さまざまなジャンルの企画展を年4 ～ 5回開催しています。

●月光荘画材店：自社工場にて絵の具や筆を製造し、世界で唯一のオリジナル製品のみを扱う画材店です。

東京造形大学の美術館を構成するうちの2館

ZOKEIギャラリー／CSギャラリー

ZOKEIギャラリー「母袋俊也退職記念展」2019年（撮影：柳場大）

CSギャラリー（写真提供：東京造形大学附属美術館）

東京造形大学の教育・研究活動の発表を目的とした展示スペース

　東京造形大学は、デザインや美術の創作活動を時代の精神や社会の創造に深く結び付いたものとしてとらえ、それら造形活動を広く社会的な観点から探究し、進取の気概を持って創造的に実践することを建学の精神としています。その東京造形大学の広いキャンパス内にある美術館は、東京造形大学附属美術館（横山記念マンズー美術館）、ZOKEIギャラリー、CSギャラリーの3館で構成されています。ZOKEIギャラリーは12号館大学院棟1階に、CSギャラリーは10号館 CS PLAZA（絵画棟・カフェテリア）1階にそれぞれ位置し、企画展、大学院生の研究成果発表、教員の企画展など、東京造形大学の教育・研究活動の発表を目的とした重要な展示スペースとして運営されています。ぜひスペースを訪ねて、想いをカタチにしていく表現者たちの作品に触れてみてください。

■過去の展覧会：[ZOKEIギャラリー]東京造形大学　ドキュメント1966－2016（2016年10月）、2019年度 東京造形大学 博士審査展　大学院造形研究科造形専攻（博士後期課程）（2019年12月）、エリアスタディ 地域デザインの軌跡 2011–2021（2021年6月/写真専攻領域企画展）など。
[CSギャラリー]東京造形大学　第5回助手展（2019年3月）、母袋俊也 浮かぶ像 ── 絵画の位置　退職記念展（2019年10月/ZOKEIギャラリーと共催）、2020年度　東京造形大学　絵画専攻助手展 gänger（2020年11月）など。

基本情報
東京都八王子市宇津貫町1556　TEL：042-637-8111（代表）
□アクセス：JR横浜線「相原駅」よりスクールバスで5分（徒歩15分）
□開館時間：公式ホームページの展覧会情報でご確認ください
□休館日：公式ホームページの展覧会情報でご確認ください
□入館料：無料

あわせて立ち寄りたい！
●東京造形大学附属美術館：八王子の医師である故・横山達雄氏より寄贈されたジャコモ・マンズーの作品（彫刻5点、版画23点）から出発し、美術館開館式に来日のインゲ・マンズー夫人の寄贈も加わり、充実したコレクションに。建築は白井晟一の設計原案によるものです。

世田谷の地で白壁が囲む一画に佇む記念館

齋田記念館

右手が記念館のエントランス、奥が齋田家表門

齋田家所蔵の文人の書画・典籍、近代日本画、茶業に関わる品々を公開

　齋田記念館が立地している小田急線世田谷代田駅から梅ヶ丘にかけての地域は、かつて代田村という武蔵野の色濃く残る純農村地帯でした。代田八幡宮から南へのびる一帯は、小田急線敷設の昭和初年頃は近在に知られた梅林で、環状七号線が開通し、宅地化が進んだ昭和30年代頃まで残っていました。今は交通量も増え、往時の面影を見ることはできませんが、そんな環七通り沿いに、時代を往時に戻したかのような、豊かな緑を白壁が囲む一画があります。この白壁の間の石段を上ると、周囲の喧騒がまるで嘘のように、齋田記念館がひっそりと佇んでいます。

　この齋田記念館の奥に、館名となっている齋田家の屋敷がありますが、齋田家からは、江戸時代後期以降、学者や文人を輩出し、世田谷の地方文化発展に貢献しました。また、明治期には世田谷の茶業の発展に尽力しました。館内では同館所蔵品を年間約2回の企画展を通じて公開しています。お茶をテーマにした特別展なども開催されています。

■過去の展覧会：特別展「蘭字ー知られざる輸出茶ラベルの世界ー」（2021年6〜7月）、春季企画展「古き良き日本の美」（2021年4〜5月）など。

■所蔵品：旧代田村名主齋田家伝来の古文書、齋田家歴代および交遊のあった文人の書画・典籍、近代日本画、明治期の齋田家茶業に関わる古文書、茶道具・民具、茶書など。

基本
情報
東京都世田谷区代田3-23-35　TEL：03-3414-1006
□アクセス：小田急「世田谷代田駅」西口より徒歩7分、東急世田谷線「若林駅」より徒歩10分
□開館時間：10：00〜16：30（入館は16：00まで）
□休館日：土曜日（第4土曜日を除く）・日曜日、祝日、展示替期間
□入館料：300円（特別展は展示により異なる）

あわせて
立ち
寄りたい！
●戸栗美術館：旧鍋島藩屋敷跡にあたる渋谷区松濤の地に立地していて、創設者の戸栗亨が蒐集した陶磁器を中心とする美術品を公開展示しています。

●松濤美術館：渋谷区立の美術館で、哲学的な建築家・白井晟一による設計の建屋が印象的。

閑静な渋谷の高級住宅街にたたずむ美術館

渋谷区立松濤美術館

松濤美術館の外観（写真提供：渋谷区立松濤美術館）

中央に位置する吹き抜けとブリッジ
（写真提供：渋谷区立松濤美術館）

外観はもちろん、館内もデザイン性あふれる魅力的な美術館

　渋谷駅の喧騒を離れた都内屈指の閑静な高級住宅街に建つ渋谷区立の美術館です。区立としては、板橋区立美術館に次ぐ2番目の歴史を持ちます。

　建物の設計は哲学的な建築家といわれる白井晟一。地下2階の池に噴水があるという点で、静岡市立芹沢銈介美術館（石水館）と共通するものがあり、氏の晩年の代表的な作品ともいわれています。住宅街の中の施設ゆえ、高さは地上から10mまでと定められていました。このような立地環境の中、地上部分を2階にとどめ、必要な床面積を地下の2階に拡張させて補う設計となりました。特徴のある外観は韓国ソウル郊外の石切場から採れる花崗岩が使われています。また、住宅街との親和性を考慮して外周の窓を最小限に抑え、中央吹き抜け部から採光する形状をとっており、そのような制約での対応と限られた敷地での工夫が、かえって本美術館をたいへんユニークなものにしています。

　館内は、地下2階から地上2階までを貫く吹き抜けを取り巻くようなオーバルな形状となっていて、回廊のような動線を提供しています。1階に設けられたブリッジやらせん状の階段などデザイン性のある空間設計が見事です。

■展覧会：さまざまな分野・時代の作品による企画展を中心に、渋谷区に関連する公募展なども開催しています。

基本
情報
□東京都渋谷区松濤2-14-14　TEL：03-3465-9421
□アクセス：京王井の頭線「神泉駅」より徒歩5分、JR・東急・東京メトロ「渋谷駅」より徒歩15分
□開館時間：10:00 ～ 18:00（入館は17:30まで）
□休館日：月曜日（祝日の場合は開館）、祝日の翌日（土曜日・日曜日にあたる場合は開館）、展示替期間、年末年始
□入館料：展覧会によって異なります

あわせて
立ち
寄りたい！
●戸栗美術館：創設者の戸栗亨が長年にわたり蒐集した陶磁器を中心とする美術品を展示。
●Bunkamura　ザ・ミュージアム：いつでも気軽にアートを楽しめる自由形美術館。近代美術の流れに焦点をあてた展覧会を開催しています。

MIYASHITA PARKの屋上で空を見上げるハチ公

渋谷の方位磁針｜ハチの宇宙

MIYASHITA PARK 屋上の『渋谷の方位磁針｜ハチの宇宙』（鈴木康広）

ハチは世界中の人々に語り継がれる果てしない『宇宙』のような存在

　　2020年にオープンした複合施設MIYASHITA PARKの屋上が立体都市公園制度を活用して整備され、開設67年の時を経て、施設屋上に場所を移した「渋谷区立宮下公園」。ボルダリングウォールやスケート場などが備わった公園の芝生広場の一画に突然、あのハチ公が現れました。このパブリックアートは、DESIGNARTが渋谷区観光協会と渋谷未来デザインと協業し、アーティスト・鈴木康広がデザインを手がけました。

「空が見渡せるMIYASHITA PARKに、渋谷区の方位を身体で感じられるベンチをデザインしました。そこにいち早くやってきたのは忠犬ハチ公像。星になった上野教授を見上げています。今やハチは世界中の人々に語り継がれる果てしない『宇宙』のような存在。動物と人間との間に芽生えた他者への想像力が、国境を越えて人々の心に何かを呼びかけているのではないでしょうか。明治通りに沿って南北に広がるMIYASHITA PARKは、道行く人たちにさりげなく方角を知らせるコンパスの『針』のような場所。近所から地球まで、さまざまな場所からやってきた人たちとの出会いによって、MIYASHITA PARKが未来に向かう『渋谷の方位磁針』となることを願っています」（鈴木康広）。

■作家：鈴木康広（すずき・やすひろ）。1979年、静岡県生まれ。身近なものに新鮮な切り口を与える作品によって、ものの見方や世界のとらえ方を問いかける活動を続けています。『りんごのけん玉』や『ファスナーの船』などの作品にその意表を突く切り口を見ることができます。

基
本　　東京都渋谷区渋谷1-26-5　宮下公園内
情　　□アクセス：JR「渋谷駅」宮益坂口より徒歩3分
報

あわせて
立ち
寄りたい！　　●SAI Gallery：話題のアーティストによる展覧会やポップアップはもちろん、1920年代から現代までのアートを、時代やジャンルにとらわれず紹介しています。
　　●『ハチ公ファミリー』：ハチ公をモチーフにしたパブリックアート。原画は北原龍太郎。

目黒区・上目黒にある現代アートのギャラリー

青山｜目黒
AOYAMA｜MEGURO

駒沢通りを望む展示室風景「ハイリスク／ノーリターンズ─ラテン・アメリカン現代美術のゲリラ戦術」2020年（撮影：藤川琢史）

コンセプチュアルで空間・状況に呼応するアプローチをとる作品紹介

　2007年、上目黒にオープンしたギャラリー「青山｜目黒」。青山も目黒もいずれも東京の地名にあり、また両者とも人名にあり、どっちがどっちと素朴な疑問です。正解は「目黒」は立地している目黒区から、「青山」はオーナーの青山秀樹から。あえて名前に「ギャラリー」を入れていないのは、先入観なしで経験してもらうためとのことです。

　駒沢通りに面しているギャラリー正面は上から下までガラス張りなので、中の様子がよくわかります。国内若手の中堅および国外の約12名のアーティストの作品を展示しています。展覧会では、彫刻、映像、サウンド、絵画、写真、パフォーマンスと多岐に渡り、コンセプチュアルかつ空間や状況に呼応するアプローチをとる作品を紹介しています。

■過去の展覧会：イジー・コヴァンダ「On Air」（2020年12月～2021年2月）、アナ・ナバス、カーラ・カプルン、ハビエル・バリオス、フェルナンド・パルマ、大槻英世「Sans filet」（2020年10～11月）、「ハイリスク／ノーリターンズ─ラテン・アメリカン現代美術のゲリラ戦術」（2020年6～7月）、五月女哲平「私たちの時間」（2020年2～3月）など。

■在籍作家：田中功起、佐藤純也、Euan Macdonald、Lotte Lyon、五月女哲平、Chosil Kil、青田真也、磯谷博史、橋本聡、佐々木健。

基本
情報
　東京都目黒区上目黒 2-30-6　保井ビル1階　TEL：03-3711-4099
　□アクセス：東京メトロ日比谷線・東急東横線「中目黒駅」・東急東横線「祐天寺駅」より徒歩10分
　□開廊時間：展示期間のみ開廊。12:00～19:00（木曜日・金曜日）、12:00～18:00（土曜日・日曜日）
　□休廊日：月曜日～水曜日　※開廊日は展示によって変わることがあります
　□入館料：無料

あわせて
立ち
寄りたい！
●アクセサリーミュージアム：近代ファッション150年余のコスチュームジュエリーを文化・風俗といった時代考証を加えて展示しています。
●長泉院附属現代彫刻美術館：20世紀後半以降の日本の彫刻家の作品を屋内・屋外に展示。

挿絵画壇の鬼才・岩田専太郎の常設館

金土日館

美術館エントランス

松本清張・著「美しき闘争」挿絵

昭和時代が生んだ挿絵画家の第一人者の肉筆原画・美人画を展示

　なんともユニークな名称の「金土日館」。館名からはその実体を想像できませんが、文京区千駄木の住宅街にある金土日館は、2009年の開館以来、挿絵画壇の鬼才・岩田専太郎の画業を称え、作家の人となりと作品を広く知ってもらうために、金・土・日曜日だけ開館する常設館です。作家が生涯を通じて描き続けた挿絵は、約6万枚とも言われ、本館では原画約800点と美人画50点を所蔵しています。

　館内地階の展示室では、原画や書籍・雑誌が展示公開されていて、一部作品の展示入れ替えは、年2回行われます。原画からは、掲載本・掲載誌の印刷では見られない肉筆の巧みなタッチと繊細な描写、そして古さを感じさせない斬新な構図を見てとれます。多くの作家の小説に、挿絵という形で読み手の世界観を広げ、別の角度から作品に命を注ぎ込んだ挿絵は、現代でも通じる斬新な発想と構図で、現代に残された挿絵文化の象徴です。今も生き続けるその貴重な作品を本館でしっかりと楽しめます。

■岩田専太郎（いわた・せんたろう）：東京都浅草黒船町に生まれ、小学校卒業後、京都へ移り図案家に弟子入りします。1920年、挿絵画家として講談雑誌からデビュー。その後、伊東深水に師事。吉川英治「鳴門秘帖」など、さまざまな雑誌や新聞、時代小説、現代小説などで一世風靡し、昭和時代が生んだ挿絵画家の第一人者として、50年余りに亘って大衆を魅了し続けました。

基本情報
東京都文京区千駄木1-11-16　TEL：03-3824-4406
□アクセス：東京メトロ千代田線「千駄木駅」1番出口より徒歩10分
□開館時間：12:00～15:30（入館は15:00まで）　□休館日：月曜日～木曜日、展示入替期間
□入館料：一般600円、小・中学生300円　※公式ホームページで最新情報をご確認ください

あわせて
立ち
寄りたい！
●大名時計博物館：陶芸家の故・上口愚朗が生涯にわたり収集した江戸時代の貴重な文化遺産を長く保存するために、1951（昭和26）年3月「財団法人上口和時計保存協会」を勝山藩の下屋敷跡に設立した博物館です。

渋谷ヒカリエ8階のクリエイティブスペース

クリエイティブスペース
8/04 d47 MUSEUM

クリエイティブスペース 8/04 d47 MUSEUM のスペース

47都道府県をテーマとしたミュージアムで47の展示台が常設

　8/（はち）は「多様で先進的な文化を発信し続ける東京を代表するクリエイティブスペース」をコンセプトとした渋谷ヒカリエの文化・情報発信拠点となる場所です。情報発信の場・人が繋がりやすい場・開かれた学びの場を提供するとともに、新しい価値やアイディアで社会的な課題解決へ挑戦している人を受け入れ、支え、育成する土壌も創っています。

　その8階フロアにレイアウトされた8つのテーマスペースのうちのひとつが「8/04 d47 MUSEUM」。dは「design」のd、47は「都道府県」の数を表し、D＆DEPARTMENTによる47都道府県をテーマとしたミュージアムです。47の展示台が常設されていて、47の日本の伝統工芸から、若い世代によるクリエイション、観光や地元のデザイントラベルまで、ひとつのテーマを47都道府県から集めて展示する企画展を開催しています。ご当地のアンテナショップは東京都内で多く見るものの、いままでありそうでなかった日本で唯一年間を通して「日本」を俯瞰で眺められる場所となっています。いつ訪ねても、居ながらにしてその時々のテーマを切り口とした日本全国行脚の旅ができる刺激的な場所です。

■過去の展覧会：「LONG LIFE DESIGN 2 祈りのデザイン展 -47都道府県の民藝的な現代デザイン-」（2020年12月〜2021年2月）、「着る47展」（2019年12月〜2020年3月）ほか、ひとつの県のその土地らしさを特集する「d design travel EXHIBITION」シリーズなど。

基本情報
東京都渋谷区渋谷2-21-1　渋谷ヒカリエ8階　TEL：03-6427-2301
□アクセス：東急各線「渋谷駅」B5出口と直結、JR・京王井の頭線「渋谷駅」と2階連絡通路で直結、
　東京メトロ銀座線「渋谷駅」と1階で直結、東京メトロ半蔵門線・副都心線「渋谷駅」B5出口と直結
□開館時間：12:00〜20:00（入場は19:30まで）　□休館日：水曜日および企画入替期間（その他渋谷ヒカリエに準ずる）
□入場料：ドネーション形式（来場者が入場料を決める自由料金制）

あわせて
立ち
寄りたい！
●「ハチ公ファミリー」：JR渋谷駅ハチ公前広場に1990年3月に設置された大型の陶板レリーフ（信楽）。原画・監修は北原龍太郎。

●「渋谷の方位磁針｜ハチの宇宙」：渋谷・MIYASHITA PARK屋上にある鈴木康広のパブリックアート作品。

日本女子大学の創立者・成瀬仁蔵の記念館

日本女子大学成瀬記念館

日本女子大学成瀬記念館の外観

ロマネスク調の建物とステンドグラス・フレスコ画が見どころ

　成瀬記念館は、日本女子大学の創立80周年記念事業の一環として、1906（明治39）年築の校舎を取り壊した跡地に1984（昭和59）年に建てられました。都心にあって緑が豊かで落ち着いた雰囲気が漂う目白キャンパスの正門を入ってすぐ左手に建つ赤煉瓦タイルのロマネスク調の建物です。本学の創立者・成瀬仁蔵の教学の理念と学園の歴史を明らかにし、広く女子教育の進展に寄与することを願って設立されました。

　本館の設計は、倉敷のアイビースクエアや大原美術館分館などの設計で知られる浦辺鎮太郎です。館内を特徴づけるのは、なんといってもステンドグラスとフレスコ画です。

　アーチ型の鉄の扉を押して館内ロビーに入ると、ステンドグラスを通した光が柔らかに満ちているのを感じます。ロビー吹き抜けの両壁面には「春の桜」「夏のコスモス」「秋の楓」「目白台の冬」「天に鳥」「地に動物」の6点のフレスコ画が掲げられています。ロビーから2階の展示室に続く赤絨毯の階段を上りきった正面の「記念室・瞑想室」には、成瀬仁蔵の胸像が置かれ、その後ろの壁面には円形のステンドグラスとその周囲を取り囲む「生命の樹」と名付けられた木の板が見えます。取り壊しの際の古材を利用して元の木に戻すというメッセージと創立者が描いた「桜楓樹」のイメージをこめて表現したものです。本館の細部にいたるまで創立者への愛情が込められていることを感じます。

基本情報

東京都文京区目白台2-8-1　TEL：03-5981-3376
□アクセス：JR 山手線「目白駅」より徒歩15分、東京メトロ副都心線「雑司が谷駅」3番出口より徒歩8分
□開館時間：公式ホームページで最新情報をご確認ください
□入館料：無料

あわせて
立ち
寄りたい！

●永青文庫：大名細川家に伝来する歴史資料や美術品などの文化財を管理保存・研究し、一般に公開している美術館。毎年4つの会期にわけて美術工芸品を中心に公開展示。
●東京染ものがたり博物館：東京染小紋と江戸更紗を中心に、染色の技法や作品を紹介する博物館。

実篤公園に隣接する武者小路実篤の記念館

調布市武者小路実篤記念館

調布市武者小路実篤記念館の外観（写真提供：調布市武者小路実篤記念館）

小説家・詩人・劇作家・画家であった武者小路実篤の世界を堪能

　武者小路実篤記念館は、武者小路実篤が1955（昭和30）年から晩年までの20年間を過ごした調布市若葉町の邸宅（現：実篤公園）の隣接地に、1985（昭和60）年に開館しました。作家の本、絵や書、原稿や手紙、実篤が集めていた美術品などを所蔵し、文学や美術などさまざまなテーマの展覧会をほぼ5週間ごとに開催して、いつ来ても新しい発見がある展示が行われています。

　館内に入ると、ロビーには90歳の時の書をもとにした『日日是好日』が掲げられています。その先に展示室、中庭が見える廊下を渡って展示コーナー、資料・データベース閲覧室と続きます。展示コーナーでは時々の作家の作品が展示されていますが、「かぼちゃの絵」など作家の画を観ていると、同じ種類のモチーフでも、個々がもつ「個性」を見つけ、よく観察して描かれているのがわかります。そして、そこに書かれている短い言葉「画讃」にもなにかほっとするものを感じます。訪問のあと、実篤公園でその余韻に浸るのも心安らぐひと時となります。

■武者小路実篤（むしゃこうじ・さねあつ）：処女作品集『荒野』を出版して以来、60余年にわたり、小説『おめでたき人』のほか、戯曲・詩・随筆など7,000篇を上まわる作品を残しました。一方、「かぼちゃの絵」で知られるように若いころから美術への関心も高く、『白樺』をはじめ数々の雑誌に作品紹介や美術論を執筆するなど、美術に関する著作も数多くあります。

基本情報
東京都調布市若葉町1-8-30　TEL：03-3326-0648
□アクセス：京王「仙川駅」または「つつじヶ丘駅」より徒歩10分
□開館時間：9:00～17:00　□休館日：月曜日（祝日の場合は開館し、翌平日休館）、年末年始
□入館料：一般200円、小・中学生100円

あわせて
立ち
寄りたい！
●東京アートミュージアム：安藤忠雄が設計を担当した美術館で2004年にオープン。公式サイトのオープニングイラストも手がけています。「世界の芸術や文化の『いま』がある」をコンセプトに、調布市仙川町で芸術や文化を存分に楽しめます。

渋谷区・千駄ヶ谷の国立能楽堂内の展示室

国立能楽堂資料展示室

能面 白色尉　国立能楽堂蔵

国立能楽堂の外観
（写真提供：国立能楽堂）

能楽堂収蔵資料展、能楽入門展、特別展、公演とリンクの展示など

　国立能楽堂資料展示室は、独立行政法人日本芸術文化振興会の能楽の公演を専門にしている施設「国立能楽堂」内にある展示室です。客席が627席ある能楽堂は、JR中央・総武線「千駄ケ谷駅」から徒歩5分の渋谷区・千駄ヶ谷にあり、1983年9月に開場しました。設計は、モダニズムと日本の伝統様式とを決して融合することなく「混在併存」させた建築意匠で知られる大江宏で、法政大学55年館・58年館などを設計したことでも知られています。

　武蔵野の雑木林をモチーフにした館内中庭の先にある能楽堂資料展示室は、能楽堂での公演がない時でも、展覧会が行われている期間中は無料で入室できます。また、通常17時までの開室ですが、国立能楽堂主催の夜公演などを鑑賞する方は、開場から開演まで展示を観覧することができますので、公演の際は、お立ち寄りのほどを。

　展示室では年4回の企画展が開催されていますが、能楽堂の収蔵資料展、公演とリンクした展示、能楽の入門展、特別展などからなります。特別展の中には、能楽と日本美術の相互関係を切り口としたものなども企画されていますので、ぜひその機会をお見逃しなく。

■過去の展覧会：特別展「日本人と自然－能楽と日本美術」（2021年4～6月）、収蔵資料展「狂言資料展」（2021年1～3月）、入門展「能楽入門」（2020年7～10月）など。

基本情報
　東京都渋谷区千駄ヶ谷4-18-1　TEL：03-3423-1331（代表）
　□アクセス：JR中央・総武線「千駄ケ谷駅」より徒歩5分、都営「国立競技場駅」A4出口より徒歩5分、東京メトロ「北参道駅」出口1／2より徒歩7分
　□開室時間：11:00～17:00　□休室日：月曜日（祝日の場合は開館し、翌日休館）、舞台整備期間、年末年始
　□入館料：無料

あわせて立ち寄りたい！
　●聖徳記念絵画館：明治天皇の輝かしい時代の勇姿と歴史的光景を80枚の名画で常設展示しています。
　●明治神宮ミュージアム：設計を手がけたのは、日本を代表する建築家・隈研吾。新たな明治神宮のシンボルが緑豊かな代々木の杜に誕生しました。

209

「アートヴィレッジ大崎」のパブリックアート

グローイング・ガーデナー

『グローイング・ガーデナー』（インゲス・イデー）

真っ赤な長い帽子を被り白い髭をたくわえたユーモラスな庭師

　山手線沿線地帯の品川区・大崎は、かつて日本の技術産業を支えるさまざまな規模の工場がひしめく「ものつくり」の街でした。その大崎駅に隣接し、2006年に竣工した複合施設「アートヴィレッジ大崎」には、アート・プロジェクトの一環として国内外のアーティストによる作品が多数設置されています。

　そのひとつが、山手線内回りで五反田駅から大崎駅に向かう途中の車窓左手に現れる摩訶不思議な彫刻作品。ニョキニョキと空に延びる真っ赤な長い帽子を被り白い髭をたくわえ、こちらを見つめる人形のような不思議な様子に、思わず下車して謎解きをしたくなります。

　この作品は、街区を囲む緑豊かな「丘の庭」に設置されたドイツのアート集団インゲス・イデーの『グローイング・ガーデナー』。ガーデナー＝庭師＝森の守り神の妖精「ガーデン・ノーム」という赤いとんがり帽子「フリジア帽」を被った想像上の小さな生き物の姿をモチーフにしたものです。妖精にしては図体が大きく、まじめな表情とこれでもかと伸ばしてデフォルメした帽子とのコントラストがなんともユーモラスで見ていて楽しくなります。新しい街と庭を守りつつ、街全体にアクセントを与える作品となっています。

■作家：インゲス・イデーは、1992年に結成されたドイツ人のアーティスト集団。ハンス・ハマート、アクセル・リーバー、トマス・A・シュミット、ゲオルグ・ツァイの4人のアーティストが公共空間のアート・プロジェクトで協同した際にドイツのベルリンで結成したユニット。

基本情報

東京都品川区大崎1-2-2　アートヴィレッジ大崎セントラルタワー
□アクセス：JR 山手線「大崎駅」東口より徒歩5分

あわせて
立ち
寄りたい！

●O美術館：美術鑑賞や作品発表の場など、多目的に利用できる品川区立の美術館。
●容器文化ミュージアム：東洋製罐グループホールディングスが運営する容器包装の中に隠れているさまざまな秘密を「ひらく」施設。

渋谷区・神宮前の現代美術のギャラリー

artspace AM

artspace AMの展示室風景。展覧会「荒木経惟展 恋空 artspace AM」（写真提供：artspace AM）

荒木経惟の最新作を展示する、世界的に見ても唯一のギャラリー

「artspace AM」は、ファッションブランドやパティスリーなどが立ち並ぶ渋谷区神宮前にあるギャラリーです。ギャラリー名「artspace AM」のAは、「アラーキー」の愛称で知られる写真家・現代美術家の荒木経惟の頭文字から、Mは本ギャラリーの代表・本尾久子の頭文字「M」に由来します。

　当初は写真作品をメインにしていましたが、現在は荒木経惟ひとりの作品に焦点をあてて展示しています。荒木経惟の最新作を展示する、世界的に見ても唯一のギャラリーです。

　照明をかなり落とした展示室には、アート作品を見せる空間としてのこだわりが見てとれます。天井も床もコンクリートの打ちっぱなしで、フロアには柱が見当たりません。建物の「素」の状態にして必要なものだけで構成。床には「黒皮鉄」をアイランド状に敷いて廊下に仕立てています。黒皮鉄は、表面に黒皮（クロカワ）と呼ばれる黒色の膜を持った鉄材で、ほのかに青く光るような黒色と、手触りなど素材感を味わえることが魅力の素材。年月を経るとニュアンスが出ることを考えて採用したそうです。とことん作品と向かい合える空間設計に感服です。

■過去の展覧会：荒木経惟「楽園」（2021年1〜3月）、荒木経惟「恋空」（2020年10〜12月）、荒木経惟「傘寿＋エロッキー・エロえんぴつ」（2020年6〜8月）、荒木経惟「月光写真」（2019年12月〜2020年2月）など。

基本情報

東京都渋谷区神宮前6-33-14　神宮ハイツ301/302　TEL：03-5778-3913
□アクセス：東京メトロ千代田線・副都心線「明治神宮前＜原宿＞駅」7番出口より徒歩1分
□開廊時間：13:00〜19:00　□休廊日：月曜日・火曜日
□入館料：無料

あわせて
立ち
寄りたい！

●太田記念美術館：東邦生命の社長を務めた太田清蔵が蒐集した浮世絵コレクションを展示。
●エスパス ルイ・ヴィトン東京：著名な建築家・青木淳がデザインしたルイ・ヴィトン表参道ビルの7階に位置しているアートスペース。

思想家・柳宗悦が中心になって設計された建屋

日本民藝館

日本民藝館本館の入口

「民藝」という新しい美の概念の普及と「美の生活化」を目指した本拠

　日本民藝館は、「民藝」という新しい美の概念の普及と「美の生活化」を目指す民藝運動の本拠として、1926年に思想家の柳宗悦らにより企画され、1936年に開設されました。目黒区・駒場の閑静な住宅街に、石塀が印象的な日本民藝本館はあります。1936年に竣工した建物部分は旧館と呼ばれていて、柳宗悦が中心となり設計されたもので、外観・各展示室ともに和風意匠を基調としながらも随所に洋風を取入れた施設です。旧館と石塀は、2021年に東京都指定有形文化財（建造物）に指定されました。

　玄関扉を開けると、外からは伺い知れなかった磨きあげられた木製の階段、床の大谷石、白い漆喰の壁面、大型の展示ケース、そして吹抜けの空間が広がります。

　1階には陶磁室・外邦工芸室・染織室・ミュージアムショップが、2階には、階上回廊・新館回廊周りに大展示室・朝鮮工芸室・工芸作家室・絵画室・木漆工室があり、美術品としては顧みられなかった多彩な民芸美をあらためて見出す貴重な展示内容となっています。

■過去の展覧会：日本民藝館改修記念「名品展I－朝鮮陶磁・木喰仏・沖縄染織などを一堂に」（2021年4～6月）、「アイヌの美しき手仕事」（2020年9～11月）など。

■所蔵品：柳の審美眼により集められた陶磁器・染織品・木漆工品・絵画・金工品・石工品・編組品など、日本をはじめ諸外国の新古工芸品約17000点を数えます。

基本情報
東京都目黒区駒場4-3-33　TEL：03-3467-4527
□アクセス：京王井の頭線「駒場東大前駅」西口より徒歩7分
□開館時間：10:00 ～ 17:00（入館は16:30まで）
□休館日：月曜日（祝日の場合は開館し、翌日休館）、年末年始、展示替期間、その他
□入館料：一般 1,200円、大高生 700円、中小生 200円

あわせて立ち寄りたい！
●戸栗美術館：創設者の戸栗亨が長年にわたり蒐集した陶磁器を中心とする美術品を公開展示。
●松濤美術館：1981年に開館した渋谷区立の美術館。哲学的な建築家といわれる白井晟一の設計のもとに完成した建物と中庭にある噴水が特徴。

日本唯一の容器に特化したミュージアム

容器文化ミュージアム

ミュージアムのエントランス

容器包装の中にかくれているさまざまな驚きの秘密を詳らかにする

　容器文化ミュージアムは、1917年創業の東洋製罐グループの品川区東五反田にある本社ビル1階に設置されている、容器包装の文化を発信するミュージアムです。太古の昔から今日まで、いつの時代も人の暮らしを便利で豊かなものとするために、考え、作られ、利用されてきた容器包装。同ミュージアムは、その容器包装の中に隠れているさまざまな驚きの秘密を中に「閉じて」してしまうのでなく、外に「ひらく」をテーマにしています。全体を通して企業色を抑えており、他社製品も交えての容器に重きをおいた展示となっていて、日本唯一の容器に特化したミュージアムと言えるでしょう。

　館内に入ってまず目につくのが「インバーテッド　ボディ　メーカー」と言われる約100年前の自動製缶機で、1988年まで稼働していた貴重な展示品です。展示室内は、ゾーンごとに、「人と容器のかかわり」「容器包装の役割」「容器包装NOW!」「環境」「循環する容器包装」「缶詰ラベルコレクション」とわかりやすく6色に色分けされています。あわせて容器包装の歴史を概観する「人と容器の物語」の展示があります。容器のはじまりは木の葉や貝殻であったことに納得です。「缶詰ラベルコレクション」コーナーでは、明治時代からの代表的な缶詰ラベルを展示しています。缶詰がおもに輸出用だったころの紙ラベルには、日本製をアピールするために日本髪の女性や富士山が描かれるなど、ラベル1点1点が当時の日本を語りかけてきます。また、館内の自動販売機で販売中のオリジナルグッズも人気です。

基本情報
　東京都品川区東五反田2-18-1　大崎フォレストビルディング　TEL：03-4531-4446
　□アクセス：JR「大崎駅」北改札口の東口より徒歩6分、JR山手線「五反田駅」中央改札口を出て東口より徒歩8分
　□開館時間：9:00 ～ 17:00　□休館日：土曜日・日曜日、祝日
　□入館料：無料

あわせて立ち寄りたい！
　●『グローイング・ガーデナー』：2007年1月にオープンしたアートヴィレッジ大崎には、国内外のアーティストによる5つのパブリックアート作品が設置されています。赤色の帽子が長く空に向かって伸びる小人の彫刻は、ドイツの芸術家集団「インゲス・イデー」の作品。

東京大学医学部の附属博物館

健康と医学の博物館

健康と医学の博物館の外観(写真提供:健康と医学の博物館)

東京大学医学部・医学部附属病院から社会への新しい情報発信拠点

「健康と医学の博物館」は、東京大学医学部・医学部附属病院が創立150周年を迎えた2008年に「社会に開かれた医学・医療の展開」記念事業のひとつとして2011年にオープンしました。オープン時には医学部総合中央館(医学図書館)地下1階でしたが、2019年4月に現在の場所でリニューアルオープンしています。

　博物館は、文京区本郷の東大病院・南研究棟1階にありますが、アクセスがちょっとアドベンチャーです。東大病院外来医療棟正面入口向かいに南研究棟の中庭に抜けるトンネルがあり、抜けた先の中庭の斜め右側にあるのが博物館の入口です。

　同館の展示には、常設展・企画展・特別展があります。常設展では、医学部と附属病院160年の歩みの中から特筆されるものを中心に紹介。初期の時代にドイツ人教師によってもたらされた医学書・医療器具の展示と日本人によって作られた人工癌などの世界的な業績が展示されています。企画展では「医療の今を知る」と題し、AからEまで5つの展示室にテーマを設けて、現在の医学・医療の最新のトピックを紹介しています。展示室Bでは、感染症を引き起こす目に見えない大きさのウイルス・菌・寄生虫が紹介されていて、ウイルスのガラス模型、ウイルスの基礎知識の映像など、興味をそそられます。東大医学部というと敷居が高く感じられますが、わかりやすい展示で、誰でも楽しめる博物館です。

基本情報

東京都文京区本郷7-3-1　東大病院・南研究棟1F　TEL:03-5841-0813
□アクセス:東京メトロ大江戸線「本郷三丁目駅」より徒歩8分、東京メトロ丸の内線「本郷三丁目駅」より徒歩10分
□開館時間:10:00〜17:00(入館は16:30まで)　□休館日:水曜日(水曜日を含め祝日は開館)、年末年始
□入館料:無料

あわせて立ち寄りたい!

●弥生美術館:挿絵画家・高畠華宵が描いた絵に感銘した弁護士・鹿野琢見によって創設された美術館。
●旧岩崎邸庭園:岩崎家の第三代当主・久彌の本邸として建てられ、洋館、和館、撞球室の3棟が現存しています。洋館と撞球室は、英国建築家ジョサイア・コンドルの設計。

歴史と趣のある建築のアート発信スペース

トーキョーアーツアンドスペース本郷
（TOKAS 本郷）

トーキョーアーツアンドスペース本郷の建物角の展示案内バナー

同時代の表現を東京から創造・発信するアートセンター

　　トーキョーアーツアンドスペース（TOKAS）は、幅広いジャンルの活動や領域横断的・実験的な試み
を支援し、同時代の表現を東京から創造・発信するアートセンターです。
「TOKAS 本郷」は、2001年の開館以来、TOKAS 事業の発表の場として、展覧会、公演、コンサート、
ワークショップなど多岐にわたる活動を行っています。
　　建物は1928年に建てられたレトロな外観の鉄筋コンクリート造3階建で、長く職業訓練校や教育庁
庁舎などとして使用されていた歴史と趣のある建築です。展示作品のほかにも見どころがたくさんあり、
イスナデザインのイラストと富岡克朗のデザインによる楽しい「館内探索マップ」を片手にいざ出発で
す。1階床の素材は赤貝石灰くずなどで、貝殻が埋まっているのがわかります。ドリルで壁に穴をあけて
模様を入れるマーティン・シュミットによる作品『ウォール・タトゥー』は、館内に5つあります。趣のある
階段手すりは人造石を手で磨いて作られました。梁型やアーチなど戦前の建物の面影が残っている天
井も見逃せません。
■過去の展覧会：「A Scoop of Light」（2021年7〜8月）、「TOKAS-Emerging 2021」（2021年
4月〜6月）、「停滞フィールド 2020→2021」（2021年2〜3月）、OPEN SITE 5｜公募プログラム
【展示部門】（2021年1〜2月）など。

基本
情報

東京都文京区本郷2-4-16　TEL：03-5689-5331
□アクセス：JR・東京メトロ丸ノ内線「御茶ノ水駅」、JR・都営三田線「水道橋駅」、
　都営大江戸線・東京メトロ丸ノ内線「本郷三丁目駅」の各駅より徒歩7分
□開館時間：11:00 〜 19:00（入場は18:30まで）
□休館日：月曜日（祝日の場合は開館し、翌平日休館）、展示替期間、年末年始
□入館料：無料　※プログラムによって有料の場合があります

あわせて
立ち
寄りたい！

●明治大学博物館：駿河台キャンパス内の博物館。「商品」「刑事」「考古」の3つの展示部門があり、それぞれ見応え
のある内容となっています。
●阿久悠記念館：明治大学出身の日本を代表する作詞家・作家の阿久悠の記念館。

世田谷区奥沢にある世田谷美術館の分館

宮本三郎記念美術館

宮本三郎記念美術館の外観（©宮本和義）

油彩・素描などの収蔵品から年2回テーマに沿って展覧会を開催

　宮本三郎記念美術館は、洋画家・宮本三郎が1935年から1974年に亡くなるまで長く制作の拠点とした世田谷区奥沢の地に、世田谷区が新たに建設し、2004年4月に世田谷美術館の分館として開館した美術館です。宮本邸は、もともと木造住宅で、当時の面影として唯一残っているのが、作家のお嬢さんが生まれたときの記念に植樹した桜の木で、80年以上を経た今でも春には花を咲かせます。

　館内2階にある展示室では、収蔵品の中から年2回テーマに沿って展覧会が開催されます。勉強家であった作家の蔵書や、作家が使っていた大型のイーゼルなどの展示もあります。

■過去の展覧会：「宮本三郎、画家として Ⅰ　はじまりから　戦争を経て 1920s-1950s」（2021年4～9月）、「宮本三郎 描かれた女性たち」（2020年10月～2021年3月）、「宮本三郎 絵画、その制作とプロセス」（2020年6～10月）、「宮本三郎 風景を描く」（2019年10～2020年1月）など。

■宮本三郎（みやもと・さぶろう）：1905年、現・石川県小松市生まれの昭和を代表する世田谷区ゆかりの洋画家です。川端画学校で富永勝重、藤島武二、また個人的には安井曾太郎に指導を受け、戦前は雑誌の挿絵や表紙絵の制作でも活躍。戦後は、生来の素描力を土台に、画風を変えながらも、人物を主たるテーマとして制作、晩年は花と裸婦を主題にした豪華絢爛な絵画世界を構築。

基本情報
東京都世田谷区奥沢5-38-13　TEL：03-5483-3836
□アクセス：東急東横線・大井町線「自由が丘駅」より徒歩7分、東急大井町線「九品仏駅」より徒歩8分
□開館時間：10:00～18:00　□休館日：月曜日（祝休日の場合は開館し、翌平日休館）、展示替期間、年末年始
□入館料：一般200円、大高生150円、中小生100円、65歳以上100円

あわせて
立ち
寄りたい！
●五島美術館：国宝『源氏物語絵巻』をはじめとする名品を収蔵。
●世田谷美術館分館：本美術館に加えて、向井潤吉アトリエ館と清川泰次記念ギャラリーがあります。

シンボルプロムナード公園内のアート作品

自由の炎

『自由の炎』（マルク・クチュリエ）遠景

日仏の友好を讃えるために贈られたマルク・クチュリエの作品

　江東区・青海のダイバーシティ東京、東京ビッグサイト青海展示場、ヴィーナスフォート、パレットタウンで囲まれた、北東から南西に長く延びるシンボルプロムナード公園。その公園の南西端に位置する花と緑のおもてなしで有名な「セントラル広場」に、ダイバーシティ東京をバックに建つ巨大な実物大ユニコーンガンダム立像が出現してびっくりしますが、そこを右に曲がるとさらに驚くものに出会います。

　その正体は、これもまた巨大なコンクリート製の植木鉢を逆さまにしたような土台の上に黄金に輝く炎を象ったものが空へと伸びる『自由の炎（LA FLAMME DE LA LIBERTE）』と題された、公園内のパワースポット的なパブリックアートです。土台の周りにはきれいに花が植わっていて、そのコントラストが摩訶不思議な空気感を醸し出しています。

　この作品は、「フランスにおける日本年（1997～1998年）」と「日本におけるフランス年（1998～1999年）」を記念し、また日仏の友好を讃えるために、東京と日本に贈られたフランスの芸術家マルク・クチュリエのオリジナル作品です。2000年に駐日フランス大使により除幕されました。
■作品：空気、水、土の三大元素が醸し出す夢をイメージし、空気は大空へ細長く伸びる炎、水は東京湾、土は土台を表しています。台座部分の高さは6メートルで、あわせると全高は27メートルになります。作家は違いますが、同じタイトルの作品がパリにあり、通称「ダイアナ妃慰霊モニュメント」。実際はニューヨークの自由の女神の修復に対する感謝の記念にアメリカよりフランスに贈られたもの。

基本情報
東京都江東区青海1-2　シンボルプロムナード公園内　ウエストパーク橋南側
　□アクセス：臨海高速鉄道りんかい線「東京テレポート駅」より徒歩5分

あわせて立ち寄りたい！
●チームラボ ボーダレス：延べ床面積が約1万㎡ある巨大なデジタルアート空間。
●東京トリックアート迷宮館：立体的に見える絵画や目の錯覚を利用して楽しく遊ぶ、不思議なトリックアート美術館。世界初の「江戸エリア」や「愉快な忍者とお化けの屋敷」など。

217

アート集積地・京橋エリアに立地のギャラリー

GALLERY b. TOKYO

ギャラリーの展示風景（大竹夏紀個展10、2020年7～8月）

日本の現代アートにおける次の時代を担う若い作家を応援

　伝統建築と近代的な高層建築が調和した新旧が混在する街並みを有する中央区の京橋・日本橋エリアは、終戦直後から、古美術や洋画、日本画などの多岐にわたる美術専門店やギャラリー・画廊が軒を連ねる国内有数のアート集積地となっています。その中にあって、GALLERY b. TOKYO（ギャラリー・ビー・トウキョウ）は、コンテンポラリーアートの企画展示を行っているギャラリーです。

　アートに真摯に向き合い、日々継続して作品を制作し続けている作家を、独自の視点で紹介しています。若手作家発掘にも力を注ぎ、日本の現代アートにおける次の時代を担う若い作家を応援している姿勢が、展覧会を通して感じ取れます。地下1階に位置するニュートラルなギャラリー空間でその展示作品が一段と映えます。19時まで開いているので、仕事終わりでも立ち寄れるのが嬉しい配慮です。
■過去の展覧会：森ゆい 展 DAWNING（2021年10月）、平子暖 リアル？（2021年10月）、三代宏大 個展「Re:コ（ミニュ）ケーション」（2021年9～10月）、齋藤 ワヤン 恵衣美 展「roots」（2021年9月）、新埜康平 個展 SILENT FILM（2021年7月）、山ノ内陽介 個展「Mindfulness」（2021年6～7月）、二〇二〇年の心象鏡 Tomoya Kikuchi Photo Exhibition（2021年6月）、三代宏大 個展「コ（ミニュ）ケーション」（2021年4月）、鈴木志歩 展「わすれもの」（2021年4月）、井上咲香 展（2021年3月）、菊地虹 展（2021年3月）、大橋俊介 個展（2021年3月）など。

基本
情報
　東京都中央区京橋3-5-4　TEL：03-5524-1071
　□アクセス：東京メトロ銀座線「京橋駅」2番出口より徒歩2分、都営浅草線「宝町駅」A3出口より徒歩2分、
　　東京メトロ有楽町線「銀座一丁目駅」7番出口より徒歩3分
　□開廊時間：11:00～19:00（最終日は17:00まで）　□休廊日：日曜日
　□入場料：無料

あわせて
立ち
寄りたい！
　●アーティゾン美術館（ARTIZON MUSEUM）：新築のミュージアムタワー京橋に2020年2月にオープンした美術館。誰もが知っている名画を間近に鑑賞できる至福の時間を享受。ブリヂストン美術館が前身。
　●POLA MUSEUM ANNEX：ポーラ銀座ビルのコンセプトの一翼を担う「美術」がテーマの美術館。

文京区・目白台の閑静な住宅街に佇む美術館

永青文庫

永青文庫の外観

重要文化財　菱田春草筆『黒き猫』1910（明治43）年、永青文庫蔵（熊本県立美術館寄託）

700年続く大名細川家のコレクションの中から企画展示

　永青文庫（えいせいぶんこ）は、江戸時代から戦後にかけて所在した広大な細川家の一隅にあり、神田川側からは東京23区屈指の急坂の「胸突坂」を上り切った先、目白通りからは細い道に少し入ったところの、目白台の閑静な住宅街の一画に位置しています。

　永青文庫は、細川家に伝来する歴史資料や美術品などの文化財を管理保管・研究するため1950（昭和25）年に設立され、1972（昭和47）年から一般に公開されています。文庫名の「永青」は細川家の菩提寺である京都建仁寺塔頭永源庵の「永」と、細川家初代藤孝の居城・青龍寺城の「青」から。

　文庫内の展示室は、2階から4階にあり、常設展示はなく、多様な所蔵品の中から毎回テーマを設けて展覧会が開催されています。赤絨毯が敷かれた階段を上がった3階は、重厚な扉から入るのが興味深く、建物が建てられた昭和初期当時の面影を感じることができます。

■過去の展覧会：「細川家四代展−護立・護貞・護熙・護光−」（2021年2〜4月）、「新・明智光秀論−細川と明智　信長を支えた武将たち−」（2020年11〜2021年1月）、「永青文庫名品展−没後50年 “美術の殿様” 細川護立コレクション−」（2020年9〜11月）など。

■所蔵品：国宝8件、重要文化財34件を含む、約6千点の美術工芸品と8万8千点の歴史文書。

基本情報

東京都文京区目白台1-1-1　TEL：03-3941-0850

□アクセス：JR「目白駅」・東京メトロ「雑司が谷駅」より、都営バス「白61 新宿駅西口」行きで「目白台三丁目」下車徒歩5分、東京メトロ有楽町線「江戸川橋駅」より徒歩15分

□開館時間：10：00〜16：30（入館は16：00まで）

□休館日：月曜日（祝日の場合は開館し、翌平日休館）、展示替期間、年末年始

□入館料：一般1000円、シニア（70歳以上）800円、大学・高校生500円、中学生以下無料

あわせて立ち寄りたい！

●早稲田大学會津八一記念博物館：早稲田大学早稲田キャンパスにあり、富岡重憲コレクション、内山コレクション、服部コレクション、小野コレクション、安藤更生コレクションなど、収蔵品は計約18,000件にものぼります。

●日本女子大学成瀬記念館：正門入って左手に建つ赤煉瓦のロマネスク調の建物の記念館。

折り紙に特化したミュージアム

東京おりがみミュージアム

ミュージアム内観

日本の伝統的な造形文化で、すぐれた教育素材の「折り紙」がテーマ

　2010年12月に墨田区・本所にオープンした東京おりがみミュージアムは、日本折紙協会が運営する施設です。折り紙作品を鑑賞できる常設展示場をはじめ、折り紙関連図書を集めた資料室（会員のみ使用可）、折り紙教室ができる講習室を併設していて、折り紙好きにはたまらないミュージアムです。

　館内には、日本の伝統的な折り紙をはじめ、複雑な折り方の芸術品と言ってよい美しい作品や新しい素材を使ったコンテンポラリーな楽しいアート作品、さらには海外の折り紙作品などが、所狭しと展示されていて、子どもから大人まで飽きずに観ていられます。浅草に近いこともあり、海外の折り紙ファンも多く訪れています。折り紙関連の書籍も多く並びますが、日本折紙協会の「月刊おりがみ」は毎月さまざまな折り紙の折り方をわかりやすく図解していてお勧めです。

■折り紙用紙：ショップには、さまざまな折り紙用紙があり、色彩も素材も豊富にそろっています。「小川和紙」は古い歴史があり、紀州高野山の細川奉書の技術が、江戸時代中期頃に江戸に近い小川周辺（現在の埼玉県小川町）に入ってきたものといわれています。ほかにも、「紙」の領域を超えた珍しい折り紙用紙も販売されています。「オリエステルおりがみ®」は、お風呂や庭のプールで遊べる折り紙が欲しいという願いを叶えた水に強い折り紙。そのほか、木から作られた「樹紙」、コサージュにしたい金網の折り紙など多彩な折り紙が揃ってます。

基本
情報
　東京都墨田区本所1-31-5　日本折紙協会　TEL：03-3625-1161
　□アクセス：都営大江戸線「蔵前駅」A7出口より約8分、都営浅草線「浅草駅」A2-a出口より約9分
　□開館時間：9:30 〜 17:30
　□休館日：祝日（土曜日・日曜日を除く／祝日が日曜日の場合は翌月曜日）、年末年始、その他
　□入館料：無料

あわせて
立ち
寄りたい！
　●すみだ北斎美術館：葛飾北斎および門人の作品を紹介する美術館。建築デザインは、建築家・妹島和世。
　●江戸東京博物館：江戸東京の歴史と文化を実物資料や復元模型等を用いて紹介。なお、2022年4月より2025年度中（予定）まで大規模改修工事のため全館休館を予定。

日本大学芸術学部江古田キャンパス内の芸術資料館

日本大学芸術学部芸術資料館

美術学科卒業制作展（2010年1月／写真提供：日本大学芸術学部芸術資料館）

芸術総合学部の特色を活かした幅と奥行きのある展覧会を開催

　東京都教育委員会より博物館相当施設に指定されている日本大学芸術学部芸術資料館は、芸術学部創設以来収集してきた芸術に関する写真・演劇・美術・デザインなどの資料の保管・展示・調査・研究を行う付属機関です。芸術資料館は、教職員や学生の研究・教育に活用されるほか、年間を通じて企画展を開催し、広く一般にも開放しています。

　資料の展示は常設展ではなく、特別展として10回程度の企画展を開催しています。定期的に開催する企画展として「オリジナルプリント展」「（財）北野生涯教育振興会彫刻奨学金受賞者展」のほか、学部の卒業制作展や大学院の修了制作展などを開催していて、芸術総合学部の特色を活かした日藝ならではの幅と奥行きのある展覧会に出会えます。

■収蔵資料（一部）：[写真関係] オリジナルプリント（海外と日本人写真家のオリジナル作品）、幕末明治期写真関係（旧岩波コレクション）、近・現代写真および写真関係文献。[映画・放送関係] 記録映画・外国映画フィルム、日本大学芸術学部映画学科作品フィルム、撮影機、現像関係機器、編集機器（歴史的資料）。[美術・デザイン関係] 版画、絵画、工芸、彫刻。[演劇関係] 歌舞伎衣裳、京劇衣裳、クラシックバレエ衣裳、能面・狂言面など。

基本
情報
東京都練馬区旭丘2-42-1　日本大学芸術学部江古田キャンパス　TEL：03-5995-8315
□アクセス：西武池袋線「江古田駅」北口から徒歩1分
□開館時間：9:30 〜 16:30（月曜日〜金曜日）／ 9:30 〜 12:00（土曜日）
□休館日：日曜日、祝祭日、大学の定める休日および休暇中　□入館料：無料

あわせて
立ち
寄りたい！
●日本大学芸術学部アートギャラリー：日本大学江古田キャンパス内の常設のギャラリー。
●熊谷守一美術館：熊谷守一が45年間生活した豊島区千早の旧宅地跡に1985年に次女の熊谷榧が開設した私設の美術館でしたが、豊島区へ作品を寄贈するかたちで区立の美術館に。

216

徳川将軍家の菩提寺とされる増上寺の宝物を展示

増上寺宝物展示室

狩野一信『五百羅漢図』（写真提供：増上寺宝物展示室）

「台徳院殿霊廟模型」と狩野一信『五百羅漢図』は圧巻

　港区・芝公園にある徳川将軍家の菩提寺と定められ発展してきた増上寺。増上寺宝物展示室は、徳川家康公没後400年にあたる2015（平成27）年に、増上寺の本堂地下1階に開設されました。少し照明を落とし、生け花が飾られているラウンジでは、これから静かに鑑賞する気持ちが整います。

　見どころは、展示室中央のガラスケースに収められている「台徳院殿霊廟模型」と、左手の壁面全面を使って展示する狩野一信作の『五百羅漢図』。台徳院殿霊廟は2代秀忠公の霊廟として建造された壮大な建築群で、のちに国宝に指定されました。1945年に戦災により焼失してしまいましたが、1910年ロンドンで開催の日英博覧会に東京市の展示物としての出品を機に、主要部分を10分の1のスケールで製作されたのが本模型です。博覧会終了後に英国王室へ贈呈され、ロイヤル・コレクションのひとつとなりました。今回、100年を超えての里帰りとなり、常設展示されています。霊廟模型の周りには、焼失以前の資料などをもとに検討した玉砂利が敷き詰められていて、当時の様子に想いを馳せることができます。

　もうひとつの『五百羅漢図』は、幕末の江戸に生きた絵師・狩野一信（1816～1863年）が10年の歳月をかけて描いた入魂の大作で、1863（文久3）年に当山に奉納された100幅の超大作。通常、毎年30幅を3期に分けて、各期10幅ずつ公開されています。したがって、100幅すべてを鑑賞するには3年以上通い詰める必要がありますが、それも乙な楽しみです。

基本
情報
東京都港区芝公園4-7-35　TEL：03-3432-1431
□アクセス：都営三田線「御成門駅」「芝公園駅」より徒歩3分、都営浅草線・大江戸線「大門駅」より徒歩5分
□開館時間：10:00～16:00（土日祝）、11:00～15:00（平日）　□休館日：火曜日（祝日の場合は開館）、その他
□入館料：一般700円　※徳川将軍家墓所拝観共通券1,000円

あわせて
立ち
寄りたい！

●『ルーツ』：虎ノ門ヒルズ内のジャウメ・プレンサのパブリックアート作品。8つの言語の文字が、膝をかかえて座る人間を象った彫刻作品。
●パナソニック汐留美術館：ジョルジュ・ルオーの絵画や代表的な版画作品を所蔵。

2017

豊島区・南長崎花咲公園内に立地の博物館

豊島区立トキワ荘マンガミュージアム

トキワ荘マンガミュージアムの外観

マンガの巨匠たちが過ごした伝説のアパート「トキワ荘」を再現

　豊島区の南長崎花咲公園内に再現されたトキワ荘は、手塚治虫、藤子不二雄Ⓐ、藤子・F・不二雄、石ノ森章太郎、赤塚不二夫らマンガの巨匠が集い、若き青春の日々を過ごした伝説のアパート。豊島区立の本ミュージアムは、そのトキワ荘が持つ歴史的意義や文化的価値を再評価し、現代の人々に当時の想いやエネルギーを伝えることで、マンガ・アニメを核とする地域文化の継承・発展を目指しています。

　外観・室内含めて当時の建付けが忠実に再現されていますが、建物の裏手も手を抜くことなく2階から下に延びる土管の排管なども実にリアルです。また、館外に立つ再現された「トキワ荘」の看板と電話ボックスを見ると、館内に入る前から一気に昭和時代にタイムスリップした感覚になります。

　玄関で靴を脱いで正面の急な階段を2階に上がると、そこは木造アパート・トキワ荘をリアルに体験できるフロア。台所の再現は、今でいうところのシェアハウスのキッチンでしょうか。ガスコンロ、大小の鍋類、食べ終わってスープが残っているラーメン丼、徳利とお猪口、ビール瓶、酒瓶、水玉模様の紙で包まれたカルピスの瓶、干してある布巾、はたまた盥と洗濯板などなど当時の巨匠たちの生活を感じることができます。常設コーナーではトキワ荘があった椎名町の歴史が紹介されていて、板張りの廊下を挟んだ両側には漫画家の居室が再現されています。1階は、企画展示室やマンガラウンジなどさまざまな角度からマンガを楽しめるフロアとなっています。

基本情報
東京都豊島区南長崎3-9-22　南長崎花咲公園内　TEL：03-6912-7706
□アクセス：都営大江戸線「落合南長崎駅」A2出口より徒歩5分、西武池袋線「東長崎駅」南口より徒歩10分
□開館時間：10:00 ～ 18:00（事前予約優先制）※入館は17:30まで
□休館日：月曜日（祝日の場合は開館し、翌平日休館）、年末年始、展示替期間など
□入館料：公式ホームページで最新情報をご確認ください※履物を脱いで入館する施設で、入館には靴下の着用が必要

あわせて立ち寄りたい！
●佐伯祐三アトリエ記念館：夭折の天才画家・佐伯祐三の新宿区立の記念館です。この地は、作家がアトリエを構え、創作活動拠点とした日本で唯一の場所です。
●中村彝アトリエ記念館：大正期に活躍した洋画家・中村彝の記念館。

218

複合施設「ワテラス」エントランスに設置の作品

ワイルドシングス － 地形の魔力

「ワテラス」を背景にした『ワイルドシングス-地形の魔力』（鴻池朋子）© Tomoko Konoike

鴻池朋子のサイトスペシフィックな巨大アート作品

千代田区立淡路小学校跡地に、淡路町2丁目西部地区の再開発事業として3つのWA（和・輪・環）をコンセプトに誕生した複合施設「ワテラス」。そのエントランスに地面からニョキと生えてきた羽根のように見える巨大な『ワイルドシングス － 地形の魔力』。見方によっては天使の羽根、もしくは推進力を生むプロペラの一部のようにも見える機能美を感じます。

本作品の作家・鴻池朋子は、場所の固有性を重視するサイトスペシフィック・アートを各地で展開していますが、「場所の特性」にはその土地の環境や生活空間、歴史的、政治的、文化的な場の成り立ちまで含まれます。本作の副題の「地形の魔力」の解釈は置くとして、江戸時代、この淡路町2丁目界隈は武家屋敷が立ち並ぶ地域でした。永井信濃守の屋敷が松平伊豆守の屋敷となり、のちに若狭小浜藩酒井家の上屋敷（藩主の邸宅）となっています。時代が下り、1875（明治8）年には淡路小学校が開校しましたが、先の再開発を機に1993年に117年の歴史を閉じています。

■作家：鴻池朋子（こうのいけ・ともこ）。1960年、秋田県生まれ。東京藝術大学を卒業後、玩具、雑貨の企画、デザインの仕事に携わったのち、アニメーション、絵本、絵画、彫刻、映像、歌、影絵、手芸、おとぎ話など、さまざまなメディアで作品を発表。場所や天候を巻き込んだ、屋外でのサイトスペシフィック・アートを各地で展開。港区立の港南中高生子どもプラザ「プラリバ」にも作品があります。

■作品：素材はキャストアルミ、塗装仕上。製作はヒノコスタジオ、三和タジマ、その他。

基本
情報
東京都千代田区神田淡路町2-101,105　ワテラス内
□アクセス：東京メトロ千代田線「新御茶ノ水駅」・東京メトロ丸ノ内線「淡路町駅」より徒歩2分、
　都営新宿線「小川町駅」より徒歩2分

あわせて
立ち
寄りたい！
●明治大学博物館：博物館には3つの部門があり，それぞれ異なる由来があります。商品部門は「商品博物館」を前身として、刑事部門は「刑事博物館」を前身として、考古部門は「考古学博物館」を前身としています。

219

六本木に立地する現代美術ギャラリー

シュウゴアーツ
ShugoArts

三嶋りつ恵「光の場」展示風景、2019-20、ShugoArts　© the artist, courtesy of ShugoArts　©photo武藤滋生

アーティストの力を存分に発揮できる場を生み出す自主企画展覧会

　シュウゴアーツは、2000年に佐谷周吾が設立した現代美術ギャラリーで、2003年1月にギャラリースペースを中央区新川に開廊しました。ローカルに根ざしつつ時代と国境を超えるマインドを持ってアーティストを選び、2016年秋には東京のみならず世界のアートシーンを語るうえで外せない街のひとつ六本木に新スペースをオープンし、その活動を発信しています。

　古今東西のさまざまなアートが鑑賞可能な今日、現代美術ギャラリーの在り方もまた新たな目で見直されるべき対象となっているなかで、シュウゴアーツはアーティストがアーティストとしての成長をいかに実現するか、あるいは達成した成果をいかに残し伝えていくかという視点に立ち、その能力と可能性を守りつつ、それぞれの力を存分に発揮できる場を生み出すことで並走者としての役割を果たしています。

　ギャラリーでは、年約7本の自主企画展覧会や国内・海外のアートフェア参加などを通じて作品を発表する一方、公的な場所でのコミッションワークのマネジメントを手がけています。

■過去の展覧会:小林正人「この星の家族」（2021年9～10月）、小野祐次「Luminescense」（2021年4～6月）、近藤亜樹「ここにあるしあわせ」（2021年3～4月）など。

■主な所属作家:千葉正也、藤本由紀夫、イケムラレイコ、小林正人、近藤亜樹、リー・キット、丸山直文、アンジュ・ミケーレ、三嶋りつ恵、森村泰昌、小野祐次、髙畠依子、戸谷成雄、米田知子など。

基本
情報
東京都港区六本木6-5-24　complex665 2F　TEL:03-6447-2234
□アクセス:東京メトロ日比谷線・都営大江戸線「六本木駅」3出口より徒歩3分
□開廊時間:12:00～18:00　□休廊日:日曜日・月曜日、祝日
□入館料:無料

あわせて
立ち
寄りたい!
●メトロハット:東京メトロ日比谷線「六本木駅」直結。建築家ジョン・ジャーティの設計。
●森美術館:世界に開かれた現代美術館として、「現代性」と「国際性」を追求しながら、多様な地域の先鋭的な美術や建築、デザインなどの創造活動を独自の視点で紹介しています。

国際的な現代アートを多く企画する美術館

ワタリウム美術館

ワタリウム美術館の外観

建物自体がひとつの作品となる「建築彫刻」の美術館

　東京メトロ銀座線「外苑前駅」から都心の中でも落ち着いた地域を抜けるおしゃれな外苑西通りを新国立競技場方面に歩くこと8分。左手のトライアングルに突然現れる横縞模様が印象的な建物が、国際的な現代アートを多く企画しているワタリウム美術館で、スイスの建築家マリオ・ボッタの設計によるものです。コンクリートなどの無機質な素材を用い、幾何学的でシンプルな形をとりつつ、全体的には軽やかな有機的な印象を演出しています。建物自体がひとつの作品となる「建築彫刻」の美術館と言えます。

　ワタリウム美術館は、1990（平成2）年に開館し、2020年に開館30周年を迎えました。現代美術を中心に、建築、写真、デザインなど、独自のコンセプトを打ち出し、展覧会作りの世界的な専門家を招き、コンテンポラリーアートの発展に国際的に貢献しているアーティストの参加を実現させています。また、日本やアジアのアーティストについても密度の高いリサーチを行い、丹念な関係を構築しています。館内では企画展を年に4回、シーズンごとに開催しています。

■過去の展覧会：「まちへ出よう展－それは水の波紋から始まった－」（2021年2〜6月）、「生きている東京展」（2020年9月〜2021年1月）、青木陵子＋伊藤存「変化する自由分子のWORKSHOP展」（2020年3〜8月）など。

基本情報

東京都渋谷区神宮前3-7-6　TEL：03-3402-3001
□アクセス：東京メトロ銀座線「外苑前駅」3出口より徒歩7分、東京メトロ「表参道駅」A2出口より徒歩9分
□開館時間：11:00〜19:00（水曜日は21:00まで）　□休館日：月曜日
□入館料：展覧会によって異なります

あわせて
立ち
寄りたい！

●太田記念美術館：東邦生命保険相互会社の元社長・太田清藏が蒐集した浮世絵を公開。
●聖徳記念絵画館：明治天皇を中心に成し遂げられた維新の大改革、その輝かしい時代の勇姿と歴史的光景を史実に基づいた厳密な考証の上で描かれた80枚の名画を常設展示。

広く印刷文化の資料を展示する企業博物館

印刷博物館

常設展「印刷×技術」のステージ展示（写真提供：印刷博物館）

古今東西の印刷文化を体系的に俯瞰できる価値の高い展示と解説

　トッパン小石川本社ビルにある印刷文化全般をテーマにした企業博物館です。2000年に凸版印刷の100周年記念事業の一環で設立され、のち20周年を機に展示室の全面リニューアルを行い、2020年10月に公開を再開しました。

　地下1階の展示室では、書物や活字、機械を中心とする本館所蔵資料の公開に加え、古来印刷が築いた歴史や文化、技術を体系的に捉え、文明史的なスケールで迫る常設展のほか、印刷をテーマにした企画展を定期的に開催しています。

　本館を訪問した際は「VRシアター」をお見逃しなく。半径8m、水平方向の視野角120度、高さ4mのカーブ型巨大スクリーンと高速コンピュータを駆使したシアターで、その圧倒的な映像クオリティと芸術性・学術価値を持った新しい表現手法に驚かされます。プログラムは豊富にラインナップされていますが、公開中のものは、事前にご確認を。

■所蔵品：過去から現在までの長い歴史を彩った古今東西の数々の印刷資料、印刷物や活字、道具、機械など、歴史的・文化的価値の高い資料約7万点を所蔵。特記すべき所蔵品の一部として、「百万塔陀羅尼」（相輪陀羅尼／ 764 ～ 770年制作）、「グーテンベルク 42行聖書 原葉」（1455年頃制作）、「駿河版銅活字」（1606年～ 1616年制作・重要文化財）など。

基本情報
東京都文京区水道1-3-3　トッパン小石川本社ビル　TEL：03-5840-2300
□アクセス：東京メトロ有楽町線「江戸川橋駅」より徒歩8分、JR総武線「飯田橋駅」東口より徒歩13分
□開館時間：10:00 ～ 18:00（入場は17:30まで）
□休館日：月曜日（祝日・休日の場合は開館し、翌日休館）、年末年始、展示替期間
□入館料：一般400円、学生200円、高校生100円、中学生以下および70歳以上無料
　※企画展によって料金は異なります

あわせて立ち寄りたい！
●東京理科大学近代科学資料館：神楽坂に建設された東京物理学校の木造校舎の外観を復元した博物館。建物自体も見応え十分な貴重な作品となっています。
●宮城道雄記念館：箏曲の演奏家で、「春の海」など多数の名曲を残した宮城道雄の記念館。

222

演劇のすべてがわかる稀有な大学博物館

早稲田大学坪内博士記念演劇博物館

早稲田大学坪内博士記念演劇博物館の外観（写真提供：早稲田大学坪内博士記念演劇博物館）

アジアで唯一の、そして世界でも有数の演劇専門総合博物館

　　時代を遡ること1928（昭和３）年に、坪内逍遥の古稀と「シェークスピヤ全集」全40巻の完訳を記念して、早稲田大学早稲田キャンパス内に設立されました。通称「エンパク」。

　　大学のキャンパス内にいるとは思えない、16世紀イギリスの劇場「フォーチュン座」を模して設計された建築様式の博物館を前にすると、一気にエリザベス朝時代のイギリスに迷い込んだような気分になります。建物正面は張り出しの舞台となっていて、建物自体がひとつの劇場資料といえるでしょう。

　　館内には、裾野が広い演劇文化の見どころが満載です。入って1階左奥には、シアタールームを併設し、戦後派の不世出のスター女優の名前を冠した京マチ子記念特別展示室が、2階には実際に逍遥が来館する際に使われ、愛用の羊コレクションがなんとも和む逍遥記念室、年2回開催されるエンパクならではの領域横断的な企画展示など、枚挙にいとまがありません。同館の膨大なコレクションは、錦絵48,000枚、舞台写真40万枚、図書27万冊、その他貴重書などおよそ百万点にもおよびます。

■常設展：エンパク所蔵コレクションから、部屋ごとに古代・中世、近世・近代I、近代II・現代という時代別、地政学的には世界の演劇（ヨーロッパ、アメリカ、アジア）、日本の映画とテレビというテーマで、それぞれの時代や地域の演劇・映像文化史を紹介しています。

■企画展：春季と秋季の年2回、さまざまな切り口をテーマに展示を開催しています。

■その他：どなたでも利用できる図書館やAVブースを併設しています（要身分証、要予約）。

基本情報
東京都新宿区西早稲田1-6-1　早稲田大学早稲田キャンパス内　TEL：03-5286-1829
□アクセス：東京メトロ東西線「早稲田駅」3a/3b出口より徒歩7分
□開館時間：10:00 ～ 17:00　□休館日：大学および同館が定める臨時休業日
□入館料：無料

あわせて立ち寄りたい！
●早稲田大学 會津八一記念博物館：早稲田大学文学部教授を務めた美術史家の會津八一を記念して早稲田大学2号館（旧・図書館）内に設置された博物館。
●會津八一記念博物館 考古・民族資料常設展示：會津八一記念博物館の三本柱のひとつである考古学分野を対象。

223

三菱財閥岩崎家の茅町本邸であった建物とその庭園

旧岩崎邸庭園

旧岩崎家住宅の洋館塔屋側からの外観（写真提供：旧岩崎邸庭園）

庭園内の歴史的建造物の旧岩崎家住宅は国指定の重要文化財

　旧岩崎邸庭園は1896（明治29）年に、施設名にあるように三菱財閥の創業者・岩崎彌太郎の長男で三菱第3代社長の久彌の本邸として造られました。のちにその建物と庭園は公園として整備され、2001年に都立公園として開園しました。

　かつては約1万5,000坪もあった敷地に20棟もの建物が並んでいました。現在は往時の3分の1ほどの敷地となっていますが、それでも接道から緩やかな登りの長い砂利道を踏みしめて洋館前に辿り着くアプローチは当時の庭園の様子を追体験するかのようです。現存する洋館、大広間、撞球室の3棟と宅地が「旧岩崎家住宅」として国の重要文化財に指定されています。

■洋館：文明開化の象徴的な建物である鹿鳴館を彷彿とさせる洋館は、英国人ジョサイア・コンドルの設計により1896（明治29）年に完成しました。随所に見られる17世紀の英国ジャコビアン様式の装飾が見事で、イギリス・ルネサンス様式やイスラム風のモチーフなどが取り入れられています。芝庭に面した洋館南側はベランダとなっていて、1階列柱はトスカナ式、2階列柱はイオニア式の意匠が見られます。

■和館：洋館に併置された和館は、名棟梁・大河喜十郎の施工と言われています。欄間や襖の引手にデザインされている「菱形」もお見逃しなく。

基本情報

東京都台東区池之端1-3-45　TEL：03-3823-8340
□アクセス：東京メトロ千代田線「湯島駅」C13より徒歩3分、東京メトロ銀座線「上野広小路駅」G15より徒歩10分
□開園時間：9:00〜17:00（入館は16:30まで）　□休園日：年末年始
□入館料：一般400円、65歳以上200円、小学生以下および都内在住・在学の中学生は無料

あわせて
立ち
寄りたい！

●横山大観記念館：近代日本画壇の巨匠が暮らした家屋。京風数寄屋造りのこの建物と庭園は、現在では横山大観旧宅及び庭園として国の史跡に指定されています。
●国立近現代建築資料館：名誉館長は安藤忠雄。世界に誇れる日本の建築文化資料を紹介。

都立和田堀公園の中にある博物館

杉並区立郷土博物館（本館）

博物館の入口にある旧井口家の長屋門

旧井口家の長屋門や画家・高橋松亭の『高井戸の夕立』も見どころ

　杉並区立郷土博物館は、脇を善福寺川が流れ、荒玉水道道路から一本入った都立和田堀公園の中にあり、1989（平成元）年に開館しました。

　郷土博物館では、杉並区で人々が住み始めたおよそ3万年前から現在までの杉並の歴史や人々の生活や文化についてがわかりやすく常設展示されています。

　本館でまず目を引くのが入口の長屋門。旧井口桂策家の表門で、1974（昭和49）年に杉並区へ寄贈されたものです。建築年代は江戸時代の文化・文政年間（1804〜1829年）頃と推定されています。中央を通路、右手を土間の納屋とし、左手の板床の蔵屋には年貢米が収納されました。長屋門は格式や権威を示す象徴的な建物で、大宮前新田を開発し、代々名主を務めた井口家の格式の高さがうかがえ、杉並区指定有形文化財（建造物）でもあります。

　郷土博物館が建っている敷地は、もともと嵯峨公勝（さがきんかつ）侯爵の邸宅でした。当時を偲ぶものはなにも残っていませんが、長屋門をくぐり真っ先に目につく「紀州青石」と呼ばれる名石の庭石だけがほぼ元の位置を保っていると知ると感慨深いものがあります。

　館内常設展示室「杉並の歴史を知る」を入って右手奥の大きな絵は、大正時代に描かれた画家・高橋松亭による『高井戸の夕立』という作品で、実在の風景ではなく、昔を偲んで描かれた杉並・高井戸のイメージ画です。同館のシンボルとなっていますので、お見逃しなく。

基本情報
　東京都杉並区大宮1-20-8　TEL：03-3317-0841
　□アクセス：JR「高円寺駅」・東京メトロ「新高円寺駅」・京王「永福町駅」からバスで「都立和田堀公園」下車徒歩5分
　□開館時間：9:00〜17:00　□休館日：月曜日、第3木曜日（祝日の場合は開館し、翌日休館）、年末年始
　□入館料：100円、中学生以下は無料、障害者手帳を提示する方とその付添の方は無料

あわせて立ち寄りたい！
　●入江一子シルクロード記念館：105歳で亡くなる直前まで絵に情熱を注いだ洋画家・入江一子の記念館。長年住み慣れた阿佐ヶ谷のアトリエを建て直し、2000年11月に開館。杉並区の静かな住宅街の中にある美術館です。独立展や女流展の出品作などを展示し、作品の多くはシルクロードがテーマ。

225

「日比谷ゴジラスクエア」に現れしゴジラ像

新・ゴジラ像

尻尾も巨大な新・ゴジラ像©TOHO CO.,LTD.

日比谷の新たなシンボルとして日比谷と映画の守り神となる

　2018年、東宝のホームタウンである日比谷に巨大なゴジラが出現。日比谷シャンテの開業30周年を記念したリニューアルオープンを機に、日比谷シャンテ前の「合歓の広場」が「日比谷ゴジラスクエア」として生まれ変わり、その中心に設置されたのが新たなゴジラ像です。

「新・ゴジラ像」と命名されたこの像は、2016年公開の『シン・ゴジラ』に登場するゴジラをベースに制作されたブロンズ像で、高さは台座を含め約3mで、全身のゴジラ像としては最も大きいものです。船の舳先のような場所に立つその姿は、勝利の女神の「サモトラケのニケ」をイメージして造られたそうです。天を向いて咆哮する姿と全身の半分はあろうかと思われる迫力ある尻尾を見上げると、3mとは思えない迫力。日比谷と映画の守り神となってくれる願いが込められています。

　台座の中には、仏像の内部に納められる舎利や経典などの胎内施入品のように、1954年に公開された第1作の『ゴジラ』の撮影時に使用された絵コンテ集や、初代ゴジラを演じたスーツアクター・中島春雄のサインが入った決定稿が納められています。また、台座近くのプレートには、『シン・ゴジラ』で長谷川博己が演じた矢口蘭堂の「人類は、ゴジラと共存していくしか無い」というセリフが刻まれています。なお、この広場に1995年から設置されていた従来のゴジラ像は、「TOHOシネマズ日比谷」に移設されました。旧ゴジラ像の紹介プレートには『ゴジラ』（1954年）の山根博士のセリフ「このゴジラが最後の一匹だとは思えない。」と刻まれているのが意味深長です。

基本
情報
東京都千代田区有楽町 1-2-2　日比谷シャンテ前
□アクセス：JR「有楽町駅」日比谷口より徒歩5分、東京メトロ日比谷線「日比谷駅」より徒歩2分

あわせて
立ち
寄りたい！
●『若い時計台』：数寄屋橋公園内に設置されている岡本太郎のパブリックアート作品。
●日動画廊：1928年に創業した日本で最も歴史のある洋画商として、油彩、彫刻、版画をメインに、内外の物故・現存あわせてその取り扱い作家は数百名に及びます。

226

天王洲の複合施設にある現代美術のギャラリー

KOSAKU KANECHIKA

installation view from WOODCUTS at KOSAKU KANECHIKA, 2019　© NORITAKA TATEHANA K.K., Photo by Keizo Kioku

多彩な表現方法で高く評価されている国内外の若手作家の作品を紹介

　東京臨海高速鉄道りんかい線の「天王洲アイル駅」から天王洲運河にかかる新東海橋を渡ったところに複合施設「TERRADA ART COMPLEX」があります。日々発展し、いまや一大芸術文化発信基地となっているこのアートコンプレックスの最上階5階に2017年3月にオープンしたのが現代美術を扱うギャラリーKOSAKU KANECHIKAです。

　建物は、もともとは倉庫であったため、荷物兼用の大型のエレベーターに乗るアドベンチャー的な楽しみもあり、降りた先の光景を想像するだけでワクワクします。5階で降りると、これもやはり倉庫の名残でしょうか、天井高4メートルある空間を生かしたギャラリーが目の前に広がり、作品鑑賞の贅沢な環境を提供しています。

　ギャラリーの代表を務めるのは、小山登美夫ギャラリーに約14年間勤めたあと独立し、2017年にKOSAKU KANECHIKAを設立した金近幸作。ギャラリーでは、既存の枠にとらわれない多彩な表現方法で高く評価されている国内外の若手作家の作品を中心に展覧会が企画されています。

■過去の展覧会：舘鼻則孝展「RETHINK」（2021年3〜5月）、「GROUP SHOW: 9 ARTISTS」（2021年1〜2月）、fumiko imano展「somehow somewhere sometimes at some place for some reason」（2020年10〜11月）、沖潤子「刺繍の理り」（2020年7〜8月）など。

基本情報
東京都品川区東品川1-33-10　TERRADA Art Complex 5F　TEL：03-6712-3346
□アクセス：東京臨海高速鉄道りんかい線「天王洲アイル駅」B出口より徒歩8分
□開廊時間：11:00〜18:00、金曜日は11:00〜20:00　□休廊日：日曜日・月曜日、祝日
□入館料：無料

あわせて立ち寄りたい！
●WHAT MUSEUM：寺田倉庫の現代アートのコレクターズミュージアム。旧建築倉庫ミュージアム。
●東京海洋大学マリンサイエンスミュージアム：「海へのいざない」をテーマに生き物から食品まで、幅広く展示。「鯨ギャラリー」ではセミクジラとコククジラの全身骨格を展示。

227

文京区・弥生の暗闇坂沿いにたたずむ美術館

弥生美術館

弥生美術館外観(写真提供:弥生美術館)

高畠華宵『真澄の青空』(弥生美術館蔵)

古き良き大正ロマン&昭和モダンの世界があふれる高畠華宵の作品

　1984(昭和59)年6月に、弁護士・鹿野琢見によって創設された弥生美術館は、創設に至るまでのストーリーにロマンがあります。当時9歳だった鹿野少年が挿絵画家・高畠華宵の一枚の絵『さらば故郷!』に出会って深い感銘を受けたことからはじまります。少年の日の感動は、まさに永遠といえるもので、華宵の著作権を得た鹿野氏は、華宵の死から18年後、華宵のコレクションを公開すべく念願の本館の創設を果たしました。印象的なレンガ造りの外壁を持ち、館内の1・2階の展示室では、明治末から戦後にかけて活躍した挿絵画家をはじめ、挿絵・雑誌・漫画・付録などの出版美術をテーマに企画展を開催しています。3階展示室は高畠華宵の常設展示室で、3か月ごとにテーマを変えながら、常時50点の華宵作品を公開しています。

■高畠華宵(たかばたけ・かしょう):愛媛県宇和島市生まれ。明治末の津村順天堂「中将湯」広告絵はモダンでロマンチックな婦人画で注目を浴びて一躍有名に。その後、少年少女向け雑誌・大衆婦人向け雑誌など出版美術界に君臨し、一世を風靡しました。流麗な線で描かれた美少年美少女は、透明感のある新鮮なタッチと妖艶な人物描写の混合する魅力的な挿絵として、人々をひきつけました。

■収蔵品:高畠華宵のコレクション3千点と明治末から戦後にかけて活躍した挿絵画家の作品・資料、その他、合計2万7千点。

基本
情報

東京都文京区弥生2-4-3　TEL:03-3812-0012
□アクセス:東京メトロ千代田線「根津駅」1番出口より徒歩7分、東京メトロ南北線「東大前駅」1番出口より徒歩7分
□開館時間:10:30～16:30(入館は16:00まで)　※事前オンライン予約制
□休館日:月曜日・火曜日、展示替期間中、年末年始　※公式ホームページで最新情報をご確認ください
□入館料:一般1000円、大・高生900円、中・小生500円
　※弥生美術館・竹久夢二美術館は同じ建物内で見学ができ、上記料金で2館併せて鑑賞できます。

あわせて
立ち
寄りたい!

●旧岩崎邸庭園:庭園内の歴史的建造物の旧岩崎邸住宅は国指定の重要文化財。
●横山大観記念館:近代日本画壇の巨匠、横山大観が暮らした家の客間、居間、アトリエなどを、そのまま展示スペースとして公開。国の史跡に指定されています。

228

花王すみだ事業場内に立地の企業博物館
花王ミュージアム

清浄文化史ゾーン（写真提供：花王ミュージアム）

花王の歴史と日常生活の象徴ともいえる「清浄文化」をひもとく

　東京スカイツリーが間近に迫る北十間川の桜並木沿いに立地する花王株式会社すみだ事業場内の「花王ミュージアム」。本館では、創業以来、清浄文化の発展に深く関わってきた花王の歴史をたどるとともに、昨今とみに関心が高く、日常生活の象徴ともいえる「清浄文化」に注目し、その歴史をひもときます。

　館内入るとエントランスには企画展示があり、その先の展示室は1階と地階に分かれて3つのテーマ空間で構成されています。地階左手の「清浄文化ゾーン」は、紀元前3千年前の「シュメールの粘土板」（複製）からスタートし、古代メソポタミアの石鹸の記録、ローマのカラカラ浴場などが紹介されています。順路を進むと、洗濯物を干す様子が描かれている洛中洛外図、あらためて驚く清潔なリサイクル都市「江戸」の街並みのジオラマなどがあり、その歴史に興味が尽きません。

　地階右手の「花王の歴史ゾーン」では、花王創業者の長瀬富郎が花王の前身「長瀬商店」を創業した江戸時代から明治時代までの歴史をたどっています。最初の花王石鹸のロゴマークである「月」が「美と清浄」のシンボルとして使われ、現在の月のマークの原型となった石膏像も展示されています。また、グラフィックデザイナー原弘などがデザインしたパッケージデザインの展示も興味深いものがあります。1階は、花王の「今」を体感できる楽しいコミュニケーションプラザとなっています。

基本情報

東京都墨田区文花2-1-3　花王株式会社 すみだ事業場内　TEL：03-5630-9004（平日9:00～17:00）
□アクセス：JR総武線「亀戸駅」北口より徒歩15分
□開館時間：10:00～16:30（月曜日～金曜日／祝祭日および会社休日を除く）※事前電話予約制
□入館料：無料

あわせて
立ち
寄りたい！

●たばこと塩の博物館：専売品であった「たばこ」と「塩」の歴史と文化がテーマの博物館。
●郵政博物館：郵便および通信に関する博物館。館内は郵便にまつわる歴史や物語を7つの世界に分けて展示や映像で紹介する常設展示ゾーンや企画展ゾーンなどで構成。

229

東京大学の建築ミュージアム

東京大学総合研究博物館小石川分館

日本庭園の池から望む博物館外観（写真提供：東京大学総合研究博物館小石川分館）

国指定の重要文化財である旧東京医学校の建築を活用した博物館

　日本庭園の池に美しい鏡像を映す特徴的な東京大学総合研究博物館小石川分館の建物は、東京大学医学部の前身にあたる東京医学校時代の建物が変遷を経て、1969年に理学部附属植物園（小石川植物園）内の現在地に再建されたもので、1970年に国の重要文化財の指定を受けています。

　本館は、この建築を活用したミュージアムとして2001年に開館しましたが、2013年には建築ミュージアムとして新たに生まれ変わりました。また、東京大学における現存最古の教育建築遺産として知られ、それ自体がすでに明治最初期の擬洋風建築の実物展示となっています。

　本ミュージアムはこの類稀な建築空間を「建築博物誌／アーキテクトニカ（ARCHITECTONICA）」という一語で括り、その俯瞰的な視座に立って、自然物から人工物まで、サイエンスからアートまで、横断的に結ぶことのできる「場」を常設展示という形で提供しています。

　館内の展示はコーナーごとに6つのテーマに分かれています。世界の有名建築の縮尺模型が展示されている「建築模型」から明治・大正期の本郷キャンパスの歴史的な校舎建築を紹介する「東京大学建築」、自然のアーキテクチャを実物と模型で提示する「自然形態」、建築模型のうちとくに規模が大きいもの、内部空間に特徴があるものを展示している「空間標本」、民族学標本の「身体空間」、小石川分館の主要コレクションのひとつである「東京大学校内写真」まで、いずれも興味が尽きません。

基本情報

東京都文京区白山3-7-1　TEL：050-5541-8600（ハローダイヤル）
□アクセス：東京メトロ丸ノ内線「茗荷谷駅」より徒歩8分
□開館時間：10:00 〜 16:30（入館は16:00まで）　□休館日：月曜日・火曜日・水曜日（いずれも祝日の場合は開館）、
　年末年始、その他　※長期休館中（再開館日未定）につき、公式ホームページで最新情報をご確認ください
□入館料：無料

あわせて
立ち
寄りたい！

●東京大学柴田記念館：小石川植物園内にあった東京大学植物学教室の柴田桂太教授の植物生理化学の研究業績に対して授与された学士院恩賜賞の賞金をもとに設立した記念館。
●東洋大学井上円了記念博物館：創立者である井上円了博士の収集資料を常設展示。

235

目黒区・中目黒にある彫刻に特化した美術館

現代彫刻美術館

現代彫刻美術館本館の外観

本館・野外展示場に20世紀後半以降の日本の彫刻家作品を展示

　目黒区のばくろ坂となべころ坂をつなぐ道沿いの閑静な住宅街に立地する現代彫刻美術館。本館は、第十三世長泉院住職・渡辺泰裕によって創設された宗教法人長泉院附属の彫刻専門の美術館です。渡辺氏が奈良国立博物館で出会った『阿修羅像』をきっかけに彫刻に興味を持ち、のちに案内されたアトリエで数多くの彫刻の原型が日の目を見ることなく置かれているのを目の当たりにして、少しでも多くの人に彫刻の素晴らしさに触れ、楽しんでもらえるようにとの願いから創設されました。

　六角柱の集合体のハニカム構造の本館の他に、野外展示場が第1から第3までと、次代を担う若い作家の発表の場の第4展示場まである敷地に、20世紀後半以降の日本の彫刻家による58作家・260点あまりの作品が数多く展示公開されています。

　この広がりのある美術館の構想は、渡辺氏がフランスに渡って彼の地の美術館と庭園をめぐってイメージを重ねたもの。想定された敷地は傾斜地で、野外展示場を階段のある庭園風景に、本館を見上げるお城のようにと構想されました。実際に美術館を訪ねて歩いてみると、目黒の地でよくぞこの構想が叶えられる立地場所があったものだと感心させられます。階段を下りた野外展示場2は広場になっていて、春には桜の木々が花を咲かせる田園風景の中に彫刻作品が立ち並んでいます。そこには、彫刻とひとときを過ごすことができる豊かな時間が流れています。

基本情報

東京都目黒区中目黒4-12-18　TEL：03-3792-5858
□アクセス：JR「目黒駅」より東急バス三軒茶屋駅行に乗り「自然園下バス停」で下車、徒歩3分
□開館時間：10：00 ～ 17：00（入館は16：30まで）　□休館日：月曜日（祝日の場合は開館し、翌日休館）
□入館料：無料

あわせて
立ち
寄りたい！

●目黒区美術館：近現代の国内作家による美術作品を収集し、これらを所蔵作品展で公開。
●東京都指定文化財「百段階段」：ホテル雅叙園東京内に現存する唯一の木造建築。7部屋を結ぶ99段の長い階段廊下。天井や欄間には当時屈指の著名な画家が創り上げた美の世界が描かれています。

武蔵野の風情が残る小金井市・中町にある美術館

中村研一記念小金井市立はけの森美術館

美術館外観(写真提供；中村研一記念小金井市立はけの森美術館)

近代洋画壇の重鎮として活躍した洋画家・中村研一の作品を所蔵

　1967年に亡くなった洋画家・中村研一の作品を没後も守ってきた夫人が、それらを長く後世へ伝えたいと、「中村研一記念美術館」を1989年に開館。のちに小金井市へ寄贈され、改修などを経て、2006年に「中村研一記念小金井市立はけの森美術館」として開館しました。美術館前の道も「はけの道」です。一帯は、武蔵野の面影を残す緑と水に恵まれたところで、スタジオジブリの映画『借りぐらしのアリエッティ』のラストシーンの舞台のイメージを彷彿させます。

　館内では年4回程度の展示替えを行い、基本コレクションとなる中村研一の作品を中心に紹介する所蔵作品展のほか、美術館の企画による特別展を年間1〜2回開催しています。

■過去の展覧会：所蔵作品展「画家の仕事と手遊び(てすさび)−中村研一、はけの日々−」(2021年3〜4月)、所蔵作品展「ふたたびの『北京官話』−中村研一が描く人体のフォルム−」(2020年10〜12月)など。

■中村研一(なかむら・けんいち)：1895(明治28)年、福岡県宗像郡南郷村光岡(現在の宗像市光岡)に生まれました。東京美術学校西洋画科に入学し、岡田三郎助の教室で学び、大正から昭和にかけて、帝展や日展などの官展系を中心に次々と作品を発表し、近代洋画壇の重鎮として活躍しました。空襲で東京・代々木のアトリエを焼失し、小金井に移り住んで、終生この地で作品を描き続けました。

基本情報
東京都小金井市中町1-11-3　TEL：042-384-9800
□アクセス：JR中央線「武蔵小金井駅」南口より徒歩約15分
□開館時間：11:00 〜 16:00(入館は15:30まで)
□休館日：月曜日・火曜日(休日の場合は翌日)、年末年始、展示替期間
□入館料：所蔵品展は一般200円、小中学生100円　※企画展の料金はその都度変わります

あわせて立ち寄りたい！
●三鷹市星と森と絵本の家：国立天文台の森の中にある大正時代の建物を保存活用し、広い庭も使って、絵本の展示や絵本を楽しむ施設です。
●江戸東京建物園：現地保存が不可能な文化的価値の高い歴史的建造物を移築し展示。

232

赤坂駅に設置のTBSウェルカムホール壁画

四季樹木図

東京メトロ千代田線「赤坂駅」出口の『四季樹木図』(千住博)(写真提供:千住スタジオ)

日本の四季の移りかわりを深い青色の夜空を背景に描く陶板壁画

　東京メトロ千代田線「赤坂駅」の地下改札を出てすぐの壁面に設置されている大型陶板壁画『四季樹木図』。赤坂駅直結のTBS放送センター前の広大な敷地を再開発して2008年に完成した「赤坂サカス」には、桜を咲かす(サカス)をテーマに3月上旬の早咲きの河津桜から5月上旬に咲く兼六園菊桜など11種類、約100本の桜が植えられ、桜を長く楽しめるお花見スポットとなっています。シンボルの紅枝垂は、福島県三春町の滝桜の子孫樹で、通称「三春桜」と呼ばれています。

　この信楽焼の陶板壁画『四季樹木図』は、画家・千住博の原画によるもので、再開発の際に設置され、「TBSウェルカムホール壁画」と記されています。先の「赤坂サカス」の桜をはじめ、日本の四季をテーマに、春は「桜」、夏は「竹林」、秋は「銀色に輝くイチョウ」、そして冬は「来る春を待ちながら静かに眠る森の樹木」と、季節の移りかわりを深い青色の夜空を背景に描かれています。竹林の夜空には天の川が、冬の夜空には流れ星が流れています。都会の喧騒の中にあって、日本人ならではの自然観を感じる幸せなひと時です。

■原画作家:千住博(せんじゅ・ひろし)。1958年、東京都生まれ。東京藝術大学美術学部絵画科日本画専攻を卒業。1993年に拠点をニューヨークに移します。自然の側に身を置くという発想法を日本文化の根幹と捉え、自身の制作活動の指針としています。東京メトロ副都心線「新宿三丁目駅」にも作家の代表作のひとつ『ウォーターフォール』を観ることができます。

基本
情報

東京都港区赤坂5-3-1
□アクセス:東京メトロ千代田線「赤坂駅」3番出口　赤坂Bizタワー　サカスフロント

あわせて
立ち
寄りたい!

●虎屋 赤坂ギャラリー:リニューアルされた「とらや赤坂店」の地下1階にあるギャラリーです。和菓子や日本文化にちなんだ企画展やイベントを開催しています。
●日枝神社宝物殿ギャラリー:徳川幕府歴代の将軍およびその世嗣たちが参拝の際に奉納した宝物を展示。

233

中央区・京橋にある現代美術のギャラリー

ギャラリー椿
GALLERY TSUBAKI

服部知佳展「My room becomes the sea」（2021年3月19日〜4月3日）（写真提供：ギャラリー椿）

定期的に展覧会を企画するアーティスト50人を抱えるギャラリー

　ギャラリー椿は、1983年に中央区・京橋に開廊した現代美術のギャラリーで、若手作家を中心に展示を企画し、新進作家の表現の場となる「GT2」も併設されています。

　訪ねてみるとギャラリー椿は、「京橋大根河岸おもてなしの庭」で折り返す一方通行の京橋大根河岸通りにちょうど南北をはさまれた場所に立地していて、その道沿いの両面に入口があり、またギャラリースペースも2つあるのがおもしろい符合です。ギャラリーでは「FEEL ART」を提唱していて、美術品を頭で理解するのでなく心で感じ、作品との出会いを大切にフランクに画廊へ入ってほしいとの願いが込められています。

　開廊した当時は、芸術系の学校出身ではない20代の独学の無名アーティストを紹介しながら、引き続き長く安定して続けること38年になる現在では、定期的に展覧会を企画するアーティスト50人を抱えるギャラリーに。この人数を紹介するため、毎月2回、2人ずつという稀に見る頻度での展示となっています。絵に詩心のある有機的な作家、加えて追求型ではなく展開型の作家が紹介されています。

■過去の展覧会：塩澤宏信展「妄想内燃機工匠／並走式巡行装置図鑑」（2021年4月）、服部知佳展「My room becomes the sea」（2021年3〜4月）、画廊企画／うじまり「Your happiness is my happiness」（2021年3〜4月）、「ギャラリーコレクション／武田史子展」（2021年2月〜3月）など。

基本
情報

東京都中央区京橋3-3-10　第一下村ビル1F　TEL：03-3281-7808
□アクセス：東京メトロ銀座線「京橋駅」3出口より徒歩2分
□開廊時間：12:00〜18:00
□休廊日：日曜日・月曜日、祝日　□入館料：無料

あわせて
立ち
寄りたい！

●国立映画アーカイブ：日本で唯一の国立映画専門機関である国立映画アーカイブは、映画の保存・研究・公開を通して映画文化の振興をはかる拠点です。
●ギャルリー東京ユマニテ：国内作家を中心に現代美術を幅広く紹介するギャラリー。

234

帝劇ビル9階にある出光コレクションの美術館

出光美術館

出光美術館のエレベータホール（写真提供：出光美術館）

テーマに沿った企画展をもって質の高い文化財を公開

　JR「有楽町駅」から皇居方面に歩いて5分のお濠に面した帝国劇場。出光美術館は、その帝劇ビルの出光専用エレベータで9階に上がったところにあります。エレベータを降りると、そこはビルのワンフロアであることを感じさせない少し照明を落とした上品な落ち着いた空間が広がります。

　館内では、日本の書画、中国・日本の陶磁器など豊富な東洋古美術のコレクションを中心として、年6回テーマに沿った企画展をもって質の高い文化財が公開され、本格的な美術鑑賞に浸れる美術館です。併設として、コレクションを代表するルオーの作品を紹介する専用展示室があるほか、アジア各国および中近東の陶片資料を集めた陶片室は、充実した陶磁器コレクションをもつ本館ならではのもの。鑑賞後は、休憩スペースに立ち寄り、官庁街から武道館まで皇居外苑を一望し、四季の移ろいを感じながら鑑賞の余韻に浸るのは、ここならではの贅沢な時間の過ごし方のひとつです。

■過去の企画展：松平不昧生誕270年「茶の湯の美」（2021年4月）、「狩野派」一画壇を制した眼と手（2020年2月）など。

■所蔵品：出光コレクションは、国宝2件、重要文化財57件（2020年現在）を含む約1万件からなり、仙厓の蒐集で知られています。収蔵品は多岐に渡り、絵画、書跡、陶磁器、工芸品、近代の作家と豊富にあり、近年は江戸絵画 約190件を取得。

基本
情報
東京都千代田区丸の内3-1-1　帝劇ビル9階　TEL：050-5541-8600（ハローダイヤル）
□アクセス：JR「有楽町駅」より徒歩5分、東京メトロ有楽町線「有楽町駅」・都営三田線「日比谷駅」より徒歩3分
□開館時間：11:00 ～ 17:00（入館は16:30まで）※事前予約制　□休館日：月曜日（祝日・休日の場合は開館し、翌日平日休館）、年末年始、展示替期間　※公式ホームページで最新情報をご確認ください
□入館料：一般1200円、高大生800円

あわせて
立ち
寄りたい！
●三菱一号館美術館：赤煉瓦の建物は1894年に建設した「三菱一号館」を復元したもの。
●丸の内ストリートギャラリー：丸の内仲通りをメインに、近代彫刻の巨匠の作品や世界で活躍する現代アーティストの作品を多数展示しています。

八王子の技術開発センター石川内の博物館

オリンパスミュージアム

オリンパスミュージアムの展示室風景（写真提供：オリンパスミュージアム）

オリンパスの歴代の製品や技術を体験・体感できるわかりやすい展示

　オリンパスミュージアムは、八王子市石川町に位置するオリンパス株式会社 技術開発センター石川内にあります。同ミュージアムではオリンパスの歴代の製品や技術を体験・体感することができます。

　館内に入ると6面電子ウォールにて会社の歴史や情報を見ることができます。また、展示室前の右手には「OLYMPUS ROAD」と題した歴代カメラが並び、左手にはオリンパスの名前の由来や貴重な医療機器、顕微鏡などが展示されています。

　展示室に入ると、オリンパスの医療・科学・映像分野の製品が、手前から奥へと時系列にわかりやすく展示が並びます。科学分野では、オリンパス創業の原点である「顕微鏡」からはじまり、その歴史的変遷を見ることができます。ガラスケースに収まっている顕微鏡の初号機（旭号）の現物が見どころです。

　映像分野では、顕微鏡づくりで培った光学技術を生かして1936年に誕生したカメラ用のレンズ「ズイコー（瑞光）」を搭載したオリンパス初のカメラ「セミオリンパスI型」が貴重です。また、フィルム時代の「オリンパスペン」や「OMシリーズ」など数々の名機を見ることができます。医療分野の歴史展示コーナーでは、日本機械学会から「機械遺産」に認定されたガストロカメラI型「GT-I」やビデオ内視鏡システムの展示のほか、内視鏡に使う処置具などさまざまな内視鏡技術が紹介されています。

　全体を通して、実際の製品に触れることができ、オリンパスの「見えないものを見えることへの挑戦」の姿勢を体感できるミュージアムです。

基本情報

東京都八王子市石川町2951　オリンパス株式会社技術開発センター石川内　TEL：042-642-3086
□アクセス：JR八高線「北八王子駅」より徒歩約10分
□開館時間：10:00 ～ 15:00（予約制）　□休館日：土曜日・日曜日、祝日、年末年始、会社休日
□入館料：無料

あわせて立ち寄りたい！

●村内美術館：家具と絵画がコラボレーションした世にも珍しく楽しさ満載の美術館。木のぬくもりあふれる椅子や家具、スケールの大きい迫力ある絵画を楽しむことができます。
●八王子市夢美術館：日常生活の中で市民が気軽に親しめる「くらしの中の美術館」。

早稲田キャンパス内にある旧図書館を再生

早稲田大学 會津八一記念博物館

正面よりホールをのぞむ（写真提供：早稲田大学 會津八一記念博物館）

東洋美術・近代美術・考古学の資料約2万点を収蔵

　早稲田大学早稲田キャンパスの正門を入ってすぐ左手にあるレトロな雰囲気のある建物が「會津八一記念博物館」です。高名な書家であり歌人であるとともに東洋美術史家で同学で教鞭をとっていた會津八一（1881～1956年）は、1927（昭和2）年に大隈記念講堂の竣工の際に、記念講演会で学問の討究や教育における実物資料の重要性を力説し、早稲田大学に総合博物館が必要だと主張しました。この會津の志が実現したのはそれから70年後で、今井兼次設計の旧図書館（2号館）がリニューアルされて、1998年5月に會津八一の名を冠した同館が開館しました。なお2号館は「東京都選定歴史的建造物」に指定されています。

　館内の展示室は1階に「會津八一コレクション展示室」と「近代美術展示室」、そして「富岡重憲コレクション展示室」があります。そして非常に印象的なのは1階ホールとそこから2階へと続く大階段（ここからは上れません）の華麗なデザインです。6本の白い列柱に造られた装飾は、漆喰職人によって丹精込めて造られたもの。大階段を飾るのは横山大観と下村観山による日本画の大作『明暗』（限定公開）です。2階の「グランドギャラリー」では、年4回程度の企画展が開催されています。

■過去の展覧会：富岡展「人のかたち」（2021年3～4月）、企画展「松丸東魚篆刻作品等受贈記念萬象、一刀の中にあり―篆刻家・松丸東魚の仕事」（2021年3～4月）など。

基本情報

東京都新宿区西早稲田1-6-1　早稲田キャンパス2号館　TEL：03-5286-3835
□アクセス：東京メトロ東西線「早稲田駅」3aまたは3b出口より徒歩5分
□開館時間：10：00～17：00（入館は16：30まで）
□休館日：水曜日、大学の臨時休業日、年末年始、8月（オープンキャンパス除く）、2月
□入館料：無料

あわせて
立ち
寄りたい！

●早稲田大学坪内博士記念演劇博物館：今日に至るまでの演劇に関する古今東西の貴重な資料を収集・保管・展示し、収蔵品は百万点を超える、アジアで唯一の、そして世界でも有数の演劇専門総合博物館です。
●會津八一記念博物館 考古学・民族資料常設展示：大隈記念タワー125記念室で考古学分野を対象に展示。

渋谷・松涛文化村ストリートにあるギャラリー

biscuit gallery
ビスケットギャラリー

ギャラリー内3階展示風景（右：清川漠の作品、左：岡田佑里奈の作品／写真提供：biscuit gallery）

1階から3階までのホワイトキューブに若手作家中心の作品を展示

「biscuit gallery（ビスケットギャラリー）」は2021年3月21日に新しくオープンした若手作家を中心に紹介するギャラリーです。渋谷駅から続く文化村通りがオーチャード通りと名称が替わる東急百貨店本店を左に入って松濤方面に向かう松濤文化村ストリートに面しているbiscuitビルの3フロアがギャラリースペースです。

　おいしそうなギャラリー名「biscuit」は、オーナーである小林真比古氏に伺うと「キャッチーで呼びやすく、またビスケットはアートと同様に国境・宗教・年齢にかかわらず口にできるもので、口にしたら美味しくて幸せな時間が訪れるもの。真っ白なキャンバスに絵を描くように小麦粉という真っ白な素材が多様な姿に形を変えられる、いろんな味付けもできる（多様性）こと」から名付けられたそうです。アートコレクターの裾野を広げたい想いとともに、場所にもこだわりがあり、若い人たちの渋谷駅からの動線を意識して、気軽に立ち寄ってもらえるように大通りに面した現在の場所が選ばれています。

　bisucitビルの1階から3階までがホワイトキューブの展示スペースとなっていて、ギャラリーのオープニングを飾った展覧会では、各階にアーティストを2名ずつ、テーマや手法で関連性がある作品を展示する手法がとられています。実際に観覧してみるとそのインタラクティブな効果がよく見え、今後も3つのフロアを有機的につないだbiscuit galleryならではの展覧会が期待できます。

基本
情報

東京都渋谷区松濤1-28-8　biscuitビル1～3階

□アクセス：京王井の頭線「神泉駅」より徒歩3分

□開廊時間：13:00 ～ 19:00（木曜日・金曜日）、12:00 ～ 18:00（土曜日・日曜日）

□休廊日：月曜日・火曜日・水曜日

□入館料：無料

あわせて
立ち
寄りたい！

● Bunkamura ザ・ミュージアム：いつでも気軽にアートを楽しめる自由形美術館として、近代美術の流れに焦点をあてた展覧会を中心に企画・展示する美術館です。

● 松濤美術館：渋谷区立の美術館。落ち着いた雰囲気の中で老若男女が楽しめる憩いの場です。

238

印刷局創立100年を記念して開設

お札と切手の博物館

お札と切手の博物館の外観

お札や切手の歴史、印刷技術の歴史を物語る貴重な資料を展示

「お札と切手の博物館」は、1971（昭和46）年に印刷局創立100年を記念して新宿区・市ヶ谷に開設され、2011（平成23）年3月に現在の北区・王子に移転しました。

国立印刷局が大蔵省紙幣司の名で創設された1871（明治4）年以来、日本のお札づくり、切手づくりに一貫して携わり、今日に至るまで製造された数々の製品は、お札や切手の歴史、印刷技術の歴史を物語る貴重な資料となっています。

展示室は1階と2階にあり、お札、切手、証券など、国立印刷局が製造した各種製品と、明治期以前のお札、諸外国のお札や切手、お札の製造と深いかかわりをもつ銅版画など、さまざまな資料を展示し、お札の歴史や偽造防止技術などについても解説されています。

見どころが多くある常設展示ですが、そのひとつに収蔵品「スタンホープ印刷機」があります。近代印刷技術の日本への到来を象徴する遺物として、国の重要文化財に指定されています。展示を見て、国立印刷局は、お札の印刷だけではなく、紙そのものから製造をしていることにあらためて驚きます。2階の世界の珍しい切手のコーナーでは各国の切手のデザインの多様性を感じながら、切手の世界旅行を体験できます。はがきよりも大きい世界最大の切手、におい付きの切手など、日本の切手の「常識」とは異なる世界が見えてきます。

普段何気なく使っているお札や切手の社会的・文化的意義について楽しく学べる博物館です。

基本
情報
東京都北区王子1-6-1　TEL：03-5390-5194
□アクセス：JR京浜東北線「王子駅」より徒歩3分、東京メトロ南北線「王子駅」より徒歩3分、
　東京さくらトラム（都電荒川線）「王子駅前」より徒歩3分
□開館時間：9：00 〜 17：30　□休館日：月曜日（祝日の場合は開館し、翌平日休館）、年末年始、臨時休館日
□入館料：無料

あわせて
立ち
寄りたい！
●紙の博物館：世界でも数少ない紙専門の総合博物館です。日本の伝統的な「和紙」と近代日本の経済発展を支えた
「洋紙」の両面から、紙の歴史・文化・産業を紹介しています。
●北区飛鳥山博物館：北区や近隣の考古・歴史・民俗や自然に関して14のテーマを展示。

239

新宿三丁目駅に設置のパブリックアート
Tea Party

東京メトロ副都心線「新宿三丁目駅」の『Tea Party』（山本容子、2008年）

銅版画家・山本容子原画の「不思議の国のアリスシリーズ」

　東京メトロ副都心線「新宿三丁目駅」に設置のパブリックアート『Tea Party』。銅版画家・山本容子原画の「不思議の国のアリスシリーズ」のひとつで、モザイクアートです。もうひとつの「不思議の国のアリスシリーズ」の『Hop, Step, Hop, Step』はステンドグラスで、両作品を見比べてみるのもおもしろい楽しみ方です。

　不思議な構図の描き方で、時間的には前後しますが、2010年公開でティム・バートン監督の映画『アリス・イン・ワンダーランド』のカオスなお茶会を連想し、イマジネーションがふくらみます。「日常の空間からワープした異次元の空間をイメージしました。ルイス・キャロルの書いた『不思議の国のアリス』の一場面では、お茶を飲むテーブルがただのモノではなくて、とてつもない拡がりのあるわくわくする空間に変化します。そのような世界をイメージしてほしいと願いました」（山本容子）。

■原画・監修：銅版画家・山本容子（やまもと・ようこ）。1952年生まれ。都会的で軽快洒脱な色彩で、独自の銅版画の世界を確立。絵画に音楽や詩を融合させるジャンルを超えたコラボレーションを展開。数多くの書籍の装幀、挿絵を手がけ、絵本やエッセイの著作も多くあります。また、医療現場で壁画制作の創作にも活動の場を広げています。

■作品：2008年設置のモザイクアート。縦2.2m×横5.5m。企画は公益財団法人日本交通文化協会。株式会社関ヶ原マーブルクラフトが製作。

基本
情報

東京都新宿区新宿5-18-22
□アクセス：東京メトロ丸ノ内線「新宿三丁目駅」B1F 丸ノ内線伊勢丹方面改札
□オフィシャルサイト：https://www.lucasmuseum.net/

あわせて
立ち
寄りたい！

●『花尾（Hanao-San）』：JR新宿駅東口駅前広場にある松山智一のパブリックアート作品。
●『Hop, Step, Hop, Step』：東京メトロ副都心線「新宿三丁目駅」に設置の銅版画家・山本容子の原画・監修・描画作品「不思議の国のアリスシリーズ」のひとつ。

日本の現代美術界のパイオニア

西村画廊

©David Hockney デイヴィッド・ホックニー「ザ・ヨセミテ・スイート」展、2016年（写真提供：西村画廊）

世界の最先端のアートに触れられる場として作品の魅力を多角的に紹介

　西村画廊は当初1974年に銀座2丁目に開廊しましたが、2006年に現在の日本橋に移転しました。2019年には開廊45周年を記念して、「開廊45周年記念展」が開催されました。

　本画廊の成り立ちですが、当時30歳台であった画廊代表の西村建治は、開廊に先立ってヨーロッパの美術事情の視察に出向き、日本ではまだ馴染みのない、いわば空白地帯であったイギリスの現代美術（ポップアート）に着目し、まずその領域に特化した画廊として1974年に「西村画廊」を銀座にオープンしました。以降、デイヴィッド・ホックニー、ピーター・ブレイク、リチャード・ハミルトン、ルシアン・フロイドらを紹介してきました。同時に、先の海外作家だけではなく、開廊当初から国内作家の紹介にも力を注いできました。日本美術界を牽引する舟越桂をはじめ、小林孝亘、押江千衣子、三沢厚彦、町田久美、曽谷朝絵、指田菜穂子など、国内作家の展覧会を継続的に開催し、作品の魅力を多角的に紹介し、日本の現代アートシーンを牽引し続けています。

■取扱作家：デイヴィッド・ホックニー、ピーター・ブレイク、ブリジット・ライリー、ホルスト・アンテス、ポール・デイヴィス、マーク・ボイル、リチャード・ハミルトン、押江千衣子、小林孝亘、指田菜穂子、曽谷朝絵、舟越桂、町田久美、三沢厚彦、横尾忠則など多数の作家を紹介しています。

基本
情報 東京都中央区日本橋2-10-8　日本橋日光ビル9F　TEL：03-5203-2800
□アクセス：東京メトロ銀座線「日本橋駅」B4出口より徒歩2分、東京メトロ東西線「日本橋駅」C4出口より徒歩2分
□開廊時間：10:30 〜 18:30　□休廊日：日曜日・月曜日、祝日

あわせて
立ち
寄りたい！ ●アーティゾン美術館：2020年1月18日に新築のミュージアムタワー京橋内にオープン。前身のブリヂストン美術館から、活動の内容もコレクションの幅も広がっています。

子供の文化を中心とした資料を紹介する美術館

若山美術館

若山美術館4階の常設展示室の様子

若山美術館の入口案内

明治から昭和にかけての印刷物のサブカルチャーアートを中心に展示

　中央区銀座にある若山美術館は、収集家・若山徳光が幼い頃より集めた、子供の文化を中心とした資料を紹介する美術館です。東京メトロ有楽町線「銀座一丁目駅」から徒歩2分で、ビル入口の水玉模様の縦看板が目印です。

　ビルの4階が常設展示室で、5階が企画展示室です。常設展示では、雑誌・絵本・紙芝居・漫画などの印刷物を軸としたサブカルチャーアートを中心に展示されています。現在では国内外でも、サブカルチャーとして注目を集めていますが、戦前戦後の激動の昭和をたくましく生き続けた「子供たちの文化」は、現代の私たちにあらためてその価値を問いかけます。その時代を過ごした人には大切な思い出を呼び起こし、あの頃の風に触れられる場所として、また若い人には時空を超えて新たな空気を感じてもらう空間として、2008年に産声をあげました。

　3,000点を超える雑誌のコレクションからは、明治から昭和30年にかけて時代別の棚に女性誌や絵本のコレクションが並びます。明治時代のものには、博文館が創刊した少女雑誌『少女世界』、平塚らいてうが中心となって発行した婦人月刊誌『青踏』などのレトロな表紙が時代を感じます。大正時代に移ると、『白樺』『明星』などの文芸・美術雑誌が大正ロマンを彷彿とさせます。昭和時代では、『主婦の友』『婦人公論』などの婦人雑誌や、小学生向けの雑誌『小學一年』などの表紙が並びます。

基本情報

東京都中央区銀座2-11-19　国光ビル4／5階　TEL：03-3542-3279
□アクセス：東京メトロ有楽町線「銀座一丁目」11番出口より徒歩2分
□開館時間：12:00 〜 17:00(金曜日は19:00まで)　□休館日：日曜日・月曜日、祝祭日
□入館料：500円

あわせて
立ち
寄りたい！

●王子ペーパーライブラリー：王子グループが運営する紙にまつわるさまざまな展示を展開。
●ポーラ ミュージアム アネックス：ポーラ銀座ビルのコンセプトの一翼を担い、銀座という街で多くの人に芸術を通して美意識・感性を磨く美術館。

242

多摩市にあるKDDIの企業博物館
KDDI MUSEUM

KDDI MUSEUMのエントランス

先人たちの挑戦の歴史に学び、未来をデザインするミュージアム

「KDDI MUSEUM」は、日本の国際通信とKDDIの挑戦の歴史を紹介し、来館者と一緒に、ワクワクする未来を共に描きたいという想いを込めて2020年12月に設立されたミュージアムです。1871（明治4）年から約150年間の日本の国際通信の歴史を、実物の機器や資料で解説するほか、auブランドで展開する歴代の携帯電話の展示のほか、最新の5G・IoT技術を体験できます。

　同館は宿泊研修施設LINK FORESTの2階に位置しています。エントランスの「通信でつながる」を横の曲線で表現した未来的な空間デザインに期待感が高まります。館内は、約540インチの迫力ある円形映像シアターからスタートし、Aゾーンの「日本の国際通信－世界とつながる－」からDゾーンの「EXHIBITION」までの展示構成です。

　見どころは、1871（明治4）年に長崎・小ヶ倉に建てられた建物に引き込まれた海底電信ケーブルで世界と初めてつながり、その海底線陸揚庫と呼ばれた建物と中に置かれた予備通信席の復元。実にリアルです。「宇宙への挑戦－衛星通信－」のコーナーでは、1963年に日本で初めて米国から衛星中継された映像がケネディ大統領暗殺という衝撃的な内容であったことが紹介されています。EXHIBITIONでは今どきの5Gの特性をフルに活用し、データや体験の制約から解放されたワクワクする世界を体感できます。

基本
情報
東京都多摩市鶴牧3-5-3　LINK FOREST 2F
□アクセス：小田急多摩線・京王相模原線「多摩センター駅」より徒歩10分
□開館時間：10:00 ～ 17:00（事前予約制）　□休館日：月曜日・土曜日・日曜日、祝日、年末年始、その他
□入館料：公式ホームページで最新情報をご確認ください

あわせて
立ち
寄りたい！
●KDDIアートギャラリー：宿泊研修施設LINK FORESTの一画で、KDDI MUSEUMの隣に位置。日本の名匠の作品、洋画の名作、ヨーロッパを代表するガラス工芸などを展示。
●多摩美術大学美術館：歴史的芸術から現代芸術まで幅広いジャンルの創造の世界を展示。

243

大妻女子大学大学図書館棟内にある博物館

大妻女子大学博物館

博物館が入る図書館棟外観

創立者・大妻コタカの居室を移築復元

学院創立者の大妻コタカ・良馬と大妻学院に関する資料の展示

　大妻女子大学博物館は、千代田区三番町の町域を東西に通る番町学園通りに面した大妻女子大学の図書館棟地下1階にあります。本博物館では、学院創立者の大妻コタカ・良馬先生と大妻学院に関する資料の展示が行われています。

　2007（平成19）年、大妻学院が建学以来収集してきたさまざまな資料を教育・研究に活用するため「大妻女子大学生活科学資料館」が設立されました。2011年に東京都から博物館相当施設の指定を受けたのを機に、翌年4月に名称を「大妻女子大学博物館」に改め、新たなスタートを切りました。

　図書館棟に入って博物館を訪れると、1階ロビーに設置されている大妻コタカ・良馬先生の胸像が来訪者を出迎えてくれます。

　博物館入口に、大妻コタカ先生が晩年まで生活していた居室を移築復元して常設展示しています。なお、常設展示に加えて、折に触れて特別展や企画展が開催されます。

■過去の展覧会：特別展「大妻女子大学日本文学関係貴重書展示　メディアの変遷−近世近代を通底する−」（2021年10〜11月）、特別展「呉昌碩と日本人士−中国最後の文人と交流した書画文墨趣味ネットワークの人々−」（2021年3〜5月）、企画展「大妻学院の手芸・裁縫作品」（2020年9〜12月）など。

基本情報

東京都千代田区三番町12　図書館棟地下1階　TEL：03-5275-5739
□アクセス：東京メトロ半蔵門線「半蔵門駅」より徒歩7分、JR総武線「市ヶ谷駅」より徒歩10分
□開館時間：公式ホームページで最新情報をご確認ください
　※休館日・開館時間は展覧会によって異なる場合があります
□入館料：無料

あわせて
立ち
寄りたい！

●日本カメラ博物館：カメラや写真の企画展を定期的に開催し、古今内外のさまざまなカメラや写真の世界を紹介。「ジルー・ダゲレオタイプ・カメラ」を国内で唯一所蔵・展示。
●半蔵門ミュージアム：大日如来坐像（重要文化財）やガンダーラ仏伝図浮彫を常設展示。

福沢一郎のアトリエなどを改装したミニ美術館

福沢一郎記念館

福沢一郎記念館の外観（左は元アトリエの建物、右は住居であった母屋）

日本の絵画史に異彩を放つ洋画家・福沢一郎の世界を垣間見る

　世田谷区・砧の閑静な住宅街にある福沢一郎記念館は、一般財団法人・福沢一郎記念美術財団が運営するミニ美術館です。日本の洋画界を代表する画家のひとりであった福沢一郎が使ったアトリエ、書斎、居室の一部などを改装し、絵画の展示や講演会などを開催しています。1994（平成6）年の開館で、年2回の企画展示と美術講演会が中心となっています。

　緑色の窓枠が印象的な左の建物は、教会建築家の設計による元アトリエ、右は住居であった母屋で設計は現代建築家・清家清によるもの。館内の壁と床は、ヒバ材が使われているのが特徴で、これは東北地方に出かけて作品を描いていた際に、貨車1台分を求めたもので、水に強い貴重な木材です。床は、作家自身が塗り、アトリエの名残で今も床の一部にはキャンバスのように絵具が残っています。

■過去の展覧会：秋の展覧会「福沢一郎 ギリシャ神話をえがく」（2020年10〜11月）、春の展覧会「笑う！福沢一郎」（2019年4〜5月）など。

■福沢一郎（ふくざわ・いちろう）：一貫して主題（画題）をいかに表現するかを追究し続けた、日本の絵画史に異彩を放つ作家です。また、昭和初期におけるいわゆる「シュルレアリスム絵画」の紹介者としても広く知られています。大正末期から平成へと至る画業において、さまざまに主題と作風を変えながら制作に取り組みました。量感あふれる人体表現や独特な色彩感覚は、日本の洋画史において他に類を見ない特長といえます。

基本
情報

東京都世田谷区砧8丁目14-7　TEL: 03-3415-3405
□アクセス：小田急「祖師ヶ谷大蔵駅」より徒歩5分、小田急「成城学園前駅」より徒歩15分
□開館時間：開館日を含めて公式ホームページで最新情報をご確認ください

あわせて
立ち
寄りたい！

●世田谷美術館：四季折々の変化が美しい、緑豊かな砧公園の一角に位置します。恵まれた自然環境を存分に生かした建築デザインも見どころ。
●樫尾俊雄発明記念館：発明家・樫尾俊雄のアイデアやこだわりのユニークな建物も必見。

2階の展望ロビーもオススメ

青梅市立美術館

青梅市立美術館の外観

多摩地域ゆかりの洋画家・小島善太郎や陶芸家・藤本能道の作品を常設

　青梅市立美術館は、1984(昭和59)年に、多摩川の流域のなかで一番の屈曲点を眼下に臨む青梅街道沿いに開館しました。白いタイル張りの外壁と2階まで届くファサードが印象的です。

　収蔵品は、近現代の日本画、洋画、戦後の版画を中心に、多摩地域にゆかりの深い洋画家・小島善太郎や人間国宝の陶芸家・藤本能道の作品など、その数は2,200点に上り、同館ならではのコレクションとして日本の近現代美術を知る上で外せないものとなっています。

　展示室は館内2階に第1展示室と第2展示室があり、開催される展覧会は、収蔵品をテーマ別に紹介する企画展と、他館から作品を借用する特別展、そして他機関との共催展の3つに大別され、1年を通じて5本程度の展覧会が開催されています。なお、小島善太郎と藤本能道の作品は、展示替えをしながら常時、各展覧会会場にて公開されています。作品鑑賞のあとは、多摩川が眺められる2階の展望ロビーに立ち寄るのも乙な楽しみです。

■過去の展覧会：館蔵企画展「生誕120年－宮本十久一展」(2021年2〜3月)、館蔵企画展「長崎莫人展」(2020年12月〜2021年1月)、館蔵企画展「モノクロームの詩－版画に見る細密表現の世界」(2020年9〜11月)、特別展「中島潔 新しい風－希望、明日へ生きる－」(2019年6〜9月)、企画展「生誕100年 佐藤多持展」(2019年4〜5月)など。

基本情報	東京都青梅市滝ノ上町1346-1　TEL：0428-24-1195
	□アクセス：JR 青梅線「青梅駅」より徒歩6分
	□開館時間：9:00〜17:00(入館は16:30まで)
	□休館日：月曜日(祝日・休日の時は開館し、翌平日休館)、年末年始、展示替期間
	□入館料：大人200円、小・中学生50円　※特別展の場合は改めて設定

あわせて立ち寄りたい！　●櫛かんざし美術館：各時代の女性を彩った髪飾りの美術館。収蔵品は、収集家として著名であった岡崎智予のコレクションを一括継承し、さらに新規の品を加えて、集大成したものです。

246

「丸の内仲通り」に設置の数々のアート作品
丸の内ストリートギャラリー

①『ローマの公園』淀井敏夫（1976年、ブロンズ）

日本人の高い芸術性、日本独自の精神性や世界観のアートに出会う

　JR「有楽町駅」から「東京駅」を結ぶ東京の玄関口である丸の内エリアのメインストリート「丸の内仲通り」。石畳や道の両側の街路樹が美しい通り沿いには、高級ブランドの路面店、カフェ、レストラン、オフィスなどが立ち並ぶ、都内屈指のハイセンスな通りです。ここをそぞろ歩きするだけでもウキウキしますが、そこに花を添えるのが「丸の内ストリートギャラリー」。この通り沿いの「新東京ビル」から「丸の内永楽ビル」、「丸の内オアゾ」にかけて約500mにわたってアート作品の数々が展示されています。
「丸の内ストリートギャラリー」は、三菱地所株式会社と公益財団法人彫刻の森芸術文化財団が芸術性豊かな街づくりを目指し、1972年から数年に一度、作品の入れ替えを行いながら展示を実施しています。2018年からは、第42回として、彫刻の森が所蔵する日本の近代彫刻を代表する巨匠たちの作品をはじめ、世界で活躍するアーティストが「丸の内ストリートギャラリー」のために制作した作品の数々が並びます。日本人の感性で表現する高い芸術性、日本独自の精神性や世界観に触れる事ができる、天気の良い日でも雨の日でも何度でも訪れたくなるストリートです。
　なお、掲載の作品展示は2022年3月中旬ごろで終了予定で、同年4月からは作品の一部を入れ替えて第43回がはじまります。

基本情報
東京都千代田区丸の内1〜3丁目、有楽町1丁目　　TEL：03-5218-5100（丸の内コールセンター）
□アクセス：JR「東京駅」、JR「有楽町駅」、東京メトロ「二重橋前駅」から徒歩すぐ

あわせて立ち寄りたい！
●三菱一号館美術館：建物は丸の内最初の洋風貸事務所建築として明治時代に建てられた旧・三菱一号館を、三菱地所による再開発で、2009年に誕生した「丸の内パブリックスクエア」を構成する施設として復元したものです。おもに19世紀末の美術品を収蔵。

②『無題』加藤泉（2018年、本小松石・着彩）／③『われは南瓜』草間彌生（2013年、黒御影石）／④『コズミック・アーチ '89』鹿田淳史（1989年、ブロンズプレート）／⑤『つくしんぼう』桑田卓郎（2018年、磁土・釉薬・顔料・金）／⑥『SPIRAL.UQ』木戸修（2017年、ステンレス）／⑦『Bird 2014-03B』三沢厚彦（2018年、ブロンズ・着彩）／⑧『Animal 2016-01B』三沢厚彦（2018年、ブロンズ・着彩）／⑨『Hard Boiled Daydream (Sculpture/Spook)#1』金氏徹平（2018年、ステンレス・塩化ビニル系樹脂・塗料）／⑩『the Garden（屋根裏の庭）』國府理（2011年、鉄・土・植物・植物の種子・その他）／⑪『風の椅子』長谷京治（1995年、ブロンズ）／⑫『石のとびら』水井康雄（1969年、ブルゴーニュ産 石灰岩）／⑬『Animal 2017-01-B2』三沢厚彦（2017～2019年、ブロンズ・着彩）

247

3331 Arts Chiyodaの2階にあるギャラリー

ギャラリー キドプレス
Gallery KIDO Press

ギャラリー キドプレスのエントランス（鴻池朋子展「Limestone ／石灰岩」展示風景）

併設の版画工房で刷り師と作家のコラボレーションによる版画制作も

「ギャラリー キドプレス」は、国内外の第一線で活躍するアーティストの版画作品を制作・出版する版元で、ギャラリーを持つ版画工房です。ニューヨークの版画工房ULAEでマスタープリンターを務めた木戸均が帰国後に設立しました。

2015年に、旧千代田区立練成中学校を改修して誕生した「3331 Arts Chiyoda」の2階フロアに移転。校舎の名残を漂わせる廊下に面したギャラリーでは、版画、絵画、立体作品を中心とした現代美術の企画展が定期的に開催されています。これまでに町田久美、三沢厚彦をはじめ、奈良美智、ウィスット・ポンニミット、MAYA MAXX、O JUN、小林孝亘、諏訪敦などの展覧会が、新作版画の出版発表と連動しながら行われました。また、テリー・ウィンタース、ジョン・カリン、キキ・スミスなど海外の第一線で活躍するアーティストの紹介に加えて、重野克明、阪本トクロウ、土屋裕介など期待の若手アーティストの企画展示にも力を入れています。このように、併設の版画工房で刷り師と作家の親密なコラボレーションによる版画制作を行う類を見ないユニークなギャラリーです。

■過去の展覧会：三沢厚彦「アニマルズ 新作ドライポイント」展（2020年12月〜2021年1月）、後藤有美展「見立てるということ」（2020年10〜11月）、鴻池朋子展「Limestone ／石灰岩」（2020年7月〜9月）など。

基本
情報

東京都千代田区外神田6-11-14　3331 Arts Chiyoda内　TEL：03-5817-8988
□アクセス：東京メトロ銀座線「末広町駅」より徒歩1分、東京メトロ千代田線「湯島駅」より徒歩3分
□開館時間：12:00〜18:00　□休館日：月曜日・火曜日、祝日
□入館料：無料

あわせて
立ち
寄りたい！

●旧岩崎邸庭園：旧岩崎邸は、1896（明治29）年に三菱を創設した岩崎家の第3代当主・久彌の本邸として建てられ、園内には、洋館、和館、撞球室の3棟が現存しています。
●健康と医学の博物館：東京大学医学部・医学部附属病院創立150周年記念事業の博物館。

248

飛鳥山3つの博物館のうちのひとつ

紙の博物館

春爛漫の飛鳥山に建つ博物館外観（写真提供：紙の博物館）

「洋紙発祥の地」北区・王子の世界でも数少ない紙専門総合博物館

　約300年前、8代将軍・徳川吉宗が享保の改革の施策のひとつとして、江戸っ子たちが日帰りで行ける行楽の地とするために飛鳥山に桜を植え、庶民が花見を楽しめる名所となった飛鳥山。その公園のなかにある3つの博物館のうちのひとつが「紙の博物館」です。1950（昭和25）年に「洋紙発祥の地」として知られる北区・王子に王子製紙王子工場の跡地を利用して「製紙記念館」として設立されました。のちに名称変更や移転を経て2020年の70周年を機にリニューアルオープン。日本の伝統的な「和紙」、近代日本の発展を支えた「洋紙」の両面から、紙の歴史・文化・産業を紹介して展示公開する、世界でも数少ない紙専門の総合博物館で、4万点の資料と1万5千点の図書を所蔵しています。

　2階部分のエントランスホールを入ってすぐ左手で目にとまる大型の展示が、「紙祖」としても崇められた聖徳太子が6畳敷の手すき和紙に描かれた『聖徳太子御影』。展示室は、2階の紙と産業、3階の紙の教室、4階の和紙と文化、1階の記念碑コーナーなどで構成されています。

■見どころ：和紙コレクションの百万塔・陀羅尼（神護景雲4年・770年）は、刊行年代の明らかな現存する最古の印刷物の陀羅尼とそれを納めた木製の百万塔。1303回刷り重ねた世界最大級の木版画「孔雀明王像」（1990年）も必見。産業遺産コレクションでは、現存品は貴重なボロ蒸煮釜、世界最初の抄紙機（模型）などがあります。

基本
情報
東京都北区王子1-1-3　TEL：03-3916-2320
□アクセス：JR京浜東北線「王子駅」南口より徒歩5分、東京メトロ南北線「西ヶ原駅」より徒歩7分
□開館時間：10:00 ～ 16:00（入館は15:30まで）
□休館日：月曜日（祝日の場合は開館）、祝日の翌平日、年末年始、臨時休館日
□入館料：大人400円　小・中・高生200円

あわせて
立ち
寄りたい！
●北区飛鳥山博物館：飛鳥山公園のなかにある3つの博物館のうちのひとつで、江戸時代までさかのぼって桜の名所、飛鳥山の歴史を辿ります。
●お札と切手の博物館：独立行政法人国立印刷局が運営する紙幣と切手関係の専門博物館。

249

9月5日

本日の
テーマ　**美術館・企業**

渋谷のBunkamura内にある美術館

Bunkamura ザ・ミュージアム

Bunkamura ザ・ミュージアムの外観（写真提供：Bunkamura ザ・ミュージアム）

近代美術の流れに焦点を当てたいつでも気楽に楽しめる自由形美術館

　　渋谷スクランブル交差点から続く文化村通りの先にある東急グループが目指す「エンタテイメントシティ SHIBUYA」の実現に向けた「文化発信」の中核を担う大型の複合文化施設が Bunkamura です。その複合施設を構成する施設のひとつが、「美術」に特化した Bunkamura ザ・ミュージアム。

　　いつでも気軽にアートを楽しめる自由形美術館として、展覧会を企画・開催することを主体としている美術館です。近代美術の流れに焦点を当てた展覧会を中心に、これまで日本で紹介されることが少なかった作家の個展や海外の著名な美術館の名品展など、テーマ性・先見性・話題性を持った展覧会として主に 19 〜 20世紀の西洋絵画展、海外美術館の名品展、女性芸術家の作品展、写真展の4つのテーマを中心に、年間 4 〜 6回の企画展を開催しています。展示室は天井高が4メールあり、柱がなく、可動壁面パネルを展覧会のテーマに合わせて配置する構成となっていて、じっくり鑑賞したい人にとってうれしい工夫となっています。ミュージアムと同じフロアには「BOOK SHOP NADiff modern」があり、開催中の展覧会関連書籍や、ポストカード、ステーショナリーなどを買い求めることができます。
■過去の展覧会：「写真家ドアノー／音楽／パリ」（2021年2 〜 3月）、「ベルナール・ビュフェ回顧展」（2020年11月〜 2021年1月）、「東京好奇心2020渋谷」（2020年10 〜 11月）、「特別展 超写実絵画の襲来 ホキ美術館所蔵」（2020年6月）、Bunkamura30周年記念「クマのプーさん」展（2019年2 〜 4月）など。

基本
情報
東京都渋谷区道玄坂2-24-1　TEL：03-3477-9111（代表）
□アクセス：JR「渋谷駅」ハチ公口より徒歩7分、東京メトロ銀座線・京王井の頭線「渋谷駅」より徒歩7分、東急各線、東京メトロ半蔵門線・副都心線「渋谷駅」A2出口より徒歩5分
□開館時間：展覧会により異なります　□休館日：展覧会により異なります
□入館料：展覧会により異なります

あわせて
立ち
寄りたい！
●松濤美術館：渋谷区松濤の閑静な高級住宅街に立地する渋谷区立の美術館。哲学的な建築家と言われる白井晟一の設計による建物が特徴。
●戸栗美術館：創設者の戸栗亨が長年にわたり蒐集した陶磁器を中心とする美術品を所蔵。

近代椅子の名作を常設展示するギャラリー

武蔵野美術大学 美術館・図書館
椅子ギャラリー

武蔵野美術大学 美術館・図書館内の椅子ギャラリーの様子（写真提供：武蔵野美術大学 美術館・図書館）

約400脚の「近代椅子コレクション」の中から展示

「椅子ギャラリー」は、武蔵野美術大学 美術館・図書館の美術館内にある近代椅子を展示しているギャラリーです。

　武蔵野美術大学 美術館・図書館では、開館以来収集してきた椅子コレクション約400脚にのぼる国内外の近代名作椅子を収蔵し、「近代椅子コレクション」を構成しています。ハンス・ウェグナーやアルネ・ヤコブセンなど北欧の椅子、チャールズ・イームズやジョージ・ネルソンなどのアメリカの椅子、剣持勇や渡辺力といった日本人デザイナーの作品など、地域や時代、種類もさまざまですが、いずれも時代を超え愛され親しまれている名作ぞろいです。

「椅子ギャラリー」では、コレクションの中から約100～200脚が展示されていて、これだけの数の名作が一堂に揃う光景に魅了されます。普段は授業などに限ってしかギャラリー内に入れませんが、一般の来館者もガラス壁越しに作品を観ることが可能です。

　なお、武蔵野美術大学 美術館・図書館の公式アプリケーション「MAU M&L 近代椅子コレクション ムサビのイス3D」では、制作者、メーカー、サイズや解説など、椅子の詳細なデータを調べたり、3D画像化された椅子を自由に回転、拡大して見ることができますので、ぜひお試しあれ。

基本情報

東京都小平市小川町1-736　TEL：042-342-6003
□アクセス：西武国分寺線「鷹の台駅」より徒歩18分、JR「国分寺駅」北口より西武バス「武蔵野美術大学」行または「小平営業所」行乗車「武蔵野美術大学正門」下車、JR「立川駅」北口より立川バス「武蔵野美術大学」行乗車「武蔵野美術大学」下車
□開館時間：武蔵野美術大学 美術館・図書館（P130）の開館時間に準ずる
□入館料：無料　※入室不可。ガラス壁越しの見学のみ可　※公式ホームページで最新情報をご確認ください

あわせて立ち寄りたい！
●武蔵野美術大学 美術館・図書館：3万点のポスターと400脚を超える近代椅子を中心に、4万点を超えるデザイン資料や美術作品のコレクションを持ち、年間を通じて多くの企画展を開催しています。

251

歴史的発明の実物が見られる旧樫尾邸

樫尾俊雄発明記念館

樫尾俊雄発明記念館の外観

発明家のこだわりがちりばめられたユニークな建物も一見の価値あり

　　かつて樫尾俊雄の邸宅であった同館は、日本有数の高級住宅街として知られる成城の閑静な住宅地にある国分寺崖線という崖が連なる独特の地形に建てられています。

　　発明家の樫尾俊雄らしくデザインにもこだわったそうで、段差がある地形に連なるように建てた外観はユニークで、六角形の緑色の屋根は上から見ると鳥が飛翔する様をイメージしたと言われています。エントランスホールに入ると広々とした吹き抜けの空間にステンドグラスから光が差し、洋館独特の品格が漂います。コンサートホールを彷彿させる階段とスタンウェインのグランドピアノが置かれていたのが印象的。

　　展示室は、それぞれのテーマに沿って部屋ごとに趣向が凝らされています。発明の部屋では、樫尾俊雄が兄弟とともに発明した世界初の小型電気式計算機「14-A」が実際に動作するデモンストレーションを見ることができます。数の部屋には「カシオミニ」など歴代の電卓が並び、音の部屋では、音楽が好きでも演奏が不得意だったため誰でも弾けるようにとの発想で開発した電子楽器「カシオトーン」が音楽の世界に誘います。

■樫尾俊雄（かしお・としお）：1925年、東京生まれ。子ども時代にトーマス・エジソンの伝記を読んで触発され、発明の道に進みました。3人の兄弟とともに1957年にカシオ計算機を設立。昭和の発明王のひとりで、生涯で共同名義を含む313件の特許を取得しました。

基本
情報
　東京都世田谷区成城4-19-10　※メール対応のみ(info@kashiotoshio.org)で、電話での対応は不可
　□アクセス：小田急小田原線「成城学園前駅」西口より徒歩15分
　□開館時間：9:30 ～ 17:00　※見学は完全予約制（1組ずつ約1.5時間）
　□休館日：月曜日・土曜日・日曜日、その他
　□入館料：無料

あわせて
立ち
寄りたい！
　●清川泰次記念ギャラリー：世田谷美術館分館のうちのひとつで、画家・清川泰次のアトリエ兼住居を一部改装し、2003（平成15）年11月に開館しました。作家が長年にわたり生活と創作の場としたこの地で、芸術・文化をより一層身近に感じることができます。

252

日本を代表する映画監督の博物館
山田洋次ミュージアム

山田洋次ミュージアム©松竹㈱

14のテーマで「山田洋次もうひとつの世界」に出会う

　山田洋次ミュージアムは、「寅さん記念館」とともに東京の北東部、江戸川のほとりの葛飾柴又に立地しています。

　山田洋次監督とスタッフは、当時、物語にふさわしい場所を求めて東京近郊のあらゆる候補地に足を運び、最終的にたどり着いたのが、豊かな自然とそこに住む人々の温かい暮らしが息づいている葛飾柴又でした。葛飾柴又は「葛飾柴又の文化的景観」として2018年に都内で初めて国の重要文化的景観に選定され、まさに本ミュージアムの立地にふさわしい場所と言えるでしょう。

　館内は14のテーマ別に展示されていますが、中央のシンボルステージに並ぶ撮影カメラ、照明、録音、編集、映写などの実際に使われた機材がリアルに迫ります。浅草最後の映画館「浅草新劇会館」で使われていた、山田洋次監督作品に多い横長のシネスコープを上映できるアナモフィックレンズを備えたフィルム映写機「浅草世界館1号・2号機」が興味をそそります。

■山田洋次（やまだ・ようじ）：1931年生まれ、大阪府出身。1954年、東京大学法学部卒。同年、助監督として松竹入社。1961年『二階の他人』で監督デビュー。代表作の『男はつらいよ』シリーズは1969年に開始。他に代表作として『家族』（1970年）、『幸福の黄色いハンカチ』（1977年）、『学校』（1993年）、『たそがれ清兵衛』（2002年）、『家族はつらいよ』（2016年）など。

基本情報
　東京都葛飾区柴又6-22-19　TEL：03-3657-3455
□アクセス：京成「柴又駅」より徒歩8分、JR・京成「金町駅」より小岩駅行バスで「柴又帝釈天バス停」より徒歩7分
□開館時間：9:00～17:00（入館はなるべく16:30までに）
□休館日：第3火曜日（祝日・休日の場合は開館し、翌平日休館）、12月第3火・水・木曜日　※年末年始は営業
□入館料：＜葛飾柴又寅さん記念館との共通券＞一般500円、児童・生徒300円、シルバー・団体400円

あわせて立ち寄りたい！
●杉山美術館：スペインの天才画家、J・トレンツ・リャドの美しい原画をまとめて鑑賞できる唯一の美術館です。2009年7月1日、住宅地の中に開館しました。リャドをはじめとする内外の作家の作品に囲まれて、時間がゆっくりと流れるような空間を楽しめます。

253

渋谷区役所庁舎前に設置のモニュメント

渋谷・トルコ　日本友好碑／平和の鐘

渋谷・トルコ 日本友好碑と平和の鐘を見上げる

トルコ・ブルーのイズニックタイルの色彩に魅了

　在日トルコ共和国大使館（以下トルコ大使館）が渋谷区にあることが縁で、2003年の「日本における
トルコ年」を契機に、渋谷区民の間でトルコ共和国に対し急速に友好的な気運が広がりました。この
友好的な環境の中で、トルコ共和国から記念碑「渋谷・トルコ　日本友好碑」が贈られ、渋谷区役所庁
舎前に設置されました。同年10月18日に除幕式が行われ、表参道と区役所間でオスマントルコ軍楽
隊のパレードが繰り広げられました。

　2010年10月1日には、「平和・国際都市　渋谷」を推進する象徴として、東京渋谷ロータリークラブ
より寄贈された「平和の鐘」が記念碑の前に建立されました。ちなみに、4月28日は「渋谷の日」ですが、
10月1日を「平和・国際都市渋谷の日」と区の条例で制定しています。

　記念碑の内部の植物模様を描いた発色の美しいイズニックタイルが目を引きます。メインのモチーフ
はチューリップ。トルコ語で「ラーレ」と呼ばれるチューリップは実はトルコが原産の花でトルコの「国花」
となっています。光沢のある赤色やトルコ・ブルーの青色に魅了されます。イスタンブールの有名なブルー
モスクの青いタイルにもチューリップ模様が描かれています。

■作品：素材はタイル、コンクリート、鉄。イズニックタイルは、世界最古の手工芸のひとつで何世紀も
退色せず、世界中の人々から愛されるトルコ伝承のタイル装飾。生産地のイズニックからそのように呼
ばれます。動植物や宇宙、人間などを図案化したデザインが特徴です。

基本
情報

東京都渋谷区宇田川町1-1　渋谷区役所庁舎前
□アクセス：JR・東京メトロ銀座線・京王井の頭線・東急線「渋谷駅」より徒歩10分、
　ハチ公バス・京王バス「渋谷区役所前バス停」より徒歩1分

あわせて
立ち
寄りたい！

●『明日の神話』：『太陽の塔』と同時期に制作され、「塔と対をなす」といわれるこの巨大壁画作品は、岡本太郎の最高
傑作のひとつとして、岡本芸術の系譜のなかでも欠くべからざる極めて重要な作品です。
●戸栗美術館：日本でも数少ない陶磁器専門の美術館。

254

現代アートを中心に紹介するギャラリー

hpgrp GALLERY TOKYO

It's a living Ricardo Gonzalez「Memories of spring」展示風景（写真提供：hpgrp GALLERY TOKYO）

「ギャラリー」という敷居は低く、「アート」の質は高く

「hpgrp GALLERY TOKYO」は、若手アーティストのコンテンポラリーアートを中心に紹介するギャラリーです。読み方は「エイチピージーアールピーギャラリートウキョウ」。

　ファッションを中心に、インテリア、アートなど、生活と文化に関わるさまざまな事業を展開しているH.P.FRANCE（アッシュペーフランス）株式会社が運営するアートギャラリーとして、2007年に設立されました。

　ギャラリーは、ファッションブランドやカフェなどおしゃれなショップが並ぶ南青山の骨董通りに面した小原流会館の地下1階で展示スペースを展開しています。

「hpgrp GALLERY TOKYO」では、「LUMINE meets ART」や「青参道アートフェア」を企画運営するほか、海外からアーティストを招聘した商業施設での展示など、"「ギャラリー」という敷居は低く、「アート」の質は高く"を信条に、ファッションや音楽を楽しむようにアートに触れることができます。展覧会は、およそ1か月に1企画のペースで開催されています。

■過去の展覧会：リー・イズミダの新作展「MY HOME TOWN」（2021年7 ～ 8月）、It's a living Ricardo Gonzalez「Nothing Is Without Meaning」（2021年4 ～ 5月）、杉本克哉個展「YOU ARE GOD」（2021年2 ～ 3月）、竹内紘三個展「- Edge -」（2021年1 ～ 2月）、上野友幸個展「The world goes on」（2020年11 ～ 12月）など。

基本
情報

東京都港区南青山5-7-17　小原流会館B1F　TEL：03-3797-1507
□アクセス：東京メトロ銀座線・半蔵門線・千代田線「表参道駅」より徒歩5分
□開廊時間：12:00 ～ 19:00　□休廊日：日曜日・月曜日・火曜日
□入館料：無料

あわせて
立ち
寄りたい！

● Gallery5610：1972年、グラフィックデザイナーの河野鷹思（1906 ～ 1999年）によって創設。創設者の作品の紹介と、さまざまなデザイナーや作家の作品を展示しています。
● 根津美術館：実業家・根津嘉一郎が蒐集した日本・東洋の古美術品コレクションを展示。

255

1977年に開館の世界で最初の絵本美術館

ちひろ美術館・東京

ちひろ美術館・東京の外観(写真提供：ちひろ美術館、撮影：中川敦玲)

『青いつば広帽子を持つ少女』
(いわさきちひろ／1969年)(写
真提供：ちひろ美術館・東京)

子どもたちが人生で初めて訪れて親しめる美術館として工夫を凝らす

　練馬区・下石神井にある同館は、いわさきちひろが最後の22年間を過ごし、数々の作品を生み出した自宅兼アトリエ跡にあります。前の建物の記憶をとどめるように大きな木を残し、配置にも工夫を凝らしながら1977年に建てられました。黒柳徹子さんが美術館の館長です。

　いわさきちひろの作品を中心に各国の絵本の原画を展示する絵本美術館ですが、子どもたちが人生で初めて訪れる美術館「ファーストミュージアム」として親しめるよう、展示作品の中心は床から135cmに設定するなど、大人と子どもがともに作品を楽しめるうれしい工夫がなされています。作家が愛した草花が咲く「ちひろの庭」に出ると、季節の花々が迎えてくれます。

■いわさきちひろ：子どもを生涯のテーマとして描き続けた日本を代表する絵本画家。モデルなしで10か月と1歳の赤ちゃんを描き分ける観察力とデッサン力を持つと言われます。代表作に『ことりのくるひ』(至光社)、『おふろでちゃぷちゃぷ』(童心社)、『あめのひのおるすばん』(至光社)、『戦火のなかの子どもたち』(岩崎書店)など。

■収蔵作品：コレクション作品の総数は、寄託作品を含めて約27,400点。作家をはじめとする日本の絵本画家の作品のほか、欧米、アジア、東欧やロシア、南米やアフリカなど35の国と地域、211名の画家の作品を収蔵(2021年4月)。この数は絵本の専門美術館としては世界最大規模です。

<table>
<tr><td rowspan="5">基本情報</td><td>東京都練馬区下石神井4-7-2　TEL：03-3995-0612 ／ テレフォンガイド：03-3995-3001</td></tr>
<tr><td>□アクセス：西武新宿線「上井草駅」より徒歩7分</td></tr>
<tr><td>□開館時間：10:00 ～ 17:00(入館は16:30まで)</td></tr>
<tr><td>□休館日：月曜日(祝休日は開館し、翌平日休館)、年末年始、冬期休館、展示替期間</td></tr>
<tr><td>□入館料：大人1,000円、高校生以下無料</td></tr>
</table>

あわせて
立ち
寄りたい！　●練馬区立美術館：天然芝を敷き詰めた園内にファンタジーあふれる彫刻群が置かれた「練馬区立美術の森緑地」に接続した美術館で1985年に開館しました。日本の近現代美術を中心に、斬新な切り口でさまざまな展覧会を開催しています。

256

大日本印刷の旧営業所棟の建物を修復・復元

市谷の杜 本と活字館

市谷の杜 本と活字館の外観（写真提供：「市谷の杜 本と活字館」）

活字の製造から印刷・製本まで、動態展示で紹介する文化施設

　東京メトロの「市ケ谷駅」を降り、坂を上って市谷加賀町方面に歩いていくと、突然、大正時代にタイムスリップしたかのような建物に出会います。この建物の正体は、大日本印刷株式会社（DNP）の市谷工場の再開発プロジェクトの一環として、1926（大正15）年の竣工以来「時計台」の愛称で親しまれてきた旧営業所棟の建物を修復・復元し、活版印刷の技術とその魅力を伝える文化施設として2021年2月にオープンした「市谷の杜 本と活字館」です。

　ここは、DNPの事業の原点である活版印刷の現場を一部再現し、文字のデザイン、活字の鋳造から、印刷・製本までのプロセスを展示・紹介するリアルファクトリーとなっています。

　館内1階を順路に従って進んだ「印刷所」エリアは、中には入れませんが、運が良ければ、実際に職人が活字を拾い、印刷機を回しているところを見ることができます。活字が収納されている棚（ウマ）がずらりと並んでいる光景は、圧巻です。2階には、卓上の活版印刷機、リソグラフ、UVプリンター、レーザーカッターなど、多様な印刷機や加工機が並び、印刷体験の場となっています。今後はワークショップも行われる予定です。あらためて、ここが活版印刷の魅力がつまった楽しいモノづくり工房でもあることがわかります。

■過去の展覧会：企画展「市谷の杜 本と活字館 開館記念展　時計台の修復・復元」（2021年2～10月）など。

基本情報
東京都新宿区市谷加賀町1-1-1　TEL：03-6386-0555
□アクセス：東京メトロ南北線・有楽町線「市ケ谷駅」6番出口より徒歩10分
□開館時間：11:30～20:00（平日）、10:00～18:00（土曜日・日曜日・祝日）　※完全予約制
□休館日：月曜日・火曜日（祝日の場合は開館）
□入館料：無料

あわせて
立ち
寄りたい！
●MIZUMA ART GALLERY：日本的なモチーフを用いる現代作家が多いのが特徴のギャラリー。
●東京理科大学 近代科学資料館：神楽坂に建設された東京物理学校の木造校舎の外観を復元したもので、その建物自体も展示品とみることができます。

東京スカイツリータウン® 内のキャンパス

千葉工業大学
東京スカイツリータウン® キャンパス

千葉工業大学東京スカイツリータウン® キャンパスの外観

最先端の科学技術による千葉工業大学の未来体験スペース

　最先端の科学技術は、時には魔法のような未来体験をもたらしてくれます。千葉工業大学の「東京スカイツリータウン® キャンパス」は、研究活動を通じて生まれた最先端技術を応用した体感型のアトラクションゾーンです。

　館内のArea Ⅰには10種類の展示がありますが、真っ先に目につくのがロボットアームとプロジェクターが合体し、360度投影システム4台がコンピュータで連動して横長の壁面全面にロボットが映し出される「超巨大ロボティックスクリーン」。iPadを使って本物のロボット設計図が操作でき、普段は見られない、ロボットの裏側や細かい機構部を見ることができます。ゾーンの奥には、約35万枚の花の写真を使って花の種類を判定する人工知能「ハナノナ」、3つのモードに変形し、あらゆる方向に脚や車輪で移動する未来の乗り物「Halluc Ⅱ, Halluc Ⅱχ」、メタルアスリート、すなわち陸上選手が贅肉をそぎ落としたかのように「極限まで機能性を追求したボディ」の実現を目指した高い機能性をもつ人型ロボット「morph（モルフ）」などが並び、そのメカニズムに驚嘆します。

　Area Ⅱでは、小惑星探査機「はやぶさ2」の実物大模型を間近で見ることができます。

　いずれも、テクノロジーと人をつなぐ夢のある未来技術を目の当たりにできる展示ですが、それは決して魔法ではなく、地道な研究活動の積み重ねで実現したものであることが実感できます。

基本情報
東京都墨田区押上1-1-2　東京スカイツリータウン® ソラマチ8F　TEL：03-6658-5888
□アクセス：東武スカイツリーライン・東京メトロ・京成・都営浅草線「押上駅」地下3F B3出口・A2出口よりすぐ
□開館時間：10:30 ～ 18:00（12月29日～ 1月1日のみ 11:00 ～ 17:00）
□休館日：公式ホームページで最新情報をご確認ください
□入館料：無料

あわせて立ち寄りたい！
●郵政博物館：郵便および通信に関する収蔵品を展示・紹介する博物館です。日本最大となる約33万種の切手展示のほか、国内外の郵政に関する資料を収蔵しています。
●たばこと塩の博物館：専売品であった「たばこ」と「塩」の歴史と文化をテーマに展示。

258

音楽家の記念館として日本で最初

宮城道雄記念館

宮城道雄記念館の第1展示室風景（写真提供：宮城道雄記念館）

宮城道雄記念館の外観
（写真提供：宮城道雄記念館）

宮城道雄が晩年まで住んでいた敷地に建つ同館でありし日を偲ぶ

　箏曲の演奏家であり、名曲『春の海』の作曲家として知られる宮城道雄は、1956（昭和31）年、事故で亡くなりましたが、氏の偉業を記念し、箏曲を中心とする日本音楽の研究と普及をはかるため、1978（昭和53）年、「宮城道雄記念館」が建てられました。音楽家の記念館としては、日本で最初のものです。

　宮城道雄が晩年まで住んでいた敷地に建つ本館には、数々の遺品のほか、生前書斎として使われていた離れの「検校（けんぎょう）の間」（国登録有形文化財／建造物）も保存されています。

　ロビーには、当初は師弟関係で、のちに大の親友となった小説家・内田百閒愛用の箏が展示されています。第1展示室に入ると、宮城道雄の胸像が置かれていますが、これは七回忌の際に彫刻家・朝倉文夫によって造られたものです。展示室では、宮城道雄が後半生の20年間愛用した箏を見ることができます。出世作「越天楽変奏曲」にちなんで「越天楽」の銘が付けられています。また、たいへんめずらしい「八十絃」は、宮城が考案した80本の絃がある箏。空襲で焼失したものを複製制作し展示しています。どのような音を奏でるのか一度聴いてみたい思いに駆られます。さらに、十七絃、点字タイプライター、点字楽譜、杖なども並びます。優れた演奏家として、さらには感性豊かな随筆家としても人々を魅了した宮城道雄の世界に浸ることができる記念館です。

基本情報

東京都新宿区中町35　TEL：03-3269-0208
□アクセス：都営大江戸線「牛込神楽坂駅」A2出口より徒歩3分
□開館時間：10:00 ～ 16:30（入館は16:00まで）
□休館日：日曜日・月曜日・火曜日、祝日、春季・夏季、年末年始、その他
□入館料：一般400円、学生300円、小学生200円

あわせて立ち寄りたい！

●東京理科大学 近代科学資料館：神楽坂に建設された東京物理学校の木造校舎の外観を復元したもので、その建物自体も展示品とみることができます。
●MIZUMA ART GALLERY：日本的なモチーフを用いる現代作家が多いのが特徴のギャラリーです。

日本で最初の国立美術館

東京国立近代美術館

東京国立近代美術館の外観(写真提供：東京国立近代美術館)

『裸体美人』(東京国立近代美術館蔵、
国指定重要文化財／萬鉄五郎／1912
年)

明治から現代までの幅広いジャンルの日本美術の名作と海外作品を所蔵

　東京国立近代美術館(MOMAT)は美術館と工芸館の2館から構成されていますが、本美術館は東京の中心部、皇居のほど近くの北の丸公園に建つ日本で最初の国立美術館です。一方の工芸館は、同じく北の丸公園にありましたが、国立工芸館として2020年10月25日に石川県金沢市に移転オープンしました。美術館前庭の先に峻立する赤と黒の屋外モニュメントが気になりますが、これはイサム・ノグチの彫刻作品『門』(1969年)で、谷口吉郎による建築とも調和をなしています。現在は朱と黒の配色ですが、かつて作家の意向で青一色、黄と黒であった時期もありました。

　館内は、最上階4階から2階が所蔵品ギャラリーで、4階から順に年代を追って展示されているわかりやすいフロア構成です。4階のハイライトは、重要文化財を中心にしたコレクションを集中して楽しめるコーナーですが、自然豊かな皇居と丸の内エリアを見わたせる展望休憩室「眺めのよい部屋」でのひとときもはずせません。

■展覧会：所蔵作品展「MOMATコレクション」では日本画、洋画、版画、彫刻、写真、映像などの所蔵作品から、会期ごとに約200点を展示する国内最大級のコレクション展示を開催しています。20世紀以降の日本美術の流れをたどることができる国内唯一の展覧会です。

■収蔵作品：横山大観、菱田春草、岸田劉生らの重要文化財を含む13,000点を超える国内最大級のコレクションを誇ります。

基本
情報
東京都千代田区北の丸公園3-1　TEL：050-5541-8600(ハローダイヤル)
□アクセス：東京メトロ東西線「竹橋駅」1b出口より徒歩3分
□開館時間：10:00 ～ 17:00(金曜日・土曜日は10:00 ～ 20:00)　※入館は閉館の30分前まで
□休館日：月曜日(祝休日は開館し、翌平日休館)、展示替期間、年末年始
□入館料：企画展は、展覧会によって異なります　※所蔵作品展は一般500円、大学生250円

あわせて
立ち
寄りたい！
●科学技術館：科学技術の知識を広く一般の人たちに普及する目的で開館された科学技術館は、美しい緑に囲まれた皇居のほとりにある北の丸公園の中にあります。
●三の丸尚蔵館：皇室に代々受け継がれた絵画・書・工芸品などの美術品類を一般に公開。

260

日本初の公共空間でのステンドグラス作品

天地創造

東京駅京葉線連絡通路エスカレーター脇から観る『天地創造』（福沢一郎）

福沢一郎の力強いタッチの原画を大伴二三弥のステンドグラスが再現

　JR東京駅で地下4階の京葉線に乗り換えるための長い京葉線連絡通路（ベイロード）を進むと、エスカレータ脇にひときわ目立つステンドグラス作品があります。公益財団法人日本交通文化協会が展開してきたパブリックアート事業の原点となる作品で、1972年、鉄道100周年記念事業のひとつとして、当時の国鉄総裁であった磯崎叡氏に提案したのがきっかけで、東京駅地下丸の内中央通路から総武快速線（横須賀線）地下ホームへ降りる大階段正面に設置された日本初の公共空間でのステンドグラス作品です。東京駅丸の内赤レンガ駅舎復元工事で一時撤去され、2012年11月に現在の場所に移設されました。福沢一郎の原画の力強いタッチが、ステンドグラス作家の草分けの大伴二三弥により鮮やかに再現され、行き交う多くの人々の目を楽しませています。

■原画・監修：福沢一郎（ふくざわ・いちろう）。シュールレアリスムを日本に紹介し前衛美術運動を牽引した洋画家。群馬県北甘楽郡富岡町（現富岡市）に生まれました。東京帝国大学文学部に入学するも大学の講義に興味なく、彫刻家の朝倉文夫に入門し、彫刻家を志します。1923年の関東大震災を機に渡欧を決意しパリに遊学。ジョルジョ・デ・キリコやマックス・エルンストなど、最先端の美術潮流の影響を受けて絵画制作へと移りました。1970年代以降は旧約聖書や神話の世界に主題を求め、力強く奔放なタッチに鮮やかな色彩を特徴としました。

■作品：横9メートル、縦5メートルのステンドグラス。LEDのバックライトを当てています。

基本情報

東京都千代田区丸の内1丁目
□アクセス：JR「東京駅」京葉線八重洲（京葉線連絡通路）京葉ストリート エスカレータ脇

あわせて立ち寄りたい！

●東京ステーションギャラリー：東京駅丸の内駅舎の歴史を体現するレンガ壁の展示室で親しまれている美術館。近代美術を中心に幅広い時代とジャンルの展覧会を開催。
●『銀の鈴』：東京駅の待ち合わせの場所の定番。金工作家・宮田亮平のパブリックアート作品。

267

261

天王洲の現代アートの複合施設内の画廊

児玉画廊
Kodama Gallery

高谷史郎個展「Topograph / Toposcan」展覧会風景　Courtesy of the artist and Kodama Gallery

グループショー「ignore your perspective」や作家個展を展開

　現代アートを扱う児玉画廊は、1999年に大阪市中央区で開廊以来、京都、東京・神楽坂、東京・白金と拠点を移しながら、若いアーティストの才能をいち早く見抜き、また今までフォーカスされていなかったアーティストの才能を見出して、国内外のマーケットに積極的に紹介するという一貫したポリシーを貫いている画廊です。現在は、2016年9月に天王洲にオープンした寺田倉庫が運営する現代アートの複合施設「TERRADA ART COMPLEX I」内3階に拠点を移して活動しています。

　倉庫の空間を利用した天井の高い画廊スペースでは、企画展、作家個展を中心に展覧会が開催されていますが、なかでもグループショーのシリーズ「ignore your perspective」は、児玉画廊ならではの視点で切り取る作品の個性や展覧会構成を楽しむことができます。このシリーズは、2005年より断続的に開催されていますが、2021年4月に57回目を迎えたロングシリーズとなっていて、開廊以来のぶれない姿勢の発露といえます。

■過去の展覧会：ignore your perspective 57「すんだの、しるしのダンス」（木下理子／林 玖）（2021年4 ～ 5月）、伊藤美緒「今日の正体」（2021年3 ～ 4月）、宮崎光男「Atmosphere」（2020年11月～ 2021年1月）、伊藤隆介「Domestic Affairs」（2020年10 ～ 11月）など。

基本情報
東京都品川区東品川1-33-10　TERRADA Art Complex 3F　TEL：03-6433-1563
□アクセス：東京臨海高速鉄道りんかい線「天王洲アイル駅」B出口より徒歩8分
□開廊時間：11:00 ～ 18:00（火曜日～木曜日、土曜日）、11:00 ～ 20:00（金曜日）
□休廊日：日曜日・月曜日、祝日　□入館料：無料

あわせて立ち寄りたい！
●キヤノンギャラリー S ／キヤノンオープンギャラリー 1・2：品川のキヤノン S タワー内にあり、1800点を超える著名な日本の写真家の作品展示と話題性のある写真展を開催。
●WHAT MUSEUM：現代アートのコレクターズミュージアム。旧建築倉庫ミュージアム。

重要文化財・東京駅丸の内駅舎の美術館
東京ステーションギャラリー

赤レンガに囲まれた2階展示室©TokyoTenderTable（写真提供：東京ステーションギャラリー）

歴史を体現するレンガ壁の展示室とユニークなテーマ設定の企画展

　東京ステーションギャラリーは、名称は「ギャラリー」ですが、1階がエントランス、2・3階が展示室の「美術館」です。JR東日本発足一周年の1988年春、東京駅丸の内駅舎内に誕生しましたが、駅を単なる通過点ではなく、香り高い文化の場を提供したいという願いが込められています。2006年に東京駅の保存・復原工事に伴い一時休館しましたが、2012年秋にリニューアル・オープンしました。

　館内では3階から順次階下へ移動しますが、建物そのものも魅力で、重要文化財・東京駅丸の内駅舎の構造を露わにした歴史を体現するレンガ壁の展示室と、各階をつなぐ螺旋階段。降りる際に見上げるとステンドグラスとシャンデリアが白い天井に映えて見応え十分です。

　企画展は、知られざる作家の発掘や見過ごされてきた美術の再検証を試みる「近代美術の再検証」、辰野金吾設計による重要文化財・東京駅丸の内駅舎にあることを意識した「鉄道・建築・デザイン」、常に変化し続ける表現の魅力を伝える「現代アートへの誘い」という3つの柱を指針に、多彩な企画展が年5本ほど開催されています。

■過去の展覧会：「コレクター福富太郎の眼－昭和のキャバレー王が愛した絵画」（2021年4～6月）、「没後70年 南薫造」（2021年2～4月）、「河鍋暁斎の底力」（2020年11月～2021年2月）、「もうひとつの江戸絵画 大津絵」（2020年9～11月）など。

基本情報

東京都千代田区丸の内1-9-1　TEL：03-3212-2485
□アクセス：JR「東京駅」丸の内北口 改札前、東京メトロ丸ノ内線「東京駅」より徒歩3分
□開館時間：10:00～18:00（金曜日は10:00～20:00）　※入館は閉館30分前まで　□休館日：月曜日（祝日の場合は翌平日休館／ただし会期最終週、ゴールデンウィーク・お盆期間中の月曜日は開館）、年末年始、展示替期間
□入館料：展覧会により異なります

あわせて立ち寄りたい！

●『ゲルニカ』：パブロ・ピカソ『ゲルニカ』のほぼ原寸大の複製美術陶板。旧国鉄本社跡地の再開発事業の丸の内オアゾ内「OO（おお）広場」に設置されています。
●インターメディアテク：KITTEの2・3階にあるJPタワー学術文化総合ミュージアム。

ジョサイア・コンドル設計の建築を復元

三菱一号館美術館

三菱一号館美術館の外観

近代美術史のなかで最も豊穣な19世紀末の作品を中心に充実の収蔵

　三菱一号館美術館は、三菱地所による再開発で誕生した「丸の内ブリックスクエア」を擁する街区に2010年に開館しました。ひと目でわかる特徴的な3階建ての赤レンガの建物は、三菱が1894年に東京・丸の内に竣工させた日本の近代化を象徴した初めての洋風事務所建築「三菱一号館」を復元したもの。設計は、辰野金吾らを育てた英国人建築家ジョサイア・コンドル。復元に際しても、コンドルの原設計に則って、ほぼ原位置に、当時の製造方法や建築技術を可能な限り採用。構造レンガ210万個、化粧レンガ20万個の計およそ230万個を、レンガ職人約100人が集結して積み上げられました。建物自体もひとつの大きなアート作品と言えるでしょう。

■過去の展示会：三菱創業150周年記念「三菱の至宝展」（2021年6〜9月）、「テート美術館所蔵コンスタンブル展」（2021年2〜5月）など。

■収蔵作品：コレクションは「三菱一号館」が建設されたのと同時代の19世紀末の西洋美術品・工芸品が中心。モーリス・ジョワイヤン コレクションに由来するトゥールーズ＝ロートレック作品群、『レスタンプ・オリジナル』と19世紀末版画、「生活のなかのジャポニズム」をテーマにした珠玉の美術工芸品群ジョン＆ミヨコ・ウンノ・デイヴィー・コレクション、オディロン・ルドン『グラン・ブーケ（大きな花束）』、フェリックス・ヴァロットン『公園、夕暮』と版画コレクション、ジャポニスム貴重文献などを収蔵。

基本
情報
東京都千代田区丸の内2-6-2　TEL：050-5541-8600（ハローダイヤル）
□アクセス：JR「東京駅」より徒歩5分、JR「有楽町駅」より徒歩6分　東京メトロ「二重橋前駅」より徒歩3分
□開館時間：10:00〜18:00（入館は17:30まで）　※夜間開館日あり
□休館日：月曜日（祝日・振替休日・展覧会会期中最終週の場合は開館）、年末年始、展示替期間、その他
□入館料：展覧会によって異なります。

あわせて
立ち
寄りたい！
●『ゲルニカ』：パブロ・ピカソの『ゲルニカ』のほぼ原寸の複製陶版パブリックアートです。
●丸の内ストリートギャラリー：丸の内仲通りをメインに、近代彫刻の巨匠の作品や世界で活躍する現代アーティストの作品を展示しています。

264

学校法人城西大学紀尾井町キャンパス内の博物館

学校法人城西大学水田記念博物館
大石化石ギャラリー

学校法人城西大学水田記念博物館大石化石ギャラリーの展示室風景

都心にある、魚類化石を中心とする水のない「化石の水族館」

　水田記念博物館大石化石ギャラリーは、地球生命や自然科学への知的探求心を育てるさまざまな教育プログラムを通して、大学の地域連携や社会貢献事業をおもな目的として、2013年に学校法人城西大学の東京紀尾井町キャンパス３号棟に開設しました。

　本館のある地下１階へのアプローチでいきなり出くわす巨大な白亜紀前期のティラノサウルスの仲間の復元模型に驚くものの、その先のギャラリーで待ち構える化石にワクワク感がとまりません。いざ入っていくと、照明が落とされた展示室に広がるのは約１億年も前の白亜紀の世界。

　本館では、大石道夫・東京大学名誉教授が収集したコレクションと中国遼寧省古生物博物館より寄託・寄贈を受けた「水」の中に生活の場を求めた魚類化石を中心に、200点以上の化石をすべて実物標本により展示しています。大石コレクションは、中生代白亜紀の化石から始まり、その後、古生代の魚類やシーラカンスの化石などが加わりました。展示には、昆虫化石もありますが、翅の細かい模様などもきれいに保存されていていきいきとしています。また、映画『ジュラシック・パーク』に出てくるような翼竜の仲間「アンハングエラ」のリアルな化石にドギマギします。サメの全身骨格が残っているのもめずらしく、約１億年も前の世界にタイムスリップして楽しめる都内で唯一のミュージアムです。

基本情報

東京都千代田区平河町2-3-20　学校法人城西大学東京紀尾井町キャンパス３号棟地下１階　TEL：03-6238-8412
□アクセス：東京メトロ「永田町駅」より徒歩5分、東京メトロ「麹町駅」より徒歩5分
□開館時間：11:00 ～ 17:00（土曜日の11:30 ～ 12:30は昼休み）
□休館日：日曜日、祝日、展示替期間、年末年始、夏期　※臨時休館あり
□入館料：無料

あわせて立ち寄りたい！

● 『White Deer』：東京ガーデンテラス紀尾井町の「水の広場」に設置の名和晃平のパブリックアート作品。
● 『Echoes Infinity ˝Immortal Flowers˝』：東京ガーデンテラス紀尾井町の紀尾井タワーの入口に設置されている現代美術作家・大巻伸嗣のパブリックアート。

265

世田谷区のアトリエ跡にある資料館

松本かつぢ資料館

松本かつぢ資料館の入口

「可愛い」をつくった松本かつぢの代表的作品や原画の数々を展示

　世田谷区・玉川の閑静な住宅街の、松本かつぢの代表作の『くるくるクルミちゃん』の名前がついた「クルミちゃん通り」にある資料館です。戦時中、渋谷区・松濤から世田谷区・玉川に疎開していたときのアトリエであったところです。

　同館の楽しみ方は、資料館入口の扉に描かれた「クルミちゃん」の松本かつぢワールドからはじまります。館内では、明るい少女を生涯かけて探求した作家の抒情画家から抒情漫画家、絵物語作家、童画・絵本作家、キャラクターデザイナーへと、各時代の作家の主題の変遷がわかる代表的作品や原画の数々を見ることができます。展示品には作家が実際に使っていた絵筆、ヘビースモーカーであった作家が愛用していたパイプ、缶のショートピースなどが並べられています。

■松本かつぢ：1904年神戸市生まれ。立教中学在籍中、博文館の雑誌にカットを描き、これを機に挿絵画家となり、思春期の少女を対象に可愛く初々しい抒情画を描き一世を風靡しました。少女雑誌でファンの圧倒的な支持を集め、中原淳一と人気を二分する作家に。少女漫画の先駆け的作品の『くるくるクルミちゃん』連載を開始し、日本のキャラクターの先駆けとして愛され、「可愛い」文化の元祖となり、35年間各誌にわたり連載されました。一方で、明るく可愛いらしいユーモアタッチの挿絵を描き、コミカルな漫画にも挑戦して対照的な画風を自在に操り、既存の画家にはないマルチな画才を示しました。

基本
情報

東京都世田谷区玉川4-14-18　TEL：03-3707-3503

□アクセス：東急「二子玉川駅」西口より徒歩10分

□開館時間：11:00 〜 17:00（金曜日・土曜日／入館は16:30まで）
　※この他の日をご希望の方はご予約をご相談ください

□入館料：大人・学生300円、中学生以下は無料

あわせて
立ち
寄りたい！

●静嘉堂文庫美術館：岩﨑彌之助（三菱第2代社長）と岩﨑小彌太（三菱第4代社長）の父子2代によって設立されました。世田谷区・岡本に立地していた静嘉堂の美術館展示ギャラリーは、2021年6月で見納めとなり、世田谷からの別れを惜しみつつ、2022年秋に「明治生命館」に移設されます。

渋谷区にまつわる歴史・民俗・考古学と文学

白根記念渋谷区郷土博物館・文学館

忠犬ハチ公がお出迎えの白根記念渋谷区郷土博物館・文学館のロビー

渋谷の歴史と文化をひもとくと同時に、新たな「渋谷らしさ」を発見

　白根記念渋谷区郷土博物館・文学館は、渋谷区議会議員の故・白根全忠から渋谷区に寄贈された宅地・邸宅をもとに、区に関する資料の保管・展示の場として利用されてきた「白根記念郷土文化館」を全面改築し、2005（平成17）年にリニューアルオープンしました。

　ロビーでは、渋谷と言えばの「忠犬ハチ公」が出迎えてくれて、ほっとします。館内は2階が博物館展示で、区に関係する歴史・民俗・考古学などをテーマにした展示を、地下2階は文学館展示で、区にゆかりのある作家の作品・資料を、それぞれ常設展示しています。

　博物館では、ゾーンごとに「渋谷前史から中世まで」「江戸時代から大正時代まで」「昭和初期から東京オリンピックまで」のターミナル化による繁栄と戦禍からの復興、オリンピック以降の現在も再開発が進む渋谷のさまざまに表情を変えてきた姿が通史的に展示されています。昭和初期の住宅を再現したコーナーや渋谷駅前の再現模型、戦後区内にあった「ワシントンハイツ」、前回東京オリンピックの聖火リレーのトーチの実物など、ノスタルジーを感じる展示が見どころです。

　文学館では、渋谷で生まれ育った文芸評論家・奥野健男の書斎を再現するなど、渋谷ゆかりの文学者が、渋谷に居住した順に紹介されています。

　渋谷の歴史と文化を紐解くと同時に、新たな「渋谷らしさ」を発見する旅を体験できる施設です。

基本情報
　東京都渋谷区東4-9-1　TEL：03-3486-2791
　□アクセス：JR・私鉄各線「渋谷駅」より徒歩約20分、都営バス「国学院大学前」下車徒歩2分
　□開館時間：11:00～17:00（平日・日曜日）、9:00～17:00（土曜日）※入館は閉館の30分前まで
　□休館日：月曜日（休日の場合は開館し、翌日平日休館）、年末年始
　□入館料：一般100円、小中学生50円　※60歳以上と障害のある方と付き添いの方は無料

あわせて立ち寄りたい！
　●國學院大學博物館：考古・神道・校史の3つのゾーンでの常設展示と特別展・企画展を開催。
　●山種美術館：山﨑種二（山種証券創業者・現SMBC日興証券）が個人で集めたコレクションをもとに、日本初の日本画専門美術館として日本橋に開館。現在は、渋谷区広尾に立地。

267

代官山の「アドレス広場」にあるアート作品

七福神

夜の『七福神』（ジャウメ・プレンサ）

昼と夜で表情を変える、ジャウメ・プレンサによる7つの作品群

　東急東横線「代官山駅」駅前の同潤会アパートの跡地に建設された複合施設「代官山アドレス」周辺には多くのパブリックアートが設置されていますが、そのひとつがジャウメ・プレンサの作品『七福神』です。

　本作品は、代官山駅北口を出て歩道橋を渡った先、代官山の玄関口にあたる多目的広場「アドレスプラザ」に見つけることができます。広場に7つある本作品の特徴は、作品単体として鑑賞の対象であることに加えて、作品と一体となったベンチが設置されていて、待ち合わせや憩いのスペースとして代官山を訪れた人にひと時の安らぎを提供しています。ガラスブロックには、七福神の説明が日本語で書かれており、同作家の虎ノ門ヒルズにある文字を立体的に構成した『ルーツ』に通底するものがあるように感じます。

　夜には、7つの各ブロックがそれぞれの持ち色で光るため、夜に訪れるのもおすすめです。またクリスマスシーズンには、毎年趣向を凝らしたツリーとイルミネーションが広場に設置されるため、いっそう光の競演を楽しめます。

■作家：ジャウメ・プレンサ。1955年、スペイン・バルセロナ生まれ。独創的な立体作品の制作で知られる世界的なアーティスト。鉄やブロンズ、ガラスなどの素材を使って四面体、円柱などミニマリズム的な形態で表現するのが特徴。

基本
情報

東京都渋谷区代官山町17-6　代官山アドレス・ディセ内
□アクセス：東京都横線「代官山駅」北口から直結

あわせて
立ち
寄りたい！

●アートフロントギャラリー：1984年の開設以来20年以上、現代美術の発信地として川俣正や河口龍夫などの展覧会を企画してきた「ヒルサイドギャラリー」がルーツ。
●「エレクトリックひまわり」：現代美術家・ピオトル・コヴァルスキーのアート作品。

渋谷区神宮前にある現代美術のギャラリー

MAHO KUBOTA GALLERY

小笠原美環 展覧会風景、2018年（©Miwa Ogasawara / Courtesy of MAHO KUBOTA GALLERY）

東京の文化のクロスポイント神宮前の立地を生かしたアートスペース

　MAHO KUBOTA GALLERY は2016年3月に東京にオープンしたコンテンポラリーアートのギャラリーです。スペースは原宿と青山が重なる東京の文化のクロスポイント、神宮前に位置しています。

　ギャラリーでは、スタート時よりジェンダーの問題に着目して制作するアーティストの作品が紹介されてきました。近年では、アートを鑑賞する際に人間の脳にいったい何が起きているのかという視点から、認知心理学的なアプローチを実践しているアーティストの作品にも注目しています。加えて、時代や場所を超えた普遍的なナラティブを軸とし、人間の創造の歴史や叡智の豊かさを詩的に捉える表現者達の作品も紹介していくとのことです。日常においてアートに触れ、アートと暮らすことで人生にどのように豊かな化学反応が起こるのか。国内外の優れたアーティストの展覧会を通し、鑑賞後も強く記憶に残り、その記憶が個人の思考のきっかけや探求へと広がってゆくような、そんな開かれた実験の場を目指しているギャラリーです。

■過去の展覧会：Atsushi Kaga「It always comes; a solace in the cat.」（2021年9〜10月）、安井鷹之介「The Plaster Age」（2021年6〜7月）、AKI INOMATAの個展「貨幣の記憶」（2021年4〜5月）、グループ展「Spring Show」（ブライアン・アルフレッド、安部典子、アレックス・カッツ、多田圭佑、宮崎啓太、ジュリアン・オピー 、ギデオン・ルビン、ガイ・ヤナイ、安井鷹之介）（2021年3〜4月）など。

基本情報

東京都渋谷区神宮前2-4-7　TEL：03-6434-7716
□アクセス：東京メトロ銀座線「外苑前駅」より徒歩6分
□開館時間：12:00〜19:00　□休館日：日曜日・月曜日、祝日
□入館料：無料

あわせて立ち寄りたい！

●ワタリウム美術館：建築家マリオ・ボッタ（スイス）の手による「建築彫刻」の美術館。世界的な視点をもとに高いレベルで、しかも、極めて洗練された方法で現代アートを紹介。
●太田記念美術館：元東邦生命保険会長・5代太田清蔵が蒐集した浮世絵を広く公開。

269

東京国際フォーラム内の美術館

相田みつを美術館

相田みつを美術館の外観

「人生の2時間を過ごす場所」がコンセプトの静かな心の美術館

　書家・詩人として、自分の書、自分の言葉を探求し続けた相田みつを。その作品の数々を展示・紹介しているのが「相田みつを美術館」です。JR「東京駅」から徒歩6分の東京国際フォーラム地下1階に位置しています。「人生の2時間を過ごす場所」をコンセプトとして、作品に触れるだけでなく、相田みつをに出逢い、じっくり心で味わう美術館です。

　美術館は2つのホールに分かれていますが、館内は作家の生誕地で毎日散策した栃木県足利市の八幡山古墳群をイメージしており、落ち着いた雰囲気のなかでじっくり作品を鑑賞することができます。

　受付がある第1ホールは展示室のほか、カフェや来館者に人気のミュージアムショップがあり、第2ホールは、相田みつをのアトリエを再現したコーナーなどで構成されています。

■過去の企画展：相田みつを没後30年　美術館開館25周年特別企画展「みつをが遺したものⅠ−自分の言葉・自分の書−」（2021年3〜6月）、第76回企画展「いまから　ここから」（2020年9月〜2021年3月）など。

■相田みつを（あいだ・みつを）：1924〜1991年。栃木県足利市生まれ。書の詩人、いのちの詩人とも称された相田みつをは、戦中・戦後の動乱期に青春時代を過ごし、「いのち」の尊さを見つめながら、独自のスタイルを確立し、多くの作品を生み出しました。代表作は「にんげんだもの」。

基本情報
東京都千代田区丸の内3-5-1　東京国際フォーラム地下1階　TEL：03-6212-3200（代表）
□アクセス：JR「有楽町駅」国際フォーラム出口より徒歩3分
□開館時間・休館日・入館料：公式ホームページで最新情報をご確認ください

あわせて立ち寄りたい！
●三菱一号館美術館：赤レンガが印象的な建物は、三菱が1894年に建設した「三菱一号館」（ジョサイア・コンドル設計）を復元したもの。19世紀末西洋美術を中心に収蔵。
●インターメディアテク：JPタワー学術文化総合ミュージアム。東京大学と協働で運営。

270

渋谷PARCOにある直営の文化施設

PARCO MUSEUM TOKYO

PARCO MUSEUM TOKYOのエントランス

「展示する」「鑑賞する」だけではなく来訪者と共に文化を創り上げる

　1973年にオープンして以来、渋谷のカルチャー発信拠点であった渋谷PARCOは2016年に一時閉店し、建て替え工事が完了した2019年11月、「世界へ発信する唯一無二の次世代型商業施設」をビルコンセプトに生まれ変わりました。その渋谷PARCOの4階に位置する文化施設が「PARCO MUSEUM TOKYO」。

　ここは、アート、デザイン、ファッション、サブカルチャー、そして国内外の若い才能や、世界第一線で活躍するアーティストなど、ジャンルレスかつボーダレスに、独自の目線で新しいモノやコトの企画展を創造するパルコ直営のミュージアム。ここを訪ねてみると、インパクトのあるロゴと洗練された内装と相まって、ワクワク感が止まりません。訪れる人々へ楽しみを提供するほか、日本国内、そして世界へ向けて文化を発信していることを肌で感じます。従来の「展示する」「鑑賞する」だけではなく、来訪者と共に新しい文化を創り上げる唯一無二のスペースとなっています。

■過去の展覧会：「BATTLE OF TOKYO EXIBITION」（2021年8〜9月）、ASANO TADANOBU EXHIBITION「FREAK」（2021年4月）、「H.R.GIGER×SORAYAMA展」（2020年12月〜2021年1月）、最果タヒ「われわれはこの距離を守るべく生まれた、夜のために在る6等星なのです。」（2020年12月）など。

基本情報

東京都渋谷区宇田川町15-1　渋谷PARCO4階　TEL：03-6455-2697
□アクセス：JR・私鉄各線「渋谷駅」より徒歩5分
□開館時間：11:00〜20:00（入館は19:30まで）
□入館料：企画により異なります

あわせて立ち寄りたい！

●Bunkamura ザ・ミュージアム：いつでも気軽にアートを楽しめる企画・展示を運営の主体とする美術館です。近代美術の流れに焦点をあてた展覧会を中心に開催しています。

27日

「文」と「理」の融合を特色とした学部の資料館

日本大学文理学部資料館

日本大学文理学部資料館のエントランス（写真提供：日本大学文理学部資料館）

文理学部所蔵の約2万5千点の資料を用いて年4回の展示会を開催

　日本大学文理学部資料館は、2006（平成18）年に設立され、翌年に東京都教育委員会より博物館相当施設の指定を受け、学芸員養成課程の実習の場としても活用されてきました。文理学部所蔵の文献資料・考古資料・地図資料・満蒙関係資料など約2万5千点に及ぶ資料を用いて、通常年4回の展示会を開催しています。これらの展示会は文理学部に所属する専任教員の研究発表の場ともなっていて、大学の資料館ならではの学術的魅力にあふれた内容となっています。

　日本大学は、2019（令和元）年に創設130周年を迎えました。これを記念して展示会「日本大学130年の軌跡－明治から令和へ－」を開催しました。また、2021（令和3）年には、展示会「1号館建築物語－1937年、それは夢のはじまり－」を開催し、1号館という建物の歴史から文理学部の新たな歴史を見出そうと試みました。令和という新しい時代に入り、これまでの大学の歴史をふまえながら、一層意欲的に挑戦を続ける博物館です。

■過去の展示会：「出張！大深山遺跡－山の縄文コレクション－」（2019年11～12月）、「日本大学130年の軌跡－明治から令和へ－」（2019年9～10月）、「華ひらく王朝の和歌－勅撰三代集の世界－」（2019年6～7月）、「はじめての文理学部＆資料館2019」（2019年4月）、「クビナガリュウとアンモナイトの化石展－白亜の大地に広がる北海道中川町から－」（2018年11月～2019年1月）など。

基本
情報

東京都世田谷区桜上水3-25-40　図書館棟1F　TEL：03-5317-8590（事務室への直通）
□アクセス：京王「桜上水駅」または東急世田谷線「下高井戸駅」より徒歩8分
□開館時間・休館日：公式ホームページで最新情報をご確認ください
□入館料：無料

あわせて
立ち
寄りたい！

●東京農業大学「食と農の博物館」：食と農を通して、生産者と消費者、シニア世代と若い世代、農村と都市を結ぶ博物館。「生きもの空間」バイオリウムも必見。
●齋田記念館：茶文化の振興に寄与することを願い、茶文化振興財団の展示施設として開館。

272

六本木 AXIS ビル内のギャラリー

サボア・ヴィーブル

サボア・ヴィーブルのエントランス

企画展は、毎回斬新なテーマのもと優れたデザインとその思想を紹介

「デザインのある生活」をテーマにした六本木 AXIS ビル内にギャラリー「サボア・ヴィーブル」がオープンしたのは1981年。サボア・ヴィーブルはフランス語で、SAVOIR（識る）とVIVRE（生きる）の熟語。品格、教養、礼儀、趣味嗜好など、より高い意識で日々の暮らしを処してみようという意味合いのようです。

　40年前のオープン当初よりギャラリープロジェクトを発足させ、日本有数のデザインギャラリーとして積極的に活動しています。ギャラリーの企画展が月2回開催され、毎回斬新なテーマのもと、優れたデザインとその思想を紹介し、またフォーラムなどを通じ広く社会へデザイン情報を発信しています。

　ギャラリーはビル3階にあり、パブリックスペースの植栽がほっとするギャラリーに直結した入口があります。以前はお店お店したスペースだったのを、元フレンチレストランであった場所に移転した際に、開放的な「家」をイメージして、古民家の梁や枕木など使い、床もテラコッタにしてギャラリー空間を仕上げました。

■過去の展覧会：「木越あい 展｜もんもん がらがら」（2021年4月）、「植葉香澄 展｜Cheeky monkey」（2021年4月）、米田文展「そこに行ってはいけません」（2021年3月）、「鈴木秀昭 展｜色絵の器」（2021年3月）、「akiko Hara｜MY DOLLS」（2021年2月）など。

基本
情報
東京都港区六本木 5-17-1　AXIS ビル 3F　TEL：03-3585-7365
□アクセス：東京メトロ日比谷線・都営大江戸線「六本木駅」3番出口より徒歩約7分
□開館時間：12:00 〜 19:00　□休館日：水曜日
□入館料：無料

あわせて
立ち
寄りたい！
●ANB Tokyo：六本木に新しくオープンしたコンプレックスビル「ANB Tokyo」。意欲的に表現活動と向き合うアーティストのサポート、アートを軸にしたコミュニティの形成、展覧会やトークイベントなどの企画・運営などを行なっています。

273

国立天文台の森の豊かな自然の中に立地

三鷹市星と森と絵本の家

三鷹市星と森と絵本の家の入口（写真提供：三鷹市星と森と絵本の家）

ここでしか味わえない「星」と「森」と「絵本」と「家」

　星と森と絵本の家。なんとも夢とロマンのある響きに、初めて聞くとどんな施設なのか想像がふくらみます。国立天文台の本部が置かれている三鷹キャンパスの森の豊かな自然の中にあります。「三鷹市星と森と絵本の家」は、世界天文年の2009（平成21）年に、国立天文台の協力のもと、三鷹市が設置・運営する展示施設としてオープンしました。天文台の中にある大正時代の旧官舎を保存活用し、広い庭も使って、絵本との出会いやさまざまな体験を通じて、子どもたちの知的好奇心や感受性をはぐくみ、人々が宇宙や自然、芸術文化に親しむ場が提供されている類まれな文化施設です。

　玄関ホール左手の回廊ギャラリーを進むと、施設のメインとなる東京天文台（現・国立天文台）の旧1号官舎部分になり、書斎、畳敷きの客間、居間、長い廊下が続き、まるで大正・昭和の時代にタイムスリップしたような感覚を味わえます。2,500冊の絵本が並ぶ読書室は書生部屋などがあったところで、理科室には台所の名残を見ることができます。調度は、実際に昭和30年以前に使われていたもので、市民から寄付された古い電話機や足踏み式のミシン、火鉢などがそこここに置かれています。

　「星と森と絵本の家」の絵本展示室では1年ごとの企画展で、「見る・知る・感じる絵本展」と題し、絵本を通じて天文への興味を広げる体験型展示が実施されています。

■企画展示：見る・知る・感じる　絵本展「宇宙のとちゅう　いま・むかし・みらい」（2021年7月〜2022年6月）。

基本
情報
　東京都三鷹市大沢2-21-3　国立天文台内　TEL：0422-39-3401
　□アクセス：JR「武蔵境駅」から小田急バス【境91】狛江駅北口行き」に乗り「天文台裏」または「天文台前」で下車
　□開館時間：10:00 〜 17:00　□休館日：火曜日、年末年始、その他
　□入館料：無料

あわせて
立ち
寄りたい！

●三鷹の森ジブリ美術館：宮崎駿監督が手がけた夢あふれる世界へいざなう美術館。
●UECコミュニケーションミュージアム：電気通信大学の博物館。

274

六本木駅と六本木ヒルズをつなぐ巨大な空間

メトロハット

『メトロハット』（ジャーディ・パートナーシップ・インータナショナル）

空間を生かす手法を得意としたジョン・ジャーディ設計の商業施設

　東京メトロ日比谷線「六本木駅」から連絡通路を通って六本木ヒルズに向かうと、目の前に巨大な吹き抜けを内包する『メトロハット』と名づけられた総ガラス張りの「建築」が現れます。その先には、六本木ヒルズのシンボル的な存在で待ち合わせ場所の目印にもなっている、これも巨大なクモのパブリックアート『ママン』が待ち受けます。

　この『メトロハット』の設計は、空間を生かす手法で多くのショッピングモールを手掛けた故ジョン・ジャーディ氏が率いる米国の建築設計事務所ジャーディ・パートナーシップ・インータナショナル（JPI）。『メトロハット』の名称の由来は諸説あり、外観が日本で「メトロハット」と呼ばれる船の乗組員が被るような釣鐘型の形をした帽子＝クルーハットを模しているから、あるいは東京メトロと接続していることからの由来とも。

　外観をあらためて眺めてみると、それは格好の広告塔にもなり、また見方によっては巨大な丸形の郵便ポストにも。実際、2008年には民営化されたJP日本郵政グループ 郵便事業株式会社の広告展開で「世界一、巨大なポスト」として設えられたこともありました。

■ジョン・ジャーディ：アメリカの建築家。イリノイ州生まれ。大学卒業後は建築事務所に勤務し、郊外都市のショッピングセンターの設計を多く手がけるようになります。日本においては、福岡の「キャナルシティ博多」を成功させ、六本木ヒルズでは、けやき坂など低層部の商業エリアを手がけました。

基本
情報
京都港区六本木6-4　六本木ヒルズ内
□アクセス：東京メトロ日比谷線「六本木駅」直結

あわせて
立ち
寄りたい！
●『ママン』：六本木ヒルズの66プラザに設置されているルイーズ・ブルジョワの制作による高さ約10メートルのクモの彫刻作品。
●森美術館：多様な地域の先鋭的な美術や建築、デザインなどの創造活動を独自の視座で紹介。

開廊以来、中央区・京橋に居を構える画廊

南天子画廊

常設展（横尾忠則・箱島泰美）2020　展示風景

日本の現代美術の流れをつくった画廊として質の高い展覧会を開催

　南天子画廊は1960年の「瀧口修造展」を開廊記念展とし、京橋で創業して2020年に創業60年を迎えた、日本の現代美術の流れをつくった老舗の画廊です。

　画廊名の「南天子」の由来が気になりますが、創業者・青木一夫の岳父・西山保（廣田不孤斎と共に「壺中居」を創業）の俳号によるものです。「瀧口修造展」に続いて、「靉光展」「青い絵の展覧会」（松本竣介、三岸好太郎、加納光於、藤松博ほか）など、前衛的な作家を取り上げ、注目を集めました。1966年には横尾忠則の初個展も開催しています。

　また、60年代よりミロ、ジャコメッティ、カンディンスキーら外国作家をいち早く紹介すると共に、1974年には日本の画廊として初めてスイス・バーゼルの国際アートフェアに出展。さらにパリでFICAアートフェアやシカゴアートフェアなどに積極的に参加し、日本の当時の若手作家を紹介しました。

　開廊以来、現在まで取り扱った作家は140人を超え、展覧会は500回以上開催されています。今後も国内外問わず質の高い独自性のある現代美術の展開が期待されます。

■過去の展覧会：「常設展（横尾忠則・箱島泰美）」（2020年12月～2021年2月）、岡﨑乾二郎「TOPICA PICTUS きょうばし」（2020年11～12月）、箱嶋泰美「Still」（2020年9～10月）、「常設展－依田順子・洋一朗」（2019年9～12月）など。

<table>
<tr><td>基本情報</td><td>東京都中央区京橋3-6-5　TEL：03-3563-3511
□アクセス：東京メトロ銀座線「京橋駅」2番出口より徒歩1分、都営浅草線「宝町駅」4番出口より徒歩1分
□開館時間：11：00～18：00　□休館日：日曜日、祭日
□入館料：無料</td></tr>
</table>

あわせて
立ち
寄りたい！

●ギャラリー椿：若手作家を中心に展示を企画し、新進作家の表現の場となる「GT2」も併設されています。日本現代作家を中心に取り扱い作家は約50名。
●ギャルリー東京ユマニテ：国内作家を中心に現代美術を幅広く紹介しているギャラリー。

276

港区六本木の豊かな緑に囲まれた安らぎの場

泉屋博古館東京

「泉屋博古館東京」完成予想図(提供:泉屋博古館東京)

住友コレクションの名品を東京で楽しむ

　港区六本木のビジネスエリアのなかにあって、スウェーデン大使館やスペイン大使館などが所在する落ち着いた一角で豊かな緑に囲まれて佇み、一服の安らぎを提供してきた「泉屋博古館分館」。

　泉屋博古館(京都・鹿ケ谷)の分館として、2002年10月、東京・六本木一丁目の住友家旧麻布別邸跡地に開館しました。以降18年間にわたり、住友家が収集した館蔵の近代絵画や工芸品、茶道具などを紹介する展覧会や、京都本館が所蔵する住友コレクションの名品を東京で展観する特別展の開催など、京都と東京、両館の相乗効果を生かした活動で親しまれてきました。

　開館20周年に向けての改修工事のため2020年1月より休館していますが、2022(令和4)年3月にリニューアルオープン予定です。また、リニューアルを機に、館名が2021年4月より「泉屋博古館東京(せんおくはくこかんとうきょう)」に変更されました。

　今回のリニューアルで、展示スペースの拡大とともに、カフェやミュージアムショップ、講堂などが新設されるので、再開が楽しみです。

■収蔵品:住友家の美術品でもっとも有名なものは、住友家第15代当主の住友春翠が収集した中国古代青銅器と鏡鑑(京都本館蔵)。ほかに、中国・日本の書画、洋画、近代陶磁器、茶道具、文房具、能面・能装束などがあり、きわめて多様な収蔵品は、両館あわせて現在3,500点以上を数えます。

基本情報
東京都港区六本木1-5-1　TEL:050-5541-8600(ハローダイヤル)
□アクセス:東京メトロ南北線「六本木一丁目駅」すぐ
□開館時間・休館日:公式ホームページで最新情報をご確認ください
□入館料:未定

あわせて立ち寄りたい!
●大倉集古館:実業家・大倉喜八郎と大倉喜七郎が、長年にわたって蒐集した日本・東洋の古美術品、日本の近代絵画などを収蔵・展示。大倉邸の敷地の一角に開館した日本最初の私立美術館。
●菊池寛実記念 智美術館:館創設者は菊池智。現代陶芸の著名作家の作品がそろっています。

283

紙に関する役立つ情報がいっぱいの展示

王子ペーパーライブラリー

王子ペーパーライブラリー展示フロア

約200種類ある紙サンプルが勢揃いする心躍る展示

　王子ペーパーライブラリーは、銀座のど真ん中、銀座4丁目交差点からすぐの製紙企業グループの王子ホールディングス本館にあります。正面入口から入って1階の広いロビー右側が本ライブラリーですが、正面左右の巨大な壁画も気になります。備前焼作家の藤原雄によるアート作品『森の響（もりのうた）』です。王子ホールディングスが環境憲章を制定して「森のリサイクル」を行動指針として採り上げていることに符合する作品と言えます。

　本ライブラリーでは、紙にまつわるさまざまな展示が行われていて、紙の魅力をいかんなく発信しているプロ・アマ問わず紙好きには心躍る聖地です。展示室は用途ごとに3つのブロックに分かれていて、各ブロックの展示棚の上部には定期的に開催されている企画展の展示が、下部の引き出しには、各種の紙約200種類のA4サイズのサンプルが勢揃いしています。引き出しを自由に開けて、実際に見て、触って、質感を確かめることができます。サンプルには、銘柄名および米坪などの基本データや特徴のほか、印刷再現性を確認するための画像が印刷されています。また、気になったサンプルは備え付けの紙ケースに入れて自由に持ち帰ることができるといううれしい心配りに敬服です。

■展示サンプル：棚1にはファンシーペーパー、合成紙、棚2には印刷用紙、棚3には板紙、クラフト紙、加工紙が用意されています。

基本
情報

東京都中央区銀座4-7-5　王子ホールディングス本館1階　TEL：03-3563-1111（本館）
□アクセス：東京メトロ銀座線・日比谷線・丸ノ内線「銀座駅」A12番出口より　徒歩1分
□開館時間：9:00 〜 17:00　□休館日：土曜日・日曜日、祝日
□入館料：無料

あわせて
立ち
寄りたい！

●シャネル・ネクサスホール：シャネル銀座ビルディング4階にあるホール。コンサートとエキシビジョンの2つの柱をベースに、シャネルならではのユニークな企画を開催。
●銀座メゾンエルメス　フォーラム：ビル8階にあるエルメス財団の運営するアート・ギャラリー。

調布市に立地する電気通信大学の博物館

UECコミュニケーションミュージアム

第6展示室の様子

無線通信技術の発展に沿った通史的に収集された資料を展示

　UECコミュニケーションミュージアムは、調布市に立地する国立大学法人電気通信大学（UEC）の
キャンパス内、東10号館の1階と2階に展示室があります。本ミュージアムは、1998年に「歴史資料館」
として発足し、建物新築に伴い2008年にUECコミュニケーションミュージアムとして再出発しました。

　ミュージアムでは、無線通信技術の発展に沿う通史的な形で収集されてきた歴史資料館時代のもの
と、新制大学に移行した頃の研究成果などが7つの部屋に分かれて展示されています。

　1階の第1展示室入口の展示で目を引くのは、日本の電気通信のあけぼのといわれる1854年に米国
ペリー提督が江戸幕府に献上した電信機のレプリカです。あわせて、15年後の1869年に日本で最初
に使用されたブレゲ指字電信機なども見逃せません。2階の第2展示室には、20世紀初頭のラジオ受
信機やスピーカー、オーディオ装置から卓上計算機やコンピューターに至るまで、それぞれの歴史が辿
れるように展示されています。現在も稼働するカシオ製のリレー式計算機 AL-1 型も貴重な動態展示
品です。第6展示室に置かれている光電子増倍管は、東京大学の世界最大の地下ニュートリノ観測装
置カミオカンデに使用されたもので、故・小柴昌俊教授はこの装置によってニュートリノの捕獲に成功
し、ノーベル物理学賞を受賞しています。

　ミュージアムの今後として、最近までの研究成果も収集・展示されることが期待されます。

基本
情報

東京都調布市調布ヶ丘1-5-1　電気通信大学内　TEL：042-443-5296
□アクセス：京王線「調布駅」中央口より徒歩5分
□開館時間：13:00 ～ 16:00（事前予約制）　□休館日：土曜日・日曜日・月曜日、祝日、年末年始、その他
□入館料：無料

あわせて
立ち
寄りたい！

●三鷹市星と森と絵本の家：天文台の森の中にある大正時代の建物を保存活用し、広い庭も使って、絵本の展示や絵
本を楽しむ場として、国立天文台の協力のもと、三鷹市が設置・運営する施設です。自然や科学への関心につながる活
動を行っています。

江戸時代の貴重な文化財を下屋敷跡に展示

大名時計博物館

博物館外観・勝山藩下屋敷あとの木製門扉

展示室の様子

親子2代で収集した江戸時代の御時計師の手作り時計が一堂に

　台東区・谷中の三浦坂とあかじ坂とに挟まれた一角の勝山藩下屋敷あとに建つ「大名時計博物館」。三浦坂は、勝山の藩主家が三浦家で、その下屋敷前の坂道だったため、その名がついたそうです。本館には、細い道に面して屋敷跡らしく歴史を感じる木製門扉があり、その左手に江戸時代を彷彿とさせる木製の立て札に開館時間・休館日・入館料などの「お触書き」というにくい演出が印象的です。

　同館は、陶芸家の故・上口愚朗が生涯にわたり収集した江戸時代の貴重な文化遺産である大名時計を長く保存するために、1951(昭和26)年、「財団法人上口時計保存協会」をこの地に設立し、1974(昭和49)年に2代目上口等が「大名時計博物館」を開館しました。親子に2代にわたり設立した博物館です。門扉を通って敷地内の小径を辿り、博物館に入るとそこは、掛時計、櫓時計、台時計、尺時計、枕時計、印籠時計、御籠時計、置時計、和前時計、香盤時計などの時計が所狭しと並ぶ、さながら江戸時代に入り込んだ異空間です。東京都有形指定文化財88点を収蔵しています。

　大名時計は日本独特の時計で、大名のお抱えの御時計師たちが長い年月をかけて手づくりした、制作技術・機構・材質などの点において優れた美術工芸品で、世界に類をみません。展示室にいると、その御時計師たちの息吹が聞こえるような気がします。

基本
情報

東京都台東区谷中2-1-27　TEL：03-3821-6913
□アクセス：東京メトロ千代田線「根津駅」より徒歩10分、JR「日暮里駅」北口より徒歩15分
□開館時間：10:00〜16:00　□休館日：月曜日、夏季、年末年始
□入館料：大人300円、大学・高校生200円、中学・小学生100円

あわせて
立ち
寄りたい！

● 金土日館岩田専太郎常設館：大正末期から昭和時代に一世風靡した挿絵画檀の岩田専太郎の美術館。
● 東京藝術大学大学美術館：国宝・重要文化財23件を含む、約30,000件という日本有数の収蔵数を誇る大学の附属美術館。日本に前例のない実験的な美術館として機能しています。

江戸東京博物館の分館の野外博物館

江戸東京たてもの園

東ゾーンの復元建造物「子宝湯」外観（写真提供：江戸東京たてもの園）

失われゆく江戸・東京の文化的価値の高い歴史的な建物を展示

　都立小金井公園の一角を占める江戸東京たてもの園は、約7ヘクタールにもおよぶ広大な敷地面積を有する野外博物館です。園内には、江戸時代から昭和中期までに建設された文化的価値の高い歴史的建築物のうち、現地での保存が不可能になったものを中心に30棟が移築され、復元・保存・展示されています。かつて都内にあった民家、商店、住宅などの建物が当時の街並みとともに再現されていて、園内を歩くと、まるでタイムスリップしたかのような不思議なリアリティのある感覚を覚え、博物館の枠を超えて楽しむことができます。

　江戸東京たてもの園の正面出入口は、歴史的建造物「旧光華殿」を改修したビジターセンターとなっていて、導入展示、図書コーナー、ミュージアムショップなどが無料で利用できます。園内の復元建造物は、西ゾーンに10棟、ビジターセンターを含めてセンターゾーンに6棟、東ゾーンに14棟の3つのゾーンに計30棟。いずれも一見の価値ありですが、宮崎駿監督の映画『千と千尋の神隠し』（2001年）の作画には、下町の通りや文具店の内観のデザインが参考にされたそうです。

　園内には、復元建造物以外にもさまざまな屋外展示物があり、五輪塔、皇居正門石橋飾電燈、郵便差出箱（1号丸形）、都電7500形、ボンネットバスなど、ノスタルジーを感じるものも多くあり見逃せません。

基本情報
東京都小金井市桜町3-7-1（都立小金井公園内）　TEL：042-388-3300（代表）
□アクセス：JR中央線「武蔵小金井駅」北口からバスで5分、西武バス「小金井公園西口」バス停より徒歩5分
□開館時間：9:30 〜 17:30（4 〜 9月）、9:30 〜 16:30（10 〜 3月）
□休館日：月曜日（祝日・休日の場合は開館し、翌日休館）、年末年始
□観覧料：一般400円、65歳以上200円、大学生（専修・各種含む）320円、高校生・中学生（都外）200円、
　中学生（都内）・小学生・未就学児童は無料

あわせて立ち寄りたい！
●東京農工大学科学博物館：博物館の歴史は明治19年、東京農工大学工学部の前身である農商務省蚕病試験場の「参考品陳列場」にはじまります。現在は、大学の博物館として産業とともに歩んだ140年以上の歴史の繊維機械などを常設展示しています。

東京サンケイビル前の広場に設置の彫刻作品

イリアッド・ジャパン

『イリアッド・ジャパン』（アレクサンダー・リーバーマン）© the Alexander Liberman Trust, New York

アレクサンダー・リーバーマンの巨大な屋外彫刻作品

　東京屈指のオフィス街である千代田区・大手町を歩いていると、東京サンケイビルの「フラット」と名付けられたイベントスペースにそびえたつ朱色に塗られた巨大な彫刻の未知との遭遇とその迫力に一瞬固まってしまいますが、このパブリックアートは『イリアッド・ジャパン（Iliad Japan）』と題されたアレクサンダー・リーバーマンの彫刻作品です。

　地面から垂直に伸びる長短の円筒と、円筒を深く、あるいは浅く斜めに切ったパーツが一見ランダムに組み合わされていますが、集合体としてみると、周辺に建つ直線で構成された無機的なビル群との対比として、有機体のようなダイナミズムを感じます。

「芸術において重要なのは、スケールを通しての畏敬の念と圧倒的なエネルギー」と語るリーバーマンの面目躍如たるモニュメンタルな作品です。なお「イリアッド」は、ホメロスの作と伝えられる、トロイ戦争をうたった古代ギリシャの叙事詩のことで、「イーリアス」の英語表記です。

■作家：アレクサンダー・リーバーマン。ロシア系アメリカ人の写真家、彫刻家、美術家。第二次世界大戦前から戦後にかけて、『ヴュ』誌や『ヴォーグ』誌のアートディレクターとして活躍。戦後は、巨大な抽象的・半抽象的な屋外彫刻作品の制作に移行しています。

■作品：材質（鋼鉄、塗料）、高さ14.2m、幅15.0m、奥行12.8m。

基本
情報　東京都千代田区大手町1-7-2　東京サンケイビル 1F「フラット」
　　　□アクセス：東京メトロ丸ノ内線・半蔵門線・千代田線・東西線・都営三田線「大手町駅」E1・A4出口直結

あわせて
立ち
寄りたい！　●『SUN DIAL』：2018年、大手町に開業した新街区「大手町プレイス」のシンボルとなっている杉本博司による彫刻作品。巨大な数理模型が天を指しています。

　　　　　●三の丸尚蔵館：宮内庁の施設。皇室に代々受け継がれた絵画・書・工芸品などを収蔵。

NANZUKAのフラッグシップギャラリー

NANZUKA UNDERGROUND

キックオフ展覧会の展示風景 モリマサト個展「Lonsdaleite Year」、NANZUKA UNDERGROUND東京、2021 ©Masato Mori Courtesy of NANZUKA.

創造性をアカデミックに扱うギャラリーとして展覧会を開催

　NANZUKAは、2005年、ポップカルチャーと現代美術の接続を目指し、実験的な企画ギャラリーとして NANZUKA UNDERGROUND の名で渋谷2丁目にオープン。以後、デザイン、イラスト、ストリート、漫画、ファッション、ミュージックなど、周辺分野における創造性をアカデミックに扱うギャラリーとして活動。これまで、田名網敬一、空山基、山口はるみ、佐伯俊男といった、長年日本のアートシーンの外で評価されてきた才能を再評価し、国際的な現代アートの舞台で紹介しています。同時に国内外の若手・中堅アーティストの育成やサポートにも力を注ぎ、海外の有力アーティストの展覧会を日本で開催するなど、グローバルなアートシーンの現在を体現しています。本ギャラリーは、中村哲也によるカスタムペイントを全面的に施した外壁に空山基のロゴを冠しています。

　渋谷 2丁目にあった Flagship Gallery は、ビルの建て替えに伴い、2021年5月にBEAMS、UNITED ARROWS 原宿本店にほど近い、神宮前 3 丁目に移転しました。

■過去の展覧会：「中村哲也の個展」＠NANZUKA 2G（2021年3 ～ 4月）、空山基の新作個展「Dinosauria」＠NANZUKA 2G（2021年2 ～ 3月）、ハビア・カジェハ「NO ART HERE」＠NANZUKA 2Gと3110NZ（2020年11 ～ 12月）、山口はるみ「HARUMI GALS」＠3110NZ（2020年10 ～ 11月）など。

基本
情報
東京都渋谷区神宮前 3-30-10　TEL：03-5422-3877
□アクセス：東京メトロ副都心線「明治神宮前駅」より徒歩5分
□開館時間：11:00 ～ 19:00　□休館日：月曜日、祝日
□入館料：無料

あわせて
立ち
寄りたい！
●ワタリウム美術館：建築家マリオ・ボッタの「建築彫刻」の美術館。世界的な視点をもとに現代アートを最も高いレベルで、しかも極めて洗練された方法で、紹介しています。
●太田記念美術館：5代太田清藏が蒐集した浮世絵コレクションを広く公開しています。

全国でもめずらしい信用金庫による美術館

たましん美術館

多摩信用金庫本店1階に位置する「たましん美術館」

多摩の自然×人×芸術が交差する地域に根ざした豊かな文化の創生

　立川駅北口を出て徒歩6分のところに、2020年4月に誕生した「空と大地と人がつながる、ウェルビーイングタウン」をテーマにした未来型の文化都市空間「GREENSPRINGS」がのびやかに広がります。その注目を集める新街区の心地よい空間の玄関口に移転した多摩信用金庫新本店。たましん美術館はその1階に開館しました。さかのぼれば、1974(昭和49)年にたましん旧本店・本部ビルが完成した時に、同ビル内9階に「たましん展示室」が併設されたのが起点です。

　新本店建屋に入ると、ブルーの波模様の凹凸のデザインの壁面がたましん美術館のエントランスの目印。そこからバックライトの照明で浮き上がって覗くのは、釘をいっさい使わない伝統工芸の組子細工でしつらえた青海波や麻の葉模様の側廊の壁のようなエントランス内部。信用金庫の美術館というと、お堅いイメージがありますが、蒐集してきた美術品は実に多彩。照明を少し落とした展示室では、自前のコレクションだけでなく、さまざまな企画展も開催されています。展示ケースから照明までこだわり抜き、展示作品の魅力を最大限引き出す工夫がなされています。

■収蔵品：「たましんコレクション」は、大きく3つのジャンルに分類することができます。ひとつは近代(明治時代以降)の洋画や彫刻の名品。次に中国・朝鮮・日本の古陶磁。そして多摩地区を中心に活動する作家たちの作品です。

基本
情報

東京都立川市緑町3-4　多摩信用金庫本店1F　TEL：042-526-7788
□アクセス：JR「立川駅」北口より徒歩6分
□開館時間：10:00 〜 18:00　□休館日：月曜日(祝日の場合は開館し、翌日休館)、展示替期間、年末年始
□入館料：一般 500円、大学生・高校生 300円、中学生以下は無料

あわせて
立ち
寄りたい！

●PLAY! MUSEUM：絵とことばがテーマの美術館。絵本やマンガ、アートの本格的な展覧会が行われています。有名な絵本作家の世界を紹介する「常設展」と「企画展」を展開。
●ファーレ立川アート：世界36か国92人の作家による109点のパブリックアート。

「和菓子の虎屋」の赤坂店のギャラリー

虎屋 赤坂ギャラリー

ギャラリーのある「とらや 赤坂店」の外観

「ようこそ！お菓子の国へ —日本と
フランス 甘い物語—」展（2020年
9月〜2021年4月）（写真提供:虎屋）

檜の無垢材で囲まれた空間で和菓子の奥深さと老舗の軌跡に触れる

　東京オリンピックが開催された1964年に、赤坂見附駅から徒歩7分ほどの国道246号線沿いに建設された地上9階建ての「とらや 赤坂店」。その赤坂店が2018年にリニューアルオープンしました。老舗の和菓子店とは想像できない斬新なデザインの低層の新店舗は建築家・内藤廣の設計によるもので、特徴的なグレーがかったチタン葺きの屋根には、「鐶虎（かんとら）」という「とらや」のしるし（ロゴ）が掲げられていて、そこが「和菓子の虎屋」の店舗であることがわかります。

　ガラス張りの外観で自然光を取り込んだ館内は、天井から内装まで吉野の檜がふんだんに使われていて、木のぬくもりを感じます。地下1階に設けられた同ギャラリーへは、壁から天井にいたるまで同じく檜の板で覆われた階段を一段一段下っていきます。あたかも檜の林道を抜けて降りていくかのような感覚のアプローチで、なんとも贅沢な時間です。降りた先の展示室内は、ぐるりと檜の無垢材ブロックを立体的に組み上げた手の込んだ構造の壁で独特の雰囲気を醸し出し、展覧会を側面から演出します。展覧会のあとは、3階の菓寮で甘味や、ランチタイムには季節ごとに替わるうどんや食事メニューを味わうのも楽しみのひとつ。

■展覧会：菓子資料室 虎屋文庫主催の企画展を不定期に開催しています。虎屋の歴史のなかで伝えられてきた菓子資料や古文書、古器物を中心に、和菓子や日本文化を紹介しています。「こんなところにも！和菓子で楽しむ錦絵展」（2021年9〜11月）など。

基本
情報
東京都港区赤坂4-9-22　とらや赤坂店地下1階　TEL：03-3408-2331
□アクセス：東京メトロ丸ノ内線・銀座線「赤坂見附」駅Ａ出口より徒歩7分
□開館時間：9:00〜19:00(平日)、9:30〜18:00(土日祝)
□ギャラリー（展覧会開催時）：物販に準じる（イベントによっては変更）　□休館日：毎月6日（12月を除く）
□入館料：無料

あわせて
立ち
寄りたい！
●「東京ガーデンテラス紀尾井町」内のパブリックアート：紀尾井町の時と人と緑をつなぐアート作品。『White Deer』名和晃平、『Echoes Infinity ˝Immortal Flowers˝』大巻伸嗣など多数の作品が配置されていて、この街にふさわしく散策に彩りを添えています。

285

東洋大学白山キャンパス内の博物館

東洋大学井上円了記念博物館

博物館正面外観(部分/写真提供:東洋大学井上円了記念博物館)

創立者・井上円了関係資料のほか、東洋大学の歴史資料を展示

　東洋大学の歴史は1887(明治20)年に創立された哲学館にさかのぼります。創立者で哲学者である井上円了(いのうえ・えんりょう)博士が唱えた「諸学の基礎は哲学にあり」という建学の精神は、現在に脈々と受け継がれています。

　井上円了記念博物館は、井上円了博士が唱えたその建学の精神を学内外に広くアピールすることなどを目的として、2005年4月に井上記念館内に設置されました。

　東洋大学のメインキャンパスである白山キャンパスの正門から「甫水の森(ほすいのもり)」と名づけられたアプローチを通ってキャンパスに入ると井上円了像が出迎えてくれます。正面にあるのが井上記念館(5号館)です。博物館はその記念館の1階に位置しています。

　東洋大学では、直筆の書やノート・原稿のほか、愛用の品、収集品など、井上円了博士に関する資料を収集・保存しています。同館では、「井上円了　その生涯と教育活動」のテーマのもと、常設展において、これらの資料を展示しています。さらに、特別展・企画展では、東洋大学で行われている教育・研究の成果にもとづき、幅広い分野の展示を行っています。同館は、学外の方でも気軽に立ち寄れる社会に開かれた大学の博物館となっています。

基本
情報

東京都文京区白山5-28-20　東洋大学白山キャンパス5号館1F　TEL:03-3945-8764
□アクセス:都営三田線「白山駅」A1出口より正門まで徒歩6分
□開館時間:9:30〜16:45(月〜金曜日)、9:30〜12:45(土曜日)　□休館日:日曜日、祝日、年末年始、その他
□入館料:無料

あわせて
立ち
寄りたい!

●金土日館岩田専太郎常設館:大正末期から昭和時代に一世風靡した挿絵画壇の鬼才が、生涯を通じて描き続けた挿絵の枚数は、約6万枚ともいわれています。同館は原画約800点と美人画50点を所蔵し、書籍・雑誌を含め順次展示公開しています。

世田谷美術館の分館

清川泰次記念ギャラリー

清川泰次記念ギャラリーの外観(写真提供：清川泰次記念ギャラリー、撮影：宮本和義)

長く生活と創作の場としたこの地で、芸術・文化を身近に感じる

　画家・清川泰次は、戦後まもなくの1949年に世田谷区成城2丁目の地にアトリエ兼住居を構え、亡くなるまで同地に住み続けました。清川泰次記念ギャラリーは、そのアトリエ兼住居を一部改装し、2003年11月に世田谷美術館の分館として開館しました。

　住居であったことから靴を脱いで入館しますが、ギャラリーの受付はもとキッチンであったところにあり、かすかに当時の作家の生活のにおいを感じます。展示室は、天井が高く当時アトリエとして使われていたことの名残を見つけることができます。床にはいたるところに絵具がついていて、ひょっとして作家が意図的に床そのものをキャンバスに見立てていたのではないかと想像をめぐらし、また、かつて机が置かれていたあとの床には絵具がついていないのを発見する楽しみもあります。

　ギャラリーでは、絵画作品のほか、立体作品やさまざまな生活用品のデザインも手がけた作家によるカップ&ソーサからグラス、ハンカチ、カフスボタンなど、多様な素材の作品を観ることができます。

■清川泰次(きよかわ・たいじ)：学生時代に油彩画を始め、具象的な作風から出発し、1950年代に渡米して、本格的に抽象表現へと移行しました。晩年まで徐々にスタイルを変えながら、ものの形を写すことに捉われない独自の芸術を追求し、絵画のみならず、生活用品のデザインまで幅広く手掛けています。

基本
情報

東京都世田谷区成城2-22-17　TEL：03-3416-1202
□アクセス：小田急「成城学園前駅」南口より徒歩3分
□開館時間：10:00 ～ 18:00(最終入館は17:30まで)
□休館日：月曜日(祝・休日の場合は開館し、翌平日休館)、展示替期間、年末年始
□入館料：一般200円、高校・大学生150円、小学・中学生100円、65歳以上及び障害者100円

あわせて
立ち
寄りたい！

●世田谷美術館：緑豊かな砧公園の一角に位置する区立の美術館で、建築も見どころ。
●向井潤吉アトリエ館：日本の民家を描き続けた向井潤吉の作品を紹介する世田谷美術館の分館のひとつ。

287

目黒区民センターの一角に立地する美術館

目黒区美術館

目黒区美術館の展示室（写真提供：目黒区美術館）

地域の関りを重視しつつ、広い視野から捉えた多様な美術作品を紹介

　目黒川がすぐ脇を流れる緑豊かな目黒区民センターの一角に、目黒区美術館は1987年11月に開館しました。地域に息づく身近な美術館であり、気軽に美術に親しめる憩いの場で、さらには美術を媒介とした都市生活者の自己再発見の場として機能しています。それは想像力や感受性の無限の宇宙に向けて開かれた窓でもあります。

　同館では、日本の近現代美術の流れとその特徴を理解するための優れた作品を体系的に収集し、中でも欧米とのかかわりの中での独自の展開に焦点をあてています。明治以降、岡田謙三や川村清雄などが海外に学んで制作した作品、特に自己のスタイルを模索する過程から生まれた新鮮な作品や、戦後、国際展で高い評価を得た作品を中心に、目黒ゆかりの作家の紹介など、内外の多様な美術の動向をとらえた企画展を開催しています。

　1階と2階が展示室のフロア構成になっています。展示室の空間デザインで特徴的なのは、それぞれの展示室の天井高に高低差をつけ、床面もフローリングやカーペット敷きなど、鑑賞時に飽きがこない工夫がなされている点です。

■過去の展覧会：「マニュエル・ブルケール 20世紀パリの麗しき版画本の世界」（2021年4〜6月）、「前田家の近代美術コレクション 前田利為 春雨に真珠をみた人」（2021年2〜3月）など。

基本
情報

東京都目黒区目黒2-4-36　TEL：03-3714-1201
□アクセス：JR・東京メトロ南北線・東急「目黒駅」より徒歩10分
□開館時間：10:00〜18:00　□休館日：月曜日（祝日の場合は開館し、翌日休館）、年末年始、展示替期間
□入館料：展覧会によって異なります

あわせて
立ち
寄りたい！

●東京都指定有形文化財「百段階段」：階段で結ばれた7つの部屋はそれぞれ趣向が異なり、各部屋の天井や欄間には、当時屈指の著名な画家たちが創り上げた美の世界が描かれています。ホテル雅叙園東京内。
●長泉院附属現代彫刻美術館：20世紀後半以降の日本の彫刻家の作品を屋内外に展示。

ダイバーシティ東京 プラザ内に展示の作品

実物大ユニコーンガンダム立像

ダイバーシティ東京 プラザ内2F フェスティバル広場に展示されている『実物大ユニコーンガンダム立像』
©創通・サンライズ

インパクトのある立像単体のみならず、各演出も楽しめる

　　江東区・青海のダイバーシティ東京 プラザの「フェスティバル広場」にダイバーシティ東京 プラザを
バックに峻立する巨大なロボットが目の前に飛び込んできて度肝を抜かれます。この類まれな空間を
支配するのは『実物大ユニコーンガンダム立像』です。

　　全高19.7mある立像は、TVアニメ『機動戦士ガンダム』シリーズの中でも国内外で人気の高い作品
『機動戦士ガンダムUC(ユニコーン)』の主役機を実物大に再現したものです。

　　立像単体でも相当なインパクトがありますが、昼演出の時間には「ユニコーンガンダム　変身」のプロ
グラムがあり、各部が動いて"デストロイモード"へ変身します。夜演出プログラムでは、映像や音楽に
よる演出WALL-Gなどで原作に表現を可能な限り再現しています。ガンダムファンならずともその秀逸
な演出を楽しむことができます(2021年6月現在)。

■機動戦士ガンダムUC：『機動戦士ガンダム』から続く"宇宙世紀"を舞台とした物語の新章として、
作家・福井晴敏による同名小説を2010年から株式会社サンライズが映像化したアニメーション作品
です。重厚なストーリーと魅力的なキャラクター、カトキハジメによるメカニカルデザインは広くガンダム
ファンに受け入れられ大ヒットしました。

基本
情報

東京都江東区青海1-1-10　ダイバーシティ東京 プラザ内2F フェスティバル広場
□アクセス：ゆりかもめ「台場駅」より徒歩5分、りんかい線「東京テレポート駅」より徒歩5分

あわせて
立ち
寄りたい！

●『自由の炎』：「日本におけるフランス年」を記念して建てられたマルク・クチュリエのパブリックアート作品。
●東京トリックアート迷宮館：立体的に見える絵画や目の錯覚を利用して楽しく遊ぶ不思議なトリックアート美術館。

六本木に立地する現代美術のギャラリー

ワコウ・ワークス・オブ・アート
WAKO WORKS OF ART

Wolfgang Tillmans『How does it feel?』展、2020年（© Wolfgang Tillmans and WAKO WORKS OF ART, 2020）

世界的に活躍する欧州の著名な現代美術作家が多く在籍

　1992年に新宿・初台で開廊した「ワコウ・ワークス・オブ・アート」は、2011年にスペースを拡大して六本木にリニューアルオープンしました。世界的に活躍する欧州の著名な現代美術作家が多く在籍しているのが特徴で、最新の現代アートを、日本をはじめアジアに向けて紹介し続けている、現代美術の発展に大きく貢献してきたギャラリーです。

　在籍作家にはコンセプト性が深く社会的な問題意識も高い作品制作で知られるアーティストが名を連ね、ゲルハルト・リヒター、リュック・タイマンス、ヴォルフガング・ティルマンス、グレゴール・シュナイダー、ミリアム・カーン、フィオナ・タン、竹岡雄二、横溝静などがいます。作家と共に綿密なプランが練られた毎回の企画展は、絵画や写真から映像やインスタレーション展示まで多岐にわたり展開され、見ごたえ十分です。在籍作家を中心に取り上げた自社出版本も手掛け、日本語で文献の少ない美術評論の翻訳本や、作家のディレクションによるアーティストブックなどを制作・販売しています。
■過去の展覧会：ミリアム・カーン個展「lachenmüssen 笑わなければ」（2021年4～6月）、ヴォルフガング・ティルマンス個展「How does it feel?」（2020年11～12月）、横溝 静個展「That Day あの日」（2020年7～8月）など。

基本情報
東京都港区六本木6-6-9　ピラミデビル3F　TEL：03-6447-1820
□アクセス：東京メトロ日比谷線「六本木駅」3番出口より徒歩2分
□開館時間：11:00～19:00　□休館日：日曜日・月曜日、祝日、展示替期間
□入館料：無料

あわせて
立ち
寄りたい！
●森アーツセンターギャラリー：六本木ヒルズ森タワー52階展望台と同じフロアに位置するギャラリーです。世界の名だたる美術館の貴重なコレクションの企画展から、漫画・アニメ作品、映画、ファッション、デザインまで、多彩で質の高い展覧会を開催しています。

上野公園のなかで唯一の私立美術館
上野の森美術館

上野の森美術館所蔵作品展「なんでもない日ばんざい！」第1章「日常のなかに」（2020年開催）の展示風景

独創的な企画展や現代美術展「VOCA展」など

　台東区上野恩賜公園の一角に立地する上野の森美術館は、日本の美術団体としては最も古くからある公益財団法人日本美術協会の「美術展示室」を一新して、1972（昭和47）年4月に開館しました。上野公園の中には数多くの美術館・博物館がありますが、そのなかで唯一の私立の美術館です。日本美術協会は、1879（明治12）年に設立された「龍池会（りゅうちかい）」を前身とし、1883（明治16）年に有栖川宮熾仁親王殿下が龍池会総裁に就任、現在は常陸宮正仁親王殿下が総裁をつとめられています。このような宮家とのつながりから、同美術館の英語表記はThe Ueno Royal Museumとなっています。

　開館以来、西洋絵画や浮世絵、書からマンガまで、さまざまなジャンルの美術が紹介されていますが、2018年10月5日から2019年2月3日まで開催された「フェルメール展」（東京展）などが記憶に新しいところです。館内の展示室は広くゆったりと鑑賞できる1階と2階の構成で、1階カフェに併設されたショップでは美術館のオリジナルグッズの一筆箋・ポストカードなどの販売があります。西郷隆盛像のほのぼのした挿絵が人気です。

■展覧会：常設展示は行わず、毎年、若手作家の才能を発掘する現代美術展「VOCA展」や「上野の森美術館大賞展」「日本の自然を描く展」といった公募展のほか、定期的に独創的な企画展が開催されています。

基本情報
　東京都台東区上野公園1-2　TEL：03-3833-4191
　□アクセス：JR「上野駅」公園口より徒歩3分、東京メトロ・京成「上野駅」より徒歩5分
　□開館時間：10:00 〜 17:00　※展示によって異なります
　□休館日：不定休（展示によって異なります）　※公式ホームページで最新情報をご確認ください
　□入館料：展示によって異なります

あわせて立ち寄りたい！
　●上野恩賜公園内にある美術館・博物館：国立科学博物館、東京国立博物館、東京国立博物館・黒田記念館、東京都美術館、国際子ども図書館、台東区立旧東京音楽学校奏楽堂、国立西洋美術館（2022年春まで休館予定）、東京藝術大学大学美術館など。

たばこと塩の歴史と文化がテーマの博物館

たばこと塩の博物館

たばこと塩の博物館のシンボルモニュメント

魅力ある企業系博物館を目指して常設展示の充実&多彩な特別展を開催

　本館は、専売品であった「たばこ」と「塩」の歴史と文化をテーマとする博物館として、日本専売公社（現・日本たばこ産業株式会社）により設立され、1978（昭和53）年11月、渋谷の公園通りに開館しました。それから35年間、渋谷のランドマークのひとつとして親しまれてきましたが、2015年、場所を墨田区・横川に移してリニューアルオープンしました。

　大横川親水公園脇に建つ本館入口脇には、公園通り時代に制作されたシンボルモニュメントがあり、往時の記憶をとどめています。館内2階は常設展示室「塩の世界」と特別展示室、3階は常設展示室「たばこの歴史と文化」で構成されています。「塩の世界」の旅は、ポーランドの聖キンガ礼拝堂をモチーフにヴィエリチカ坑夫の彫刻家などによって製作された岩塩彫刻『聖キンガ像』からスタートし、「日本の塩づくり」「塩のサイエンス」へと続きます。

■所蔵品：現在約40,000点の資料を所蔵しています。肉筆浮世絵、浮世絵版画、版本300点など浮世絵を中心とする絵画資料約1,900点をはじめ、きせる、たばこ入れなどの袋物関係資料、たばこ盆、たばこと塩のポスターや看板、パイプをはじめとするさまざまな外国の喫煙具資料、国内外の灰皿、塩に関する標本資料、製塩に関する絵画資料・民族資料、ミニチュア資料など、多岐にわたります。

基本情報

東京都墨田区横川1-16-3　TEL：03-3622-8801（代表）
□アクセス：都営「本所吾妻橋駅」より徒歩10分、
　東京メトロ・京成・東武スカイツリーライン「押上（スカイツリー前）駅」より徒歩12分
□開館時間：10:00～17:00　□休館日：月曜日（祝日・休日の場合は開館し、翌平日休館）、年末年始、その他
□入館料：大人・大学生100円、満65才以上（要証明書）50円、小・中・高校生50円

あわせて立ち寄りたい！

●郵政博物館：東京スカイツリータウン® ソラマチ9階にある郵便および通信に関する収蔵品を展示・紹介する博物館です。日本最大となる約33万種の切手展示のほか、国内外の郵政に関する資料約400点を展示しています。

282

3331 Arts Chiyoda に立地

アキバタマビ21

アキバタマビ21 の展示室風景

多摩美術大学のオルタナティブ・ギャラリースペース

　中学校を再利用した千代田区の文化芸術の拠点施設 3331 Arts Chiyoda にある「アキバタマビ21」は、多摩美術大学のオルタナティブ・ギャラリースペースとして、大学が運営する、若い芸術家たちのための作品発表の場です。ここは若い芸術家たちが、互いに切磋琢磨しながら協働し共生することを体験する場であり、他者と触れ合うことで自我の殻から脱皮し、既存のシステムや権威に依存することなく自らをプロデュースして自立していくための鍛錬の場でもあります。

　校舎2階の教室の名残があるギャラリーでは、若手作家支援のため、原則40歳未満の多摩美術大学卒業生が企画代表者となり、作家による自己プロデュースを基本としたグループ展を年8回ほど開催。作家・批評家などゲストを招いてのシンポジウムやトークショーの開催や広報物・アーカイブの作成などを義務づけ、展覧会の意図を言葉で振り返る機会を設けています。自主企画展のほか、アキバタマビ21運営委員会による特別企画展を開催し、他大学との連携をはかりながら開かれた美術活動への取り組みが行われています。

■過去の展覧会：「いまだかつてあるゆらぎ」（2021年4～5月）、「ここではないどこか」（2021年2～3月）、「Rejoice! 豊かな喜びの証明」（2020年11～12月）など。

基本
情報
東京都千代田区外神田6-11-14　3331 Arts Chiyoda 201・202　TEL：03-5812-4558
□アクセス：東京メトロ銀座線「末広町駅」より徒歩1分、東京メトロ千代田線「湯島駅」より徒歩3分、JR「御徒町駅」より徒歩7分、JR「秋葉原駅」より徒歩8分
□開館時間：12:00～19:00（金曜日・土曜日は20:00まで）　□休館日：火曜日
□入館料：無料

あわせて
立ち
寄りたい！
●横山大観記念館：近代日本画壇の巨匠が暮らした家屋をそのまま展示スペースとして公開する記念館。
●国立近現代建築資料館：世界に誇る日本の建築文化を知ってもらうために設立された資料館。

中央区に伝わる多様な文化資源を紹介

中央区まちかど展示館

①ミズノプリンティングミュージアム

中央区の知られざる「ちょっとすごい」を発見できる楽しみ

　中央区は江戸時代より、文化・商工業・情報の中心として発展してきた長い歴史と伝統を誇る由緒ある街です。江戸五街道の起点である名橋「日本橋」、世界のショッピングストリート「銀座」、日本のウォール街「兜町」、食文化の中心「築地」、佃や月島をはじめとした豊かな水辺など魅力に満ちあふれ、活気とにぎわいの街として、発展を遂げてきました。以来400年余り、中央区は歴史と伝統を育み、老舗や地域のお祭りなど、多様な文化資源が脈々と息づいています。この中央区の魅力を広く知ってもらうことを目的に、地域の文化資源を「まちかど展示館」として開設。展示館は、小さな老舗内の伝統工芸品を飾ったショーケースから企業のものづくりや歴史を展示したものまで、中央区が誇る文化の一端をかいまみることができます。ここでは29館ある中から一部をご紹介しましょう。
●ミズノプリンティングミュージアム：印刷発祥の地で技術の変遷を展示。●伊場仙浮世絵ミュージアム：浮世絵から現代アートまで多彩な企画を開催。●イチマス田源・呉服問屋ミュージアム：近江商人の商才と努力の足跡を紹介。●渡邊木版画展示館：浮世絵など江戸木版画の伝統と魅力を展示。●足袋の博物館：足元に宿る日本の美意識を探る博物館。●染物展示館・虎の檻：洒落の効いた江戸文化の継承。●三菱倉庫・江戸橋歴史展示ギャラリー：水運のまちと歴史的建造物の物語。●小津史料館：豊富な史料が語る「紙商」の足跡。●楊枝資料館：江戸の小粋を表す小さな世界。

まちかど展示館の
ロゴマーク

基本情報　東京都中央区築地1-1-1　中央区まちかど展示館運営協議会（中央区区民部文化・生涯学習課内）
　　□アクセス・開館時間・休館日などの情報は各展示館によって異なります。公式ホームページで最新情報をご確認ください
　　□入館料：無料

あわせて立ち寄りたい!　●三井記念美術館：収蔵されている美術品は、江戸時代以来約350年におよぶ三井家の歴史のなかで収集され、今日まで伝えられた、日本でも有数の貴重な文化遺産です
　●アーティゾン美術館：前身のブリヂストン美術館から活動内容もコレクションも広がりました。

②伊場仙浮世絵ミュージアム　③イチマス田源・呉服問屋ミュージアム　④渡邊木版画展示館　⑤染物展示館・虎の檻
⑥足袋の博物館　⑦三菱倉庫・江戸橋歴史展示ギャラリー　⑧小津史料館が入る小津本館ビル入口　⑨楊枝資料館
※写真提供：中央区まちかど展示館（7と8を除く）

294

上野恩賜公園のなかに建つ美術館

東京都美術館

東京都美術館の外観(写真提供：東京都美術館)

国内外の名品を楽しめる特別展をはじめ多彩な展覧会を開催

　東京都美術館は、その歴史をたどると1926 (大正15)年に日本初の公立美術館として開館しました。現在の建物は1975 (昭和50)年に竣工しました。設計は、前川國男によるものです。その竣工から約35年が経った2010年、老朽化が進んだため既存の躯体を残したうえで全面改修工事が行われ、2012 (平成24)年にリニューアルオープンしました。

　上野恩賜公園から続く正門を入ると、『my sky hole 85-2 光と影』と題されたステンレスの球体に出会いますが、野外彫刻があわせて10作品があり、それらを鑑賞してみるのもちょっとした楽しみになります。

　館内では、国内外の名品を楽しめる特別展をはじめ、多彩な自主企画展や美術団体による公募展など年間を通して多くの展覧会を開催するほか、アート・コミュニケーション事業など、「アートへの入口」としてさまざまな事業を展開しています。レストランやミュージアムショップのみの利用もできます。日本モダニズム建築の巨匠・前川國男の設計による建物も見所のひとつとなっています。

■過去の展覧会：特別展「イサム・ノグチ 発見の道」(2021年4～8月)、特別展「没後70年 吉田博展」(2021年1～3月)、東京都美術館コレクション展「読み、味わう昭和の書」(2020年11～12月)など。

基本
情報
東京都台東区上野公園8-36　TEL：03-3823-6921(代表)
□アクセス：JR「上野駅」公園口より徒歩7分、東京メトロ「上野駅」より徒歩10分
□開館時間：9:30～17:30(入館は閉館の30分前まで)
□休館日：第1・3月曜日(祝日・振替休日の場合は翌日)、年末年始、整備休館　※特別展・企画展は月曜休室
□入館料：入館は無料、観覧料は展覧会ごとに異なります

あわせて
立ち
寄りたい！
●東京国立博物館・黒田記念館：明治から大正にかけて活躍した日本洋画界の重鎮・黒田清輝の油彩画約130点、デッサン約170点、写生帖などを特別室と黒田記念室で展示しています。
●国際子ども図書館：帝国図書館として建てられたレンガ棟を児童書の専門図書館に改修。

東京ガーデンテラス紀尾井町のパブリックアート

White Deer

赤坂プリンス クラシックハウスを背景にした「White Deer」（名和晃平）

見る角度によってさまざまな表情を見せる巨大な白い鹿

　日本のバブル期にトレンディスポットとして人気を博していた丹下健三の設計による赤坂プリンスホテル（通称「赤プリ」）。当時、巨大なクリスマスツリーと入口の赤いリボンがクリスマスの季節の風物詩でした。その跡地の再開発で建てられた東京ガーデンテラス紀尾井町には、数多くのアート作品が敷地内の各所に置かれています。

　名和晃平による本作品『White Deer』には、東京ガーデンテラス紀尾井町を構成する3つの施設「紀尾井タワー」「赤坂プリンスクラシックハウス」「紀尾井レジデンス」で囲まれた「水の広場」で出会うことができます。大空を仰ぎ見るかのごとく、あるいは見る角度によっては咆哮するかのごとく、鹿にしては巨大すぎる白い鹿の彫刻です。角も体の長さほどに伸びています。名和作品にはさまざまな素材を使って鹿をモチーフに表現したものを多くみることができますが、本作品の素材の加工はいたってシンプルで、その分、確たる存在感を放っています。

■名和晃平（なわ・こうへい）：日本の現代美術界をリードする彫刻家のひとり。京都芸術大学大学院教授。インターネットを介して収集したモチーフを透明な球体で覆う「PixCell」シリーズで知られています。その表現の多彩さと鮮やかな造形美は、彫刻の新たな可能性を拡げています。

■作品：White Deer, 600 x 404.2 x 444.2cm, mixed media, 2016

基本
情報　東京都千代田区紀尾井町1-2他　東京ガーデンテラス紀尾井町内
　　　□アクセス：東京メトロ「赤坂見附駅」D出口より徒歩1分、東京メトロ「永田町駅」9a出口直結

あわせて
立ち
寄りたい！　●虎屋 赤坂ギャラリー：「とらや 赤坂店」の地下1階にあるギャラリー。和菓子や日本文化にちなんだ企画展を開催しています。
　　　●「Echoes Infinity ~Immortal Flowers~」：紀尾井町ガーデンテラス正面の大巻伸嗣によるパブリックアート。

GINZA SIX 6階のアートギャラリー

THE CLUB

ギャラリー展示の様子　©THE CLUB(写真提供：THE CLUB)

日本ではまだ目にする機会が少ない現代アート作家を紹介

　THE CLUBは、ハイブランドの旗艦店が立ち並ぶ銀座の銀座6丁目に位置するGINZA SIX 6階のアートギャラリーです。THE CLUBがあるのは、「アートのある暮らし」をテーマにしている銀座 蔦屋書店のフロア。世界中から集めたアートブックアーカイブに出会える書籍フロア、アート雑誌を心ゆくまで読めるカフェなど、思い思いにアートを楽しむ贅沢な時間が過ごせる空間が備わっています。

　その恵まれた環境の中にあってTHE CLUBでは、丁寧なキュレーションのもと、日本ではまだ目にする機会が少ないコンテンポラリーアーティストを中心に、時代や分野を超えた展覧会が開催されています。ギャラリーを訪れ、1人ひとりが持つ審美眼によって、数あるアート作品のなかから、自分色のアートを見つけ出す楽しさを味わうことができます。

　THE CLUBは、欧米とアジアの架け橋となり、アートを通じて、さまざまな人や文化が交わり、新たな感性を発見できる場所となるポテンシャルを秘めています。

■過去の展覧会：ユリ・アランの日本初個展「Eggs For Breakfast and Bird In A Blanket」（2021年5～6月）、山下紘加の個展「コスモスは思い出した」（2021年3～4月）、オリバー・ビアの個展「Ghost Notes」（2021年2～3月）、グループ展「TIMELESSNESS」（2020年8～9月）など。

基本情報	東京都中央区銀座6-10-1　GINZA SIX 6階　TEL：03-3575-5605
	□アクセス：東京メトロ「銀座駅」A3出口より徒歩2分
	□開館時間：12:00 ～ 19:00
	□入館料：無料

あわせて
立ち
寄りたい！
　●セイコーミュージアム 銀座：時計の進化の歴史、和時計、セイコーの歴史・製品の展示のほか、スポーツ計時体験コーナーなどを通じて、大人から子どもまで、楽しめる博物館。
　●資生堂ギャラリー：現存する日本で最古の画廊。「新しい美の発見と創造」が活動理念。

世界でただひとつの広告ミュージアム

アドミュージアム東京

アドミュージアム東京の展示室（写真提供：アドミュージアム東京）

江戸時代から現代まで30万点を超える広告資料コレクション

　広告を語る上ではずせない、世界でただひとつの広告ミュージアムが「アドミュージアム東京」。港区・東新橋のカレッタ汐留にある本ミュージアムは、各時代を反映した広告作品を通して、広告の社会的・文化的価値の新しい発見に出合える場所です。

　広告活動のルーツといえる江戸時代から現代まで、時代と広告、人と広告の関わりの歴史が、30万点を超えるコレクションを中心にわかりやすく紹介されています。

　常設展示として3つのエリアに分かれていますが、「ニッポン広告史」がたいへん興味深く、見どころの展示資料が多くあり、紹介の紙面が足りません。最初に、酒蔵や酒屋の軒先によく飾られている「杉玉」が展示されていて、「なぜ？」と思いますが、これは緑色の新しい杉玉が「新酒ができました」という一種の広告と捉えることができるからでした。江戸時代の展示コーナーの錦絵は本来、庶民のための美術品でしたが、今でいうファッション誌やポスターのような役割も果たしていたことが、呉服商・越後屋の錦絵などに見ることができます。明治・大正時代の展示では、寿屋の片岡敏郎による日本初の写真ヌードポスター『赤玉ポートワイン（複製）』がタブーだった時代に人々を驚かせたことが想像できます。昭和から平成のコーナーでは、アールヌーボーを積極的に取り入れた資生堂化粧品ポスターや1964年の東京オリンピックのポスターなどが見どころです。

基本
情報

東京都港区東新橋1-8-2　カレッタ汐留　TEL：03-6218-2500
□アクセス：JR「新橋駅」より徒歩5分
□開館時間：12:00 〜 16:00　※閉館時間は変更になることがあります。公式ホームページで最新情報をご確認ください
□休館日：日曜日・月曜日
□入館料：無料

あわせて
立ち
寄りたい！

●パナソニック汐留美術館：ジョルジュ・ルオーの初期から晩年までの絵画や代表的な版画作品を約240点所蔵し、世界で唯一その名を冠した「ルオー・ギャラリー」で常設展示しています。

298

国際的な現代アートの美術館

森美術館（MAM）

内観（センターアトリウム）写真提供：森美術館

テーマ性をもった独自の切り口で多彩な企画展を開催

　2003年、東京の新しい文化都心、六本木ヒルズのシンボルとして開館した森美術館（MAM）は、六本木ヒルズ森タワーの最上層の53階にあります。

　その美術館へのアクセスで、ちょっとしたアドベンチャーを楽しむことができます。タワーには直接向かわず、脇のガラスの塔のような「ミュージアムコーン」から入り、渡り廊下を渡って、タワーの3階が美術館の受付になっています。そこから一気に高速エレベータで上層階に。

　森美術館は開館以来、現代美術を中心に建築やデザイン、ファッションなどテーマ性をもった独自の切り口で多彩な企画展を開催しています。加えて、日本を含むアジア太平洋地域の現代美術に焦点をあてた収蔵品を順次紹介する「MAMコレクション」や、「MAMスクリーン」「MAMプロジェクト」「MAMリサーチ」などのプログラムが多彩に開催されていて、あらゆる年齢、地域、国々の人びとに開かれた美術館として、東京、日本、アジア、そして世界の文化の拠点となっています。

■過去の展覧会：「STARS展：現代美術のスターたち－日本から世界へ－」、「MAMコレクション012：サムソン・ヤン（楊嘉輝）」、「MAMスクリーン013：ムニーラ・アル・ソルフ」、「MAMプロジェクト028：シオン」、以上を2020年7月～ 2021年1月に同時開催など。

基本
情報
東京都港区六本木6-10-1　六本木ヒルズ森タワー53階　TEL：050-5541-8600（9:00 ～ 20:00 ／ハローダイヤル）
□アクセス：東京メトロ日比谷線「六本木駅」1C出口より徒歩3分（コンコースにて直結）
□開館時間：10:00 ～ 22:00（月曜日・水曜日～日曜日／最終入館は21:30）、10:00 ～ 17:00（火曜日／最終入館は16:30）
□入館料：展覧会によって異なります

あわせて
立ち
寄りたい！
●森アーツセンターギャラリー：六本木ヒルズ森タワー 52階展望台と同じフロアに位置するギャラリーです。世界の名だたる美術館の貴重なコレクションの企画展から、漫画・アニメ作品、映画、ファッション、デザインまで、多彩で質の高い展覧会を開催しています。

東京海洋大学のミュージアム機構

マリンサイエンスミュージアム

南極・ガラパゴス調査コーナー

「鯨ギャラリー」に展示のセミクジラの全身
骨格標本（水産資料館 蔵）

「海へのいざない」をテーマにさまざまな水産資料を展示

　マリンサイエンスミュージアムは、JR「品川駅」港南口から歩いて10分の東京海洋大学品川キャンパス内にあります。あまりなじみがない大学と思われる向きにも、2003年に東京水産大学と東京商船大学が統合した国立大学と聞くと思い当たるのではないでしょうか。本ミュージアムの歴史はたいへん古く、東京水産大学の前身である農商務省水産講習所に標本室が完成した1902年にまでさかのぼることができます。2016年、マリンサイエンスミュージアムという呼称でリニューアルオープンしました。

　館内を入るとすぐにタカアシガニの標本が出迎えてくれます。2階の展示室では、「海へのいざない」をテーマに生き物から食品まで、海に関連するあらゆるものが幅広く展示されていますが、まず目につくのが『白鷹丸』をはじめ、南極海の調査を行った実習船『海鷹丸』、『神鷹丸』など歴代の品川キャンパスの学部（旧・東京水産大学）が運用する練習船の模型。続いて、南極調査時のペンギンの剥製がずらっと横に整列して歓迎してくれます。さらにアザラシやウミガメ類、海鳥類、甲殻類、魚など、さまざまな海洋生物の剥製を見ることができ、その様子はさながら水の張られていない水族館。鯨類海産哺乳類のコーナーで、ドワーフミンククジラの標本を見ることもお忘れなく。

　見逃せないのは、別館となる「鯨ギャラリー」に展示されているセミクジラの全身骨格標本。横に立ってみるとその大きさを実感できます。

基本情報
東京都港区港南4-5-7　東京海洋大学品川キャンパス内　TEL：03-5463-0430
□アクセス：JR・京急「品川駅」港南口（東口）より徒歩10分
□開館時間：10:00 ～ 16:00　□休館日：土曜日・日曜日、祝日、入試期間、点検日、その他
□入館料：無料

あわせて
立ち
寄りたい！
●ニコンミュージアム：ニコンの各事業の歴史・製品・技術などを一堂に展示しています。
●TERRADA ART COMPLEX：倉庫をリノベーションした、天井が非常に高い魅力的な展示空間が、世界的な現代アートギャラリーの一大集積拠点となっています。

300

明治天皇・昭憲皇太后ゆかりの品々を展示

明治神宮ミュージアム

2F 宝物展示室中央の六頭曳儀装車
（写真提供：明治神宮）

明治神宮ミュージアムの外観（写真提供：明治神宮）

厳かな明治神宮の杜に溶け込む隈研吾による設計の建屋も見どころ

　東京の都心の中にあってなお緑豊かで厳かな雰囲気を醸し出す明治神宮の杜に建つ明治神宮ミュージアムは、明治神宮の鎮座百年祭記念事業の一環として、2019年10月26日に開館しました。明治神宮ミュージアムでは、宝物殿より移された明治神宮の御祭神である明治天皇と昭憲皇太后にゆかりのある品々を展示しています。

　美しい明治神宮の杜と溶け込むように建つ2階建ての明治神宮ミュージアムは、建築家・隈研吾の設計による、建物全体として「木」を意識して建てられたものです。特徴的な屋根は、景観を邪魔しないように通常よりかなり緩やかな勾配を持ち、全面ガラス張りの広い館内は、室内にいるにもかかわらず明治神宮の杜と一体化しているようにも感じられます。杜と一体化の意味合いでは、受付カウンターやベンチは、明治神宮で役目を終えた樹木「枯損木」を再利用して作られていて、美しい年輪模様とともにあえて割れや節を残したデザインに感服します。

　1階の「杜の展示室」では、明治神宮に宿る百年・一年・一日・一刻という4つの時間軸を通して歴史や日々の営みを常設展示しています。ホワイトオークで仕上げられた階段を上がった2階の宝物展示室の、130年ほど前の大日本帝国憲法発布式の後に、明治天皇と昭憲皇太后がお乗りになった六頭曳儀装車、実際に使われた御常用御机、御鉛筆など、歴史の1シーンを彩った展示品の数々は必見です。

基本
情報

東京都渋谷区代々木神園町1-1　TEL：03-3379-5875
□アクセス：JR 山手線「原宿駅」表参道改札西口より徒歩5分、東京メトロ「明治神宮前駅」より徒歩5分
□開館時間：10:00 ～ 16:30（最終入館は16:00まで）　□休館日：木曜日、展示替期間
□入館料：一般1,000円、高校生以下900円、小学生未満は無料

あわせて
立ち
寄りたい！

●太田記念美術館：太田清藏が蒐集した浮世絵コレクションを公開・展示している美術館。
●エスパス ルイ・ヴィトン東京：表参道ヒルズ向かいにある、建築家・青木淳がデザインしたルイ・ヴィトン表参道ビル7階に位置しているアートスペース。

301

「練馬区立美術の森緑地」に隣接の美術館

練馬区立美術館

練馬区立美術館の外観(写真提供：練馬区立美術館)

「ときめきの美 いま 練馬から」がミュージアムメッセージ

　1985年10月に開館した練馬区立美術館は、日本近現代美術を中心に、ほかの美術館とはちょっと異なる斬新な視点・大胆な切り口で、開館以来さまざまな展覧会が開催されています。展覧会に付随し、学芸員や作家によるギャラリートークやコンサート、多様な講座など、多彩な展開を見せています。

　とりわけ本美術館をユニークにしているのは、そのアクセスがたいへん楽しいものとなっている点。隣接する「練馬区立美術の森緑地」には、誰もが知っている動物がファンタジーな彫刻作品となって多数配置されていて、愛称は「幻想美術動物園」。そんな動物の仲間のうち、全身を植物で覆われた巨大クマが、本美術館のボードを持ってお出迎えしてくれ、思わず頬が緩みます。看板に導かれて階段を上がったところが美術館の正面入口という緑地と一体感を持たせた設計に感心させられます。

　館内には、2階と3階に展示室が4つあり、そのうち3つで同館主催の展覧会が開催されています。新たな美術の知見を広げ、独自性を追求し、練馬区民にとってまちの誇りとなる「わがまちの美術館」でありながら、ときめきが待っている気になる存在となっています。

■過去の展覧会：「電線絵画展－小林清親から山口晃まで－」(2021年2～4月)、練馬区立美術館開館35周年記念展「35年の35点 コレクションで振り返る練馬美術館」(2020年12月～2021年2月)など。

基本情報

東京都練馬区貫井1-36-16　TEL：03-3577-1821
□アクセス：西武池袋線「中村橋駅」より徒歩3分
□開館時間：10:00～18:00　□休館日：月曜日(祝休日の場合は開館し、翌平日休館)、年末年始、展示準備期間
□入館料：展覧会により異なります

あわせて
立ち
寄りたい！

●ちひろ美術館・東京：いわさきちひろが最後の22年間を過ごし、数々の作品を生み出した自宅兼アトリエ跡にある美術館。作家の作品を中心に各国の絵本の原画を展示しています。美術館の館長は黒柳徹子。

302

渋谷駅地下2階に設置の洋画家・大津英敏の作品

海からのかおり

『海からのかおり』（原画・大津英敏）全景

海から遠く離れている都会の雑踏の中で、海が香る一服の清涼剤

　大規模な再開発が進む渋谷駅周辺。訪れるたびにその姿を変えていて戸惑うこともありますが、2027年に完成するというその未来の姿に向けての都市開発の工程を見届けることができる、またとない機会とも言えます。ただ、日々変化しているのは地上ばかりではありません。地下5階の副都心線・東横線から地上2階の山手線まで、「ダンジョン（迷宮）」と言わしめる渋谷駅の複雑な階層構造もしかりです。

　そのような渋谷駅の地下に、凛として一服の清涼剤のように設置されているのが、洋画家・大津英敏によるパブリックアート作品『海からのかおり』です。東京地下鉄株式会社と公益財団法人日本交通文化協会の企画によるもので、描かれているのは、遠く富士山が見える七里ヶ浜に立つ少女。海から遠く離れている都会の雑踏の中で行き交う人々の心に、作品から感じ取れる「海からのかおり」の潤いを与えています。

■原画・監修：洋画家・大津英敏（おおつ・えいびん）。少年時代を福岡県大牟田市で過ごし、郷土の画家、青木繁・坂本繁二郎・古賀春江に影響を受け、画家を志しました。1969年、東京藝術大学大学院修了。1970年代には『毬シリーズ』と呼ばれる幻想的な作品を制作。1979年の渡仏後、娘たちをモデルにした『少女シリーズ』を手がけるようになりました。

■作品：ステンドグラス。縦2.4m×横9m。製作は、クレアーレ熱海ゆがわら工房。

基本情報
東京都渋谷区渋谷2-23
□アクセス：東京メトロ副都心線「渋谷駅」B2F 半蔵門線方面改札外通路

あわせて立ち寄りたい！
●『ハチ公ファミリー』：JR「渋谷駅」ハチ公前広場に1990年に完成した陶板レリーフ（信楽）。北原龍太郎の原画作品。
●『明日の神話』：渋谷マークシティ連絡通路に設置されている岡本太郎の巨大作品。『太陽の塔』と対をなすといわれるこの作品は、岡本太郎の最高傑作のひとつ。

西麻布が拠点の現代美術のギャラリー

SNOW Contemporary

竹内公太の個展「Body is not Antibody」2020年 展示風景

国内外の創造性に富んださまざまなアーティストの作品を紹介

　少し足を延ばせば、国立新美術館や根津美術館にも立ち寄れる、西麻布交差点角に建つビルに居を構える現代美術のSNOW Contemporaryは、石水美冬と窪田研二の両氏の共同ディレクターによって運営されているギャラリーです。

　SNOW Contemporaryでは、アーティストのマネジメントを通じて日本のアーティストだけでなく、東京を拠点に国内外の創造性に富んださまざまなアーティストの作品やストリートアートなどの多彩な芸術表現を紹介し、同時代の文化に貢献する活動が行われています。2020年に10周年を迎えていますが、この10年間、社会ではさまざまな変化があり、そうした変革の時代において普遍性と批評性を持ち合わせたアートの存在は、ますます社会や個人の精神にとって重要性を帯びてきています。SNOW Contemporaryでは、そのことを踏まえ、展覧会などを通じて、アーティストのすぐれた活動を積極的に紹介しています。

■過去の展覧会：河口龍夫の個展「1971年の172800秒から2021年の345600秒へ」（2021年4～5月）、竹内公太による個展「Parallel, Body, Possession」（2021年3～4月）、HITOTZUKIの個展「DECODE」（2021年2～3月）、飯沼英樹の個展「Symptoms / 兆候」（2021年1～2月）など。

基本
情報

東京都港区西麻布2-13-12　早野ビル404　TEL：03-6427-2511
□アクセス：東京メトロ「六本木駅」2番出口より徒歩8分、東京メトロ「広尾駅」4番出口より徒歩10分
□開館時間：13:00～19:00　□休館日：日曜日・月曜日・火曜日、祝日
□入館料：無料

あわせて
立ち
寄りたい！

●国立新美術館：コレクションを持たず、国内最大級の展示スペースを生かした多彩な展覧会を開催しています。アートセンターとしての役割を果たす、新しいタイプの美術館です。
●根津美術館：実業家の初代・根津嘉一郎が蒐集した日本・東洋の古美術品を展示する美術館。

桜新町を彩る漫画家・長谷川町子の美術館

長谷川町子美術館

展示室2階内観

長谷川町子が姉の毬子と見出した美術品・工芸品の美の世界

　誰もが知る昭和の国民的人気作品『サザエさん』さんの産みの親の長谷川町子の名を冠した本美術館。東急田園都市線「桜新町駅」から徒歩7分の本美術館を訪ねる道すがら、「サザエさん通り」に立ち並ぶサザエさん一家の銅像が歓迎してくれます。

　本館のはじまりは、『サザエさん』や『いじわるばあさん』などの漫画作品で得た収益をもとに、1955年頃から姉の毬子と美術品・工芸品の蒐集を始め、それらの所蔵作品をより広く多くの方々に鑑賞してもらうためにと、1985年にオープンした長谷川美術館です。

　特徴的な建物の外壁の素材は、作家が自らオーダーしたと言われるレンガ造りで、ランダムに出っ張りが設けられていることを見つけ、建物自体がアート作品としての魅力も感じます。開館時に作家が書き下ろした本館のパンフレットの表紙絵にもそのこだわりが見てとれます。

■所蔵品：日本画311点、洋画250点、工芸品195点、彫塑32点の総数788点を所蔵。

■長谷川町子（はせがわ・まちこ）：日本初の女性プロ漫画家として知られます。1946年には一家とともに福岡から本館近くの世田谷区新町3丁目に移り住みました。約半世紀におよぶ漫画家活動において常に第一線を走り続け、数々の作品を生み出しました。

基本情報

東京都世田谷区桜新町1-30-6　TEL: 03-3701-8766
□アクセス：東急田園都市線「桜新町駅」より徒歩7分、東急バス「桜新町1丁目バス停」より徒歩1分
□開館時間：10:00 〜 17:30（受付締切は16:30）
□休館日：月曜日（祝日の場合は開館し、翌日休館）、展示替期間、年末年始
□入館料：一般900円、65歳以上800円、大学生・高校生500円、中学生・小学生400円
　※長谷川町子記念館もご覧いただけます

あわせて立ち寄りたい！

●長谷川町子記念館：長谷川町子生誕100年を記念して2020年7月11日にオープン。美術館の向かいに立地していますので、あわせての訪問がお勧めです。両館のアプローチを直線でつなげることで一体感を演出してるのが見事です。

洋食店「たいめいけん」初代・茂出木心護が設立

凧の博物館

凧の博物館の展示室

素晴らしい和凧の伝統に触れることができる貴重な場所

「凧の博物館」は、日本橋の有名洋食店「たいめいけん」の初代・茂出木心護（もでぎ・しんご）により1977（昭和52）年にオープンしました。もともとは中央区・日本橋にありましたが、再開発により、「たいめいけん」とともに一時移転を余儀なくされ、2020年11月に日本橋室町に引越しました。再開発の工事が終了するまでこちらで仮住まいです。

　江戸時代後半から明治にかけての日本では数多くの凧（和凧）が作られ、本館ではそのほんの一部ですが、随時展示替えを行いながら紹介しています。展示の中心となっているのはオリジナルの江戸凧で、凧絵師橋本繁造が描いたもの。江戸凧とは鎖国が行われ、日本独自の文化が開花した江戸時代に庶民と武士の中から生まれたものです。葛飾北斎の『富嶽三十六景』にも江戸凧が描かれています。

　和紙と竹に恵まれたわが国では、地域ごとに特徴のある「ふるさとの凧」が生み出され、伝統が受け継がれてきました。展示されている凧に、その伝統文化を垣間見ることができます。面白いものを挙げると、マッチ箱サイズの全国のミニ凧を並べたもので、実際に上げることができるそうです。あるいは、一見、蝶の標本かと見まがう、実物大の凧の数々。凧は、もちろん日本だけのものではなく、アジアなどの凧も、それぞれの文化を背景にしたものが展示されています。

　あらためて素晴らしい和凧の伝統に触れることができる貴重な場所と言えるでしょう。

基本情報
東京都中央区日本橋室町1-8-3　室町NSビル2階　TEL：03-3275-2704
□アクセス：東京メトロ銀座線・半蔵門線「三越前駅」B6出口より徒歩1分
□開館時間：11:00 ～ 17:00　□休館日：月曜日・日曜日、祝日
□入館料：大人220円　小・中学生110円

あわせて立ち寄りたい！
●貨幣博物館：日本銀行金融研究所が運営。蔵資料の中核となっているのは、貨幣収集家・研究家であった田中啓文が収集した「銭幣館コレクション」です。
●三井記念美術館：350年の三井家の歴史のなかで収集された日本有数の貴重な文化遺産を所蔵。

養蚕から繊維・機械、そして科学技術へ

東京農工大学科学博物館

2階の繊維関連資料展示室

幅広く繊維関連の貴重な素材・道具・大型機械、錦絵などを展示

　東京農工大学の博物館と聞いて、すぐに「蚕」をイメージできる人はそう多くはいないでしょう。博物館は、養蚕・繊維の資料を所蔵する本館と農学系資料や農機具を所蔵する分館からなっていますが、ここは小金井キャンパス内にある本館。本館の歴史は、1886（明治19）年に農商務省農務局蚕病試験場に設置された「参考品陳列場」にまで遡ります。その名残をとどめるのが、本館ゲート入ってすぐのところに設置されている蚕の繭を模したオブジェの「蚕糸科学教育記念碑」です。

　本館は、繊維関係の変遷を俯瞰できる貴重な博物館です。館内に入ると、骨格を筋肉同様の力を調整可能なワイヤで駆動させるという、世界で最初の筋骨格型ヒューマノイド「小太郎」が目に入ってきます。繊維素材の先端研究への応用と言える展示品です。

　展示室1階には、明治から現代にかけての製糸・紡績・織機・編機の大型機械が展示されていますが、驚くべきはほとんどの機械が動かせる状態で保存されていて、定期的に行われる動態展示でそのイノベーションの足跡をたどる貴重な体験ができます。2階は、繊維関連資料展示室、錦絵・商標展示室、学資展示室などで構成されています。

■ぜひ鑑賞したい展示品：約400点を所蔵する江戸時代から明治時代の「蚕織錦絵」、生糸出荷時に貼付された「生糸商標」、さまざまな「江戸組みひも」コレクションと組み台は必見です。

基本情報　東京都小金井市中町2-24-16　東京農工大学小金井キャンパス内　TEL：042-388-7163
　　　□アクセス：JR中央線「東小金井駅」南口より徒歩10分
　　　□開館時間：10:00〜17:00（入館は16:30まで）　□休館日：日曜日・月曜日、祝日、5月31日（創立記念日）
　　　□入館料：無料

あわせて立ち寄りたい！
●中村研一記念小金井市立はけの森美術館：中村研一の作品を紹介する所蔵作品展を開催しています。
●江戸東京たてもの園：江戸東京博物館の分館として、現地保存が不可能な文化的価値の高い歴史的建造物を移築し、復元・保存・展示しています。

ホテル雅叙園東京

東京都指定有形文化財「百段階段」

「草丘の間」

晴れやかな宴が行われた7部屋を99段の長い階段廊下が繋ぐ

　文化財「百段階段」は、ホテル雅叙園東京の前身・目黒雅叙園3号館のことで、1935（昭和10）年に建てられた、ホテル内に現存する唯一の木造建築です。

　食事を楽しみ、晴れやかな宴が行われた7つの部屋を結ぶ99段の長い階段廊下「百段階段」は部屋ごとに趣向が異なり、天井や欄間には、当時屈指の著名画家たちが創り上げた美の世界が描かれています。その装飾の美しさから、伝統的な美意識の最高到達点を示すものとされ、2009（平成21）年3月、東京都の有形文化財に指定されました。

　はやる気持ちを抑えて百段階段鑑賞の旅は、まず1階ロビーと百段階段の始点の3階をつなぐ螺鈿細工を施した絢爛豪華なエレベータに乗ることから始まります。なお、百段階段とはいうものの実際は99段です。その理由は諸説ありますが、「奇数は陽数。縁起の良い数」説や「未完の美学。完璧な数字より、発展性のある数字に」説などがあり、どういう想いで建てられたのか、想像力を掻き立てられます。足元に注意しながら天井画もお見逃しなく。

■部屋の名称：下から「十畝の間」「漁樵の間」「草丘の間」「静水の間」「星光の間」「清方の間」「頂上の間」。写真の「草丘の間」の格天井の秋田杉と欄間には、礒部草丘による四季草花絵や瑞雲に煙る松原の風景が描かれています。

基本情報

東京都目黒区下目黒1-8-1　TEL：03-3491-4111（代表）
□アクセス：JR山手線「目黒駅」西口、東急目黒線・東京メトロ南北線・都営三田線「目黒駅」より徒歩3分
□開館時間：企画展によって異なります　□休館日：企画展によって異なります　※企画展開催時のみ一般公開
□入館料：企画展によって異なります

あわせて
立ち
寄りたい！

●目黒区美術館：近現代の日本の作家による美術作品を収集し、これらを所蔵作品展で公開。
●わたせせいぞうギャラリー白金台：透明感に溢れ、新鮮でおしゃれな作風の漫画家・イラストレーターのわたせせいぞうの常設ギャラリー。

洋画家・熊谷守一の旧宅跡地に建つ美術館

豊島区立熊谷守一美術館

熊谷守一美術館の外観（写真提供：熊谷守一美術館）

晩年まで絵を描き続けた熊谷守一のものの見方や生き方を感じる

　本美術館は、洋画家・熊谷守一が亡くなるまでの45年間生活をした旧宅跡地に、作家である次女の熊谷榧（かや）氏が1985年に開設した私設の美術館でしたが、2007年に豊島区へ作品を寄贈するかたちで区立の美術館になりました。豊島区千早の住宅街に静かにたたずむ豊島区立熊谷守一美術館ですが、このあたりはかつて池袋モンパルナスと呼ばれ、多くの若い芸術家が暮らし芸術活動の拠点としていた地域でもあります。

　館内に展示されている作家の作品は、油絵、墨絵、書など多岐にわたり、常時約60点の作品を鑑賞することができます。1階の第1展示室（常設）には人気の作品『白猫』（1959年／油彩／板）などの油絵を中心に約30点展示しています。なかでも、フシグロセンノウの花に来た黒アゲハを描いた絶筆『アゲ羽蝶』（1976年／油彩／板）の筆使いには思わず引き込まれます。2階には、墨絵や書、オイルパステル画などが常設展示され、洋画家だけではない、芸術家としての作家の全容を知ることができます。

■熊谷守一（くまがい・もりかず）：洋画家。1880年岐阜県生まれ。「熊谷様式」とも言われる対象を単純化された形に描き、それを囲む輪郭線、平面的な画面の構成をもちながら、対象をよく観察して具象を突き詰めたスタイルが特徴。また、自然や身近な小動物や花など生命のあるものを好んで描きました。

基本情報
東京都豊島区千早2-27-6　TEL：03-3957-3779（代表）
□アクセス：東京メトロ有楽町線・副都心線「要町駅」出口1・2より徒歩9分、
　東京メトロ有楽町線・副都心線「千川駅」出口3より徒歩9分
□開館時間：10:30 ～ 17:30（入館は17:00まで）　□休館日：月曜日（祝日問わず）、年末年始、展示替期間
□入館料：一般500円、高・大学生300円、小・中校生100円、小学生未満は無料、
　障がい者手帳ご提示の方100円（介助の方1名無料）

あわせて立ち寄りたい！
●古代オリエント博物館：日本最初のオリエント専門の博物館として開館し、西アジアや中央アジア（シルクロード）の考古資料や美術品など約4000点を収蔵しています。
●佐伯祐三アトリエ記念館：天折の天才画家・佐伯祐三の新宿区立のアトリエ記念館。

新宿アイランドのパブリックアート

LOVE

「LOVE」（ロバート・インディアナ）

巨匠の代表作の活字体を彫刻にした「LOVE」シリーズ

　新宿駅西口を出て新宿副都心の高層オフィス街を数分進むと、大ヒットした新海誠監督の長編アニメ映画『君の名は。』に登場する聖地のひとつ、東通りと北通りが交差する「新宿警察署裏」の交差点に出ます。その歩道上には、きれいな円形状の躯体に信号機が有機的に設置され、それ自体が都市機能を果たすパブリックアートのような印象です。

　その交差点に立ち、視線を新宿アイランドタワーに向けると、待ち合わせ場所として有名なオブジェの『LOVE』が目に飛び込んできます。明るく鮮烈な赤に惹かれるように近寄って、まず正面からじっくり作品を眺めると、その立体構造が見て取れ、内包するグリーンとブルーのコントラストに作家のメッセージ性を感じます。本作の見る人に与える強烈でストレートな「LOVE」のメッセージは、「人間の愛と未来」をテーマとする新宿アイランドのパブリック・アート・プロジェクトのシンボル的な作品と言っても良いでしょう。

■作家：ロバート・インディアナ。アメリカの現代美術家・舞台美術家・コスチュームデザイナーですが、特に本作のような彫刻作品が高く評価されています。氏の作品の中でもっとも知られた彫刻は「LOVE」シリーズですが、正方形の中に4つの文字が納められ、「O」の字だけが右へ傾いている理由は謎です。

基本
情報　東京都新宿区西新宿6丁目5-1
　　　□アクセス：東京メトロ丸ノ内線「西新宿駅」より直結
　　　JR・小田急・京王・都営新宿線「新宿駅」より徒歩10分
　　　都営大江戸線「都庁前駅」より徒歩10分

あわせて
立ち
寄りたい！　●東京オペラシティ アートギャラリー：多様な表現活動を紹介する企画展を年4回程度開催しています。国内若手作家を紹介する「project N」も同時開催。

310

由緒ある銭湯を改装した現代アートのギャラリー

スカイザバスハウス
SCAI THE BATHHOUSE

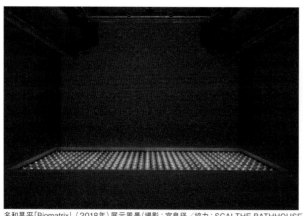

ギャラリー外観(撮影:上野則宏／協力:SCAI THE BATHHOUSE)

名和晃平「Biomatrix」(2018年)展示風景(撮影:宮島径／協力:SCAI THE BATHHOUSE)

下町文化の歩んだ時間と空間の中で最先端の現代アートを伝える拠点

　美術館や東京藝術大学が集積する上野からほど近く、都内でも古い街並みを残す台東区・谷中を散策していると、突然昔ながらの銭湯に出会います。ここは200年の歴史を持つ由緒ある銭湯「柏湯」を改装し、現代アートのギャラリースペースとして、1993年に創設された「スカイザバスハウス」です。

　一歩中に入ったギャラリー空間は、モルタルの床に白い壁面のホワイトキューブが広がり、高い天井からやわらかな自然光が差し込みます。土地の持つ意味合いを継承し、下町文化の歩んだ時間と空間を大切にしつつ、最先端の現代アートを伝える拠点となっています。

　創設以来、ギャラリーでは数々の展覧会や、コミッションプロジェクト、パブリックアートを実現しています。現代アート創世記を導いた李禹煥、大型彫刻で国際的な注目を集める遠藤利克や森万里子など、第一線で活躍する多くの作家の評価を固め、新素材を用いる彫刻家・名和晃平や土屋信子などの次世代作家を世界に向けて発信しています。同時に、日本ではまだ知られていない海外の優れた作家も積極的に紹介しています。

■過去の展覧会:大庭大介「絵画−現象の深度」(2021年3〜4月)、宮島達男「Uncertain」(2020年11〜12月)、森万里子「Central」(2020年9〜12月)、李禹煥「絵画展」(2020年3〜4月)、ジェームス・リー・バイヤーズ「奇想詩」(2020年1〜2月)など。

基本情報
東京都台東区谷中6-1-23　柏湯跡　TEL:03-3821-1144
□アクセス:JR「日暮里駅」南口より徒歩4分
□開館時間:12:00〜18:00
□休廊日:日曜日・月曜日、祝日、展示替期間
□入館料:無料

あわせて立ち寄りたい!
●朝倉彫塑館:彫刻家・朝倉文夫のアトリエと住居だった建物。2001年に国の有形文化財に登録。2008年には敷地全体が「旧朝倉文夫氏庭園」として国の名勝に指定されました。
●東京藝術大学大学美術館:国宝・重要文化財を含む、約3万件という日本有数の収蔵数。

世界で唯一の「ぬりえ」に特化した美術館

ぬりえ美術館

ぬりえ美術館の外観

昭和の日本の女の子が憧れた「きいちのぬりえ」を中心に展示

　視線の先に見える建物のファサードの赤い「ぬりえ」の文字造作。「ぬりえ美術館」は、昭和20〜30年代に流行した「きいちのぬりえ」の画家・蔦谷喜一の親類により、2002（平成14）年に開館しました。本館が建つ荒川区・町屋には、昭和のノスタルジーを感じる東京に残る唯一の都電荒川線（東京さくらトラム）が通っていて、絶妙に昭和と親和性のある立地です。

　建屋の1階の美術館に入ると、そこはカラフルなぬりえの世界。一瞬のうちに甘酸っぱい子ども時代に戻してくれます。館内では「きいちのぬりえ」を中心に戦前の日本のぬりえや広く海外のぬりえを展示。ぬりえ文化を発信している世界で唯一の美術館です。日本の女の子が憧れた「きいちのぬりえ」は、ひときわ美しく、繊細で独創的で文化的で、世界のぬりえのなかで最もすぐれたぬりえと言えます。展覧会は、年2回の企画展のほか、常設展では膨大なコレクションの中から毎月約200点を入れ替えながら公開しています。

■蔦谷喜一（つたや・きいち）：画家・塗り絵作家。1914（大正3）年、京橋生まれ。1940年、友人が持ち込んだ「ぬりえ」の仕事をフジヲの名で始め、1948年には「きいち」の名で、ぬりえを描くことに専念し、大人気となります。「きいちのぬりえ」シリーズの塗り絵本は、当時の少女たちから絶大なる人気を誇り、没後も少女から中高年の特に女性の人気を集めるベストセラーになりました。

基本
情報
東京都荒川区町屋4-11-8　TEL：03-3892-5391
□アクセス：東京メトロ「町屋駅」より徒歩15分、都電荒川線「町屋二丁目駅」・「東尾久三丁目駅」より徒歩7分
□開館時間：3月〜10月は12:00〜18:00、11月〜2月は11:00〜17:00の土曜日・日曜日のみ
　※入館は閉館の30分前まで。公式ホームページで最新情報をご確認ください
□入館料：大人（中学生以上）500円、小人（小学生）100円、小学生未満は無料

あわせて
立ち
寄りたい！
●書道博物館：洋画家・書家の中村不折が、その半生40年余りにわたり独力で蒐集した、中国および日本の書道史上重要な資料を展示する台東区立の専門博物館。
●一葉記念館：五千円札の肖像にも採用されている『たけくらべ』でおなじみの樋口一葉の記念館。

312

キヤノン S タワー内に設営のギャラリー

キヤノンギャラリー | 品川

キヤノンギャラリー S

オープンギャラリー 1・2

刻の表出

吹き抜け
ホール

2つのギャラリーで著名作家の企画展やコレクション展を展開

　JR「品川駅」の港南口（東口）2階に接続する遊歩道「スカイウェイ」に歩みを進め、自然をテーマにした7つのオブジェと4つの水景がある緑豊かな品川セントラルガーデンを見下ろしながら歩くこと約8分、地上29階建てのキヤノンマーケティングジャパン本社ビルであるキヤノン S タワーに到着します。2003年のキヤノン S タワー完成に合わせて、ビル1階の「キヤノンギャラリー S」と2階の「オープンギャラリー」を開設しました。

■キヤノンギャラリー S：国内作家を中心にした企画展を約1か月の会期で年8 〜 9本を開催しています。写真展と連動したトークイベントなども開催されています。なお、同ギャラリーは、全国3拠点（東京・品川、東京・銀座、大阪）のキヤノンギャラリーのなかで最大の面積を有しています。

■オープンギャラリー 1・2：キヤノンマーケティングがフォトコレクションとして長年所蔵している1,900点を超える著名日本写真家の作品の展示フォトコレクション展や、キヤノンフォトクラブ会員によるグループ展などの写真展が開催されています。オープンギャラリー 1・2完成記念として2015年8月に開催された「林忠彦写真展」・カストリ時代1946-56 ＆ AMERICA1955など、見ごたえのある写真展が企画されています。

基本情報
東京都港区港南 2-16-6　キヤノン S タワー 1F・2F　TEL：03-6719-9021
□アクセス：JR「品川駅」（2階）港南口方面より徒歩8分、京急「品川駅」より徒歩10分
□開館時間：10:00 〜 17:30　□休館日：日曜日、祝日、キヤノン休業日

あわせて
立ち
寄りたい！
●東京海洋大学マリンサイエンスミュージアム：東京海洋大学ミュージアム機構で、「海へのいざない」をテーマに生き物から食品まで、幅広く展示しています。
●ニコンミュージアム：ニコンの歴史、製品、技術などが一堂に展示されています。

新しい時代のユニバーシティ・ミュージアム

東京農業大学「食と農」の博物館

ナレースワン大王鶏と博物館外観

食と農の「過去」「現在」「未来」を体感できる貴重な博物館

　東京農業大学の世田谷キャンパスから馬事公苑につながる「けやき広場」に歩みを進めると、建築家・隈研吾の設計による「食と農」の博物館の4階建ての建物が見えてきます。入口手前で、まず左手のタイの闘鶏であるナレースワン大王鶏の大きな像に、そして右手の日本三大長鳴鶏のひとつで国の天然記念物に指定されている本物の東天紅の長い鳴き声に歓迎され、度肝を抜かれます。

　本博物館は2004年に開館。その源流は「日本の博物館の父」とも称される田中芳男が1904（明治37）年に設置した標本室に遡ります。1階と2階は「食と農」の博物館で、1階は大学の歴史展示と企画展示室、2階は常設展示という構成。なお、3・4階は一般財団法人進化生物学研究所になっています。博物館を観終わったあとは、博物館1階に隣接する進化生物学研究所の展示温室「バイオリウム」も必見です。貴重な動植物が公開されていて、さながらミニ動植物園です。

■展示品：企画展示では趣向を凝らしたテーマで「食と農」を発信。常設展示では、国の天然記念物に指定されている日本鶏や外国種約120点の標本展示が目を引きます。圧巻なのは280本の酒瓶オブジェ。全国に広がる卒業生が関わる蔵元約70蔵の代表銘柄が一堂に紹介されています。面白い切り口の展示としては、歌川国芳『七福神豊年遊』などの「酒のある風景」の浮世絵の展示。なお、作品保護のため原画は別途保管されています。

基本情報
　東京都世田谷区上用賀2-4-28　TEL：03-5477-4033
　□アクセス：小田急線「経堂駅」「千歳船橋駅」より徒歩20分、小田急・東急バス「農大前」バス停より徒歩3分
　□開館時間：予約制　※公式ホームページで最新情報をご確認ください
　□入館料：無料

あわせて
立ち
寄りたい！
　●世田谷美術館：ルソーなどの素朴派の作品のほか、魯山人や世田谷にゆかりのある作家作品を所蔵。
　●長谷川町子美術館：『サザエさん』の漫画作家として知られる長谷川町子が、姉の毬子と共に蒐集した美術品を展示。

314

「人間・大観」の魅力に出会える場所
横山大観記念館

横山大観記念館の入口の横山大観顕彰碑

横山大観自身のデザインによる京風数寄屋作りの建築と庭園

　上野池之端不忍池のほとりにある同館は、近代日本画の巨匠・横山大観の旧宅を記念館として1976（昭和51）年に開設されました。作家の業績を後世に伝えるために、その作品や遺品などを展示紹介しています。在りし日の作家の姿を想いつつ、その芸術世界を体感できる、唯一の美術館です。

　同館は、90歳で没するまで作家が暮らした木造2階建ての京風数寄屋造りの家屋の客間・居間・アトリエなどを、そのまま展示スペースとして公開しています。建物の構造や内装のデザインには、作家ならではの工夫が凝らされていて、見どころのひとつとなっています。現在、「横山大観旧宅及び庭園」として国の史跡に指定されています。

　展示室は、和風建築の雰囲気を生かし、軸装の作品などはそのまま床の間に掛けて展示し、ガラスケースなしで鑑賞できます。日本画本来の楽しみ方を体験できる貴重な空間と言えるでしょう。

■所蔵：大観の絵画作品・習作・スケッチをはじめ、作家による陶磁器の絵付け、着物の意匠、書籍の装丁にいたるまで多岐にわたっています。

■横山大観（よこやま・たいかん）：茨城県水戸市生まれ。1889（明治22）年に東京美術学校に第一期生として入学。岡倉天心、橋本雅邦らに学びました。近代日本画を大成させた巨匠で、今日「朦朧体」と呼ばれる線描を抑えた独特の没線描法を確立。富士山は生涯のテーマでした。

基本
情報
東京都台東区池之端1-4-24　TEL：03-3821-1017
□アクセス：東京メトロ千代田線「湯島駅」より徒歩7分、東京メトロ銀座線「上野広小路駅」より徒歩12分
□開館時間：10:00～16:00　※展示替えの日は15:00まで（入場は閉館の30分前まで）
□休館日：月曜日・火曜日・水曜日、その他　※公式ホームページで最新情報をご確認ください
□入館料：大人800円、中高生650円、小学生300円

あわせて
立ち
寄りたい！
●弥生美術館：挿絵画家・高畠華宵をはじめとする明治から昭和の挿絵画家の魅力を紹介しています。
●旧岩崎邸庭園：三菱を創設した岩崎家の第3代当主・久彌の本邸として建てられ、園内には、洋館、和館、撞球室の3棟が現存。洋館と撞球室はジョサイア・コンドルによる設計。

墨田区に立地の東京を代表する人気スポット

江戸東京博物館

江戸東京博物館の外観（写真提供：江戸東京博物館）

圧倒的な規模の展示空間で江戸東京の歴史と文化を体感できる博物館

　東京都立の江戸東京博物館は、江戸東京の歴史と文化をふりかえり、未来の都市と生活を考える場として1993（平成5）年に開館しました。高床式の倉をイメージしたユニークな建物で、開館以来、東京を代表する観光スポットとして多くの訪問者を受け入れています。建物は地上7階・地下1階の構造で、地上部分の高さは約62メートルで、江戸城の天守閣とほぼ同じ高さと言われています。

　館内は、1階に特別展示室、5階と6階に常設展示室があり、常設展示のほか、企画展示などが開催されています。6階が常設展示室の入口で、その先に5階とつながる照明を落とした吹き抜け構造の圧倒的な空間が広がり、その没入感の演出が唯一無二の魅力となっています。展示室は、「江戸ゾーン」「東京ゾーン」「企画展示室」で構成されていて、実物大で復元した日本橋から始まります。渡ったその先には、寛永時代の町人地や大名屋敷、幕末の江戸城御殿を縮尺模型で復元し、江戸城を中心とした町割りの様子を見ることができます。そのほか、将軍家や大名家に由来する歴史資料の数々も展示されています。1階展示室で年5〜6回開催される特別展もその充実した内容は必見。

※同館は、2022年4月1日から2025年度中（予定）まで大規模改修工事のため、全館休館を予定しています。

基本情報
東京都墨田区横網1-4-1　TEL：03-3626-9974（代表）
□アクセス：都営大江戸線「両国駅」A3・A4出口より徒歩1分、JR「両国駅」西口より徒歩3分
□開館時間：9:30〜17:30（入館は17:00まで）
□休館日：月曜日（祝日・休日の場合は開館し、翌日休館）、年末年始
□入館料：一般600円、大学生・専門学校生480円、高・中学生（都外）・65歳以上300円
　　※中学生（都内在学または在住）・小学生・未就学児童は無料

あわせて立ち寄りたい！
●すみだ北斎美術館：墨田区立の美術館。北斎及び門人の作品を紹介しています。
●刀剣博物館：旧安田庭園の一角に立地。美術工芸品としての日本刀に加え、大名屋敷の庭園とともに、日本古来の武家文化を広く発信しています。

316

東京交通会館の階段踊り場に設置の作品

緑の散歩

東京交通会館2階〜3階踊り場の『緑の散歩』（矢橋六郎）

日本における「大理石モザイク壁画」の第一人者・矢橋六郎の作品

　東京都のパスポートセンターがあることで馴染みのある東京交通会館を訪ねると、2階と3階に上がる階段の踊り場の壁面いっぱいに広がるモダンな壁画が自然と目に入り、その迫力に思わず立ち止まって見てしまいます。

　このモザイク壁画作品は、日本近代洋画の礎を築き、日本における「大理石モザイク壁画」の第一人者と言われる矢橋六郎の作品で、2階部分は『緑の散歩』と題されています。材質が異なる長方形のタイルを組み合わせてひとつの作品として表現するモザイクの手法が採られています。

　作品を観ていると、「幾千万年の自然の力を経て出来た、これ等石材の持つ色彩は深みのあること、混じり気の全く無い事、又どの色を配列しても決して反発し合わない事、絶対に退色しない事等、絵具とは全然特異の性質を持っている。ローマ人はモザイクを永遠の絵画と称しているのも、うなずけると思う」（『矢橋六郎モザイク作品集』より抜粋／求龍堂刊）という作家のモザイク壁画への熱い想いが伝わります。

■作家：矢橋六郎（やばし・ろくろう）。1905（明治38）年、岐阜県大垣市出身の洋画家。東京美術学校（現・東京藝術大学）西洋画科を卒業。日本における「大理石モザイク壁画」の第一人者で、岐阜県庁内（『春・夏・秋・冬』）、東京都中野区役所内（『武蔵野に想う』）、大名古屋ビル内（『海』）など、全国に数多くの壁や床にモザイク壁画を制作しました。

基本情報
東京都千代田区有楽町2-10-12　東京交通会館2〜3階階段踊り場
□アクセス：JR 山手線・京浜東北線「有楽町駅」中央口より徒歩1分

あわせて
立ち
寄りたい！
●東京ステーションギャラリー：重要文化財・東京駅丸の内駅舎の歴史を体現するレンガ壁の展示室で親しまれています。近代美術を中心に幅広い時代とジャンルの展覧会を開催。

銀座2丁目にある現代アートのギャラリー

メグミオギタギャラリー
MEGUMI OGITA GALLERY

地下1階のギャラリーへ続く入口（写真提供：MEGUMI OGITA GALLERY）

表現の渇望・情熱を直接的に伝える作家の作品を、国内外で紹介

　メグミオギタギャラリーは、銀座2丁目の木挽町通りに面した銀座大塚ビルの地階にある現代アートのギャラリーです。2007年に銀座5丁目に開廊し、2010年1月に現在の場所へと移転しました。木挽町通りと交差する通りに地階に降りる入口がありますが、ギャラリーへのアプローチ空間は、六角形のタイルでデザインされた壁面と床面が印象的です。ギャラリーは、地階とは思えない開放感のある広大な展示スペースとなっています。

　ギャラリーでは、伝統的技法や素材を用いながら作品の仕上がりにこだわりをもつ作家や、グラフィティやアウトサイダーアートの作家など、表現の渇望・情熱を直接的に伝える作家の作品を、国内外で紹介しています。素材や技法へのこだわりは本来、日本人の作品作りの原点が「ものづくり」で、現代・近代の日本人作家や海外の作家にも共通のものを感じさせる作家を扱うことで、「ものづくり」のこだわりから生まれる新しい表現を広めています。

■過去の展覧会：ミセスズッキー個展「Zukies in Japan」（2021年4～5月）、土屋仁応個展「キメラ」（2021年3月）、田中福男ガラス展「擬態と変態」（2021年3月）、大谷一生個展「WHERE IS LOVE.」（2020年11～12月）、オリジナルソフトビニール怪獣作家HxSの展覧会「HxS ソフトビニールの怪獣展 2020」（2020年10～11月）など。

基本
情報

東京都中央区銀座2-16-12　銀座大塚ビルB1　TEL：03-3248-3405
□アクセス：東京メトロ日比谷線「東銀座駅」3出口より徒歩3分
□開廊時間：10:00～19:00
□休廊日：日曜日・月曜日、祝日
□入館料：無料

あわせて
立ち
寄りたい！

●ギンザ・グラフィック・ギャラリー（ggg）：グラフィックデザインの専門ギャラリーとして3つのgの頭文字から「スリー・ジー（ggg）」の愛称で親しまれています。
●ポーラ ミュージアム アネックス：ポーラ銀座ビルのコンセプトの一翼を担う「美術館」。

318

東京ミッドタウン・ガレリア内の美術館

サントリー美術館

サントリー美術館の外観（©木奥惠三、写真提供：サントリー美術館）

日本独特の美に対する感受性「生活の中の美」を表現する企画展

　　サントリー美術館の原点は、1961年、飲料メーカーのサントリーの当時社長であった佐治敬三が「生活の中の美」を基本理念として開館した丸の内のパレスビル内の美術館。2007年に、防衛庁跡地の再開発で建設された六本木・東京ミッドタウンに移転しました。

　　外壁を白磁の縦格子に覆われた切れ味ある外観を持つ新しい美術館の設計を手がけたのは建築家・隈研吾。コンセプトは「都市の居間」としての居心地の良い美術館です。その館内で「生活の中の美」を表現し、感動に出会える企画展を開催し、多くの人々にとってコンセプト通りの「都市の居間」を楽しめる美術館を実現。同館の特徴的なシンボルマークは、漢字「美」から変化したひらがなの「み」をモチーフに、ミュージアムメッセージ「美を結ぶ。美をひらく。」をかたちにしたものです。代表的な収蔵品の中によく見られる色としてもゆかりの深い藍色を基本色としたそうです。

　　木と和紙を意匠に用い、和の素材ならではの自然のぬくもりと、柔らかい光を感じる館内の展示室は、エントランスの3階と4階の2層からなり、落ち着いた環境の中で企画展を鑑賞できます。随所で床材に、社業を象徴するかのようにウイスキーの樽材が再生利用されているのが興味深いところです。
■過去の展覧会：サントリー美術館 開館60周年記念展「ミネアポリス美術館 日本絵画の名品」（2021年4～6月）など。

基本情報

東京都港区赤坂9-7-4　東京ミッドタウン ガレリア3階　TEL：03-3479-8600
□アクセス：都営大江戸線「六本木駅」出口8より直結、東京メトロ日比谷線「六本木駅」より地下通路にて直結
□開館時間：10:00～18:00（金曜日・土曜日10:00～20:00）　□休館日：火曜日、展示替期間、年末年始
□入館料：展覧会によって異なります。中学生以下は無料。

あわせて立ち寄りたい！

●21_21 DESIGN SIGHT：東京ミッドタウン内、港区立檜町公園に続く緑地「ミッドタウン・ガーデン」の中に立地。創立者はデザイナーの三宅一生。

江戸時代から続く紅屋・伊勢半本店が設立

紅ミュージアム

小町紅と紅花

紅ミュージアムのエントランス

伊勢半本店の「紅」と「化粧」の歴史を発信する専門ミュージアム

　伊勢半本店は、江戸時代の1825（文政8）年に創業以来、紅の製法を守り、受け継いできました。今や良質な紅の証である玉虫色の輝きを放つ口紅を作る紅屋は伊勢半本店のみ。最後の1軒となった紅屋が、創業時から今日まで受け継いできた紅づくりの技と、化粧の歴史・文化を数々の資料と共に公開しています。

　港区・南青山に構える本ミュージアムは、紅色でデザインされた扉が目印。館内は、紅色と白のコントラストで美しくデザインされた「紅」と「化粧」の世界。入ってすぐのコミュニケーションルームでは、水で溶くと、玉虫色から鮮やかな赤色に変わる紅を実際に手に取り、あまり経験したことがない奥ゆかしくも美しい色合いの紅の魅力に触れることができます。

「紅を知る」常設展示室1では、紅花の生産・流通をはじめ、紅屋の商い（広告宣伝・販売活動）、紅づくりの様子、紅にまつわる習俗の模型や動画・関連資料が展示されています。常設展示室2のテーマは「化粧の歩み」。江戸時代の「紅猪口」から昭和時代の「リップスティック」までの紅の移り変わりを概観する時間旅行を楽しめます。時代考証の意味合いでも貴重な展示品の数々に興味が尽きません。

■所蔵品：紅屋関連資料、江戸時代から明治以降の化粧道具、櫛・笄・簪類各種の装身具、江戸時代の化粧の有り様を知る上で欠かせない錦絵・版画類、『都風俗化粧伝』などの文献資料。

基本
情報

東京都港区南青山6-6-20　K's 南青山ビル1F　TEL：03-5467-3735
□アクセス：東京メトロ「表参道駅」B1出口より徒歩12分、B3出口（エスカレーター・エレベーター）より徒歩13分
□開館時間：10:00 〜 17:00
□休館日：日曜日・月曜日、創業記念日（7月7日）、年末年始　※公式ホームページで最新情報をご確認ください
□入館料：無料（企画展は有料）

あわせて
立ち
寄りたい！

●根津美術館：日本・東洋の古美術品コレクションを所蔵。つとに有名な国宝の『燕子花図屏風』（尾形光琳、江戸時代）は特別展などで展示されます。
●岡本太郎記念館：芸術家・岡本太郎の自宅兼アトリエとして使われていた記念館です。

320

江古田キャンパス内の大石膏像ギャラリー

日本大学芸術学部アートギャラリー

アートギャラリー（日本大学芸術学部ギャラリー棟）の外観（写真提供：日本大学芸術学部）

ミケランジェロ作品が原型の4体の大石膏像と『サモトラケのニケ』

「アートギャラリー」は、日本大学芸術学部の江古田キャンパス内の洗練されたデザインの総ガラス張りが印象的な「ギャラリー棟」にあります。

「真に偉大な彫刻家による大型彫刻作品から直接型を取った大石膏像こそが大学での本格的な素描教育はもちろんのこと、彫刻教育の教材として不可欠なものではないか」と考え、その入手を企画したのが、旧・所沢校舎開校前後に在職していた画家の樋口順治をはじめとする当時の美術学科教授陣でした。その努力が実を結び、イタリアとの文化交流を行う日本企業、さらにはフィレンツェ美術学校附属アカデミア美術館の協力を得てミケランジェロ作品を原型とした4体の大石膏像が順次日本に届けられ、長く所沢校舎美術棟石膏室で数多くの学生と教授陣の教育・研究に供されてきました。

2019年の全学年江古田キャンパス一元化を機に、『サモトラケのニケ』の像とともに、同年9月からアートギャラリー棟に設置されました。以降、これらの大石膏像は常設展示となりました。

■展示作品：『髭の奴隷』（原作品／ミケランジェロ・ブオナローティ）、『若い奴隷』（原作品／ミケランジェロ・ブオナローティ）、『フィレンツェのピエタ』（原作品／ミケランジェロ・ブオナローティ）、『パレストリーナのピエタ』（原作品／ミケランジェロ・ブオナローティ）、『サモトラケのニケ』（原作品の制作年はB.C.200-190年頃）。

基本情報
東京都練馬区旭丘2-42-1　日本大学芸術学部江古田キャンパス　TEL：03-5995-8315
□アクセス：西武池袋線「江古田駅」北口より徒歩1分
□開館時間：9:30 ～ 16:30（平日）、9:30 ～ 12:00（土曜日）　※公式ホームページで最新情報をご確認ください
□休館日：日曜日、祝祭日、大学の定める休日、休暇中
□入館料：無料

あわせて立ち寄りたい！

●日本大学芸術学部芸術資料館：芸術総合学部の特色を活かした幅と奥行きのある展覧会を開催。常設展はなく、年10回程度企画展が開催されています。
●日本大学芸術学部A&Dギャラリー：学生の創作作品や教職員の研究成果を発信する企画展を開催。

江戸城内御鎮座500年大祭の記念事業で設営

日枝神社宝物殿ギャラリー

日枝神社宝物殿ギャラリーの宝物殿外観（写真提供：日枝神社宝物殿）

国宝・重要文化財を含む刀剣のほかに徳川将軍家ゆかりの宝物を所蔵

　日枝神社の宝物を納める宝物殿は、1978（昭和53）年に行われた江戸城内御鎮座500年大祭の記念事業として、その翌年に造営されました。国宝・重要文化財を含む刀剣31口を主要として、ほかに徳川将軍家ゆかりの宝物が多数所蔵されています。

　外堀通りから赤坂側参道の山王橋を上った境内に宝物殿があります。宝物殿に入ると、まず太田道灌持資公像が出迎えてくれます。奥正面には、文政5年に製作された神功皇后武内宿禰の山車人形が展示されていて、その横には、木彫の額「山王大権現神号」が掲げられています。ほかに、壱対の獅子頭がありますが、鼻頭が削れていて3代将軍家光公の手習草子の文字が少し見えるのが興味深い発見です。殿内左手には、能面作家・小倉宗衛作の能面「白式尉」などが展示されています。また、圓鍔勝三作の「稲荷神像」は、当社の神門の隋神像とともに現代彫刻を代表する貴重な宝物です。

■宝物殿ギャラリー：「太刀 銘 則宗」（国宝 附糸巻太刀拵・長二尺五寸九分一厘）、「太刀 銘 国綱」（重要文化財）、「太刀 銘 師景」（重要文化財）、「徳川家康 朱印状」、「徳川家光 朱印状」、錦絵「千代田御表 山王祭礼上覧」、錦絵「江戸風俗十二ヶ月之内 六月 山王祭」、「紙本著色 源氏物語明石・澪標図 六曲屏風」など。

基本
情報

東京都千代田区永田町2-10-5　TEL：03-3581-2471
□アクセス：東京メトロ「赤坂駅」出口2より徒歩3分、東京メトロ「溜池山王駅」より徒歩3分
□開館時間：10:00 ～ 16:00
□休館日：火曜日・金曜日　※神社行事により休館日が変更になる場合があります
□入館料：無料

あわせて
立ち
寄りたい！

●虎屋 赤坂ギャラリー：「とらや 赤坂店」の地下1階に設置のギャラリーで企画展を開催。
● 「Echoes Infinity ˝Immortal Flowers˝」：「東京ガーデンテラス紀尾井町」の各所に設置された紀尾井町の時と人と緑をつなぐパブリックアートのひとつで大巻伸嗣の作品。

広く西洋美術全般を対象とする国内唯一の国立美術館

国立西洋美術館

『睡蓮』(クロード・モネ、1916年、油彩
／カンヴァス、200.5×201 (cm) (国立
西洋美術館)

正面から見た本館 (写真提供：国立西洋
美術館)

松方コレクションを基に発足

　国立西洋美術館は、フランス政府から寄贈返還された松方コレクション (印象派やロダンの彫刻を中心とするフランス美術コレクション) を保存・公開する目的のため、1959年に設立された広く西洋の美術作品を専門とする国内唯一の国立美術館です。

　前庭には『アダム』像と『エヴァ』像を両脇に配したロダンの巨大彫刻作品『地獄の門』や『考える人(拡大作)』などの屋外彫刻が展示されています。加えて、2007年12月に国の重要文化財(建造物)の指定を受け、2016年7月には国立西洋美術館を含む「ル・コルビュジエの建築作品−近代建築運動への顕著な貢献−」の構成資産のひとつとして世界文化遺産に登録されたル・コルビュジエ設計の本館など、展覧会のほかにも見どころは数多くあります。

　館内では、中世末期から20世紀初頭にかけての西洋絵画と、ロダンを中心とするフランス近代彫刻が本館・新館・前庭で、年間を通じて展示されています。また、前庭地下にある企画・特別展専用の企画展示室では、欧米等の美術館からの借用作品による企画展を、新聞社などとの共催展として年3回程度開催しています。なお、館内施設整備のため、2022年春(予定)まで全館を休館しています。

■過去の展覧会：国立西洋美術館開館60周年記念「松方コレクション展」(2019年6〜9月)、国立西洋美術館開館60周年記念「ル・コルビュジエ 絵画から建築へ−ピュリスムの時代」(2019年2〜5月)など。

基本情報
　東京都台東区上野公園7-7　TEL：050-5541-8600(ハローダイヤル)
　□アクセス：JR「上野駅」公園口出口より徒歩1分
　□開館時間：9:30〜17:30(金曜日・土曜日は20:00まで)　※入館は閉館の30分前まで
　□休館日：月曜日(祝日の場合・翌平日)
　□入館料：[常設展]一般500円、大学生250円、高校生以下・65歳以上は無料　※企画展は別料金

あわせて
立ち
寄りたい！
　●東京国立博物館：1872(明治5)年3月10日に創設された日本最古の博物館。日本とアジア諸国の美術品や考古学上貴重な遺産約8万9千件を収蔵しています。
　●国立科学博物館：自然史・科学技術史に関する国立の唯一の総合科学博物館です。

東急キャピトルタワー地下入口に設置の作品

泡沫utakata

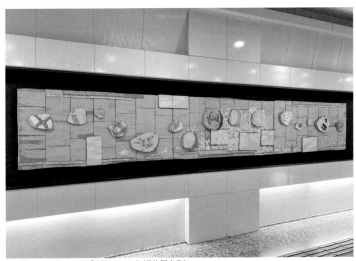

落ち着いた雰囲気になじむ『泡沫utakata』（日比野克彦）

日本庭園の飛び石がモチーフの日比野克彦の陶板レリーフ

　隈研吾による外観デザイン監修の東急キャピトルタワーが建つ永田町のこの地は、古くは魯山人が開いた星岡茶寮があった場所で、東京の中心にありながら、日枝神社の豊かな緑地に隣接し、伝統と現代性の出会う場所です。敷地内では、丘陵地という地形をいかし、山王の杜とつながるランドスケープによって四季の移ろいを感じることができます。その伝統と現代性の融合を現すパブリックアート『泡沫 utakata』が、東京メトロの「溜池山王駅」から続く落ち着いた気品ある雰囲気を醸し出す連絡通路をたどった東急キャピトルタワー地下入口前に設置されています。

「うたかた」と読むこの作品は、日比野克彦の原画・監修による陶板レリーフで、企画は東急株式会社と公益財団法人日本交通文化協会。モチーフは東急キャピトルタワー内にある日本庭園からのつながりをもたせた飛び石。俯瞰するかたちで飛び石を配する横長の画角の長さそのものに「つながり」の表現を感じることができます。おもしろいのは、陶板にもかかわらず、横から見ると断面が段ボールのようになっていて、作家のテーマが見てとれます。「段ボールのエッジとか、逆に柔らかい部分とか、小口のナミナミのぶぶんとかを土で再現してやってみることに」（日比野克彦 日々の新聞 90）。

■原画・監修：日比野克彦（ひびの・かつひこ）。1958年、岐阜県岐阜市生まれ。東京藝術大学美術学部先端芸術表現科教授、東京藝術大学美術学部長。本作のように段ボールがテーマの作品で知られています。2022年4月1日に東京藝術大学の次期学長に就任予定。

■作品：素材は陶板レリーフ。横5.2m×高さ0.8m。製作はクレアーレ熱海ゆがわら工房。

基本情報

東京都千代田区永田町2-10-3
□アクセス：東京メトロ南北線「溜池山王駅」6番出口より東急キャピトルタワーに直結した連絡通路

あわせて立ち寄りたい！

●オカムラいすの博物館：さまざまな視点からオフィスシーティングの歴史やテクノロジーを紹介。初期の回転椅子から最新のエルゴノミックシーティングまでを展示しています。

●日枝神社宝物殿ギャラリー：国宝・重要文化財の刀剣や徳川将軍家ゆかりの宝物を所蔵。

銀座1丁目に立地の現代美術ギャラリー

ギャラリー小柳
GALLERY KOYANAGI

Installation view, *Hiroshi Sugimoto: Opticks*, Gallery Koyanagi, 2021 © Hiroshi Sugimoto / Courtesy of Gallery Koyanagi

杉本博司のデザインによるギャラリースペースで現代美術を堪能

　ギャラリー小柳は、1995年に銀座にて開業しました。杉本博司、ソフィ·カル、マルレーネ·デュマス、クリスチャン·マークレー、ミヒャエル·ボレマンス、マーク·マンダース、須田悦弘、東芋など、国際的に活躍する国内外の現代美術作家を扱うプライマリーギャラリーです。また、アーティストをサポートしてコミッションワークのプロジェクトも手掛けています。

　ギャラリー小柳の前身は、創業1852（嘉永5）年の京橋勧工場（今でいう百貨店）です。その中の陶器部門を「小柳商店」として明治·大正·昭和にわたり継続させ、1987年に小柳商店美術部として現代陶芸のギャラリーを開廊しました。その後、現在の現代美術画廊に至っています。2016年には、現代美術作家の杉本博司のデザインによるギャラリースペースをリニューアルオープンしました。展示空間は、鑑賞のスペースであると同時に、作品を置いて完結する空間設計であることを実感します。

■過去の展覧会：グループ展「still life　静物」（2021年6〜7月）、杉本博司個展「OPTICKS」（2021年3〜5月）、ルイザ·ランブリ個展「ルイザ·ランブリ」（2021年1〜3月）、「Gallery selection｜ミヒャエル·ボレマンス、マーク·マンダース、杉本博司－ジオラマ」（2020年9〜11月）、杉本博司個展「Past Presence」（2020年3〜8月）など。

基本情報	東京都中央区銀座1-7-5　小柳ビル9F　TEL：03-3561-1896 □アクセス：東京メトロ「銀座駅」A9番出口より徒歩7分、東京メトロ「銀座一丁目駅」7番出口より徒歩1分 □開廊時間：12:00〜19:00 □休館日：日曜日·月曜日·祝日 □入館料：無料

あわせて
立ち
寄りたい！

●ポーラ ミュージアム アネックス：銀座という街で多くの人に芸術を通して美意識·感性を磨いてほしいという想いから、気軽にアートを体感できる企画展を年間を通じて開催。
●ギャラリー椿：所属作家50人を擁する老舗画廊。若手作家の発表の場GT2も展開。

緑豊かな北の丸公園の中にある科学の博物館

科学技術館

科学技術館の外観（写真提供：科学技術館）

生活に密着した科学技術や産業技術の幅広い分野をテーマ別に展開

　日本が高度経済成長期にあり「オリンピック景気」に沸いていた1964（昭和39）年4月に、科学技術を広く一般の人たちに知ってもらうことを目的に開館された科学技術館は、美しい緑に囲まれた皇居のほとりにある北の丸公園の中にあります。

　同館は、身近な科学の不思議からその仕組み、科学を利用して技術を発展させてきた営みを、さまざまな展示とワークショップで紹介しています。

　建物は、宇宙に散在する星をイメージしたデザインの外壁で覆われ、上空から眺めるとまるで漢字の「天」という字のように見えます。常設展示室は、生活に密着した科学技術や産業技術の幅広い分野をテーマ別に展開し、そのテーマと関連の深い業界団体や企業・助成団体などに、展示の制作や運営について協働するというユニークな仕組みとなっています。

　2階から5階までの4つのフロアに、約20のテーマの展示室があり、展示物を見るだけでなく、触ったり、動かしたりして楽しみながら科学と技術に興味・関心を深めることができます。また、実験ショーや工作教室などの、わくわくするような体験型プログラムが毎日開催されています。子供から大人まで、ファミリーや友達どうしで来館して楽しめる博物館です。なお、館長は、2001年に「キラル触媒による不斉反応の研究」が評価されノーベル化学賞を受賞した野依良治が務めています。

基本情報
東京都千代田区北の丸公園2-1　TEL：03-3212-8544
□アクセス：東京メトロ東西線「竹橋駅」1b出口より徒歩7分
□開館時間：10:00～16:30（入館は15:30まで）　※事前ネット予約制　□休館日：水曜日
□入館料：大人880円、高校生・中学生500円、子ども（4歳以上）400円

あわせて立ち寄りたい！
●東京国立近代美術館：日本で最初の国立美術館として、1952（昭和27）年に中央区京橋に開館。現在は千代田区北の丸公園。会期ごとに選りすぐりの約200点を展示する所蔵作品展「MOMATコレクション」は、100年を超える日本美術の歴史を一気に概観できる国内唯一の展示内容です。

326

幅広い世代が楽しめる遊びと知識の宝庫

奥野かるた店・小さなカルタ館

奥野かるた店・小さなカルタ館2階のギャラリー風景（写真提供：奥野かるた店）

かるたや百人一首など日本の文化を継承する貴重な「文化施設」

　百人一首、かるた、花札、囲碁、将棋、すごろく…。誰でも、どれかで一度は遊んだことがあるのではないでしょうか。

　奥野かるた店は、そんな「あそび」の数々を扱っているお店です。1921（大正10）年に、「奥野一香商店」として創業し、1979（昭和54）年に神田・神保町の現店舗に移転しました。2009年11月には、店舗の2階をゆったりとしたギャラリー「小さなカルタ館」として改装オープンしました。かるたや百人一首の貴重な資料の展示や原画展・企画展などを年に数回、不定期に開催しています。

　ここ奥野かるた店では1年を通してかるたをはじめ、ボードゲームやパズル、囲碁・将棋の駒類などが販売されています。店舗にはめずらしいかるた類がそろっていますが、なかでも日本を代表する木版画作家・川上澄生が制作した作品『とらむぷ繪』を、トランプの形で復刻したものは、普遍的な魅力で世界中から親しまれているカードゲームを、なんともユニークな逸品に仕上げています。『漢字博士No.1』は、120もの「偏」と「旁」のカードを組み合わせて、漢字を作るカードゲームです。陽明文庫（近衛家）旧蔵の百人一首なども興味深いものがあります。ちなみに、将棋の駒類が充実しているのは、現社長の曾祖父が将棋棋士であり駒師であったことに由来しています。

　単なる店舗ではなく、日本の文化を継承する貴重な「文化施設」と言えるでしょう。

基本
情報

東京都千代田区神田神保町2-26　TEL：03-3264-8031
□アクセス：東京メトロ・都営「神保町駅」A4出口より徒歩3分、JR「水道橋駅」東口より徒歩7分
□開館時間：12:00 ～ 17:00
□休館日：公式ホームページで最新情報をご確認ください
□入館料：無料

あわせて
立ち
寄りたい！

●明治大学博物館：博物館は、商品部門、刑事部門、考古部門の3つの部門ごとに展示しています。
●阿久悠記念館：明治大学アカデミーコモン地階1階に位置する日本を代表する作詞家・作家 阿久悠の記念館。自筆原稿をはじめとする阿久関連資料およそ1万点を収蔵。

三田キャンパス東別館の新設ミュージアム

慶應義塾ミュージアム・コモンズ

慶應義塾ミュージアム・コモンズのエントランスロビー

慶應義塾ミュージアム・コモンズの外観

アナログとデジタルが融け合う新たなミュージアムの活動モデル

　2021年4月に慶應義塾大学三田キャンパス東別館にオープンしたのが慶應義塾ミュージアム・コモンズ（ケムコ：KeMCo）です。

　慶應義塾は、160年を越える歴史の中で、多様な領域にわたる文化財コレクションを形成してきましたが、KeMCoは、慶應義塾のコレクションとその背後にある教育・研究活動をつなぐ「ハブ」となる機関です。一般財団法人センチュリー文化財団からの美術作品の寄贈と寄付金を基礎に新たに建設された三田キャンパス東別館を拠点に、慶應義塾が得意とする先進的なIT技術を活用し、アナログとデジタルが融け合う新たなミュージアムの活動モデルの提案が行われています。

　館内は、吹き抜けの階段を上がった2階にオープン・デポと収蔵庫があり、ガラス越しに作業の様子を垣間見ることができます。3階には2つの展示室があり、文化財コレクションの企画展示などが開催されます。今回寄贈を受けた「センチュリー赤尾コレクション」は、旺文社の創業者で、ひと昔前の受験生にはおなじみの『赤尾の豆単』（英語基本単語集）の筆者の、赤尾好夫および、その後を受けた一夫によって形成されたコレクションです。8階のクリエイション・スタジオ（KeMCo StudI/O）は、大山エンリコイサムが円柱とオーガンジーのカーテンを支持体に製作した『FFIGURATI #314』が目を引きます。ここではメディアを横断して創作を試みられるよう、3Dプリンターなどのデジタル・ファブリケーション機材が整備されています。

基本情報
東京都港区三田2-15-45　慶應義塾大学三田キャンパス東別館　TEL：03-5427-2021
□アクセス：JR山手線「田町駅」より徒歩8分
□開館時間：展覧会により異なります　□休館日：展覧会により異なります
□入館料：無料

あわせて立ち寄りたい！
●増上寺 宝物展示室：徳川家康公没後400年にあたる平成27年に、家康公によって徳川将軍家の菩提寺と定められ発展してきた増上寺本堂地下1階に「増上寺宝物展示室」を開設。展示の中心となるのは、英国ロイヤル・コレクション所蔵の「台徳院殿霊廟模型」です。

335

日中はNANZUKAによるギャラリー
3110NZ by LDH kitchen

店舗内ギャラリーの展示風景（山口はるみ「HARUMI GALS」展／2020年10〜11月）

世界最先端の建築空間、そして現代アート作品を心行くまで楽しむ

目黒区の高級住宅街・青葉台に2020年7月にオープンした、なんとも想像力を掻き立てる「3110NZ by LDH kitchen」。ここは、名店「鮨さいとう」と現代美術ギャラリー NANZUKAとのコラボレーションによる、ギャラリー併設の鮨レストランで、運営はLDHグループの飲食カンパニーのLDH kitchen が行っています。

日中はNANZUKAによるギャラリーとして、そして夜には齋藤孝司プロデュースの「鮨さいとう」という、世界でも前例を見ない転換型の新業態です。住所を訪ねてみると、チャコールグレイの外壁と、有機的な形の木製の扉が認められます。一歩足を踏み入れると、そこは白壁に造作されたニッチに展示されたアートの世界に。このアーティスティックな内外装のデザインは、ダニエル・アーシャムとアレックス・マストネンによるスーパー建築デザインユニット Snarkitecture が手がけました。

ギャラリーでは、NANZUKAのメインギャラリーと同じく、世界中の気鋭のアーティストと組んだ本スペース独自の企画展が、4〜6週間のペースで入れ替えながら開催されています。世界最先端の建築空間、そして現代アート作品を心行くまで楽しむことができます。

■過去の展覧会：ハビア・カジェハ「NO ART HERE」（2020年11〜12月）、山口はるみ「HARUMI GALS」（2020年10〜11月）、ジェームス・ジャービス「Transcendental Idealism」（2020年9〜10月）など。

基本情報
東京都目黒区青葉台1-18-7　TEL：03-5422-3351(NANZUKA)
□アクセス：東急東横線・東京メトロ日比谷線「中目黒駅」西口より徒歩6分
□開館時間：11:00〜16:00(NANZUKA)　□休館日：日曜日・月曜日、祝日(NANZUKA)
□入館料：無料

あわせて
立ち
寄りたい！
●郷さくら美術館：一年を通じて満開の桜を日本画で楽しめる桜がテーマの大作を常設展示。
●LOKO GALLERY：現代アートギャラリー。2フロアのユニークな展示空間と滞在制作が可能なアトリエを活かし、企画展とレジデンスプログラムを中心に活動を展開しています。

東京・お台場にある国立の科学館

日本科学未来館

地球ディスプレイ「ジオ・コスモス」を見上げる（写真提供：日本科学未来館）

宇宙、生命、ロボット、情報科学など、先端の科学技術を常設展示

　日本科学未来館は、東京・お台場の国際研究交流大学村内にある国立の科学館で、「科学技術を文化として捉え、社会に対する役割と未来の可能性について考え、語り合うための、すべての人々にひらかれた場」を設立の理念に、2001年7月9日に開館しました。

　館名から固い印象をもちますが、実際に楕円形でガラス張りの未来感満載の8階建ての同館を前にすると、ワクワク感と期待感が止まりません。館内は「世界をさぐる」、「未来をつくる」、「地球とつながる」というテーマに分かれ、宇宙、生命、ロボット、情報科学など、さまざまな先端科学技術が常設で展示されています。参加体験型の展示や、科学コミュニケーターとの交流を通して楽しく学べるサイエンスミュージアムです。初代館長は宇宙飛行士の毛利衛氏が務め、現在2代目の館長は、IBMの最高技術職であるIBMフェローの浅川智恵子氏です。

　館内で圧巻なのは、1階から6階まで吹き抜けのシンボルゾーンに設置されている、およそ1万枚の有機ELパネルを使った巨大な地球ディスプレイ「ジオ・コスモス」。人工衛星が撮影した雲の様子を見ることで、地上にいながら、刻々と変化する地球の様子を感じることができます。見どころはほかに、落合陽一氏が総合監修・アートディレクションをした常設展示「計算機と自然、計算機の自然」や、迫力ある全天周の立体視映像が体験できるドームシアターなど。

基本情報
東京都江東区青海2-3-6　TEL：03-3570-9151（代表）
□アクセス：ゆりかもめ「東京国際クルーズターミナル駅」より徒歩5分、同「テレコムセンター駅」より徒歩4分
□開館時間：10:00 〜 17:00　※入館には事前のオンラインチケット予約が必要
□休館日：火曜日（祝日の場合は開館）、年末年始
□入館料：[常設展]大人630円、18歳以下210円、6歳以下の未就学児は無料　※特別展・ドームシアターは別料金

あわせて
立ち
寄りたい！
●『自由の炎』：日仏の友好を讃えるために贈られたマルク・クチュリエの作品。
●東京トリックアート迷宮館：お台場に登場した、立体的に見える絵画や目の錯覚を利用して楽しく遊ぶ、不思議なトリックアート美術館。

「浅草駅」改札外コンコースのアート作品

浅草の祭り

東京メトロ「浅草駅」改札外コンコースの『浅草の祭り』（吉田左源二）

いながらにして浅草の年中行事を堪能できる陶板レリーフ

　東京メトロ「浅草駅」改札外コンコースにあるこの陶板レリーフは、土地柄を表す「浅草の祭り」をテーマに、活気のある浅草の伝統・年中行事がたくさんの人々とともに描かれています。見ているだけでその賑わいを感じることができる楽しい作品です。公益財団法人日本交通文化協会の企画・制作によって1990（平成2）年5月に設置されました。

　作品左上奥から順に、浅草寺と五重塔、正月の梅と門松、12月の羽子板市、11月の浅草酉の市、合羽橋のかっぱ、新旧の銀座線の車両、7月の隅田川花火大会が描かれています。画面下には2月の節分、3月のひな祭り・金龍の舞、4月の浅草流鏑馬、5月の例大祭、7月の七夕祭りとほおずき市、10月の浅草菊花市、11月の白鷺の舞などなど、いながらにして浅草の年中行事を堪能できます。

■原画・監修：吉田左源二（よしだ・さげんじ）。デザイン・工芸家。1925年、高知県安芸市生まれ。1947年に東京美術学校（現・東京藝術大学）工芸部図案科を卒業。日本で最初に「アラビア書道」の研究に携わり、1976年にアラビア書道の名品を取り上げた『アラビア文字の美』を出版。1978年東京藝術大学教授となり、1992年に同大教授を退官し、同大名誉教授となりました。1983年文部省大学設置審議会委員を務め、1990年には秋篠宮家御紋「菊に栂」と秋篠宮妃殿下御印「檜扇あやめ」をデザイン。

■作品：陶板レリーフ。高さ2.5m、横8.0m。クレアーレ熱海ゆがわら工房、クレアーレ信楽工房が製作。

基本
情報
東京都台東区浅草1-1-3
□アクセス：東京メトロ「浅草駅」雷門方面改札そば

あわせて
立ち
寄りたい！
●郵政博物館：郵便と通信に関する収蔵品を展示・紹介する博物館です。日本最大となる約33万種の切手展示のほか、国内外の郵政に関する資料約400点を展示しています。
●千葉工業大学東京スカイツリータウン®キャンパス：最先端の科学技術未来体験スペース。

出版社GAが経営する建築専門のギャラリー

GAギャラリー

GAギャラリーの空間風景（写真提供：GAギャラリー）

毎年恒例となっている国内外の建築家を紹介する企画展を開催

　渋谷区・千駄ヶ谷の住所を訪ねてみると、コンクリート打ち放し仕上げの外壁に大きく設けたショーウィンドーに建築関係の書籍が並ぶビルを前にして、ここが建築界屈指の出版社GAが経営する建築専門のギャラリーとブックショップの「GAギャラリー」であることが一目でわかります。

　ブックショップを数段上がったところに位置するギャラリーの内装もコンクリート打ち放し仕上げで、シャープな潔さを感じます。奥の階段を上がったところにも展示空間がある立体構造も見逃せません。

　ギャラリーでは、国内外の建築家を紹介する「現代世界の建築家」展や「現代日本の建築家」展のほか、「住宅プロジェクト」展といった毎年恒例となっている展示など、さまざまな建築に関する企画展を開催しています。

　ギャラリーで鑑賞のあとは、ぜひ併設のブックショップに立ち寄り、専門家でない人でも親しみやすい雑誌として人気が高い、日本の建築界を語る上で欠かせないメディア建築デザイン専門誌『GA JAPAN』を手に取ってみるのも一興です。

■過去の展覧会：「第29回 現代世界の建築家展・INTERNATIONAL 2021」（2021年7 〜 9月）、「世界の住宅プロジェクト展・GA HOUSES PROJECT 2021」（2021年3 〜 6月）、「GA JAPAN 2020 PLOT 設計のプロセス展」（2020年11月〜 2021年1月）など。

基本情報　東京都渋谷区千駄ヶ谷3-12-14　TEL：03-3403-1581
□アクセス：東京メトロ副都心線「北参道駅」より徒歩2分
□開館時間：12:00 〜 18:30　□休館日：公式ホームページで最新情報をご確認ください
□入館料：600円

あわせて立ち寄りたい！　●国立能楽堂資料展示室：能楽堂収蔵資料展、能楽堂公演とリンクした展示などを開催。
●聖徳記念絵画館：明治天皇の輝かしい時代の勇姿と歴史的光景を史実に基づいた厳密な考証の上で描かれた一流画家による優れた80枚の名画を常設展示しています。

国の重要文化財（建造物）三井本館内の美術館

三井記念美術館

三井記念美術館の展示室1の風景（写真提供：三井記念美術館）

国宝 志野茶碗 銘卯花墻（桃山時代・16
～17世紀）三井記念美術館蔵（写真提供：
三井記念美術館）

国宝＆重要文化財など日本でも有数の貴重なコレクションに出会う

　三井記念美術館は、日本・東洋の優れた美術品を多数収蔵している三井文庫別館（東京都中野区）
が、三井家及び三井グループに縁の深い日本橋に移転して、2005（平成17）年10月に三井本館の7階
に開設された美術館です。収蔵の美術品は、江戸時代以来約350年におよぶ三井家の歴史のなかで
収集され、今日まで伝えられた、日本でも有数の貴重な文化遺産です。なお、三井本館は、1998年に
国の重要文化財（建造物）に指定されています。

　同館は、その魅力ある建築と恵まれた都市環境という舞台の上で、所蔵する優れた美術品を展示の
主役とする、これまでにない新しいスタイルの美術館です。館内には展示室が7つあり、特に展示室1
と2は、少し照明を落とした歴史を感じる上品な内装が施され、作品を鑑賞するのにふさわしい展示空
間となっています。常設展示はなく、企画展で所蔵品を中心に国宝や重要文化財を含めた銘品に出会
うことができます。

■過去の展覧会：特別展「小村雪岱 スタイルー江戸の粋から東京モダンへ」（2021年2～4月）、三
井記念コレクション特別展「国宝の名刀『日向正宗』と武将の美」（2020年11月～2021年1月）など。

■所蔵品：所蔵する美術工芸品は、現在4,000点、切手類が13万点あり、このうち国宝6点、重要文化
財が75点を数えます。

基本
情報

東京都中央区日本橋室町2-1-1　三井本館7階　TEL：050-5541-8600（ハローダイヤル）
□アクセス：東京メトロ銀座線「三越前駅」A7出口より徒歩1分
□開館時間：11:00～16:00（入館は15:30まで）　※公式ホームページで最新情報をご確認ください
□休館日：月曜日、その他
□入館料：一般1,000円、大学・高校生500円　※特別展は別途

あわせて
立ち
寄りたい！

●貨幣博物館：日本銀行金融研究所が運営している博物館。所蔵資料の中核となっているのは、貨幣収集家・研究家
であった田中啓文氏が収集した「銭幣館コレクション」。
●凧の博物館：江戸凧をはじめ日本全国から集められた凧を約3000件近く展示。

NTT東日本が運営する文化施設

NTTインターコミュニケーション・センター（ICC）

ICCの5Fロビー風景（写真提供：NTTインターコミュニケーション・センター（ICC））

最先端テクノロジーを使ったメディア・アート作品を紹介

　NTTインターコミュニケーション・センター（ICC）は、日本の電話事業100周年（1990年）の記念事業として、1997年4月19日、西新宿・東京オペラシティタワーにオープンした、NTT東日本が運営する文化施設です。作品展示にとどまらず、ワークショップ、パフォーマンス、シンポジウムあるいは出版といったさまざまなプログラムを通じ、従来の枠組みにとらわれない実験的な試みや新しい表現、コミュニケーションの可能性について紹介しています。

　展覧会では、ヴァーチャル・リアリティやインタラクティヴ技術などの最先端テクノロジーを使ったメディア・アート作品の紹介のほか、特定のアーティストやテーマにフォーカスした企画展示も開催されています。また、ギャラリー、ミニ・シアター、映像アーカイヴ「HIVE」など、ICCが持つ機能を総合した入場無料エリアで開催される長期展示「オープン・スペース」では、メディア・アート作品をはじめ、現代のメディア環境における多彩な表現が紹介されています。

■過去の展覧会：企画展「多層世界の中のもうひとつのミュージアムーハイパー ICCへようこそ」（2021年1〜3月）、企画展「開かれた可能性ーノンリニアな未来の想像と創造」（2020年1〜3月）、展示「エマージェンシーズ！039上村洋一『Hyperthermia−温熱療法』」（2019年12月〜2020年3月）など。

基本情報
　東京都新宿区西新宿3-20-2　東京オペラシティタワー4階　TEL：0120-144199（フリーダイヤル）
　□アクセス：京王新線「初台駅」東口より徒歩2分
　□開館時間：11:00〜18:00　□休館日：月曜日（祝日の場合は開館し、翌日休館）、年末年始、保守点検日、展示替期間
　□入館料：企画展により異なります

あわせて立ち寄りたい！　●東京オペラシティ アートギャラリー：多様な表現活動を紹介する企画展を年4回程度開催しています。寺田小太郎の寄贈による寺田コレクションを収蔵。国内の若手作家の紹介を行うシリーズとして「project N」を企画展と同時に4階のコリドールで展示しています。

334

茶色のスクラッチタイルが印象的なギャラリー

東京藝術大学大学美術館陳列館

東京藝術大学大学美術館陳列館前のアプローチ

彫刻作品などの立体作品と絵画作品などの平面作品を企画展示

東京藝術大学大学美術館の「陳列館」の建物は、1929（昭和4）年に岡田信一郎の設計により建設され、以来、大学美術館の本館ができるまでは、芸術資料館のメイン・ギャラリーとして長く親しまれてきた展示室です。建物へのアプローチはオーギュスト・ロダン作「青銅時代」の銅像が目印となり、玄関前に設置された特徴的な街灯が印象的です。

旧屏風坂通りに面し、正木記念館と並び建つ本建物は、鉄筋コンクリート2階建ての躯体ですが、外壁に貼り付けられた茶色のスクラッチタイルは、いまや藝大の中でも数少なくなった貴重なものです。館内に2つの大きな展示室をもつ本館は、1階は側面の窓からの自然光が入る展示空間で、2階は高窓からの拡散した柔らかい光が広がる展示空間で、それぞれの展示室の個性が際立っています。

なお、本館は企画展会期中のみの公開となっています。

■過去の展覧会：「Welcome, Stranger, to this Place」（2021年3〜4月）、「Public Device －彫刻の象徴性と恒久性」（2020年12月）、豊福誠 退任記念展「色絵磁器」（2020年11〜12月）、「日比野克彦を保存する」（2020年11月）、「先端芸術2020/アペラシオンAPPARATION－先端芸術表現科20周年＆伊藤俊治教授退任 記念展－」（2020年9〜10月）など。

基本情報

東京都台東区上野公園12-8　TEL：050-5541-8600（ハローダイヤル）
□アクセス：東京メトロ千代田線「根津駅」1番出口より徒歩10分、JR「上野駅」公園口より徒歩10分
□開館時間：展覧会会期中のみ公開
□入館料：無料

あわせて
立ち
寄りたい！

●東京藝術大学大学美術館：国宝・重要文化財23件を含む、約30,000件という日本有数のコレクションを有し、製作と教育研究の現場である芸術大学という特質を合わせもつ美術館。

東京藝術大学の出島

藝大アートプラザ

藝大アートプラザの外観

藝大の学生、教職員、卒業生の作品が展示され、購入できるプラザ

　東京藝術大学の大学美術館への道すがら、正木門からキャンパス内をのぞくと、奥にちょっと気になる、歴史ある正木門とは対照的なコンクリート打ちっぱなしの現代建築が目に留まります。その建物が、2018年にキャンパス内に誕生した「藝大アートプラザ」です。

　藝大は学生兼作家、先生兼作家、それらの個が誇りをもって切磋琢磨している場。「統一された味を作るより、個を際立たせることこそが、藝大らしい」ということで、アートプラザはどんな個でも受け入れられる場所として設えられています。なお、「geidai art plaza」のロゴマークは、美術学部長の日比野克彦がデザインしたものです。

　ここには、2学部14学科、大学院にわたるアーティストの作品が並び、数万円から数十万円もする作品もあれば、数千円ほどの1点もののブローチなどもあります。

■常設展示：常設展示の棚には、美術学部の日本画、油画、彫刻、工芸、デザイン、建築など、あるいは音楽学部の器楽科、声楽科、作曲科、邦楽科など各科の多彩な作品が順次、並んでいきます。「棚に建築や邦楽作品って、いったい何だろう？」という、わくわく感があります。藝大出身で日本を代表するアーティストの作品がある一方、まだ現役の学生の作品も等しく置かれ、各科の作品が響き合って、オーケストラを奏でているようです。

基本情報　東京都台東区上野公園12-8　東京藝術大学美術学部構内　TEL:050-5525-2102
　□アクセス：JR「上野駅」(公園口)・「鶯谷駅」より徒歩約10分、東京メトロ 千代田線「根津駅」より徒歩約10分
　□開館時間：11:00 〜 18:00　□休館日：月曜(祝日の場合は営業し、翌火曜日休業)、展示替期間中
　□入館料：無料

あわせて立ち寄りたい！　●台東区立旧東京音楽学校奏楽堂：本館は、東京藝術大学音楽学部の前身、東京音楽学校の校舎。現在は、「旧東京音楽学校奏楽堂」として一般へ公開されています。

336

1979年開館の東京23区初の区立美術館

板橋区立美術館

板橋区立美術館の外観

江戸狩野派をはじめ、前衛美術や板橋ゆかりの作家作品を多く収蔵

「東京23区に大仏があるの?」とちょっと引っ掛かりますが、実際にその名の通り「板橋十景」でもあり「新東京百景」にも選ばれている東京大仏(乗蓮寺)へ至る「東京大仏通り」沿いに建つ板橋区立美術館は、1979(昭和54)年5月に東京23区初の区立美術館として開館しました。40年以上前の当時、区に美術館は必要ないのではとの議論があったなかで、区立の美術館として先鞭をつけ、オープン以来の学芸員の地道な努力が実り、いまや若干のアクセスの悪さを乗り越えて、来館者に広く親しまれる美術館となっています。

　館内は、明るい吹き抜けのエントランスホールが印象的です。同館の収蔵作品は、江戸狩野派をはじめとする近世絵画、大正から昭和初期の前衛美術、板橋区ゆかりの作家の作品が中心です。

　2階に位置する展示室では、江戸文化や池袋モンパルナスを広く紹介する展覧会を開催し、さらに、1981年に「イタリア・ボローニャ国際絵本原画展」を開催したことが縁で、毎年開催の「イタリア・ボローニャ国際絵本原画展」をはじめ、イラストやデザインに関する展覧会も開催されています。

■過去の展覧会:「だれも知らないレオ・レオーニ展」(2020年10月〜2021年1月)、「2020イタリア・ボローニャ国際絵本原画展」(2020年8〜9月)、館蔵品展「狩野派学習帳 今こそ江戸絵画の正統に学ぼう」(2020年7〜8月)など。

基本情報

東京都板橋区赤塚5-34-27　TEL:03-3979-3251
□アクセス: 都営三田線「西高島平駅」より徒歩13分
□開館時間:9:30〜17:00(入館は16:30まで)　□休館日:月曜日(祝日の場合は開館し、翌日休館)、年末年始、その他
□入館料:展覧会ごとに異なります。

あわせて立ち寄りたい!

●光が丘美術館:木々に囲まれたなまこ壁が目印。所蔵美術品は、日本画、陶芸、版画を軸として、日本画壇に森田りえ子、木村圭吾や、若き息吹を送り込む気鋭溢れる作家たちによる意欲作、陶芸においては田村耕一作品、その愛弟子による作品の収集を特徴としています。

337

虎ノ門ヒルズ「オーバル広場」の巨大彫刻作品

ルーツ

虎ノ門ヒルズ オーバル広場の『ルーツ』（ジャウメ・プレンサ）

スペインを代表する世界的アーティスト、ジャウメ・プレンサの作品

　虎ノ門ヒルズ 森タワーの導線上に位置するオーバル広場。その広場に視線を移すと、芝の緑と白色のコントラストが鮮やかな巨大オブジェが目に飛び込んできます。広場の上に大きく広がる青空の下、遠くに見えるホテルThe Okuraの建屋と共演するかのごとく存在感を示す本作品をじっくり観ることができる、都心にあってなんとも贅沢な空間です。

　この巨大なオブジェは、虎ノ門ヒルズが開業した2014年6月から間もなくの11月に誕生した、スペインを代表する世界的アーティストのジャウメ・プレンサによるパブリックアートの彫刻作品『ルーツ』。膝をかかえて座る人間を象った彫刻作品ですが、よく見ると多様な言語の文字で彫刻の構造体が造られていて、中に入って眺めることができるのが面白い点です。多様な文化を表象するかのごとく、使われている文字は日本語をはじめ、中国語、アラビア語、ヘブライ語、ラテン語、ギリシャ語、ヒンディー語、ロシア語の8言語です。

■作家：ジャウメ・プレンサ。1955年、スペイン・バルセロナ生まれ。独創的な立体作品の制作で知られる世界的なアーティスト。鉄やブロンズ、ガラスなどの素材に哲学的なメッセージを込めた作品は、造形性の高さとコンセプトの深さが高く評価されています。東京で観られる本作品と通底する作家の作品としては、本書で紹介している代官山の『七福神』などがあります。

■作品：高さ約10m、幅5.5〜6.5m、ステンレススチール、塗装の大型彫刻。

基本情報
東京都港区虎ノ門1-23　虎ノ門ヒルズ 森タワー オーバル広場
□アクセス：東京メトロ日比谷線「虎ノ門ヒルズ駅」直結、東京メトロ銀座線「虎ノ門駅」出口1より徒歩5分

あわせて立ち寄りたい！
●増上寺宝物展示室：展示の中心となるのは、英国ロイヤル・コレクション所蔵の「台徳院殿霊廟模型」と江戸末期から秘蔵されてきた五百羅漢の100幅で、10幅ずつを順次公開しています。
●『Cloud』：飯野ビルディングに設置されたレアンドロ・エルリッヒのパブリックアート作品です。

338

数寄屋橋公園向かいに立地の画廊

銀座 柳画廊

銀座柳画廊の展示風景

国内外の巨匠から若手作家まで、芸術性の高い作品を紹介

「銀座柳画廊」は梅田画廊の3代目の野呂好彦氏と、IBMのエンジニアだった野呂洋子氏が共同経営者として1994年に立ち上げた画廊で、外壁にツタが絡まる校舎が目を引く中央区立泰明小学校向かいの数寄屋橋ビル3階に位置しています。

国内外の巨匠から若手作家まで、芸術性の高い作品を推奨している画廊です。絵画は空間の空気を変える力を持っているとの想いから、取り扱う作品は、自宅や会社に飾った時に気持ちをリラックスさせてくれ、前向きな気持ちにしてくれることを意識して選ばれています。そのことは、開催される展覧会、例えば、国内外の巨匠たち、ベテランから若手の作家まで、作家たちが各時代を通し、さまざまな視点で描いた「花」をテーマにした「花展」などからも読み取れます。

本画廊の活動で特記すべきは、毎月開催されている「銀座の画廊巡り」です。敷居が高いと思われる銀座の画廊をギャラリストと一緒に5〜6軒ほど回ってみるという企画。加えて、YouTubeをはじめ、動画を使った新たな取組みなど、日本の美術業界の発展のために努力されている姿勢に敬服です。
■過去の展覧会：「花展」（2021年5〜6月）、「福永明子展 かしごころ −和心−」（2021年4月）、「ピカソ・シャガール・フジタ展」（2021年3〜4月）、「新春展」（2021年1月）、「喜多尾 ボンタン礼子 展」（2020年12月）など。

基本情報

東京都中央区銀座5-1-7 数寄屋橋ビル3F　TEL：03-3573-7075
□アクセス：東京メトロ銀座線・日比谷線・丸ノ内線「銀座駅」C2出口より徒歩約1分
□開館時間：10:00〜19:00（平日）、11:00〜17:00（土曜日）　□休館日：日曜日、祝日
□入館料：無料

あわせて立ち寄りたい！
●『若い時計台』：芸術家・岡本太郎がデザインした昼と夜で違った顔を見せる時計台。
●銀座メゾンエルメス フォーラム：銀座メゾンエルメスの8階にあるエルメス財団の運営するアート・ギャラリーで、アーティストと共に創造する空間となっています。

初台の東京オペラシティ3・4階にある美術館

東京オペラシティ アートギャラリー

©Ryan McGinly, BODY LOUD!, 2016　Courtesy the artist and Team Gallery, New York / Tomio Koyama Gallery　Photo: KIOKU Keizo (写真提供:東京オペラシティ アートギャラリー)

企画展、収蔵品展、若手作家紹介の「プロジェクトN」を開催

　東京オペラシティ アートギャラリーは、1999年に開館した美術館です。館名は「ギャラリー」ですが、東京オペラシティの3階と4階を占める総面積1,011㎡を擁する美術館です。館内は、明るい色のナラ材のフローリング仕立て。美術作品を鑑賞するにあたって、空間との関わり方は非常に重要な点ですが、自然光の採光方法や照明の配置、展示室内部の仕上げなど、さまざまな美術作品を適確に展示するための「ホワイトキューブ」という考え方に基づき設計されています。

　企画展では、主に同時代の作家を中心に、絵画、彫刻、写真、映像、建築、デザイン、ファッションなど、幅広い切り口で紹介しています。特に天井高6mの企画展示室は、展覧会ごとにがらりと印象が変わり、展示全体でひとつのインスタレーションにもなるダイナミックな展示が魅力です。また、ひとりのコレクターの視点で収集した寺田コレクションを紹介する収蔵品展は、戦後の日本の美術を一望するユニークなものとなっています。

■寺田コレクション:東京オペラシティ共同事業者でもある寺田小太郎の寄贈によるコレクションで、日本を代表する抽象画家、難波田龍起・史男父子の作品をはじめ、戦後の国内作家を中心に、油彩、水彩、版画、素描、立体など約4,000点におよびます。多様な展開をたどった戦後の美術の「現在」の姿が、ひとつの視点を通して俯瞰的に見渡せるものとなっています。

基本情報
東京都新宿区西新宿3-20-2　TEL:050-5541-8600(ハローダイヤル)
□アクセス:京王新線「初台駅」東口より徒歩5分
□開館時間:11:00 〜 19:00(入場は18:30まで)　□休館日:月曜日(祝日の場合は開館し、翌日休館)、展示替期間、年末年始、その他　※8月第1日曜日、2月第2日曜日(保守点検)
□入館料:大人1,200円、大学・高校生800円、中学生以下無料　※企画展の料金は展覧会ごとに異なります

あわせて
立ち
寄りたい!
●NTTインターコミュニケーション・センター「ICC」:日本電信電話株式会社(NTT)が設立した美術館・博物館。メディアアートの展示を中心とした文化施設で、メディアアート作品や関連する図書・映像資料を多く所蔵しています。

340

12月5日
本日の テーマ　　複合施設

東京ミッドタウンにある富士フイルムの施設

FUJIFILM SQUARE

FUJIFILM SQUAREのエントランス（写真提供：フジフイルム スクエア）

プリントだからこそ伝わる写真文化の奥深さを体感

　富士フイルムの東京ミッドタウン本社にある複合施設で、「富士フイルムフォトサロン」「写真歴史博物館」「タッチ フジフイルム」などのセクションがあり、写真文化の奥深さを体感できます。

■写真歴史博物館：170年を越える写真の変遷を中心とした展示で、写真の文化・カメラの歴史的進化を観て体感できる希少価値の高い博物館です。2021年、公益社団法人企業メセナ協議会より、「芸術・文化振興による社会創造活動」として「THIS IS MECENAT 2021」の認定を受けています。館内は企画写真展とアンティークカメラや富士フイルムの歴代カメラの展示で構成されています。

　企画写真展では、時代を超えた価値をもつ見応えのある写真展が開催されています。アンティークカメラ展示では、富士フイルムで写真製品の研究・開発・技術サポートに長年携わったOBが、コンシェルジュとして、館内の写真展や展示物についてわかりやすく解説している動画がフジフイルム スクエアWebサイトにアップされています。日本最古のカメラ・オブスクーラ（絵画制作の補助手段として使われた写真鏡）の展示から、現代に通じる写真フィルムまでの歴史を辿れます。富士フイルムのフイルムやカメラの展示では、富士フイルムの代表的な歴代フイルムをはじめ、いま若者に回帰している「フジカラー 写ルンです」など、昭和の記憶が蘇ります。

■富士フイルムフォトサロン：クオリティの高いさまざまなジャンルの写真の企画展を通して、プリントだからこそ伝わる真の写真の価値を発信しています。

基本情報	東京都港区赤坂9-7-3　東京ミッドタウン・ウェスト1F　TEL：03-6271-3350 □アクセス：東京メトロ日比谷線「六本木駅」地下通路と直結、都営大江戸線「六本木駅」8番出口と直結、 　東京メトロ千代田線「乃木坂駅」3番出口より徒歩5分 □開館時間：10:00 ～ 19:00（入館は18:50まで）　□休館日：年末年始 □入館料：無料

あわせて立ち寄りたい！

●サントリー美術館：「六本木アート・トライアングル」のひとつを構成する日本における美術の重要な拠点。日本独特の美に対する感受性「生活の中の美」を表現する企画展を展開。

●国立新美術館：国内最大級の展示スペースを生かした多彩な展覧会を開催しています。

学園の創立130周年を記念して新設

共立女子大学博物館

共立女子大学博物館の展示室風景（写真提供：共立女子大学博物館）

「和と洋が出会う博物館」として、和と洋の文化の歴史と美に触れる

　創立以来、130年を超える歴史をもつ共立女子学園は、長年にわたって収集されてきた日本と西洋の服飾品や工芸品、美術品を多数収蔵しています。これらは学生のための教育資料として、また教員の研究資料として活用されてきましたが、本学コレクションの存在が社会に認知されるとともに、その公開が望まれていました。そうした社会的要請にこたえるためもあり、2016年、学園の創立130周年を記念して、共立女子学園2号館の建設とともに共立女子大学博物館が新設されました。

「和と洋が出会う博物館」として、所蔵する文化財を落ち着いた雰囲気の展示室の中で、さまざまな企画展が開催され、関連事業を通して、和と洋の文化の歴史と美に触れることができます。

■過去の展覧会：コレクション展「和と洋が出会う博物館 共立女子大学コレクション·7」（2021年4〜5月）、企画展「レース −糸の宝石−」（2021年1〜2月）、企画展「心を形にして −日本における贈答の美−」（2020年10月）など。

■収蔵品：江戸時代から昭和時代初期の女性の小袖·着物類、帯などの日本の染織·服飾資料を中心に、公家·武家·庶民の男性服飾、大名家の婚礼調度類も充実しています。また、イタリアで活躍したデザイナー·マリアノ·フォルチュニィのドレスをはじめ、近代ヨーロッパの服飾類やアール·ヌーヴォーのガラス器、アメリカンキルトなども含みます。

基本
情報
東京都千代田区一ツ橋2-6-1　共立女子学園2号館B1F　TEL：03-3237-2665
□アクセス：東京メトロ半蔵門線·都営三田線·新宿線「神保町駅」A8出口より徒歩1分
□開館時間：10:00 〜 17:00（平日）、10:00 〜 13:00（土曜）　※公式ホームページで最新情報をご確認ください
□休館日：日曜日、祝日、大学が定める休日、展示入替期間
□入館料：無料

あわせて
立ち
寄りたい！
●東京国立近代美術館：会期ごとに選りすぐりの約200点を展示する所蔵作品展「MOMATコレクション」は、100年を超える日本美術の歴史を一気に観覧できる国内唯一の展示です。
●科学技術館：北の丸公園内にある博物館。現代から近未来の科学技術や産業技術を展示。

3 4 2

歴史的景観を継承したKITTE内の協働博物館

インターメディアテク（IMT）

インターメディアテク・ホワイエ展示風景©インターメディアテク、空間・展示デザイン©UMUT works

まるで美術品のような自然史・文化史の学術標本群

　インターメディアテク（IMT）は、日本郵便と東京大学総合研究博物館が産学協働で運営する公共貢献施設のミュージアムです。同館があるのは、JR東京駅丸の内南口を出てすぐのJPタワー内にある低層棟の商業施設「KITTE」の2・3階部分。この低層棟は、昭和モダニズムを代表する歴史建築の旧東京中央郵便局舎の一部を保存することで東京駅駅前景観を継承したものです。

　インターメディアテク（INTERMEDIATHEQUE）という呼び名は、各種の表現メディアを架橋することで新しい文化の創造につなげる「間メディア実験館」に由来します。

　2階から館内に入ると、博物館の概念を覆すようなオフホワイト基調の広々としたホワイエと3階に続くなんとも幅広い階段に度肝を抜かれます。その奥には、世界最大級のワニと言われるマチカネワニの骨格標本があり、ここが博物館であることが見てとれます。

　2階と3階の展示室を訪れると、そこは一転少し照明を落としたレトロモダンの雰囲気を醸し出す空間演出を基調としていて、歴史的な遺産を、現代の都市空間のなかで再生させる卓越したデザイン技術に感心させられます。常設展示の主役は、東京大学が1877（明治10）年の開学以来蓄積してきた自然史・文化史の学術標本群ですが、展示ケースや展示方法とあいまって、標本の域を超えた美術品と呼んでも過言でない見応えのあるものです。

基本情報
東京都千代田区丸の内2-7-2　KITTE 2・3階　TEL：050-5541-8600（ハローダイヤル）
□アクセス：JR「東京駅」より徒歩1分、東京メトロ丸ノ内線「東京駅」地下道より直結
□開館時間：11:00 〜 18:00（金曜日・土曜日は20:00まで）
□休館日：月曜日（祝日の場合は開館し、翌日休館）、年末年始、その他
□入館料：無料

あわせて
立ち
寄りたい！
●東京ステーションギャラリー：東京駅丸の内駅舎内の赤レンガで親しまれている美術館。
●三菱一号館美術館：赤煉瓦の建物は、三菱が建設した「三菱一号館」（ジョサイア・コンドル設計）を復元したもの。
　収蔵品は、建物と同時代の19世紀末の西洋美術が中心。

日本近代洋画の父・黒田清輝の記念美術館

東京国立博物館・黒田記念館

黒田記念館の外観（写真提供：東京国立博物館）

代表絵画作品『湖畔』などを期間限定で特別室にて出会う楽しみ

　東京国立博物館を左側へ進むと見えてくる上島珈琲店の右手にあるスクラッチタイルを貼った外観が印象的な建物が黒田記念館です。ここは、日本美術の近代化に尽くした洋画家・黒田清輝の死去に際して、遺産の一部を美術の奨励事業に役立てるよう遺言したことを受けて設立されました。建築家・岡田信一郎の設計により1928（昭和3）年に竣工し、2年後には、現在の東京文化財研究所の前身である美術研究所が同館に設置されました。2007年には東京国立博物館に移管されました。

　館内のアールヌーヴォー風の装飾が施された階段を2階に上がると、右手には入口に高村光太郎による黒田の胸像が置かれた黒田記念室が設けられていて、遺族から寄贈された遺作の油彩画や素描など、作家の画業の初期から晩年までを一覧できるような展示があります。また、左手の特別室は、作家の代表作を作品に合わせた内装と照明のもと年3回、2週間ずつ公開されますので、静かにゆったりと作品を楽しむことができます。

■黒田清輝（くろだ・せいき）：1866年、現在の鹿児島県鹿児島市生まれ、17歳で法律の勉強のためフランスに留学するも、2年後には絵画に転向し、フランス人画家ラファエル・コランに師事。それまでの日本洋画にはなかった明るい色調と平易な表現は、美術界のみならず文芸界に大きな変化をもたらし、近代日本の美術に大きな足跡を残しました。

基本情報

東京都台東区上野公園13-9　TEL：050-5541-8600（ハローダイヤル）
□アクセス：JR「上野駅」公園口・JR「鶯谷駅」南口より徒歩15分
□開館時間：9:30～17:00（入館は16:30まで）　□休館日：月曜日（祝日の場合は開館し、翌火曜日休館）、年末年始
□入館料：黒田記念館のみは無料

あわせて立ち寄りたい！

●国際子ども図書館：明治39年に帝国図書館として建てられた「レンガ棟」と「アーチ棟」の2つの建物で構成されています。レンガ棟は建築家・安藤忠雄の参画を得て、新しい機能と空間をあわせもつ児童書の専門図書館として再生しました。

344

「紀尾井タワー」前のパブリックアート

Echoes Infinity~Immortal Flowers~

「紀尾井タワー」前の『Echoes Infinity ～ Immortal Flowers ～』（大巻伸嗣）

現代美術作家・大巻伸嗣の色鮮やかな花々と蝶を象った巨大な作品

日本のバブル期にトレンディスポットとして人気を博していた丹下健三設計の赤坂プリンスホテル（通称「赤プリ」）。その跡地の再開発で建てられた東京ガーデンテラス紀尾井町には、「紀尾井町の時と人と緑をつなぐアートを。」のテーマのもと、数多くのアート作品が敷地内の各所に置かれています。

東京ガーデンテラス紀尾井町を構成する3つの施設のうちのひとつ、「紀尾井タワー」前の広場でひときわ目を引く色鮮やかな花々と蝶を象った巨大なパブリックアートが『Echoes Infinity~Immortal Flowers~』。「永遠の花」と題された、現代美術作家・大巻伸嗣の作品で、作家の代表作「Echoes」シリーズのひとつです。作品をよく見ると花々の間をダイナミックに舞う蝶も見え、弁慶濠沿いの桜並木側の同じタイトルの作品には、その花と蝶の命を育む巡り合わせがいっそう鮮やかに表現されています。桜の季節に訪れると、紀尾井町通りの満開の桜並木との筆舌に尽くしがたい美しい共演を楽しむことができます。

■作家：現代美術作家・大巻伸嗣（おおまき・しんじ）。1971年、岐阜県生まれ。東京藝術大学大学院美術研究科彫刻専攻を修了。「トーキョーワンダーウォール2000」に「Opened Eyes Closed Eyes」で入選以来、「Echoes」シリーズなど非日常的な空間をつくり出すインスタレーション作品やパブリックアートなど、国内のみならず海外でも展覧会やプロジェクトを数多く手がけています。

■作品：ステンレス、鏡面加工、ウレタン塗装

基本情報
> 東京都千代田区紀尾井町1-3　東京ガーデンテラス紀尾井町内
> □アクセス：東京メトロ「赤坂見附駅」D出口より徒歩1分、東京メトロ「永田町駅」9a出口直結

あわせて
立ち
寄りたい！
> ●虎屋 赤坂ギャラリー：「とらや 赤坂店」の地下1階にあるギャラリー。和菓子や日本文化にちなんだ企画展を開催しています。
> ●『White Deer』：東京ガーデンテラス紀尾井町のパブリックアート。名和晃平の作品。

345

六本木ヒルズ森タワー 52階にあるギャラリー

森アーツセンターギャラリー

展示風景：「新・北斎展 HOKUSAI UPDATED」（森アーツセンターギャラリー、2019年／写真提供：森アーツセンターギャラリー）

美術館の貴重なコレクションの企画展をはじめ多彩で質の高い展覧会

「森アーツセンターギャラリー」は、六本木ヒルズ森タワーの東京を一望する52階の展望台と同じフロアに位置するギャラリーです。1階上の53階には森美術館があります。

ギャラリーでは、新しく上質な文化情報の発信拠点として、世界の名だたる美術館の貴重なコレクションの企画展から、漫画・アニメーション作品、映画、ファッション、デザインまで、多彩で質の高い展覧会が開催されています。

ギャラリー空間はホイットニー美術館（米国・ニューヨーク）やアンディ・ウォーホル美術館（米国・ピッツバーグ）など、優れた美術館・ギャラリーの設計や改築を数多く手がけたリチャード・グラックマンの手によるものです。企画内容によって自在に表情を変えることで、作品を際だたせる洗練された展示空間を演出する工夫がなされています。

お目当ての展覧会を目指して訪問するのはもちろんのこと、森美術館での展覧会を鑑賞したあとに立ち寄ってみて、新たなアートの発見を楽しむのもありではないでしょうか。

■過去の展覧会：「僕のヒーローアカデミア展 DRAWING SMASH」（2021年4 〜 6月）、「ミッキーマウス展 THE TRUE ORIGINAL & BEYOND」（2020年10月〜 2021年1月）、「バスキア展 メイド・イン・ジャパン」（2019年9 〜 11月）など。

基本情報	東京都港区六本木 6-10-1　六本木ヒルズ森タワー 52階　TEL：050-5541-8600（ハローダイヤル） □アクセス：東京メトロ日比谷線「六本木駅」1C出口より徒歩3分 □開館時間：10:00 〜 20:00（入館は19:30まで）　□休館日：展覧会期以外は閉館 □入館料：展示会によって異なります

あわせて立ち寄りたい！	●森美術館：世界に開かれた現代美術館として、「現代性」と「国際性」を追求しながら、多様な地域の先鋭的な美術や建築、デザインなどの創造活動を独自の視座で紹介しています。 ●『ママン』：六本木ヒルズ66プラザに設置の彫刻家・ルイーズ・ブルジョワのパブリックアート作品。

353

346

なまこ壁と白壁が印象的な美術館

光が丘美術館

なまこ壁と白壁が印象的な光が丘美術館の外観

日本画・陶芸・版画を軸とした所蔵品を年4回展示替えして公開

　練馬区・田柄の木々に囲まれた庭園にたたずむ、今やあまり目にすることがないなまこ壁が目印の光が丘美術館。館内でひときわ目を引く太い大黒柱は、かつて敷地の庭に植わっていたケヤキの木を有効利用したものです。

　同館の所蔵美術品は日本画、陶芸、版画を軸として、日本画壇の森田りえ子、木村圭吾や、若き息吹を送り込む気鋭溢れる作家たちによる意欲作、陶芸においては田村耕一とその愛弟子による作品などです。年4回展示替えを行い、所蔵品を公開しています。なかでも、全長76メートルにもおよぶ作家独自の技法「紙凹版画」(ペーパー・ドライポイント)による屏風仕立ての壮大な『平家物語』(井上員男・作)は見どころですが、常設展示ではないので、公開日を要チェックです。館内1階は作品展示広間、作品展示室と茶室が、2階は作品展示広間が広がるなかで、貴重な伝統品としてベーゼンドルファー製作の1000年祭グランドピアノが展示されています。同館は、美術鑑賞にとどまらず、そば処、陶芸教室も併設され、ゆっくりと流れる時間を楽しむことができる施設です。

■過去の展覧会：「モノトーンで語る栄枯盛衰 版画『平家物語』／井上員男展」「現代女流作家展」「中野嘉之／日本画展」(2021年4〜6月)、「咲き匂う桜たち 木村圭吾の世界展」「井上員男／紙版画展」「田中良忠『貝合わせ』展」(2021年1〜3月)など。

基本情報	東京都練馬区田柄5-27-25　TEL：03-3577-7041 □アクセス：都営大江戸線「光が丘駅」より徒歩3分 □開館時間：10:00〜17:00(入館は16:30まで)　□休館日：月曜日、第1・3火曜日、年末年始 □入館料：一般・大学生500円、小学・中学・高校生300円

あわせて立ち寄りたい！　●練馬区立美術館：誰もが知っている動物がファンタジーな彫刻作品となって多数配置されている愛称「幻想美術動物園」とつながる美術館。日本近現代美術を中心に、ほかの美術館とはちょっと異なる斬新な視点・大胆な切り口で、開館以来さまざまな展覧会を開催。

347

TOTOが運営する、建築の専門ギャラリー

TOTOギャラリー・間

中庭の展示風景。中川エリカ展「JOY in Architecture」（2021年）

建築家の個性を存分に発揮できるよう展示デザインも出展者に委ねる

「TOTOギャラリー・間（トートー・ギャラリー・マ）」は、1984年に発足した、安藤忠雄、川上元美、黒川雅之、故・杉本貴志、故・田中一光の錚々たる5氏をメンバーとするDAC（TOTO Design Advisory Committee）の発案により開設されたTOTOが運営する建築の専門ギャラリーです。

1985年に港区・南青山のTOTO乃木坂ビル内で開設以来、国内外の建築家の展覧会にこだわり続け、出展者の個性を存分に発揮できるよう展示デザインを出展者に委ねることで、展示空間そのものが「作品」となるユニークな展示方法がとられています。

ギャラリーはビル3階のGallery1から、展覧会によっては展示スペースとなる外部の中庭を抜け、階段を上って4階のGallery2に至るという、会場自体の構成も独特です。階段の踊り場から中庭の作品を俯瞰するという視線を楽しむことができます。全体でそれほど大きくないギャラリーですが、それゆえに建築家たちがもつ思想や価値観を表現する場として出展者1人ひとりの凝縮したメッセージ性の高い展覧会が創出されています。

■過去の展覧会：中川エリカの個展「JOY in Architecture」（2021年1〜3月）、若手建築家ユニット 増田信吾＋大坪克亘の個展「それは本当に必要か。」（2020年1〜3月）、「アーキテクテン・デ・ヴィルダー・ヴィンク・タユー展　ヴァリエテ／アーキテクチャー／ディザイア」（2019年9〜11月）など。

基本情報
東京都港区南青山1-24-3　TOTO乃木坂ビル3F　TEL：03-3402-1010
□アクセス：東京メトロ千代田線「乃木坂駅」3番出口より徒歩1分
□開館時間：11:00〜18:00　□休館日：月曜日、祝日、夏期休暇、年末年始、展示替期間
□入館料：無料　※公式ホームページで最新情報をご確認ください

あわせて
立ち
寄りたい！

●フジフイルム　スクエア：富士フイルムフォトサロン東京と写真の文化・カメラの歴史的進化を観て体感できる希少価値の高い写真歴史博物館で構成されています。

348

日本を代表する作詞家・作家 阿久悠の記念館

阿久悠記念館

阿久悠記念館のエントランス

自筆原稿をはじめとする阿久関係資料を7つのコーナーで展示

　明治大学駿河台キャンパスの一画、明治大学アカデミーコモンの地下1階、明治大学博物館の隣にあるのが阿久悠記念館。日本を代表する作詞家・作家の阿久悠は、だれもが知る多数の歌謡曲の作詞を手がけ、その数は5,000曲以上におよびます。都はるみの『北の宿から』、沢田研二の『勝手にしやがれ』、ピンク・レディーの『UFO』などの大ヒット曲をはじめ、アニメソングやCM曲まで幅広いジャンルでヒット曲を世に送り出してきました。また、小説『瀬戸内少年野球団』は映画化され、作家としてもその才能を発揮しました。

　同館が明治大学に設置されているのは、作家が兵庫県・淡路島の高校を卒業後、東京にあこがれて「合法的な家出」をして、こだわりをもって入学した大学が明治大学であったことに由来しています。ご遺族から、自筆原稿をはじめとする阿久関係資料およそ1万点が寄贈されたことを受け、2011年10月に阿久悠記念館としてオープンしました。

　圧巻は、入口に額装された99枚のレコードジャケット。興味深いのは、再現された自宅書斎に置かれている場違いなバーベルで、握力が弱くなると書けなくなるという理由で鍛えていたそうです。作家は、ぺんてるのサインペンを愛用していて、筆が早く、書き直しがないきれいな原稿が印象的です。時には自分の作詞の熱を作曲家に伝えるため、そのペンでレタリングされた原稿も展示されています。

基本
情報

東京都千代田区神田駿河台1-1　明治大学アカデミーコモン地下1階　TEL：03-3296-4448
□アクセス：JR・東京メトロ「御茶ノ水駅」より徒歩5分、東京メトロ「神保町駅」より徒歩10分
□開館時間・休館日：公式ホームページで最新情報をご確認ください
□入館料：無料

あわせて
立ち
寄りたい！

●明治大学博物館：博物館には3つの部門があり、それぞれ異なる由来をもっています。商品部門は「商品博物館」を前身として商品を通した生活文化のあり方を、刑事部門は「刑事博物館」を前身として法と人権を考えます。考古部門は「考古学博物館」を前身としています。

天保年間の深川佐賀町の街並みを実物大で再現

江東区深川江戸資料館

升田屋と相模屋が入る御船宿の展示

天保年間の深川佐賀町の一日の移り変わりを音響・照明で情景演出

　1986年に江東区•白河に開館した深川江戸資料館では、江戸時代末（天保年間／1830～1844年）の深川佐賀町の街並みが実物大で再現されています。天保年間という時代設定は、あと20年もすると明治維新という想定です。

　1階ロビーから導入展示室を抜けたところに深川佐賀町の街並みが眼下に広がり、一歩展示室に足を踏み入れると屋根の上の猫（の模型）がこちらを向いて鳴くというこだわりの演出。見どころの最初は、階段を降りたところの佐賀町の大店通りです。展示室では道幅約4mで再現されていますが、実際は約8mあったとされています。次に向かうのは油堀川。水が張ってあり、波を立たせているのにはびっくりします。水面には猪牙船が浮かべられ、町が海から近いことを勘案して水底には貝殻も再現されています。火除け地には火の見櫓が建っています。3つめは、御船宿。堅実な升田屋と派手な相模屋が好対照です。町木戸の外にあるため夜通し開いていて船の手配もされていました。締めくくりは、長屋の路地が再現されていて、当時の庶民の生活を垣間見ることができます。

　展示をひと通り見て回るうちに、一日の移り変わりが音響・照明などで情景演出されるほか、物売りの声や、スズメのさえずりなども聞こえ、知らずに深川佐賀町に没入していることに気が付くほど細かく設定された展示が秀逸です。

基本
情報

東京都江東区白河1-3-28　TEL：03-3630-8625
□アクセス：都営大江戸線・東京メトロ半蔵門線「清澄白河駅」A3出口より徒歩3分
□開館時間：9:00 ～ 17:00（入館は16:30まで）　□休館日：第2・4月曜日（祝日の場合は開館）、年末年始、その他
□入館料：大人（高校生含む）400円、小中学生50円

あわせて
立ち
寄りたい！

●東京都現代美術館：現代美術の流れを展望できるコレクション展示や国際展をはじめ、絵画、彫刻、ファッション、建築、デザインなど、幅広く現代美術に関する展覧会を開催。

●田河水泡・のらくろ館：漫画『のらくろ』の作者・田河水泡の作品や愛用品の数々を展示。

350

上野公園に立地の博物館、愛称「カハク」

国立科学博物館

国立科学博物館の外観

自然史・科学技術史に関する国立で唯一かつ日本最大級の総合科学博物館

　国立科学博物館（愛称「科博／カハク」）は、1877（明治10）年に創立された、日本で最も歴史のある博物館のひとつで、自然史・科学技術史に関する国立で唯一、かつ日本最大級の総合科学博物館です。上野公園内に日本館と隣接の地球館があります。

　ネオルネサンス様式を基調とし、外壁にスクラッチタイルを使った重厚な建物の日本館は、2008（平成20）年に国の重要文化財に指定されました。シンメトリーに中央の建屋から北翼と南翼が配置されている日本館を上空から見ると、文字通り科学技術の象徴である飛行機の形をしているのが科博の面目躍如たるところです。ここでは、「日本列島の自然と私たち」をテーマに、フタバスズキリュウや日本の動植物、日本の科学技術史が紹介されています。忠犬ハチ公の剥製は「日本人が育んだ生き物たち」のコーナーで展示されています。展示以外の見どころとしてはずせないのは、3階まで吹き抜けとなっている中央ホールの天井と4方向の窓を飾る美しいステンドグラス、装飾を施された白壁と床、精緻なデザインが施された照明の数々。各階の壁に沿って回廊が設けられていて、美術作品そのものと言ってもよい美しい中央ホールを上下左右さまざまな角度から楽しむことができます。

　2015年にリニューアルした地球館は、展示総合テーマ「人類と自然の共存をめざして」に基づき、最先端の科学的知見をふまえた新しい展示となっています。

基本情報
東京都台東区上野公園7-20　TEL：050-5541-8600（ハローダイヤル）
□アクセス：JR「上野駅」公園口より徒歩5分
□開館時間：9:00 ～ 17:00　※事前予約制
□休館日：月曜日（祝日の場合は開館し、火曜日休館）、年末年始
□入館料（常設展示）：一般・大学生630円、高校生（高等専門学校生含む）以下無料

あわせて立ち寄りたい！
●上野の森美術館：上野恩賜公園のなかで唯一の私立美術館として1972年に開館。重要文化財をはじめさまざまなジャンルの独創的な企画展が魅力です。
●東京国立博物館：日本とアジア諸国の美術品や考古学上貴重な遺産約8万9千件を収蔵。

JR渋谷駅前広場に設置の壁画陶板レリーフ

ハチ公ファミリー

JR渋谷駅前の『ハチ公ファミリー』（北原龍太郎）

壁画の前で会いましょう

東京渋谷ハチ公広場
出会いと別れのあるところ
よろこびとかなしみと
みんな一緒のおしゃれな広場
生きている楽しさ味わう広場
あなたとわたしのしあわせ話そう
「ハチ公ファミリー」
壁画の前で会いましょう

詩・北原龍太郎

「もしハチ公に家族がいたら?」というのが制作のテーマ

　多くの人が行き交う渋谷駅前に設置されている陶板レリーフ『ハチ公ファミリー』は、1990年に渋谷区北口広場が「ハチ公前広場」と名称変更したことを記念し、画家・北原龍太郎の原画をもとに公益財団法人日本交通文化協会によって企画・製作し、設置された作品です。

　設置から28年が経った2018年には大清掃プロジェクトが行われるなど、世界に誇る象徴的な壁画として現在も愛され続けています。「もしハチ公に家族がいたら?」というのが制作のテーマです。実はハチ公にはクマ公という子供がいたという史実に基づき、「生前は何かと寂しかったハチ公が、大家族に囲まれて幸せそうな様子を描きたい」という作者の願いが込められています。作家の制作のプロセスは、作詩が先にあり、そのイメージを膨らませたうえで作品の制作に入ったそうです。

　太陽と月、星が瞬く宇宙空間に虹がかかり、中心にハチ公がいる構図。周りには大小20匹の秋田犬がじゃれ合い、その後、大家族に育ったハチ公ファミリーを彷彿とさせています。

■原画・監修：画家・北原龍太郎（きたはら・りゅうたろう）。1932年、長野県飯田市生まれ。大学で哲学・美学を学び、大阪心斎橋美術研修所で研修を重ねた後、画家として独立。フランスをはじめ国内外で活躍した画家です。2013年没。

■作品：縦4m×横15mの大型陶板のレリーフ。北原画伯が1年近くをかけて描いた原画を基に、壁画に凹凸を付け、約1200ピースを超える陶板で構成されています。製作はクレアーレ熱海ゆがわら工房、クレアーレ信楽工房。

基本
情報

東京都渋谷区道玄坂2-1
□アクセス：JR「渋谷駅」ハチ公口ハチ公前広場

あわせて
立ち
寄りたい!

●『きらきら渋谷』：アフレスコ画の第一人者 洋画家・絹谷幸二のパブリックアート作品。
●『明日の神話』：『太陽の塔』と対をなすといわれる岡本太郎の最高傑作のひとつの巨大壁画。

352

六本木のピラミデビル内の現代美術ギャラリー

TARO NASU

リアム・ギリック個展『馬らしさはあらゆる馬の本性である』の展示風景（2020年／©Liam Gillick Courtesy of TARO NASU、Photo by Kei Okano）

コンセプチュアルアートの新しい流れをくむ国内外の作家を紹介

　日本を代表する現代美術ギャラリーのひとつ、TARO NASU は、1998年に江東区・佐賀の食糧ビルディング2階に那須太郎がオーナーディレクターとして開廊したのが始まりです。

　TARO NASU は開廊以来、コンセプチュアルアートの新しい流れをくむ国内外のアーティスト約20人を紹介してきました。ギャラリーでは、年6〜8回のペースで国内外の作家による展覧会が開催されています。ここ数年の展覧会では、春木麻衣子、万代洋輔、榎本耕一、津田道子、リアム・ギリック、ローレンス・ウィナーなどが挙げられます。

　2019年には、現在の港区・六本木のピラミデビルの4階に移転しました。このビルは、名前の通り中庭にルーブル美術館のガラスのピラミッドを模した構造をもつことで知られていますが、TARO NASU 以外にも多くの個性的なギャラリーが入居していて、一種のギャラリーコンプレックスとなっています。

■過去の展覧会：春木麻衣子新作個展「still life」（2021年4〜5月）、「Collaborative Group Show between TARO NASU & Esther Schipper」（2021年2〜3月）、万代洋輔新作個展「digitus」（2021年1〜2月）、「カール・アンドレ個展」（2020年11〜12月）、榎本耕一新作個展「NEW LIFE !!」（2020年10〜11月）、「gesture, form, technique V」展（2020年9〜10月）など。

基本情報
東京都港区六本木6-6-9　ピラミデビル4F　TEL：03-5786-6900
□アクセス：東京メトロ日比谷線・大江戸線「六本木駅」1A出口より徒歩3分
□開廊時間：11:00〜18:00　□休廊日：日曜日・月曜日、祝日
□入館料：無料

あわせて
立ち
寄りたい！
●complex665：文化都心・六本木から世界に向けて先端のアートを発信する森ビル株式会社が運営するギャラリーコンプレックス。日本を代表する現代美術ギャラリーが集積。
●森アーツセンターギャラリー：六本木ヒルズ森タワー52階に位置するギャラリー。

虎ノ門の閑静な高台にある現代陶芸の美術館

菊池寛実記念 智美術館

菊池寛実記念 智美術館の外観
（写真提供：菊池寛実記念 智美術館）

非日常の雰囲気にまで昇華した環境で陶芸などの造形作品を鑑賞

　東京メトロ日比谷線の「神谷町駅」から歩くこと6分、港区・虎ノ門の閑静な高台に建つライムストーンの上品な外壁を持つ西久保ビルが目に入ります。菊池寛実記念 智美術館は、創設者で、現代陶芸のコレクターの菊池智（とも）氏のコレクションを母体に、現代陶芸を紹介するために2003年にこのビルの地下1階に開館しました。

　瓦が載ったクリーム色の外構に設けた門からビルの玄関までの金属と石敷のアプローチと、特徴的な金属製の正面玄関ドアのデザインに触れると、美術館としてのたたずまいを感じ取ることができます。館内に入ると1階ホールに常設の『ある女主人の肖像』（篠田桃紅）が静かに出迎えてくれます。地下1階の展示室は螺旋階段で結ばれていますが、階段そのものが同館のシンボルとも言える見逃せない美術品。銀の和紙で貼られた壁面に創られたコラージュ（篠田桃紅）と、ガラス作家・横山尚人の光を受けて宝石のように輝くガラス製の手摺で仕上げられています。

　展示室の展示空間のデザインが秀逸です。設立者のこだわりが隅々まで反映されており、照明を落とした非日常の雰囲気にまで昇華した環境で作品を鑑賞できます。

■所蔵品：現代陶芸を語る上で欠かせない作家たちの作品を中心に構成。伝統的な器から革新性に富む造形的なオブジェまでと幅広く、日本の現代陶芸の多様性を俯瞰できる内容です。

基本情報
東京都港区虎ノ門4-1-35　西久保ビル　TEL：03-5733-5131(代表)
□アクセス：東京メトロ日比谷線「神谷町駅」より徒歩6分、東京メトロ日比谷線「虎ノ門ヒルズ駅」より徒歩8分
□開館時間：11:00 ～ 18:00　□休館日：月曜日、年末年始、展示替期間
□入館料：企画展によって異なります

あわせて立ち寄りたい！
●大倉集古館：実業家の大倉喜八郎が収集した古美術・典籍類を収蔵・展示するため、大倉邸の敷地の一角に開館したもので、日本最初の私立美術館。
●泉屋博古館東京：住友家が蒐集した美術品を保存・展示する京都の泉屋博古館の分館。2021年現在休館中。

354

パナソニック東京汐留ビル4階の美術館

パナソニック汐留美術館

パナソニック東京汐留ビル4階の美術館ロビー（写真提供：パナソニック汐留美術館）

世界で唯一ルオーを冠した「ルオー・ギャラリー」で作品を常設展示

　パナソニック汐留美術館は、2003年4月に現在のパナソニック東京汐留ビル4階に、社会貢献の一環として開館しました。同館は、フランスの画家ジョルジュ・ルオーの初期から晩年までの絵画や代表的な版画作品など約240点をコレクションしており、これらを世界で唯一その名を冠した「ルオー・ギャラリー」で常設展示するほか、ルオーに関連する企画展も開催されています。

　天井高が高く、大きな開口部の窓から光が降り注ぐ広々として気持ちのいいロビーから館内に入ると、一転落ち着いた展示室となり、「ルオー」「建築・住まい」「工芸・デザイン」をテーマに企画展示が開催されています。展示室の締めくくりは「ルオー・ギャラリー」で、同館所蔵の、日本でも有数のルオーコレクションの中から、テーマごとに作品が展示されていて、開館中はいつでも鑑賞できるのが嬉しいかぎりです。

　同館は「東京・汐留」というロケーションを活かした都市型の美術館として文化的空間が創造され、展覧会を通じて芸術とふれ合うことで新しい価値観と感動を提供しています。

■過去の展覧会：「サーリネンとフィンランドの美しい建築展」（2021年7〜9月）、「クールベと海ーフランス近代 自然へのまなざし」（2021年4〜6月）、「香りの器 高砂コレクション 展」（2021年1月〜3月）、「分離派建築会100年展」（2020年10〜12月）など。

基本
情報
東京都港区東新橋1-5-1　パナソニック東京汐留ビル　TEL：050-5541-8600（ハローダイヤル）
□アクセス：東京メトロ銀座線・都営浅草線「新橋駅」2番出口より徒歩6分、JR「新橋駅」より徒歩8分
□開館時間：10:00〜18:00（入館は17:30まで）　※日時指定予約が望ましい　□休館日：水曜日（祝日の場合は開館）、
展示替期間、年末年始、夏季休業期間　※展覧会によって水曜日が開館になる場合があります
□入館料：展覧会により異なります

あわせて
立ち
寄りたい！
●アドミュージアム東京：世界でただひとつの広告ミュージアム。江戸時代から今日までの約28万点に及ぶ広告資料を所蔵し、各時代を反映した広告作品を展示。
●旧新橋停車場 鉄道歴史展示室：旧新橋停車場をできるだけ忠実に再現。

大岡山キャンパスの百年記念館

東京工業大学博物館（百年記念館）

百年記念館外観

スターリングエンジン

GAWALK2

理系最高峰の国立大学として「東工大らしさ」を集約した博物館

　日本の理系最高峰の国立大学である東京工業大学の東京工業大学博物館（百年記念館）は、「東工大らしさ」を集約し、学内外へ発信する拠点として2011（平成23）年4月1日に大岡山キャンパスの百年記念館に誕生しました。同館は、東工大で生み出された教育と研究の歴史的成果、現在進行している先端研究や社会への応用実績、本学卒業生の社会における成果などを、社会に向けて広く発信することを目的としています。

　館内には常設展示の主展示室である特別展示室Aと、収蔵庫を展示室化して大型気化器類が展示されている特別展示室Bがあります。特別展示室Aの見どころは、ノーベル化学賞を受賞した白川英樹博士のコーナーなど東工大における歴史的な研究・教育成果の展示と、工芸・デザイン作家コーナーです。理系の本学と陶芸の関係性がすぐには想像できませんが、実は本学の前身である東京高等工業学校に窯業科があったことに由来しています。人間国宝の陶芸家・濱田庄司は1913年に窯業科に入学しています。また、陶芸家・河井寛次郎も窯業科に入学しています。同館では、両氏の作品を多く収蔵していて、展示を通して作品に巡り合える楽しみがあります。

　特別展示室Bでは、熱機関の中で最も高い効率で熱エネルギーを仕事に変換できる可能性がある高さが3mのスターリングエンジンの実物も必見です。

基本情報
　東京都目黒区大岡山2-12-1　　TEL：03-5734-3340
　□アクセス：東急大井町線・目黒線「大岡山駅」より徒歩1分
　□開館時間：10:30 ～ 16:30　　□休館日：土曜日・日曜日、祝日、年末年始
　□入館料：無料

あわせて
立ち
寄りたい！　●五島美術館：世田谷区上野毛の閑静な住宅街にたたずむ美術館。国宝『源氏物語絵巻』をはじめとする数々の名品を所蔵。多摩川に向って深く傾斜する広大な庭園も見どころ。

渋谷PARCO 2階の「2G TOKYO」内のギャラリー

NANZUKA 2G

渋谷PARCOの2階、2G TOKYO内のNANZUKA 2G外観

アートトイとファッションとのコラボレーションによる相乗効果を創出

渋谷PARCO 2階の「2G TOKYO（ツージートーキョー）」内にあるギャラリーが「NANZUKA 2G」です。「2G TOKYO」は、「ギャラリー」とともに、MEDICOM TOYによる「アートトイ」、小木 "POGGY" 基史とデイトナ・インターナショナルによる「コンセプトショップ」の3つのジャンルのトップランナーが集結して作られたほかに類を見ないストアです。

「2G」の由来は、渋谷PARCOの創業メンバーの増田通二にリスペクトを込めたものです。内装デザインは、ダニエル・アーシャムが主宰するクリエイティブ・チーム「Snarkitecture」。コンセプトが吹っ飛んでいて、施設を巨大な金庫と見立て、その金庫を破るイメージで入口が引き裂いたような形のデザインになっているのを見ると、思わず顔がほころびます。ギャラリーはストアの奥に独立した建屋のような造りとなっています。神宮前の旗艦ギャラリー NANZUKA UNDERGROUND と連動しつつ、アートトイとファッションとのコラボレーションによる相乗効果を生み出す、アートに興味がない方でも楽しんでもらえる親和性をもったアートスペースです。

■過去の展覧会：佃弘樹の新作個展「4021」（2021年4〜6月）、空山基の新作個展「Dinosauria」（2021年2〜3月）、ハビア・カジェハの新作個展「NO ART HERE」（2020年11〜12月）など。

基本
情報
東京都渋谷区宇田川町15-1　渋谷PARCO2F　TEL:03-5422-3877（NANZUKA）
□アクセス：JR・東京メトロ・東急東横線「渋谷駅」より徒歩4分
□開館時間：渋谷PARCOの営業日に準じる
□入館料：無料

あわせて
立ち
寄りたい！
●PARCO MUSEUM TOKYO：渋谷PARCOの4階にあるパルコ直営のミュージアム。訪れる人々へ楽しみを提供するほか、日本国内、そして世界へ向けて文化を発信しています。
●Bunkamura ザ・ミュージアム：近代美術の流れに焦点をあてた展覧会を中心に開催。

すみだで生まれ育った浮世絵師・葛飾北斎の美術館

すみだ北斎美術館

すみだ北斎美術館の外観（写真提供：すみだ北斎博物館、撮影：尾鷲陽介）

北斎及び門人の作品展示と北斎と「すみだ」の関わりを紹介

　すみだ北斎美術館が立地している墨田区亀沢は、本所割下水付近（現在の墨田区亀沢付近）で生まれ、90年に及ぶ生涯のほとんどを墨田区内で過ごした北斎にゆかり深い地域です。淡い鏡面のアルミパネルの外壁にやわらかく公園や下町の風景が映り込む特徴的な建物は、世界的建築家・妹島和世の設計によるものです。AURORA（常設展示室）は7つのエリアで構成され、1章「すみだと北斎」にはじまり、2章からはおもな画号で分けた6つのエリアで各期の代表作（実物大高精細レプリカ）とエピソードを交えて、北斎の生涯を辿ることができます。なかでも榛馬場に娘・阿栄とともに住み作品を制作していた「北斎のアトリエ」再現模型は必見です。3階と4階の企画展示室では、北斎や門人の作品が企画展のテーマにあわせて展示されます。

■収蔵作品：世界有数の北斎作品収集家であり研究者であったピーター・モースのコレクション、浮世絵研究の日本での第一人者と言われた楢﨑宗重のコレクション、さらに墨田区が収集した数々の名品・優品があり、北斎と門人の作品を中心に、2021年4月時点で約1900点を所蔵しています。所蔵作品は、企画展のテーマに合わせて順次公開しています。これまでには、「北斎の橋　すみだの橋」、「北斎師弟対決！」など、北斎研究に特化した学芸員が、北斎や弟子の魅力を深掘りするテーマの企画展も行いました。

基本
情報

東京都墨田区亀沢2-7-2　TEL：03-6658-8936（休館日を除く）
□アクセス：JR 総武線・都営大江戸線「両国駅」A3出口より徒歩5分
□開館時間：09：30 ～ 17：30（入館は17：00まで）
□休館日：月曜日（祝日の場合は開館し、翌日休館）、年末年始、その他
□観覧料：AURORA（常設展示室）一般400円、大学生・高校生・65歳以上300円、中学生以下は無料
　※企画展は展覧会により異なる

あわせて
立ち
寄りたい！

●江戸東京博物館：首都東京の歴史系博物館として、江戸東京の歴史と文化を発信する貴重な博物館です。高床式の倉をイメージしたユニークな建物にも注目。
●刀剣博物館：刀剣類、刀装、刀装具、甲冑、金工資料、古伝書などを多数所蔵する博物館です。

358

東京メトロ有楽町線「豊洲駅」にある作品

豊洲今昔物語

東京メトロ有楽町線「豊洲駅」地下1階3番出口から観る「豊洲今昔物語」（宮田亮平）

豊洲の今昔の姿を情緒豊かに描く宮田亮平の陶板レリーフ作品

　東京メトロ有楽町線「豊洲駅」の改良工事に伴い、ゆとりと潤いのある文化的空間の創造を目的にパブリックアート『豊洲今昔物語』が設置され、2013年8月から一般に公開されました。この陶板レリーフ作品は、公益財団法人メトロ文化財団の協賛、公益財団法人日本交通文化協会の企画のもと、金属工芸家、東京藝術大学名誉教授・宮田亮平の原画・監修によりクレアーレ熱海ゆがわら工房で製作されました。

「豊かに栄える島（洲）」と願いを込めて命名された「豊洲」は東京湾を埋め立てて作られた新しい都市で、現在は高層マンションやオフィスビルの建築が着々と進み未来に向けて進化し続けていますが、江戸時代の頃にはこのあたりは豊かな海で、時折鯨やイルカも姿を現し、江戸庶民を喜ばせたそうです。

　本作品は、その豊洲の今昔の姿が情緒豊かに描かれています。真ん中に「豊洲駅」が配置され、「昔ここは海でした」と「いま　豊洲はすてきな町」と表札が造作され、海には鯨の親子、イルカたちや鱚釣りの船が描かれています。実家の裏がすぐ海だった佐渡出身で、現在豊洲に在住の宮田亮平氏の、昔海だった豊洲への感慨と未来への想いが伝わります。

■原画・監修：宮田亮平（みやた・りょうへい）。新潟県佐渡市出身。代表作にイルカをモチーフにした「シュプリンゲン（Springen）」シリーズがあります。2016年に第22代文化庁長官に就任。再任後2021年3月に退任。JR東京駅の待ち合わせの定番スポット『銀の鈴』などの作品を見ることができます。

■作品：高さ約2.7m、横約5.0mの陶板レリーフ。製作はクレアーレ熱海ゆがわら工房。

基本情報
東京都江東区豊洲4-1-1
□アクセス：東京メトロ有楽町線「豊洲駅」地下1階3番出口付近

あわせて
立ち
寄りたい！
●『手塚治虫キャラクターズ大行進』：「国際展示場駅」改札内コンコースに設置の陶板壁画。もとになったイラストは、1976年に手塚治虫の手で描き下ろされたものです。

12月24日

本日の
テーマ **ギャラリー＆画廊**

東京と北京に拠点をもつ現代美術画廊

東京画廊＋BTAP

「東京画廊70年（後期）」展示風景 東京画廊＋BTAP（東京）2020年11 〜 12月
（Photo courtesy of Tokyo Gallery + BTAP. Photo by Kei Okano）

歴史性と刷新性をもつ現代美術画廊として、日中韓の現代美術を紹介

　創業者の山本孝が古美術店で奉公した後、1950年に銀座の並木通りに開いたのが「東京画廊」。戦後間もないころで、日動画廊を筆頭に商業画廊は5 〜 6軒しかありませんでした。

　東京画廊では、当初中心的に扱ったのは近代日本の具象絵画でした。当時、近代美術を扱う画廊が銀座に多くあったのは、日本の近代化が銀座から始まったからで、近代的な生活を与えるさまざまな商品を扱う店舗がここに生まれ、画廊もそのなかのひとつでした。

　時を経て、同画廊は1960年代からは日本で最初の現代美術を扱う画廊へと変身しました。

　2002年には北京・大山子芸術区にBTAP（BEIJING TOKYO ART PROJECT）をオープンし、2006年に東京画廊＋BTAPと改め、東京と北京を拠点に、歴史性と刷新性を併せ持つ現代美術画廊として、日中韓を中心としたアジアの現代美術を紹介しています。

　東京画廊は、グローバル社会を目指す時代の趨勢の中にあって、2020年に銀座に居を構えて70周年を迎え、銀座の楽しみ方も発信し続けています。

■過去の展覧会：「Ayako Someya、北田朋子、坂巻裕－書をアートへ」（2021年4 〜 6月）、小清水漸個展「垂線」（2021年3 〜 4月）、「開廊70周年記念 東京画廊 70年（後期）」（2020年11 〜 12月）、「開廊70周年記念 東京画廊 70年（前期）」（2020年10 〜 11月）など。

基本情報

東京都中央区銀座8-10-5　第4秀和ビル7F　TEL：03-3571-1808
□アクセス：JR「新橋駅」銀座口より徒歩4分
□開廊時間：11:00 〜 17:00　※予約制（公式ホームページから）　□休廊日：日曜日・月曜日、祝日
□入館料：無料

あわせて立ち寄りたい！

●資生堂ギャラリー：1919年にオープンした、現存する日本で最古の画廊。5mを超える天井高をもつ銀座地区で最大級の空間を誇ります。「新しい美の発見と創造」が活動理念。
●ノエビア銀座ギャラリー：「時代を超えて価値あるもの」をテーマに企画展を開催。

三菱・岩﨑家の父子2代のコレクション

静嘉堂文庫美術館

左の建物が世田谷の旧美術館、右が1924年
築の静嘉堂文庫

重要文化財 明治生命館 外観

世田谷から丸の内の明治生命館に移転の美術館展示ギャラリー

　美術館名の「静嘉堂」は、三菱財閥の創業者・岩﨑彌太郎の弟、岩﨑彌之助（三菱第2代社長）が1892（明治25）年、神田駿河台邸において創設し、岩﨑小彌太（三菱第4代社長）が拡充したものです。「静嘉堂」とは中国の古典『詩経』大雅、既酔編の「籩豆静嘉」の句から採った岩﨑彌之助の堂号です。1911年には高輪、そして1924（大正13）年に世田谷区・岡本に拠点を移しました。

　1977年より所蔵する美術品などを一般公開してきましたが、静嘉堂創設百周年に際して美術館が建設され、1992（平成4）年4月に静嘉堂文庫美術館として開館。国宝7点、重要文化財84点を含む、およそ20万冊の古典籍（漢籍12万冊・和書8万冊）と6,500点の東洋古美術品を所蔵しています。その豊かで質の高い所蔵品が、静嘉堂文庫美術館の展覧会の特筆として、展示品をすべて自館の所蔵品で賄うことを可能にしました。

　2022年秋、静嘉堂の美術館展示ギャラリーは、丸の内の明治生命館（1934年竣工、重要文化財）1階に移転します。世田谷からの別れを惜しみつつ、明治生命館での新しい出会いとコレクションの再会を楽しみにしたいと思います。

基本
情報

東京都千代田区丸の内2-1-1（移転後の明治生命館）　TEL：050-5541-8600（ハローダイヤル）
□アクセス：東京メトロ千代田線「二重橋前駅」より徒歩1分
□開館時間：2022年秋開館予定（公式ホームページで最新情報をご確認ください）
□入館料：未定

あわせて
立ち
寄りたい！

●出光美術館：出光興産の創業者で美術館創設者の出光佐三が70余年の歳月をかけて蒐集した日本の書画、中国・日本の陶磁器など東洋古美術を中心に展示。

●宮内庁三の丸尚蔵館：皇室に代々受け継がれた絵画・書・工芸品などの美術品類を展示。

361

写真を楽しむためのコミュニケーションスペース

リコーイメージングスクエア東京

ギャラリー Aの展示風景

2つのユニークな運営によるギャラリーから写真表現の可能性を

　リコーイメージングスクエア東京は個性豊かな写真展を行うギャラリー、最新のカメラやレンズに触れられるショールーム、写真を学ぶアカデミーやフォトスクール、機材点検や修理の窓口となる修理サービスセンター、プロフェッショナルサービスなどを提供する総合コミュニケーションスペースです。

　特に写真展は2つのギャラリー運営がユニークです。ギャラリー Aは著名作家や新しい表現に挑戦している新進気鋭の作家による芸術性の高い作品を展示しています。そのためにアドバイザーを起用しての推薦作家をノミネート。また、国内外の希少性の高い作品を鑑賞するための作家選びをギャラリー独自で行っています。このようにギャラリー Aはすべて企画展で運営され、オリジナルプリントを目の当りにしての体感は鑑賞する喜びにつながることでしょう。

　ギャラリー Rはリコーやペンタックス製品で撮影された作品を中心にアマチュアをはじめ、プロ作家、グループ、団体の作品発表の場になっています。そのためにギャラリー Rは一般公募による運営とし、バラエティ豊かな作品に出会えます。この2つのギャラリーから発信する写真表現の可能性は写真文化の向上に見逃せません。写真展情報ほか各サービスはリコースクエア東京の公式ホームページから閲覧できます。

基本
情報

東京都新宿区西新宿1-25-1　新宿センタービルMB(中地下1階)　TEL：0570−006371(ナビダイヤル)
□アクセス：JR・私鉄各線「新宿駅」徒歩8分、都営大江戸線「都庁前駅」より徒歩5分
□開館時間：10:30 〜 18:30　□休館日：火曜日・水曜日、休業日
□入館料：無料

あわせて
立ち
寄りたい！

●『花尾 (Hanao-San)』：JR新宿駅の東口駅前広場全体がアート作品となるよう計画され、現代美術家・松山智一を起用したパブリックアート。
●東京オペラシティ アートギャラリー：多様な表現活動を紹介する企画展を開催。

東京藝術大学美術学部構内にある美術館

東京藝術大学大学美術館

館内螺旋階段を俯瞰する（写真提供：東京藝術大学大学美術館）

東京藝術大学 大学美術館の外観（写真提供：東京藝術大学大学美術館）

国宝・重要文化財23件を含む約3万件の日本有数のコレクション

「東京藝術大学大学美術館」は、上野公園の東京藝術大学美術学部構内にある美術館です。

東京藝術大学美術学部の前身は、岡倉天心やアーネスト・フェノロサらによって1887（明治20）年に設立され、1889年に開校した東京美術学校です。東京美術学校では、収蔵品を一般公開するため芸術資料館を開館しました。1949（昭和24）年には東京美術学校と東京音楽学校が統合され、東京藝術大学が設置されました。1998年には美術館としての活動を発展させるため芸術資料館は東京藝術大学大学美術館と改称され、翌年現在の本館が完成しました。

館内の展示室は2フロアで、地下には、大型のガラスケース付きの展示室があり、隣接して設けられた展示室は多様に対応することができるようホワイトキューブ展示室になっています。また地上3階にはトップライト方式で、かつ完全に暗転することのできる開閉装置を組み込んだ新しい方式の展示室があります。見どころは、展覧会もさることながら、各階をつなぐシンプルで美しい三角形の吹き抜けを持つ螺旋階段で、ぜひその美しさに触れてみてください。

■過去の展覧会：「渡辺省亭 欧米を魅了した花鳥画」（2021年3～5月）、「藝大コレクション展2020――藝大年代記」（2020年9～10月）、特別展「あるがままのアート―人知れず表現し続ける者たち―」（2020年7～9月）など。

基本
情報

東京都台東区上野公園12-8　TEL：050-5541-8600（ハローダイヤル）
□アクセス：JR「上野駅」公園口・東京メトロ千代田線「根津駅」1番出口より徒歩10分
□開館時間：10:00～17:00　□休館日：月曜日　※ただし、展覧会会期中以外は休館
□入館料：展示会によって異なります

あわせて
立ち
寄りたい！

●東京藝術大学大学美術館 陳列館：外壁に貼り付けられた茶色のスクラッチタイルが印象的な建物。大学美術館の本館ができるまでは、芸術資料館のメイン・ギャラリーでした。
●東京藝術大学正木記念館：東京美術学校第5代校長正木直彦の長年にわたる功労を記念する記念館。

銀座に立地の100年を超える歴史ある画材店

月光荘画材店

月光荘画材店の店内風景(写真提供:月光荘画材店)

ビルに掲げられた「月光荘」の看板

世界で唯一、自社工場で製造しオリジナル製品のみを扱う画材店

　1917(大正6)年、東京府豊多摩郡淀橋町角筈(現・新宿区)にて創業の日本の画材店です。建築設計は画家・藤田嗣治の監修によるもので、フランスやイギリスからの輸入画材商としてスタートしました。1940年には疎開先の富山県宇奈月にてコバルトブルーの技法を発見。顔料から作られた純国産第一号の絵の具を誕生させました。

　店名「月光荘」は、創業者・橋本兵蔵氏を可愛がった歌人の与謝野鉄幹・晶子ご夫妻が「大空の月の中より君来しや　ひるも光りぬ夜も光りぬ」と詠んだことが由来です。

　トレードマークのホルンは昔、狩りをするときに仲間を呼ぶ際に使ったホルンにちなんで「友を呼ぶホルン」と呼ばれています。現在の店舗が入る歴史を感じる赤レンガのビルに掲げられた看板にも赤地に与謝野晶子の自筆の月光荘の白文字とともにホルンが描かれています。

　月光荘では、自社工場で絵の具や筆を製造し、世界で唯一オリジナル製品のみを扱っています。創業以来、月光荘はサロン的な社交場として、そこで交わされるいろいろな意見を製品に反映させています。経営の神様・松下幸之助の要望でスケッチブックに「ウス点」を付けたものその一例です。

　月光荘では、「色感と音感は人生の宝物」という価値観のもと、アートを通じてより美しい暮らし方についての提案を続けています。絵を描かない人でも立ち寄れば、楽しめること請け合いです。

基本情報
東京都中央区銀座8-7-2　永寿ビル1F・B1F　TEL:03-3572-5605
□アクセス:JR・東京メトロ銀座線「新橋駅」より徒歩4分
□開館時間:11:00〜19:00　□休館日:年末年始
□入館料:無料

あわせて
立ち
寄りたい!
●ギンザ・グラフィック・ギャラリー:グラフィックデザインの専門ギャラリーとして3つのgの頭文字から「スリー・ジー(ggg)」の愛称で親しまれています。
●セイコーミュージアム 銀座:時計の進化の歴史、和時計、セイコーの歴史・製品の展示。

三鷹駅前の交通至便な立地の都市型美術館

三鷹市美術ギャラリー

三鷹市美術ギャラリーのロビー（写真提供：三鷹市美術ギャラリー）

企画展覧会と市民の美術作品発表の場としての機能をもつ美術館

　三鷹市美術ギャラリーは、JR中央線「三鷹駅」南口前の商業施設CORAL（コラル）5階に1993（平成5）年10月に開館しました。

　駅前という交通至便な立地、遅くまでの開館時間、企画展覧会と市民の美術作品発表の場としての機能を持った都市型美術館です。年2本程度開催の企画展の内容は、現代美術をはじめ写真、彫刻、版画、染織、浮世絵、漫画などさまざまなジャンルにわたっています。最近では、一般には知られていない作家を斬新な展示方法で紹介するなど新しい試みを始めていて、2019年の「日日是アート展」ではニューヨークの作家アトリエを再現する展示で、「こんな展示は前代未聞」と評されました。

　2020年12月には、同ギャラリー内に太宰治の自宅の一部を再現した「太宰治展示室　三鷹の此の小さい家」が開設されました。「太宰治が生きたまち　三鷹」を掲げ、太宰治顕彰事業に絶え間なく取り組んできた三鷹市においてふさわしい展示室の誕生です。今後、文学と美術との関連による新しい展開が期待されます。

■過去の企画展：「三鷹市美術ギャラリー収蔵作品展Ⅰ　靉嘔」（2020年12月～2021年2月）、「太宰治生誕110年特別展　辻音楽師の美学」（2019年9～10月）、「日日是アート　ニューヨーク、依田家の50年展」（2019年6～9月）など。

基本
情報

東京都三鷹市下連雀3-35-1　CORALコラル5階　TEL：0422-79-0033
□アクセス：JR中央線「三鷹駅」南口デッキより直結
□開館時間：10:00～20:00　※展覧会によって異なる場合があります
□休館日：月曜日（休日の場合は開館し、その翌日と翌々日休館）、年末年始、展示替期間、臨時休館日
□入館料：展覧会により異なります

あわせて
立ち
寄りたい！

●三鷹市星と森と絵本の家：国立天文台の森の豊かな自然の中に立地しています。ここでしか味わえない「星」と「森」と「絵本」と「家」。

赤坂憩いの広場に設置のインコの彫刻作品

Polly Zeus

赤坂憩いの広場の『Polly Zeus』（椿昇）

現代美術家の椿昇が手作りしたティアラが載った黄色いインコ

　港区・赤坂5丁目の再開発で2008年に完成した複合施設「赤坂サカス」横手の緑がまぶしい「赤坂憩いの広場」に足を運ぶと、ちょっとした小山に置かれた止まり木に、目にも鮮やかな巨大な2羽の黄色いインコがとまっている彫刻が唐突に出現して謎を投げかけてきます。このパブリックアートの正体は『Polly Zeus』と題された作品です。

　制作したのは、現代美術家で京都造形芸術大学教授の椿昇氏。赤坂サカスが竣工した年の2008年に「放送局と現代アートが手を取り合って赤坂からアートの魅力を発信したい」との思いから開催されたイベント「Akasaka Art Flower 08」の出展作品のひとつです。幸いなことに、イベントが終了して12年以上経つ現在も赤坂にとどまってくれています。作品をよくよく観察すると、頭頂部にティアラらしきものが載っているのがなんとも愛嬌があります。黄色いインコをモチーフにした作家の作品は7体制作されてますが、本作はすべて作家自身で手作りした最後の作品。またティアラが載ったのも本作だけです。製作を手伝ってくれた女子高生たちと公園で休息する赤坂の人たちへの作家からの『ギフト』だそうで（「赤坂経済新聞」2018.11.16より）、作家の心意気が心に響きます。

■作家：現代美術家の椿昇（つばき・のぼる）。1953年、京都府京都市生まれ。京都市立芸術大学西洋画専攻を卒業。2005年より京都造形芸術大学教授。

基本
情報

東京都港区赤坂5-1-3（赤坂サカス）
□アクセス：東京メトロ千代田線「赤坂駅」より徒歩3分

あわせて
立ち
寄りたい！

●虎屋　赤坂ギャラリー：「とらや　赤坂店」の地下1階に位置するギャラリー。常設展はないものの、檜の無垢材で囲まれた空間で和菓子の奥深さと老舗の軌跡に触れる企画展を開催。
●日枝神社宝物殿ギャラリー：歴代の将軍が社参の際に、神前に奉納されたものを収蔵。

恵比寿通りに面した茶色が印象的なビル
MA2 Gallery

MA2 Gallery1階の展示風景(写真提供：MA2 Gallery)

MA2 Galleryの夜の外観
(写真提供：MA2 Gallery)

良質で美しい現代美術作品を自宅にいるような展示空間で演出

　渋谷区・恵比寿の恵比寿通りに面した角に、ランドマークとなるように建つ茶色が印象的なビルが「MA2 Gallery」です。カテゴリーにこだわらず、独自性を追求しながら良質で美しい現代美術作品を紹介しています。

　ギャラリーのファサードを前にすると、建屋のバックグランドの茶色と植栽されたトクサの緑のコントラストがギャラリーへの興味をそそります。

　ギャラリーは、いろいろな角度から外光を入れる広い開口部の窓をもち、外から眺めると昼と夜とで違った表情を見せます。ギャラリーの中は階段でつなぐ4層の白壁の展示空間が特徴です。中で時間を過ごすうちに、不思議なくつろぎ感を味わうことができますが、ほどよい天井の高さや大げさでない階段の設えなど、自宅にいるような空間のなせる業と気が付きます。展覧会においても、家の中に飾るような作品展示を心がけ、ときに階段の壁や4階の書棚も展示場所となります。

■過去の展覧会：「Window Gallery Project Vol.2 袴田京太朗 保井智貴」(2021年7〜9月)、「Under the same sky 川内倫子」(2021年5〜7月)、薄久保香の個展「SF -Seamless Fantasy 絵画計画と43,800日の花言葉」(2021年4〜5月)など。

基本情報
東京都渋谷区恵比寿3-3-8　TEL：03-3444-1133
□アクセス：JR「恵比寿駅」より徒歩10分
□開館時間：13:00〜18:00　※火曜日はアポイントで　□休館日：日曜日・月曜日、祝日
□入館料：無料

あわせて
立ち
寄りたい！
●東京都庭園美術館：アール・デコ様式の旧朝香宮邸を正確にとどめる美術館。貴重な歴史的建造物として、国の重要文化財に指定されていて、建物自体が美術品。
●Galerie LIBRAIRIE 6：シュルレアリスム運動関連の作家を中心に作品と書籍を展示。

366日の東京アートめぐり、
いかがでしたか?

さくいん

さくいん

さくいん

おわりに

「366日の東京アートめぐり」をお読みいただき、ありがとうございました。

　この本は「366日の教養シリーズ」として、うるう年を含めて1年366日楽しむことのできるグラフィック図鑑です。皆さまには、お気に入りのアートスポットはあったでしょうか。東京には、この本にはおさまりきらない魅力がいっぱいのアートスポットがまだまだあります。この本をきっかけに、さらなる発見と感動の旅の一助となれば幸いです。

　この本を書くにあたっては、366か所すべてを取材させていただき、多方面に多大なご協力をいただきました。取材途中、いままで誰も経験したことがない未曽有の新型コロナ禍が長く続き、取材先においては、緊急事態宣言の発出にともなう出勤日制限やリモートワークの実施など難しい環境であったにもかかわらず快く取材をお引き受けいただきました。取材にご協力をいただいた、館長・副館長の皆さま、学芸員の皆さま、オーナーの皆さま、ディレクターの皆さま、広報ご担当者さま、総務ご担当者さま、PR社さま、パブリックアートにおいてはアーティストとご家族の皆さまをはじめ、作品設置の施設管理事務所の皆さま、著作権管理会社の皆さま、企画会社の皆さま、あらためてすべての皆さまに心より御礼申し上げます。

　取材を通して、皆さまの熱意がひしひしと伝わり、紙幅が足りないことを痛感しました。紙面を通して各アートスポットの熱量とメッセージが少しでも伝われば望外の喜びです。

　最後になりましたが、この本を書くにあたっては、企画から執筆にいたるまで株式会社三才ブックスの神浦高志編集長の最後まで途切れることのなかった懇切ていねいなアドバイスなしにはここまでたどり着けませんでした。深く御礼申し上げるとともに、本書を「366日の教養シリーズ」に加えていただいたことにあらためて感謝申し上げます。

2021年晩秋　安原もゆる

主な参考文献（順不同）

『東京アートナビ』東京地図出版編集部編（東京地図出版）、『東京のちいさな美術館めぐり』浦島茂世（G.B.）、『東京ミュージアムガイド』若宮早希・笠井木々路（朝日新聞出版）、『東京大人のミュージアム』（昭文社）、『ぶらぶらミュージアム』大田垣晴子（交通新聞社）、『行きたい！企業ミュージアム』稲葉美映子・富永玲奈、根岸真理・風来堂（イカロス出版）、『東京建築散歩』矢部智子（アスペクト）、『東京・街角のアート探訪［1］都心編』佐藤曠一、『東京・街角のアート探訪［2］城南編』佐藤曠一、『東京・街角のアート探訪［3］城西編』佐藤曠一、『東京・街角のアート探訪［4］城北編』佐藤曠一、（以上、日貿出版社）、『pen 2019 No.484「TOKYO 建築案内。」』、『pen 2020 No.496「世界に衝撃を与えた創造の軌跡 現代アートの巨人たち。」』（以上、CCC メディアハウス）、月刊『カーサ ブルータス 2020 vol.243 JUNE「日本の現代アートまとめ。」（マガジンハウス）、美術手帖 NEWS ／ REPORT（Web）、公益財団法人 日本交通文化協会：パブリックアート作品紹介（Web）、@ ART（Web）、関係各施設のWeb サイト

安原もゆる（やすはら・もゆる）

兵庫県西宮市生まれ。
全国通訳案内士。株式会社 asmoyu 代表取締役。
NPO 法人東京シティガイドクラブ 理事、美術グループ・グループリーダー。
幼少期の 5 年間をインド共和国のボンベイ（現ムンバイ）と西パキスタン（現パキスタン・イスラム共和国）のカラチで過ごす。その時訪ねたアジャンター石窟群とモヘンジョ＝ダーロ遺跡に衝撃を受け、感性に訴える文化・芸術に接する原体験となる。
東京理科大学を卒業後、東京エレクトロン株式会社に入社。在職中に駐在した米国、オランダ、英国で美術館・博物館を巡り、多様な美術に触れる機会を得る。ヨーロッパでは、車で各国をめぐり、生活にとけ込むアートに新鮮な感動を覚えるとともに、小さいころからアートに親しむ環境が整っていて、アートへの敷居が低いことを肌で感じる。東京でも、ヨーロッパなどと同じように、多くの人に気軽にアートに接してもらえるよう、その魅力を伝えるべく東京シティガイドクラブの活動をはじめとして、企業にはビジネスシーンにおけるリベラルアーツとしての素養の重要性のレクチャーなど、さまざまな発信を行っている。

366 日の東京アートめぐり

2022 年 1 月 1 日　第 1 刷発行

定価（本体 2,400 円＋税）

著者	安原もゆる	印刷・製本	図書印刷株式会社
写真協力	関係各施設	発行	株式会社三才ブックス
	アフロ、123RF	〒 101-0041	
写真モデル	maria	東京都千代田区神田須田町 2-6-5 OS'85 ビル 3F	
イラスト	123RF	TEL：03-3255-7995	
		FAX：03-5298-3520	
装丁	公平恵美	URL：http://www.sansaibooks.co.jp/	
DTP	藤本明男	mail：info@sansaibooks.co.jp	
		facebook：https://www.facebook.com/yozora.kyoshitsu/	
発行人	塩見正孝	Twitter：@hoshi_kyoshitsu	
編集人	神浦高志	Instagram：@suteki_na_kyoshitsu	
販売営業	小川仙丈		
	中村崇		
	神浦絢子		